정신간호학 I

Theory and Practice for Clinical Settings

5th edition

강경화 · 강문희 · 김희숙 · 민지영 · 송지현 · 안영미 · 오은희
원미라 · 유영미 · 유진희 · 이윤주 · 장미희 · 허 정

KIM FOSTER, RN, DipAppSc, BN, MA, PhD, CF, FACMHN
Professor of Mental Health Nursing
Australian Catholic University and NorthWestern Mental Health
Australia

PETA MARKS, RN, CMHN, BN, MPH, MCFT, FACMHN
National Project Manager
InsideOut Institute, The University of Sydney and Australian Health Consulting
Australia

ANTHONY J O'BRIEN, BN, MPhil(Hons), PhD, FNZCMHN, ONZOM
Associate Professor, Mental Health Nursing
University of Waikato
New Zealand

TOBY RAEBURN, RN, MN(Hons), PhD, FACMHN, Churchill Fellow
Senior Lecturer and Nurse Practitioner in Mental Health
School of Nursing and Midwifery, Western Sydney University
Australia

ELSEVIER

의학교육

ELSEVIER

Elsevier Australia. ACN 001 002 357
(a division of Reed International Books Australia Pty Ltd)
Tower 1, 475 Victoria Avenue, Chatswood, NSW 2067

Mental Health in Nursing, Fifth edition ISBN: 9780729543392

정신간호학

Korean ISBN
1권 979-11-6127-249-8
2권 979-11-6127-250-4
세트 979-11-6127-248-1

Printed in Korea by Medical Science Publishing, Co.

역자 머리말

우리나라는 「정신건강복지법」에 의거하여 5년마다 정신건강기본계획을 수립하고 있다. 2021년에는 코로나19 팬데믹으로 혼란스러운 가운데 "정신건강 없이는 개인과 사회의 건강도 없다."는 슬로건하에 전 국민의, 전 생애주기적 건강관리를 위해 국가 책임을 강화하는 제2차 정신건강복지기본계획(2021~2025)을 발표하였다. 이는 정신간호의 대상을 정신질환자에게만 국한한 것이 아니라 전 국민, 전 생애에 걸친 인구집단을 대상으로 하며, 치료 개입의 시기도 질환이 발생한 후로 한정하지 않고 정신질환의 예방을 중요하게 말하고 있다. 정신질환자의 치료 또한 입원치료에 집중하는 것이 아니라 지역사회로의 복귀에 목적을 갖는 회복 중심, 인권 중심 치료를 강조한다. 이러한 정신건강의 변화된 패러다임은 어느 때보다 정신간호사의 역량을 요구하고 있다. 그러나 기존의 『정신간호학』 교재는 변화된 정신건강 패러다임을 반영하기보다는 여전히 의학적 관점에 초점을 맞춘 지식을 가르치고 있으며, 지역사회 정신간호보다는 입원환자를 위한 간호에 편중되어 있는 것이 현실이다. 이에 대한간호협회 정신간호사회 소속 15명의 교수는 변화하고 있는 정신간호 현장에 필요한 교재를 만들고자 의기투합하였다.

이 책은 우리나라가 추구하는 회복 중심, 인권 중심, 지역사회 중심의 정신간호를 제공하고 있는 호주의 교재를 편저하였다. 이 책의 장점은 무엇보다 정신간호의 철학과 정신간호사의 중요성을 강조한다는 것이다. 간호사가 치료적 도구가 되어야 한다는 이론의 구체적인 실례를 보여주고, 각 주제별 대상자와 간호사의 내러티브를 소개하고 있어 단순한 지식의 전달이 아닌 현장의 경험을 공유하고 있으므로 학생, 수련생, 정신간호 현장의 간호사 및 정신과 이외의 부서에서 근무하고 있는 간호사에게도 좋은 안내가 될 수 있을 것이다.

원저는 3부 30장으로 구성하였으나 본 교재는 전국 간호학과 정신간호학 평균 시수 5~6학점에 맞춰 다루지 않는 장이 없도록 25장으로 편저하였다. 1권에서는 정신간호 환경 전반에 대한 이해를 도모하고자 정신건강이 중요한 이유, 모든 상황에서의 정신건강, 정신건강과 관련된 법적 윤리적 문제, 전문적 자기돌봄 등과 정신간호현장에서 가장 많은 진단을 받고 있는 불안장애, 기분장애, 물질 관련 및 중독장애, 조현병 스펙트럼 및 기타 정신병적 장애 등을 다루었다. 2권에서는 이외의 다양한 정신질환의 진단별 특징을 설명하였으며 특히 「정신건강복지법」에 근거하여 간호현장에서 경험하고 있는 1차 보건의료 및 지역사회, 정신과적 응급처치, 정신질환과 신체건강 등을 설명하고 있다.

그럼에도 불구하고 간호는 환자에게 진단별로 제공되는 것이 아니라 대상자 개인에 초점을 두고 제공해야 하기 때문에 일반화된 간호과정을 제공하지는 않았다. 이 부분이 국가고시 범위와 차이가 있기에 혼란을 줄이고자 한국정신간호학회에서 제공하고 있는 주요 간호진단에 대한 개념지도를 제공하였고, 원서에 담겨 있지 않은 수면-각성장애, 신체증상 및 관련 장애, 성 관련 장애를 추가하였다. 이 부분은 호주 간호 실무에 대한 이야기로서 제2차 정신건강기본계획(2021~2025)에서 강조하는 환자의 인권 중심, 회복 중심, 지역사회 중심의 정신간호 실례를 통해 현장에서 활용할 수 있는 간호 실무를 참고할 수 있을 것이다.

이 교재를 사용하는 학생은 교재를 통해 지식만 배우는 것이 아니라 인간의 다양한 삶을 배우는 기회가 되었으면 한다. 무엇보다 아직은 열악하지만 정신간호 현장을 사랑하고, 우리나라 정신간호의 발전을 위해 고민하는 모든 정신간호사와, 대상자의 건강한 삶과 100세 시대에 죽음을 맞이하기까지 인간의 존엄을 지키기 위해 헌신하고 있는 간호사에게 이 교재가 현실적인 도움이 되기를 희망한다.

2025년 1월

편집저자 대표 안영미

저자 머리말

'정신간호학: 임상환경을 위한 이론 및 실무(Mental Health Nursing: Theory and practice for clinical settings), 5판'은 간호사의 간호와 돌봄을 받아온 실제 정신건강 문제를 가진 사람들의 이야기를 기반으로 하기 때문에 환영할 만한 차이점이 있는 교재이다. 또한 간호사의 트라우마, 정신건강 문제와 관련된 생생한 경험을 용감하게 공개하고 있다. 트라우마와 정신적 디스트레스를 경험한 사람들의 회복과 인도적 치료에 초점을 둔 이 책의 서문을 쓰게 된 것을 영광으로 생각한다. 나는 학생과 간호사가 대상자를 치료하고, 돌보고, 지원하고, 함께 해 나가는 삶 속에서 얼마나 중요한 역할을 하고 있는지 생각할 수 있기를 바란다. 치료의 유형이 1차 보건 지역사회든 정신과 입원환자 또는 기타 다른 임상환경에서든 간에 간호사는 실제 정신적 디스트레스의 경험을 가진 사람에게 그들의 삶, 자아감, 회복 및 후속 결과에 지속적이고 긍정적(또는 해로운) 영향을 미칠 수 있다.

이번 5판은 간호사 윤리강령에 내재된 간호실무, 헌신적인 간호사의 치유력, 모든 사람은 고유하고 타고난 가치가 있다는 인식에 초점을 맞췄다. 저자와 편집자는 훌륭한 간호사가 사람들의 치유와 회복에 기여하고 사회적으로 정서적으로 만족스러운 삶을 살며 가족, 직장 및 지역사회에 기여한다는 것을 인식하고 있다. 나는 정신건강 분야에서 자원봉사자, 종사자, 종사자의 관리자, 공공정신건강 서비스 책임자 등 다양한 경력을 쌓아왔다. 이를 근거로 나는 전국적인 체계를 갖춘 대상자 옹호, 컨설팅 및 교육 기관인 '비전 인 마인드 (Vision in Mind)'를 설립했다. 또한 NSW 정신건강위원회(NSW Mental Health Commission)의 초대 부국장이자 지역사회 내에서 활동하는 전문조직들의 위원이었다. 수년 동안 정책, 기고문, 전략 계획, 지침 및 프로토콜을 작성했으며, 이러한 활동은 항상 동료들과 함께해 왔다. 나는 또한 트라우마와 그에 따른 정신건강 문제의 생생한 경험을 가진 사람이다. 이 모든 경험을 통해 나는 강력한 인권 기반에서 인간의 강점에 기반한 언어를 사용하며 각 대상자에게 공감과 전인간호를 실천하는 훌륭한 정신건강 간호사와 함께 일하는 개인적 · 직업적 영광을 누렸다. 이러한 방식으로 일하는 간호사는 정신건강 문제가 있는 사람을 진단이나 문제 행동이 아닌 개인으로 간주하고 인간의 경험을 병리화하지 않는다.

질적으로 우수한 정신건강 서비스 및 간호사는 혼자서 일하는 것이 아니라 모든 임상 직원 및 동료 종사자와 다학제팀으로 일을 한다. 대상자의 개별적 필요는 훌륭한 간호사가 하는 간호활동의 중심이며, 대상자 자신의 이야기를 존중한다. 간호는 대상자를 돌보는 치료진, 가능하다면 가족 및 대상자를 존중하고 치료에 참여하는 모든 이들과 치료적 동맹을 맺어야 한다.

나는 또한 전인적이지도, 치료적이지도, 공감적 돌봄을 실천하지도 않는 간호사와도 함께 일하는 불행하고 충격적인 경험도 했다. 그들은 대상자와의 불평등한 힘의 역학에서 간호사 스테이션을 단지 하나의 도구로 사용하고 필요 이상으로 자주 환자를 격리 · 강박하였으며, 이를 간호의 실패가 아니라 승리로 보기도 했다. 유독 특정 직원이 근무할 때 격리 및 강박 사례가 많았다는 것을 발견하기도 했다. 나는 학생간호사와 수련간호사가 이러한 태도와 결과가 정신간호라고 생각하지 않기를 간청한다. 정신건강간호와 관련된 모든 사람과 종사자에게 더 이상 추가적인 트라우마를 주는 대신 이 교재의 철학을 근거로 전인적 치유를 창조해 낼 수 있기를 바란다.

원주민들이 활용하고 있는 치유서클과 오픈 다이알로그(open dialogue) 모델은 지역사회, 가족, 친척 및 다학제팀을 활용하여 개인, 가족, 지역사회의 치유를 위해 함께 일하는 데 필요한 실무방법이다. 나는 정신건강간호의 모든 서비스에 이 실무방법을 활용하도록 권면한다. 또한 간호사가 정신건강 문제와 국가 및 지역사회와의 연결, 영성 및 신체언어에 대한 다양한 문화적 신념에 익숙해지기를 권면한다. 개인이 필요로 하는 요구의 모든 측면을 인식하고 이를 고려하는 것은 존중과 보살핌을 보여주고 환자/대상자/정신적 어려움을 경험했던 사람, 가족 및 지역사회 간에 더 강력한 치료 동맹을 구축한다.

최근까지 정신건강과 신체건강의 상호 연관성은 일반적으로 무시되어 왔다. 의사와 간호사는 종종 신체건강에 대한 대상자의 우려를 무시하고 증상을 '편집증', '생각에만 몰두하기', '건강염려증' 또는 '그저 관심을 구하는 것'으로 돌릴 수 있다. 이러한 차별은 정신적으로 어려움을 겪고 있는 대상자의 신체적 요구를 신체적 질환만 있는 대상자나, 개인의 행동에 대한 지역사회의 편안함보다 중요하게 보지 않거나 무시하는 결과를 초래했다.

또한 정신적 디스트레스와 약물치료가 사람들의 건강에 미치는 부정적인 영향은 과소평가되고 경시되었다. 임상의들은 종종 식이요법, 운동 부족, 약물, 담배 및 알코올 사용과 같은 개인의 선택이 신체건강 문제의 원인이라고 지적한다. 그러나 윤리적 임상치료는 처방된 정신과 약물이 사람들의 장 · 단기 건강에 미치는 원치 않는 영향에 대해 이야기한다. 윤리적 임상치료는 또한 전기충격요법(ECT)이 사람들의 기억력과 신체건강에 미칠 수 있는 위험에 대해서도 말한다.

전인간호를 위해서는 정신건강 문제가 있는 사람들의 기억력과 신체건강을 지키는 것을 급성기, 단계적, 지역사회 및 1차 보건 환경을 포함한 모든 서비스에서 우선순위로 보아야 한다. 윤리적 실무는 사람들이 자신의 치료가 무엇인지, 종종 비만, 대사증후군 및 기대수명의 주요 격차를 포함하는 약물의 원치 않는 부작용 가능성을 알도록 하는 것이다. 신체 질병을 치료하지 않거나 부적절하게 치료하면 지역사회와 개인의 질병 부담이 증가하고 기대수명의 격차를 늘리며 회복의 속도를 지연시키게 된다.

개인 및 가족의 트라우마, 사회 역학 및 정신 및 신체 건강에 대한 환경 영향 사이의 관계에 대한 이해가 점점 더 높아지고 있다. 이 책은 생물학에서부터 환경, 사회에 이르기까지 정신건강에 영향을 미치는 다양한 사회 및 생태학 접근방식을 통합하고 있다. 간호사는 정신건강 문제의 원인이 개인에게만 있는 경우는 거의 없으며 외부요인이 포함되어 있다는 것을 인식해야 한다. 아동기 및 성인 학대, 열악한 환경, 지구온난화 영향(화재, 홍수, 가뭄, 지진 및 자연재해), 전쟁, 사기, 아동납치, 성폭력, 빈곤으로 때문에 생긴 가정과 지역사회의 붕괴로 인한 트라우마 등은 모두 인간의 삶과 안녕을 저해하는 요인들이다. 역학 연구에 따르면 정신건강 및 중독 문제는 평생 동안 최대 50%의 사람들에게 영향을 미친다. 정신건강 문제는 더 이상 이상하거나 무질서하거나 비정상적인 것으로 볼 수 없으며 트라우마, 학대, 방임 및 가혹한 생활환경에 대한 정상적인 반응의 스펙트럼 안에 있다는 것을 이 수치가 보여주고 있다.

이 책은 세계보건기구(WHO)에서 정신건강 간호는 1차 진료에 기초해야 한다고 권고한 것을 근거로 하고 있다. 이러한 세계적 변화를 호주와 뉴질랜드에서도 따라가고는 있지만 여전히 임상 및 급성기 치료 상당 부분이 정신과 입원병동에서 이루어지고 있다.

나는 내 경력의 전반에 걸쳐 부와 빈곤의 다양한 차별이 있는 문화 속에 있는 호주, 뉴질랜드 및 국제적 시설에서 일한 경험이 있다. 일부 서비스 기관은 자원도 부족하고 시설도 빈약하였지만 희망과 치유를 발산하는 흥미롭고 공감하는 환경이었다. 슬프게도 나는 모든 임상 및 지역사회 정신건강서비스가 전인적, 치료적, 트라우마 중심 그리고 인간 중심/인간 주도 환경이 아닌것에 대해 수치심, 분노, 고통을 느낀다.

나는 서비스의 질과 결과물의 차이와 관련하여 다양한 이해당사자에게 의견을 물은 적이 있다. 일반 대중은 정신건강에는 더 많은 예산과 자원이 필요하다고 이야기하지만 내가 이해당사자들과 이야기를 나눈 결과는 다양한 사업을 하는 데는 자원 및 재정 관련보다는 오히려 서비스를 제공하는 개별 간호사와 의사의 태도와 서비스에 대해 가지고 있는 집단문화에 기반을 둔다고 생각한다는 것이다. 이는 호주의 많은 주에서 시행되고 있는 서비스 간의 비교를 통해 입증되었다. 주 단위의 공공서비스는 동일한 예산과 동일한 정책 및 프로토콜에 따라 운영하였지만 그 결과는 크게 달랐다.

간호사, 임상 종사자 그리고 대상자와의 상호작용은 서로 존중하는 다학제팀들의 사업결과로 공감적 · 희망적이며 존중하는 문화를 만들어 내거나 간호사와 의사가 대상자의 경험을 병리화하고 진단받은 사람 혹은 문제행동을 가진 사람으로 바라보는 환경을 조성하여 대상자와 의료진 사이의 불공평한 힘의 문화를 조성할 수 있다.

후자의 문화는 대상자가 받는 소위 '트라우마에 근거한 치료 및 간호'로 인해 더욱 소외되고 충격을 주었으며,

격리, 강박, 자살의 빈도를 높이는 좋지 못한 결과를 낳았다. 또한 이러한 유해한 문화는 종종 직장 내 괴롭힘, 종사자의 외상 및 소진 증가로 나타나기도 했다.

이 책은 모든 이해당사자에 대한 존중, 보살핌 및 안녕의 중요함을 말한다. 이전에 언급한 바와 같이 '정신간호학: 임상 환경을 위한 이론 및 실무'는 서비스를 받는 대상자의 목소리뿐만 아니라 그들을 간호하는 간호사의 삶의 이야기를 생생한 경험으로 나누고 있다. 이는 박수를 받을 만하다.

일반적인 간호실무와 정신건강 간호는 매우 다르기 때문에 정신간호사의 생생한 경험을 나누는 것은 서비스 문화와 결과에 긍정적인 영향을 미친다. 이 교재에서는 간호가 제공되는 모든 곳에서 꼭 필요한 존재로서 자신의 생생한 경험을 가진 간호사와 임상종사자를 가치있는 사람으로 여기며 칭송한다.

정신건강 문제가 있는 사람에 대한 낙인과 차별은 과거에 간호사가 자신의 생생한 경험을 숨기도록 만들었다. 이는 직장 내 괴롭힘 및 격리, 강박 및 강제 치료와 결합하여 '치료'를 받는 사람과 직원 모두에게 트라우마를 유발하고, 훌륭한 간호사들을 소진시켰다. 이런 문화는 좋은 종사자를 위협하고 정신건강서비스를 받아야 하는 사람에게 두려움을 심어 주었다. 사람들은 자신이 안전하지 않고 충격을 받고 굴욕감을 느끼는 서비스로 돌아가기보다는 스스로 치료하거나 자해와 자살을 위해 술과 약물에 의지하도록 하였다.

호주와 뉴질랜드는 유엔의 인권 및 장애 권리 선언 및 협약 서명국이다. 인권과 각 개인의 타고난 가치와 요구에 초점을 맞추는 간호사는 모든 이해당사자를 위한 치유, 신뢰 관계 및 직장을 구축한다. 공손한 상호작용에 초점을 맞춘 서비스에서는 강압, 따돌림, 격리 및 강박이 존재하지 않거나 드물다. 이런 문화에서 근무하는 간호사는 대상자의 격리와 강박의 사건을 디스트레스 상황에 있는 대상자의 잘못이라기보다는 서비스의 실패로 본다.

이 책에서는 현행법상 뉴질랜드와 호주에서 격리와 강박을 허용하고는 있지만 이러한 방법은 최후의 수단으로 활용되어야 한다는 것을 강조한다. 경험이 많은 간호사는 대상자를 제한하는 간호사 하나의 폭력으로서 인권에 반하는 것이라고 말하고 싶다. 나는 모든 간호사가 격리와 강박이 불법인 것처럼 일하도록, 동료지원가들의 지원과 같은 대상자의 개별 요구를 충족하기 위한 대체 프로토콜을 고려할 수 있기를 바란다. 동료지원가들은 사람 사이의 연결고리로서 서로의 경험을 사용하며, 다학제팀과 그들이 돌보는 대상자 사이의 힘의 역학에 긍정적인 변화를 가져올 수 있도록 이끈다.

이번 '정신간호학: 임상환경을 위한 이론 및 실무' 판의 저자들은 윤리적 간호실무 측면에 초점을 맞춰 각 장을 저술했다. 그들은 정신적인 어려움을 경험하고 있는 사람, 그들의 가족, 돌봄제공자, 임상의, 학계의 자문을 받았으며 다양한 시각을 가지고 글쓰기의 틀을 잡았다.

'비판적 사고 과제'는 간호사가 성찰적 사고를 하고, 학습 및 실무에 참여할 수 있도록 도움을 주었다.

이 책은 존경할 만한 간호사와 그들의 돌봄과 치료를 받는 사람, 가족, 지역사회 사이의 윤리적 실무와 치료적 동맹에 근거한 경험을 배우기 위해 살아있는 경험, 전문적인 경험, 다양한 도구를 사용하였다.

나는 이 책을 학생들과 모든 간호사에게 추천한다. 살아있는 경험을 소중히 여기고 훌륭한 간호를 위한 강력한 인권 기반의 회복 중심 정신건강 가이드를 제작한 편집자와 저자에게 감사드린다. 이 에서 강조하는 윤리적 방법으로 간호하여 대상자들의 개선된 결과, 회복률 및 치유율 증가 자살률 감소 및 강제치료, 격리와 강박의 중단으로 이어질 수 있기를 바란다.

대상자의 살아있는 경험을 긍정적으로 재구성하고, 자아가 풍성해지며, 치유와 회복에 기여하는 의미 있고 존중받는 삶으로 이끌기 위해 다양한 사람과 협업하고 상호작용하는 것을 이 책을 통해 배우고 실무현장에서 그대로 적용해 봄으로써 간호사의 간호가 존경받고 자부심과 겸손함으로 가득차길 바란다.

페이 잭슨, 학사, BCVA, LEA, EBE

비전인마인드 설립자

생생한 경험 지지자

호주 뉴사우스웨일 정신건강위원회 부국장

간단 차례

이 책의 차례

CHAPTER 13 물질 관련 및 중독장애 306

저자 소개

Kim Foster 정신전문 간호사. 현재 정신건강 간호학 교수이며 로열멜버른병원 연구소를 이끌고 있다. 호주 카톨릭대학과 노스웨스턴 정신건강 공동연구원으로 활동하고 있다. 여러 호주 대학과 피지에서 학부 및 대학원 수준의 정신건강 교육과정을 개발하고 정신건강 간호학자 및 교육자로서 광범위한 경험을 가지고 있다. 호주 국제개발기구(The Australian Agency for International Development, AusAID) 및 세계보건기구(WHO) 자문가이며, 120개 이상의 출판물을 통해 정신건강 연구자로서 국제적인 명성을 얻었다. 주요 관심 연구분야는 종사자, 위험에 있는 개인 및 가족, 정신질환이 있는 가족들의 회복력과 웰빙이다.

Peta Marks 정신건강 간호사, 가족치료사. 섭직장애 환자 및 가족을 위해 활동하는 전문간호사이다. 정신건강을 주제로 온라인학습 플랫폼을 만들었으며 국가의 정신건강 프로젝트에 광범위하게 참여하였다. 현재 시드니대학의 섭식장애 연구소(nsideOut Institute for Eating Disorder Research)에서 관리자로 일하고 있으며 정신건강온라인개발(Mental Health Professionals Online Development, MHPOD)의 수석으로도 활동하고 있다.

Anthony J O'Brien 1977년 더니든(Dunedin)에서 간호사, 1982년 오클랜드(Auckland)에서 정신간호사를 취득하였다. 현재 와이카토대학(University of Waikato)에서 정신건강 간호학 부교수 및 오클랜드 지역보건위원에서 정신전문 간호사로 활동하고 있다. Anthony의 박사학위는 사회적 박탈, 인종, 임상의의 의사결정 및 서비스 제공의 역할에 대한 연구였으며, 최근 관심분야는 정신건강, 경찰과 정신건강, 사전지시서와 관련된 사회적 문제이다. 2020년에는 정신건강 간호서비스를 위한 공로를 인정받아 뉴질랜드 공로 훈장을 받았다.

Toby Raeburn 웨스턴 시드니대학(Western Sydney University)의 정신건강 관련 선임강사, 전문간호사, 사회역사가이다. 20여 년간 시드니 노숙자 및 기타 취약계층 그리고 회복 중심 간호를 포함한 주제로 저술작업을 하였으며, 과거의 경험들로부터 나오는 힘의 잠재력의 중요성을 강조하였다. Toby는 과거 경험에 대한 학습과 성찰이 간호사의 인식과 현재에 대처하는 능력을 키울 수 있으며 또한 미래에 대한 비전과 목적을 개발을 할 수 있다고 말한다.

서문

우리 책의 제5판을 소개하게 되어 매우 기쁘다. 이번 판은 정신간호의 새로운 방향을 반영하여 '정신간호학: 임상환경을 위한 이론과 실무(Mental Health Nursing: Theory and practice for clinical settings)'로 제목을 변경하였다. 이는 정신건강 간호가 전문영역일 뿐만 아니라 모든 치료환경에서 전인적인 간호실무를 위해서도 꼭 필요한 영역임을 인식하기 때문이다. 이번 판에서는 뉴질랜드 출신의 Anthony O' Brien가 새로운 저자로 합류하게 되었다. 킴 포스터(Kim Foster)는 호주 카톨릭 대학과 노스웨스턴 정신 건강간호학 교수이며 오랫동안 이 교재에 기여해 왔다. 이 책과 챕터의 저자로서 정신건강 간호연구를 위해 광범위한 경험을 제공하고 있다. Peta Marks는 정신전문간호사이자 가족치료사로 개인병원에 근무하며 섭식장애 연구를 위한 인사이드 아웃 기관(InsideOut Institute for Eating Disorder Research)에서 국가 프로젝트 관리자로 근무하고 있다. Peta는 정신건강 관련 프로젝트를 수행한 상당한 경험이 있으며 온라인 학습 플랫폼을 위한 관리 및 콘텐츠 개발에도 참여하였다. Toby Raeburn은 Western Sydney University의 전임강사이자 정신전문 간호사로 정신건강 관리 및 회복 중심 치료에 관심이 있다. 우리는 또한 이전 편집저자였던 Katie Evans와 Debra Nizette가 제4판과 이전 판본에 기여한 것에 감사를 표한다.

편집저자들은 생생한 경험을 이야기하는 데 기여한 Jarrad Hickmott와 파트너 관계를 맺은 것에 감사한다. 대상자 옹호자로서의 명성이 높아지고 있는 Jarrad는 시드니에 있는 프린스 오브 웨일즈(Prince of Wales) 병원의 동료지원 직원이자 호주 국립 청소년정신건강재단인 'headspace' 전국 위원회의 청소년 고문이다. Jarrad는 여러 챕터를 감수하고 전체적으로 여러 생생한 경험 이야기를 저술했다. Jarrad의 회복 여정에 대한 이야기는 텍스트와 관련된 서면 및 비디오 자료 모두에서 사용할 수 있다. 또한 각 챕터의 공동 저자 및 기고자로 참여한 생생한 경험을 가진 다른 많은 사람에게도 진심으로 감사드린다.

이 제5판은 이전 판의 성공적인 토대 위에 세워졌다. 현대 정신건강관리의 발전된 환경과 정신건강 및 기타 서비스 맥락에서 간호사의 진화하는 역할에 대응하여 정신건강 간호에 대한 더 넓은 관점을 취했다. 언급한 바와 같이, 간호사의 역할의 변화는 모든 간호사가 모든 서비스 맥락에서 정신건강이 필요한 사람들과 상호작용한다는 사실을 인정한다는 것이다. 광범위한 간호상황을 염두에 두고, 우리는 이번 5판 3부에서 간호전문가가 저술한 다양한 기본 건강, 일반적인 건강 및 전문적인 정신건강 서비스 등을 새롭게 소개했다. 3부의 내용은 정신건강 간호실무의 실제 적용에 초점을 맞춘 정보를 제공함으로써 다양한 맥락에서 일하는 학생과 간호사에게 지식과 자신감을 주기를 바란다.

간호사는 전문직 종사자가 근거중심의 견해와 공식적인 의견을 제시하기 위해서는 경험적 지식이 필요하다. 이번 판의 또 다른 변화는 1부와 2부 전반에 걸친 경험적 이야기의 소개이다. 다양한 이야기를 소개한 것은 학생과 간호사가 현재 일어나고 있는 일에 대한 유사한 선례가 있음을 알게 하기 위함이다. 독자는 교재와 상호작용하면서 정신건강에 대한 지식이 다양한 상황에서의 이해와 해석 여부에 따라 다르게 인식된다는 것을 이해하기를 바란다. 이렇게 이미 앞선 경험의 이야기를 성찰하는 것은 보다 건전한 비판적 사고로 이어질 수 있다.

다양한 언어의 사용은 이 교재가 최신의 실무를 반영하는 중요한 방법이다. 정신건강에서 간호사는 언어가 정신질환자들과의 관계 및 실무에 어떻게 영향을 미칠 수 있는지 알고 있어야 한다. 소비자, 대상자, 환자, 서비스 이용자 및 정신질환이 있는(또는 경험하는) 사람 등을 포함하여 정신질환의 생생한 경험이 있는 사람을 설명하는 데 다양한 용어가 사용될 수 있다. 상황과 사람들의 선호도에 따라 임상실무에서 이 모든 용어(및 그 이상)를 듣게 될 것이며 이 책에서도 보게 될 것이다. 이 책에서 각 장의 저자는 보편적으로 받아들여지는 용어가 없다는 점을 인정하면서 생생한 경험을 가진 사람들을 언급하기 위해 다양한 용어를 사용한다. 가장 중요한 것은 우리의 언어가 질병 중심이 아니라 사람 중심적이어야 한다는 것이다. 예를 들어, 우리는 어떤 사람을 '정신병을 앓은 경험이 있는 사람'으로 묘사할 수 있으며, 이는 '조현병 환자'가 아니라 질병이나 일련의 증상을 겪고 있는 사람임을 상기시켜 준다. 무질서하다는 것은 인간의 지배적인 특징이다. 언어에 대한 우리의 접근방식은 또한 사람이 정신적 디스트레스나 정신질환을 경험할 수 있지만 반드시 정신건강 서비스의 대상자로 구분되지는 않을 수도 있다는 견해를 반영한다. 모든 임상 맥락에서 정신건강은 간호의 일부이지만 사람이 건강관리를 찾는 주된 이유는 아니라는 것이다.

이번 개정판에서는 교재를 세 부분으로 재구성하였다. 전문 정신건강 간호 지식과 기술은 1부와 2부에서 핵심적으로 다루었다.

1부는 정신건강 간호의 맥락을 소개하고, 정신건강의 중요성을 설명하며, 이 책의 틀을 잡는 간호학의 정신건강에 대한 사회적 생태적 접근을 소개한다. 그리고 정신건강 간호 지식, 기술 및 개인과 그 가족 또는 돌봄 제공자에게 효과적으로 정신건강관리를 제공하는 데 필요한 태도를 설명한다. 새로운 장에서는 간호사가 전문적인 자기관리에 참여해야 하는 필요성도 설명한다. 이는 간호 역할에서 필수적이지만 종종 간과되는 측면이기 때문이다.

2부는 실무를 위한 지식으로서 인간이 경험하는 특정 정신건강 상태를 조사하고 주요 정신건강 문제, 평가, 간호 관리 및 관련 치료접근법에 대한 포괄적인 설명을 제공한다. 특히 이 부분에서는 정신건강 간호의 전문실무를 다루기 때문에 정신건강 임상을 배우기 시작하는 학부 간호학생과 정신건강 전문 임상실무를 시작하는 신규 간호사에게 특히 흥미로울 것이다.

3부는 간호실무 부분으로 이번 판에서 새롭게 추가한 부분이 다. 정신건강간호 지식과 기술이 어떻게 간호 역할에 통합되고 다양한 임상환경(일반의와 정신건강 환경 모두)에 적용될 수 있는지를 보여주는 장들로 구성되어 있다. 이는 정신건강 지식과 기술이 정신과적인 환경에만 적용된다는 의미가 아니라 일반적인 임상환경과 간호사가 활동하고 있는 실무영역이기 때문에 정신과적 환경 이외의 환경도 포함했다. 3부의 각 장은 임상 전문가가 저술했기 때문에 다른 부의 어조, 작성방식과 다르다.

책의 기존 기능은 유용한 웹사이트 목록, 간호사 및 당사자의 이야기, 주요 내용, 주요 용어 및 학습목표, 비판적 사고 과제 및 수업 참여를 위한 연습 등의 형식이 여러 장에 걸쳐 제공된다. 2부에서는 진단이 부정확하고 논쟁의 여지가 있으며 개인의 주관적인 경험을 포착하지 못한다는 점을 인식하여 정신질환의 진단분류시스템에 대한 언급을 대부분 삭제했다. 간호사는 진단과 증상보다는 사람들의 경험과 역경, 스트레스, 괴로움에 대한 반응에 초점을 맞추어야 한다. 물론 진단시스템은 정신건강 서비스의 핵심 구성요소로 남아 있으며, 이러한 이유로 이전과 마찬가지로 2부에서는 진단의 언어를 포함하여 설명하고 있다.

새로운 장을 포함시킨다는 것은 책의 분량과 이전 내용과의 관련성을 살펴봐야함을 의미한다. 특히 핵심 정보의 손실 없이 설명의 길이를 줄일 수 있는 중복 영역을 살펴야할 필요가 있었다. 이 5판의 각 장은 가독성과 유용성을 높이기 위해 전체적으로 보다 간결하게 만들어졌다. 정신건강 및 간호의 학문적 역사 내에서 이 제5판은 핵심 참고문헌을 유지하면서 가장 현대적인 연구들을 바탕으로 전체 내용을 업데이트하였습니다.

도움이 되고 건설적인 피드백을 제공한 리뷰어뿐만 아니라 이번 판에 기여한 모든 저자, 생생한 경험을 나누어준 분들, 가족/보호자, 임상의 및 학자에게 진심으로 감사드린다. 우리는 이 책이 최신의 견해를 반영하여 이론과 실무를 통합하였기에 계속해서 많은 분야에서 널리 사용되기를 바란다.

CHAPTER 1

정신건강이 중요한 이유

Why Mental Health Matters

주요 내용

- 정신건강 없이 건강은 있을 수 없다.
- 정신적 디스트레스와 정신질환은 매우 밀접한 관련이 있으며, 발병률은 생애주기별로 차이가 있다.
- 간호사는 모든 실무환경에서 정신건강 간호가 필요한 대상자를 돌본다.
- 정신건강 간호를 위해 간호사가 정신전문간호사일 필요는 없다.

주요 용어

- 문화 내에서의 안전(cultural safety)
- 신체건강(physical health)
- 자살(suicide)
- 정신간호실무 범위(scope of practice)
- 정신건강(mental health)
- 정신건강 간호(mental health care)
- 정신건강법(mental health legislation)
- 정신적 디스트레스(mental distress)
- 정신질환(mental illness)
- 정신질환 유병률(prevalence of mental illness)

학습 목표

이 단원을 통해 다음을 수행할 수 있다.

- 모든 임상실무 환경에서 정신건강의 중요성을 이해한다.
- 정신적 디스트레스와 정신질환의 유병률을 이해한다.
- 신체건강 문제가 정신건강에 영향을 미칠 수 있음을 확인한다.
- 한국 및 다양한 문화에서 정신건강이 어떻게 언급되는지 토론한다.
- 정신건강 간호와 관련된 규정을 설명한다.

서론

한 개인이 정서적으로나 사회적으로 만족하고 사는 것을 정신이 건강하다고 하며, 이는 그들이 속한 가족, 지역사회, 국가 모두에 긍정적 이득으로 작용하므로 정신건강은 매우 중요하다. 정신건강이라는 용어는 개인, 가족, 지역사회 및 국가들의 건강과 기능에 영향을 미치는 다양한 경험을 의미한다. 이러한 경험에는 행복과 건강에서부터 비교적 사소한 고통, 불안 및 만성적 정신질환에 이르는 모든 것이 포함된다. '정신건강'이라는 용어는 '정신질환'으로부터 파생되었으며, 질병이 아닌 안녕 상태를 의미한다. 정신질환은 의료비용 증가, 경제적 생산성 감소, 고용생산성 및 삶의 질 저하에도 영향을 미칠 뿐만 아니라 개인의 기능장애와 삶 전반에 다양한 고통도 발생시킨다. 이 책의 2장에서는 정신건강에 영향을 미치는 다양한 사회적, 생물학적 접근을 통합적으로 살펴볼 것이다.

건강관리자는 정신건강 문제가 신체질환, 질병의 회복 지연 및 사회적 기능장애로 이어질 수 있는 심각성에 대해 점점 더 인식하고 있다. 지속적인 역학 연구의 결과에 따르면 정신건강 문제는 비교적 흔하며 인간의 상당수가 일생 중 한 번은 정신건강 문제를 경험하는 것으로 나타났다.

간호사는 모든 임상 환경과 학교, 경찰, 사회 복지 및 교정 분야와 같은 다양한 사회적 기관에서 정신질환에 노출된 사람들을 돌본다. 따라서 간호사에게 정신건강 간호는 간호실무를 수행함에 있어 필수적으로 요구된다. 이 장은 전 세계적일 뿐만 아니라 우리나라에 만연한 정신적 디스트레스와 정신질환에 대한 내용으로 시작된다. 그 다음은 정신건강의 현재 실태를 포함하여 중요한 정신건강 문제의 일부를 개괄적으로 설명한다. 이 장을 통해 정신건강이 간호에서 왜 중요한 부분을 차지하는지에 대해 이해하게 될 것이다.

정신적 디스트레스와 정신질환의 역학

정신건강 문제의 영향을 이해하려면 인구 분포와 질환의 역학을 살펴보는 것이 중요하다. 분포는 유병률과 발생률로 측정된다. 유병률은 특정 기간[(예) 특정 시점(포인트 유병률) 또는 1년(12개월 유병률)] 동안의 정신질환 비율을 측정한 것이다. 발생률은 질환의 새로운 사례를 측정한 것이다(예) 1년에 새로운 사례의 수). 우리나라는 5년에 한 번 전 국민 대상 정신건강 실태조사를 시행하고 있으며, 코로나19 이후에는 주요 관련 정신질환(예) 우울증, 불안 등)을 분기별로 조사하여 발표한다.

정신적 디스트레스와 유병률

정신적 디스트레스는 삶의 즐거움과 개인적, 사회적 기능에 정신적 또는 정서적으로 불쾌한 영향을 미칠 수 있는 상태이다. 디스트레스는 삶의 일반적인 부분이지만 심각하거나 오래 지속되면 건강에 악영향을 미치고 정신질환의 위험요소가 된다. 디스트레스는 표준화된 척도를 사용하여 측정할 수 있으며, 가장 일반적인 것은 Kessler Psychological Distress Scale (K10)이다.

정신적 디스트레스의 비율은 노르웨이, 미국, 프랑스와 같은 다양한 국가에서 높고 방글라데시와 같은 개발도상국과 분쟁지역에서 더 높은 것으로 보고되었다. 디스트레스는 신체질환이 있는 사람들에게도 흔하다. 예를 들어 당뇨병, 암, 심장질환 또는 신장질환자 그리고 트라우마, 피해자, 화재 또는 자연재해와 같은 어려움을 경험한 사람들이다. 디스트레스가 일반적으로 경험되는 것임에도 불구하고 지역사회에서 정신적 디스트레스 수준을 낮추려는 시도가 항상 성공적이지는 않았다. 최근 수십 년 동안 정신건강관리서비스를 크게 확대했음에도 불구하고 디스트레스의 인구비율에는 거의 변화가 없었다.

정신질환의 유병률

• 국외

세계보건기구(WHO)는 '약물남용 장애는 전 세계 질병 부담의 10%로 비치명적 질병 부담의 30%를 차지하고 있고, 아동 및 청소년 5명 중 1명이 정신질환을 경험하며, 우울증은 전 세계적으로 2억 6,400만 명에게 영향을 미치는 주요 정신장애라고 보고하였다. 우울증은 높은 실업률, 투옥 및 노숙자와 관련이 있다(Grech & Raeburn, 2019).

선진국에서는 정신건강에 대한 정부의 지출이 상당히 많다. 정신질환과 관련된 주요 사회적 비용은 삶의 질에 대한 영향 및 낙인 비용과 같은 기타 정량화할 수 없는 비용과 함께 높은 실업률과 정신질환을 가진 사람들의 불완전 고용으로 인한 생산성 손실이다. 또한 자살로 사랑하는 사람을 잃은 가족과 친구들의 고통뿐만 아니라 사회 참여에도 영향을 미친다.

• 국내

최근 10년 사이 건강보험 가입자 중 1년간 정신질환으로 진료받은 환자 수는 연평균 5.2% 증가하였다. 17개 정신질환 평생 유병률은 25.4%로, 성인 4명 중 1명은 평생 한 번 이상, 한 가지 이상의 정신질환을 경험하며, 같은 기간 중 진료비 증가율은 10.3%, 공단부담금과 본인부담금 증가율은 각각 10.5%, 9.8%이었다. 특히 정신질환은 다른 만성질환과 비교하여 유병률이 높으며, 신체활동이 적고, 음주나 흡연과 같은 건강 생활습관이 비경험자보다 좋지 않기 때문에 신체건강을 악화시키는 원인으로 작용하기도 한다.

남성과 여성 진료인원 연평균 증가율은 각각 5.9%(2015년: 106만 명 → 2019년: 133만 명), 6.5%(2015년: 157만 명 → 2019년: 201만 명)로 여성의 증가율이 더 높았으며, 연령대별 남성 진료자 증가율은 30대(5.9%), 60대(6.1%), 70세 이상(8.7%), 20대(12.1%) 등의 순서로 증가하였고, 연령대별 여성 진료자 증가율은 60대(7.0%), 70세 이상(8.5%), 10대(9.8%), 20대(13.6%) 등의 순서로 남성(3.6%)과 달리 10대의 증가폭이 눈에 띄게 높게 나타났다.

환자 수를 기준으로, 남성의 전 생애기간 중 다빈도 정신질환은 기타 불안장애(F41), 우울삽화(F32), 비기질성 수면장애(F51), 알츠하이머병에서의 치매

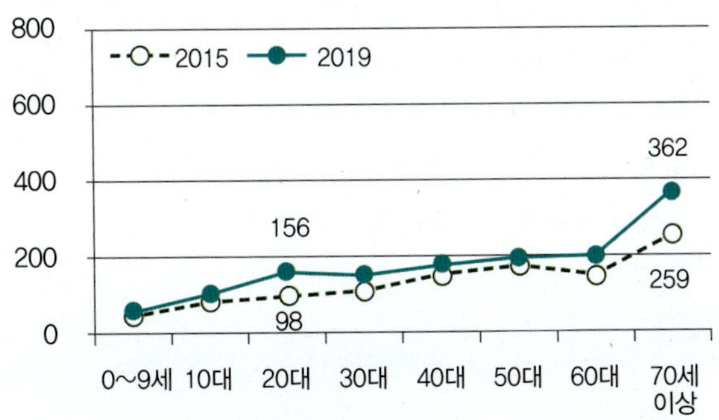

그림 1.1 남성 연령대별 정신질환자 수 변화(단위: 천명)
출처: 보건의료빅데이터개방시스템

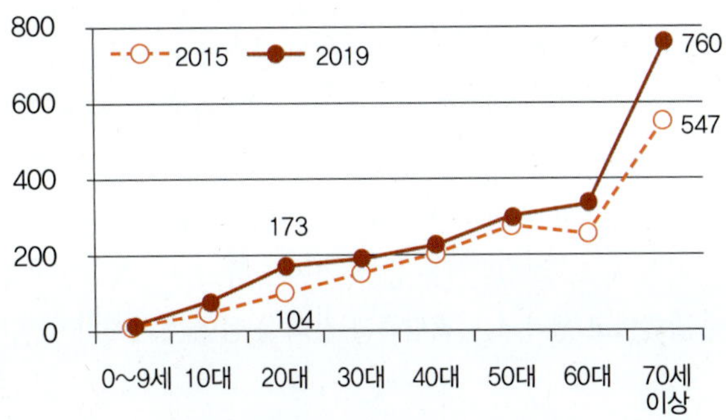

그림 1.2 여성 연령대별 정신질환자 수 변화(단위: 천명)
출처: 보건의료빅데이터개방시스템

표 1.1 남성의 연령대별 다빈도 정신질환(2019년 기준)

구분	0~9세	10대	20대	30대	40대	50대	60대	70대 이상	계
1위	운동 과다 장애 (F90)	운동 과다 장애 (F90)	우울 삽화 (F32)	기타 불안장애 (F41)	기타 불안장애 (F41)	기타 불안장애 (F41)	기타 불안장애 (F41)	치매 (F00)	기타 불안장애 (F41)
2위	말하기와 언어의 특정 발달장애 (F80)	우울 삽화 (F32)	기타 불안장애 (F41)	우울 삽화 (F32)	우울 삽화 (F32)	우울 삽화 (F32)	우울 삽화 (F32)	뇌손상, 신체질환에 의한 기타 정신장애 (F06)	우울 삽화 (F32)
3위	전반 발달장애 (F84)	기타 불안장애 (F41)	심한 스트레스에 대한 반응 및 적응장애 (F43)	비기질성 수면장애 (F51)	비기질성 수면장애 (F51)	비기질성 수면장애 (F51)	비기질성 수면장애 (F51)	기타 불안장애 (F41)	비기질성 수면장애 (F51)
4위	틱장애 (F95)	심한 스트레스에 대한 반응 및 적응장애 (F43)	비기질성 수면장애 (F51)	조현병 (F20)	조현병 (F20)	알코올 사용에 의한 정신 및 행동장애 (F10)	뇌손상, 신체질환에 의한 기타 정신장애 (F06)	우울 삽화 (F32)	치매 (F00)
5위	소아청소년기에 주로 발병하는 기타 행동 및 정서장애 (F98)	틱장애 (F95)	양극성 정동장애 (F31)	심한 스트레스에 대한반응 및 적응장애 (F43)	알코올 사용에 의한 정신 및 행동장애 (F10)	조현병 (F20)	알코올 사용에 의한 정신 및 행동장애 (F10)	비기질성 수면장애 (F51)	뇌손상, 신체질환에 의한 기타 정신장애 (F06)

주: '정신 및 행동장애(F코드)' 진료인원 기준
자료: 보건의료빅데이터개방시스템

역사적 일화 1.1 : 초기 설명

인류역사가 시작된 이래로 정신질환은 이집트 파피루스, 인도 라마야나 및 구약 성경과 같은 고대 문서에서 설명되었다. 정신질환에 관한 가장 오래 지속되는 역사적 이론은 고대 그리스 철학자 피타고라스(570~495 BCE)와 히포크라테스(460~377 BCE)에 의해 개발되었으며, 이들은 인체가 혈액, 점액, 황담즙, 흑담즙을 포함하고 있다고 하였다. 4개의 체액이 조화를 이룰 때 건강한 상태라고 하였고, 정신질환은 흑담즙과 점액의 불균형으로 발생되는 것이라 여겼으며, 체액이 '활성화'되는 봄과 초겨울에 많이 발생한다고 하였다. 체액 이론은 2,000년 이상 의학적 치료를 지배했는데 이는 이마에 물집 만들기, 사혈, 구토 용액의 사용 등 몇 가지 고통스러운 치료법이 유지되었다는 것을 통해 알 수 있다. 따라서 '치료'는 정신병을 유발한다고 생각되는 '흑담즙과 점액'을 몸에서 제거하기 위해 고안되었다.

자세히 알아보기: Davison, K(2006). Historical aspects of mood disorders. Psychiatry 5(4): 115–8.

표 1.2 여성의 연령대별 다빈도 정신질환(2019년 기준)

구분	0~9세	10대	20대	30대	40대	50대	60대	70대 이상	계
1위	운동 과다 장애 (F90)	우울 삽화 (F32)	우울 삽화 (F32)	우울 삽화 (F32)	우울 삽화 (F32)	기타 불안장애 (F41)	우울 삽화 (F32)	치매 (F00)	우울 삽화 (F32)
2위	말하기와 언어의 특정 발달장애 (F80)	기타 불안장애 (F41)	기타 불안장애 (F41)	기타 불안장애 (F41)	기타 불안장애 (F41)	우울 삽화 (F32)	기타 불안장애 (F41)	뇌손상, 신체질환에 의한 기타 정신장애 (F06)	기타 불안장애 (F41)
3위	전반 발달장애 (F84)	심한 스트레스에 대한 반응 및 적응장애 (F43)	심한 스트레스에 대한 반응 및 적응장애 (F43)	비기질성 수면장애 (F51)	비기질성 수면장애 (F51)	비기질성 수면장애 (F51)	뇌손상, 신체질환에 의한 기타 정신장애 (F06)	우울 삽화 (F32)	치매 (F00)
4위	소아청소년기에 주로 발병하는 기타 행동 및 정서장애 (F98)	운동 과다 장애 (F90)	비기질성 수면장애 (F51)	뇌손상, 신체질환에 의한 기타 정신장애 (F06)	뇌손상, 신체질환에 의한 기타 정신장애 (F06)	뇌손상, 신체질환에 의한 기타 정신장애 (F06)	비기질성 수면장애 (F51)	기타 불안장애 (F41)	비기질성 수면장애 (F51)
5위	틱장애 (F95)	양극성 정동장애 (F31)	양극성 정동장애 (F31)	양극성 정동장애 (F31)	조현병 (F20)	심한 스트레스에 대한 반응 및 적응장애 (F43)	신체형장애 (F45)	비기질성 수면장애 (F51)	뇌손상, 신체질환에 의한 기타 정신장애 (F06)

주: '정신 및 행동장애(F코드)' 진료인원 기준
자료: 보건의료빅데이터개방시스템

(F00) 등의 순서이다.

발달 단계별로 살펴보면 남성의 경우 유아기와 청소년기(20세 미만)의 다빈도 정신질환은 운동 과다장애(F90), 말하기와 언어의 특정 발달장애(F80), 우울삽화(F32) 등이며, 20대부터 60대에 걸쳐서는 우울삽화(F32), 기타 불안장애(F41) 등의 발병빈도가 높았고, 청년층 및 근로기간 중에는 앞에 언급한 정신질환 이외에도 비기질성 수면장애(F51), 심한 스트레스에 대한 반응 및 적응장애(F43) 등도 다빈도 질환으로 나타났다. 70세 이상에서 나타나는 다빈도 질환은 '알츠하이머병에서의 치매(F00)', '뇌손상, 뇌기능 이상 및 신체질환에 의한 기타 정신장애(F06), 기타 불안장애(F41) 등의 순서였다.

남성과 달리 여성은 10대 이후부터 60대까지 우울삽화(F32)와 기타 불안장애(F41)가 다빈도 질환으로 나타나고 있으며, 70세 이상 여성의 다빈도 질환은 치매(F00), 뇌손상 · 뇌기능 이상에 의한 기타 정신장애(F06), 우울삽화(F32) 순으로, 남성과 전 생애주기별 유사한 패턴을 보였다.

자살사고, 자살계획 및 자살시도를 살펴보면 성인의 10.7%는 평생 한 번 이상 심각하게 자살을 생각하며, 2.5%는 자살을 계획하고, 1.7%는 자살을 시도하였다. 지난 1년간 성인의 1.3%가 한 번 이상 심각하게 자살을 생각하고, 0.5%가 자살을 계획하며, 0.1%가 자살을 시도한 것으로 나타났다. 또한, 자살생각자의 56.8%, 자살계획자의 83.3%, 자살시도자의 71.3%가 평생 한 번 이상 정신장애를 경험한 것으로 나타났다.

정신건강서비스 이용 정도를 살펴보면 정신장애가 있는 것으로 진단된 사람 중에서 평생 동안 정신건강서비스를 이용한 적이 있는 비율은 12.1%였으며, 지난 1년 동안 정신건강서비스 이용비율은 7.2%였다.

비판적 사고 과제 1.1

역학 연구에 따르면 지역사회에서 정신질환과 중독 문제는 비교적 흔하며, 일생 동안 최대 50%의 사람들이 정신질환(중독 포함)을 경험한다고 한다. 하지만 정신질환을 일부 사람들만 경험한다는 인식이 지속되고 있다. 정신질환을 일부 사람들만 앓는다는 인식이 지속되는 이유는 무엇인가? 이는 정신건강 및 중독 문제가 있는 많은 환자를 정기적으로 돌보는 간호사 및 기타 1차 보건간호사에게 어떤 영향을 미치는가?

신체건강과 정신건강

1954년 WHO의 초대 사무총장인 Dr Brock Chisholm은 "정신건강 없이는 진정한 신체건강도 있을 수 없다."고 말했다. 반대로 '(신체)건강 없이 진정한 정신건강은 없다(Kolappa et al., 2013)'. WHO의 건강에 대한 정의는 다음과 같다.

> 단순히 질병이나 허약함이 없는 것이 아니라
> 신체적, 정신적, 사회적으로 완전한 안녕 상태
> WHO, 2014

위의 인용문에서 알 수 있듯이 인간은 신체적, 정신적 건강이 모두 필요한 전인적 존재이다. 현재 의학적 접근은 신체건강서비스와 정신건강서비스가 분리되는 경우가 많아 신체건강과 정신건강이 통합적으로 관리되기 어려운 실정이다. 이런 점은 신체질환 치료 환경에서 환자의 정신건강 요구가 간과될 수 있음을 의미하며, 정신질환 치료 환경에서 정신질환자들의 신체건강 문제가 우선순위에서 벗어남으로써 적절한 중재를 제공받지 못하는 상황이 발생할 수도 있다. 일반인들보다 정신질환자의 신체질환 비율이 더 높음에도 불구하고 신체건강을 위한 적절한 검사, 평가 및 치료를 제대로 받지 않는 경향이 있다(Te Pou o Te Whakaaro Nui, 2014a; 2017). 따라서 정신질환이 있는 사람들은 만성신체질환의 발병률과 이환율 및 사망률이 높아진다. 그러므로 간호사가 정신질환이 있는 사람들의 신체건강과 정신건강 요구에 모두 대응하는 것은 모든 의료 환경에서 중요하다. 호주와 뉴질랜드는 정신질환자가 경험하는 건강 불균형을 해결하기 위한 전략을 세우고 있다. 정신질환의 신체건강 향상을 위해 일하는 호주의 'Equally Well'의 합의 선언문(뉴사우스웨일즈 정신건강 위원회, 2016)을 보면 정신질환의 신체건강 개선을 위한 여러 조직의 합의가 있는데, 이 선언문의 내용들은 정신건강을 위한 활동들이 사회의 건강 관련 영역뿐 아니라 사회기관, 고용주, 주택 제공자 및 경찰 등을 포함한 '국가와 지역사회 모든 이들의 과업'이라는 견해를 반영한다.

만성질환 분야에서는 정신과 신체의 관계가 더 분명하게 드러난다. 정신질환자들은 호흡기질환, 심혈관질환, 당뇨병, 만성통증 및 암뿐만 아니라 다양한 영역에서 더 높은 비율로 만성신체질환을 경험한다. 정신질환자의 기대수명은 최대 25년이 감소하고(Firth et al., 2019), 메타 분석에 따르면 매년 전 세계 인구 사망자 수의 최대 14.3%인 약 800만 명의 정신질환자가 사망한다(Walker, et al., 2015). 만성정신질환자는 신체적 건강을 유지하기 위해 가장 기본적인 신체건강관리도 잘 하지 못할 뿐만 아니라 정기적인 신체검사 및 건강증진서비스(예 금연 프로그램 및 암검진)에 대한 접근도 어렵다. 이런 점이 정신질환자의 만성질환 발생과 조기사망의 위험을 높이고 있다.

신체건강과 정신건강 간의 관계는 신체질병의 원인과 치료를 이해하는 데에도 중요하다. 예를 들면, 우울증은 신체적 질병보다 먼저 나타날 수 있다. 우울은 심혈관질환, 뇌졸중, 결장직장암, 간질, 만성폐쇄성폐질환 및 제2형 당뇨병과 같은 질병과 관련이 있다. 또한 만성신체질환자는 건강한 사람보다 정신적 디스트레스를 더 많이 느끼는 경향이 있다. 신체건강이 저하되는 경우 우울증의 위험이 높아지며, 만성질환자에서 흔히 볼 수 있는 사회적 문제나 대인관계 문제도 나타난다. 따라서 간호사가 신체건강과 정신건강 간의 관계를 앎으로써 정신질환의 발병률을 줄일 수 있다. 이미 정신질환이나 만성 신체질환을 앓고 있는 사람들을 간호하기 위한 간호중재를 개발해야 한다.

환자가 신체건강과 정신건강을 관리하도록 돕는 것은 모든 간호사의 역할이다. 사람의 신체건강 상태를 관찰할 수 있는 간단한 방법에는 체형, 피부, 비만, 체중, 키, 체질량지수, 혈압, 심박수, 콜레스테롤, 혈당 수치, 복부둘레 및 체력 수준을 기록하는 것이 포함된다.

비판적 사고 과제 1.2

대사증후군은 제2형 당뇨병 및 심혈관질환의 발병을 예측하는 위험요인이다. 대사증후군이 항정신병 약물을 복용하는 사람들에게 부작용으로 나타나지만 정신건강 분야 및 1차 보건 환경에 근무하는 간호사가 대사증후군에 대한 검사를 기본적으로 실시하지는 않는다. 간호사는 현재 근무하는 곳에서 해당 정신질환자가 대사증후군 검사를 받고 있는지, 근무하는 간호사가 이것을 자신의 업무로 간주하는지와 대사증후군의 위험을 줄이기 위해 어떤 중재가 필요하며 적용되고 있는지에 대해 비판적으로 검토해 볼 필요가 있다.

자해와 자살

자해나 자살 충동은 정신건강서비스 영역에서뿐만 아니라 1차 보건 및 응급실과 같은 환경에서 간호사가 흔히 접하게 된다. 한국은 OECD국가 중 자살률 1위로 2011년 인구 10만 명당 31.7명에서 2017년 24.4명으로 저하되었으나 다시 상승되고 있다(통계청, 2021). 자해는 알려지는 자살보다 훨씬 더 많은데, 자신의 심리적 고통을 감소시키기 위해 신체 손상에서부터 처방받은 약물이나 처방전 없이 살 수 있는 약물의 과다복용 등을 포함하며, 치명적이지 않아서 겉으로 드러나지 않는 자살 시도에 이르기까지 범위가 매우 넓고 다양하다. 자해나 자살충동은 정신질환 중 흔한 우울장애와 관련이 높다.

일반 병원에서 환자는 건강이 악화되거나, 통증, 신체기능 상실 또는 병 예후가 좋지 않을 경우 절망에 빠질 수 있다. 이때 환자들은 차라리 죽는 것이 낫다는 생각이나 병으로 그냥 죽었으면 하는 마음을 가질 수 있는데 공감을 잘하는 간호사의 경청기술이 이러한 마음을 표현하게 할 수 있다. 하지만 자살 생각만 가지는 것이 아니라 구체적인 자살 계획까지 세운다면 정신건강 전문가에게 의뢰하고 연계해야 한다.

자살은 통계적으로 볼 때 매년 수십만 명의 자살자의 가족, 친인척과 지인의 삶에 부정적인 심리적 파급효과가 크다. 많은 연구결과에서 자살을 시도한 사람이 의료 전문가를 만나는 것으로 나타났지만 자살을 생각하는 모든 사람이 심리적 지지나 도움을 항상 받는 것은 아니다. 인구집단별로 보면 우리나라의 경우 10대, 20대, 30대 사망원인의 1순위가 고의적 자해(자살)로 나타났으며, 80대 남성의 경우에 압도적 1위를 차지했다(통계청, 2021).

정신건강 관리

정신건강 관리는 일반 의료 환경 및 1차 보건에서부터 전문적인 정신건강서비스에 이르기까지 광범위하게 제공되며, 가능한 한 지역사회의 모든 환경에서 관리가 이루어져야 한다.

우리나라는 「정신건강증진 및 정신질환자 복지서비스 지원에 관한 법률」 제7조(국가계획의 수립 등)에 의거하여 보건복지부장관은 관계 행정기관의 장과 협의하여 5년마다 정신건강증진 및 정신질환자 복지서비스 지원에 관한 국가의 기본계획을 수립한다. 현재 제2차 정신건강복지기본계획(2020~2025)이 시행 중이며, 각 지방자치단체는 이를 근거로 서비스를 보완하고 개발하고 있다.

WHO는 정신건강 관리를 1차 보건에서부터 시작해야 한다고 권고한다. 일반적으로 일반 진료 환경, 즉 1차 보건은 정신건강 문제를 포함한 모든 건강 문제에 대한 도움이 필요한 환자들의 첫 번째 접촉 지점이다. 실제로 심한 정신질환자들이나 전문적인 정신과적 치료가 필요한 많은 환자들이 일반 개업의사에게 정신건강 관리를 받고 있다.

호주에서는 정신건강 문제가 있는 사람을 위해 간호사를 포함한 일반 의료인은 대상자의 질병을 판별하여 평가하고, 이에 따른 치료를 계획하며 환자 교육, 약물요법, 정신치료, 지속적인 관리, 신체치료 및 의뢰 등 다양한 치료를 수행한다(Perkins et al., 2017). 정신건강 관리의 '단계적 치료' 모델은 근거기반의 단계적 시스템으로 개인의 요구에 부합하는 중재가 포함되어 있다. **박스 1.1**은 단계적 치료 모델의 중재 단계에 대한 몇 가지 설명을 제공한다.

사람들이 필요로 하는 치료는 문제의 심각성, 개인의 사회적, 직업적 기능 수준 및 문제에 대한 인식 정도에 따라 다르므로 반드시 단계적 치료의 수준 1에서 시작할 필요는 없다. 예를 들어, 이완훈련, 수면위생 및 적당한 알코올 사용과 같은 중재가 일부 사람에게는 경미한 불안을 줄이는 데 효과적일 수 있지만 다른 사람들에게는 전문 평가, 심리치료 또는 약리학적 치료가 필요할 수 있기 때문이다. 단계적 치료는 정신건강 관리에 대한 접근을 개선하고 대상자를 위한 감지, 조기 중재 및 결과를 개선하는 것 외에도 정신건강서비스 제공의 효율성 향상을 시키는 것을 목표로 한다.

정신건강서비스에는 간호사가 중재할 수 있는 환경이 많이 있다. 가장 일반적인 환경에서 제공되는 서비스는 종합병원에서의 입원환자 서비스, 위기중

박스 1.1 1차 보건에서의 정신건강 관리의 단계적 치료

수준 1: 자가관리는 정신질환이 없거나 경미한 사람들을 위해 질병의 발병을 예방(또는 질병의 진행을 예방)하도록 고안되었으며 개인이 스스로 증상을 관리하도록 돕는 데 중점을 둔다. 정신건강 및 안녕감에 대한 소개 리플렛, 특정 문제에 대한 워크북 및 온라인 자가 해결 프로그램이 포함될 수 있다.

수준 2: 기본 서비스는 경증에서 중등도의 정신질환을 앓고 있는 사람들을 위한 것으로, 몇 번의 짧은 세션 동안 지속되도록 설계된 자조 안내 또는 간단한 심리적 개입이 포함될 수 있다.

수준 3: 중등도 서비스는 경증에서 중등도의 정신질환이 있는 사람들을 위한 것이지만 보다 체계적이고 빈번하며 집중적인 개입을 제공한다.

수준 4: 심층 서비스는 지속적이거나 일시적이지만 높은 수준의 위험, 복잡성 또는 장애를 수반하지 않는 보다 심각한 정신질환을 가진 사람들을 위한 것이다. 여기에는 다학문적 지원을 포함할 수 있는 고강도 서비스 및 집중 개입이 포함된다.

수준 5: 긴급 위기개입 및 전문적인 지역사회 정신건강서비스는 심각하고 지속적인 요구가 있는 사람들과 복잡한 다중기관 요구 또는 높은 수준의 위험, 장애 또는 복잡성을 포함하는 조건을 가진 사람들을 위한 것이다. 이러한 서비스에는 여러 분야에 걸쳐 정신건강 전문가가 제공하는 집중적인 팀 기반 전문가 평가 및 중재가 포함된다.

재팀, 지역사회 정신건강팀 및 회복 중심 서비스가 포함된다. 전문적인 정신건강서비스는 정신건강 간호사, 정신과 의사, 정신건강 심리사, 정신건강 사회복지사 및 작업치료사를 포함하여 전문적인 정신건강 훈련을 받은 전문가가 정신병동이나 정신건강 전문 환경에서 제공한다.

최근 정신질환자들에 대한 경험이 있는 다양한 영역의 인력들이 1차 보건을 제공하는 지역사회 및 입원 환경에서 점점 많아지고 있다. 이들은 기존 정신건강서비스를 보완함으로써 간호사와 파트너십을 강화해야 한다. 이들을 통해 제공되는 주요 서비스들은 숙박 지원 및 봉사활동, 고용, 교육, 여가 및 레크리에이션, 가족 및 간병인 지원, 자조 및 동료 지원, 헬프라인 및 상담 서비스 및 홍보, 정보 제공 및 옹호 등이다. 간호사는 지역사회 내 행정과 같은 공공 조직과 통합된 방식으로 일하는 것이 중요하지만 민간 조직도 대상자들이 서비스의 선택 폭을 넓히고 더 나은 서비스를 받도록 하기 위한 디딤돌을 제공한다는 점이 중요함을 기억해야 한다.

비판적 사고 과제 1.3

간호사는 대부분의 임상환경에서 정신건강 및 중독 문제가 있는 사람들을 만난다. 일반 의료 환경에서 환자의 정신건강 요구사항을 어떻게 평가하겠는가? 언제 정신건강 전문가에게 의뢰할 것인가?

비판적 사고 과제 1.4

자신의 정체성에 대한 문화적 영향을 생각해 보자. 당신의 문화적 경험이 당신과 다른 문화권의 사람들에게 어떤 통찰력을 제공하는가? 당신의 문화적 배경이 다른 사람들의 문화에 대한 이해를 어떻게 제한하는가? 문화 간 의사 소통의 장벽을 효과적으로 해결하기 위해 어떤 기술과 전략을 사용할 수 있는가?

문화 내에서의 안전과 정신건강 관리

인간이 정신적 디스트레스와 질병을 표현하는 방식은 그들의 문화적 신념을 반영한다. 간호사는 더 폭넓은 문화적 신념을 바탕으로 건강과 질병에 대한 견해를 갖고 있어야 하며, 이는 대상자에게 해당하는 문화의 고유한 관행을 지지하는 것으로 표현할 수 있다.

간호는 모든 문화권의 사람들에게 제공된다. 대상자와 간호사는 다양한 문화적 배경을 가지고 있으며, 이러한 다양성은 풍부하고 가치 있는 경험을 제공하지만 서로 간 오해의 가능성도 있다. 고통과 정서적 갈등의 경험은 문화적 신념과 국가의 전통에 내재되어 있으므로 모든 간호는 간호사와 대상자의 문화적 맥락 안에서 제공해야 한다.

자신의 문화적 정체성에 대해 성찰하고 인식하는 간호사는 다른 문화에서 온 대상자나 그 가족에게 효과적인 간호를 제공할 수 있다. 자신의 문화적 정체성이 간호실무에 미치는 영향과 문화 안전의 개념은 많은 국가와 의료 환경에서 널리 채택되었다. 보다 최근에는 개인이 다양한 문화적 및 기타 정체성을 지니고 있다는 인식이 증가하여, 문화 안전이 보다 복잡한 구성으로 만들어지면서도 간호사와 대상자의 다양한 문화적 신념, 현실적 가치에 더 민감한 구성요소가 되었다. '문화'의 정의는 '연령 또는 세대, 성별, 성적 지향, 직업 및 사회경제적 지위, 민족적 기원 또는 이민자 경험, 종교적 또는 영적 믿음 및 장애' 등을 고려한다. 이 정의에서 알 수 있듯이 문화는 가능한 많은 정체성에 적용되는 구성물로 간주된다. 문화 안전의 핵심은 간호사 자신의 자기 인식과 자신의 문화적 정체성이 다른 사람에게 제공하는 치료에 미치는 영향에 대한 민감성이다. 간호사가 간호 제공 시 대상자와 관계를 강화하려면 문화 안전의 측면에서 대상자의 역사가 현재에 어떻게 계

간호사 이야기 1.1

나는 1970년대 중반 지역거점병원 정신과 병동에서 근무를 시작했다. 나는 당시에 정신과 근무를 생각하지 않았었기 때문에 정신간호에 대한 관심이 크게 없었다. 3년 차 되던 해에 남자친구와의 관계 갈등이 생기면서 개인적인 문제가 발생했다. 관계에서의 문제가 너무 갑작스럽게 발생했기 때문에 이것은 나에게 큰 트라우마가 되었다. 당시 내 남자친구는 특히 내 외모를 비하하고 비열하게 굴어서 나에게는 상처가 되었고 그로 인해 나는 상당히 우울해졌다. 나는 교대근무를 하고 대부분의 시간을 간호사 기숙사 방에서 혼자 고립된 생활을 했으며, 수년간 우울증과 건망증으로 고생한 어머니와 아버지에게 부담을 주고 싶지 않아 가족에게도 아무렇지 않은 척을 했다. 얼마 후 나는 체육관에 등록하여 다니기 시작했고 이와 함께 다이어트를 위해 변비약 및 이뇨제를 사용하면서 많은 체중을 감량했다. 나는 매우 날씬해졌고 내 몸이 자랑스러웠다. 이때 정신적으로 전문적인 치료를 받은 적은 없지만 우울증이 좋아지고 있었다. 기말고사 중에도 운동으로 스트레스를 이겨낼 수 있었다. 당시 내 체중은 45kg이었고 BMI는 17이었지만 스스로 큰 문제라고 인식하지 않았다. 하지만 몇 달 후 체육관 강사 중 한 명이 내가 몸이 안 좋아 보인다고 말했고 그는 내가 건강한 체중일 때 더 좋다고 말한 것이 전환점이 되었다. 나는 살이 찌는 게 너무 두려웠지만 그가 권하는 '리프터' 고단백 식단으로 바꾸었고 이런 나를 지지해 주었다. 그와 관계는 지속되지 않았지만 그 이후로 우리는 좋은 친구로 남아 있다.

대학원을 마치고 지방의 큰 도시에 있는 종합병원에 취직하려 했지만 성공하지 못했다. 그 이후 정신간호사로 근무를 하면서 이전에는 관심이 없었지만 내 인생을 통해 정신건강 문제가 있는 사람들이 직면하는 문제와 정신건강 문제가 있는 사람들에게 부여되는 낙인에 대한 호기심과 더 큰 이해가 생겼다. 따라서 정신간호사로서의 결정을 내린 것에 큰 확신을 가지고 기쁘게 생각한다.

속되는지에 대해 인식하는 것이 중요하다. 문화를 고려한 안전의 관점은 간호사가 모든 대상자와 지역사회의 문화를 이해하라고 요구하지 않지만 간호사가 대상자의 문화적 측면을 충분히 이해하지 못하면 대상자가 이미 가지고 있는 문화적 전문성을 무시하거나 그들의 문화를 잘못 정의할 위험에 빠질 수 있다.

정신건강 법안

「정신건강복지법(정신건강증진 및 정신질환자 복지서비스 지원에 관한 법률)」은 사람들이 치료를 받아야 하고 어떤 경우에는 치료를 위해 강제적으로 입원을 할 수 있도록 한다는 점에서 중요하다. 정보를 제공받은 후 이를 알고 하는 동의는 일반적으로 모든 임상환경에서 치료를 제공하는 데 기본적인 것으로 간주되며, 동의를 받지 않은 치료는 비윤리적인 것으로 간주된다. 「정신건강복지법」 제5장에 따른 강제 입원에 대한 일반적인 근거는 정신질환으로 자해, 타해의 위험이 생길 경우이다. 즉 단순히 위험성이 있는 것만 아니라 정신질환으로 인한 위험성이어야 한다. 예를 들면, 조증으로 인한 판단력 장애, 우울증으로 인한 자살 충동, 또는 타인을 해치라는 환청에 반응하여 다른 사람을 해칠 생각이 있는 경우를 포함한다. 이러한 고위험 상황은 예외적이며 간호사는 법률에 제시되는 정신장애의 정의 범위 내에서 행동해야 한다. 강제 치료의 목적은 잠재적인 위해로부터 개인 또는 타인을 보호하는 것이다. 「정신건강복지법」에서는 병원에서의 강제 치료 외에도 환자가 지역사회 치료 명령에 따라 지역사회 환경에서 치료를 받도록 할 수 있다. 「정신건강복지법」의 강제 입원은 소비자인 대상자의 권리를 일부 제한하지만

역사적 일화 1.2: 고대 치료법

기원전 5000년에 지역사회는 정신질환을 귀신 들림, 마법, 저주와 같은 신화적, 주술적 믿음과 연관시켰다. 고고학자들은 두개골을 열어 악령이 풀려날 수 있도록 하면 개인의 정신질환이 치료될 것이라고 생각했다. 그러한 절차를 거친 일부 사람들이 치유되어 여러 해 동안 생존하여 살았던 것으로 기록되나 이는 정신질환이 치료되었다고 보기보다 뇌에 가해지는 압력을 낮추어주는 부수적인 효과로 완화되었을 가능성이 있는 것으로 파악된다.

자세히 알아보기: Prioreschi, P., 1991. Possible reasons for neolithic skull trephining. Anecdotes in Biology and Medicine 34(2): 296–303

입원적합성 심사를 통해 항소할 수 있는 권리를 갖도록 대상자를 보호하는 기능도 제공한다.

정신건강과 간호실무의 범위

간호사는 규정된 간호실무에 따라 일하고 규제 기관이 제시한대로 기대되는 역량을 발휘할 법적 · 전문적 책임이 있다. 다음과 같이 국제간호사회(International Council of Nurses)의 간호영역에 대한 선언문을 인용하면, 다음과 같다.

간호는 아프거나 건강한 모든 연령의 개인, 가족, 단체 및 지역사회 및 모든 환경에 대한 자율적이고 협력적인 보살핌을 포함한다.

면허간호사는 간호지식을 활용한 종합적인 간호진단을 통해 대상자의 건강 요구사항을 평가하고 간호를 제공함으로써 사람들이 자신의 건강을 관리하도록 조언하고 지원한다. 이는 개인, 가족 및 지역사회 등과 협력하는 환경 안에서 이루어진다.

사례연구 1.1

Z는 30세의 소말리아 여성으로 교통량이 많은 도로를 배회하다 경찰에 의해 발견되었다. 경찰은 그녀와 이야기를 할 수 없어 그녀가 알코올이나 약물의 영향을 받고 있는지도 분명히 알 수 없었다. 따라서 그녀의 정신건강 상태를 평가하기 위해 정신건강 시설로 데려갔다. 정신건강팀이 Z에게 다가가 자신을 소개하는 순간 그녀는 자신의 상황을 알아차리고 흥분하면서 자신은 포로가 아니니 해치지 말 것을 반복하여 말했다. 그녀의 말은 어둔했지만 말의 의미는 모두에게 분명했다. 정신건강팀은 그녀를 진정시키려고 시도했고, 경찰이 옆에 대기하고 있지만 그녀의 눈에 띄지 않게 해달라고 요청했다. 이것은 단기적인 진정 효과가 있었다.

정신건강 팀은 통역사를 활용하여 정신상태 검사를 수행했다. Z가 대마초와 알코올을 포함한 여러 물질을 사용하고 있음을 확인했다. 그녀는 과거를 잊는 데 도움이 되었기 때문에 이러한 물질을 점점 더 많이 사용하고 있다고 말했다. Z는 강간, 가족과의 이별, 3년 동안 구치소 생활 등 끔찍한 고난을 겪었으며, 그 결과 그녀는 외상후스트레스장애를 갖게 되었다.

많은 난민은 종종 권위 있는 사람들이 자행하는 끔찍한 상황을 경험하고 목격한다. 간호사는 이런 난민과 함께 일할 때 외상성 스트레스와 약물남용을 포함한 관련 후유증의 가능성을 염두에 두어야 한다.

정신건강 관리는 간호실무의 범위 안에 모든 간호사의 업무임이 명확히 진술되어야 한다. 즉, 간호사는 모든 환자의 모든 요구에 적절하게 대응해야 한다. 지역사회에서 간호사는 정신건강 문제가 얼마나 빈번하게 발생하는 지와 사람들이 정신 및 신체 건강 문제를 얼마나 흔히 경험하는지 알고 대상자의 신체적, 정신적 건강요구뿐만 아니라 대상자의 전반적인 요구에 대응하는 전문적인 간호실무를 수행해야 한다.

간호 및 정신건강

간호사는 1차 보건환경에서부터 집중 치료 및 수술과 같은 전문 환경에 이르기까지, 또한 교도소, 학교, 직장 및 노인 요양시설 및 기관에 이르기까지 모든 건강 영역에서 정신건강 문제를 가진 사람들을 만난다. 정신건강은 간호실무의 한 전문 분야이지만 모든 간호사의 기본적인 실무 영역이기도 하다. 인간의 정신건강 요구사항에 부응하기 위해 모든 간호사가 정신건강 전문가가 될 필요는 없지만 모든 간호사는 주어진 환경에서 기본적인 정신건강 지식과 기술은 활용해야 한다.

인간의 정신건강을 돌보는 것은 간호의 중요한 부분이다. 건강서비스를 받기 위해 오는 임상 환자는 정신건강에 대한 요구사항을 가지고 있다. 간호사는 사람들이 사회적, 정서적 평안을 유지하도록 돕고, 평소 긍정적인 경험을 함으로써 정신건강을 최적화하기 위해 일한다. 불안이나 기분 저하와 경미한 정신건강 문제를 경험하는 사람들에게는 이를 극복하도록 돕는 단기 지원을 할 수 있다. 간호사는 일반적으로 장기간 다양한 지원이 필요한 만성조현병이나 양극성 장애와 같은 정신질환자를 돌본다. 그러므로 간호사는 각 개인의 건강 요구사항을 모두 고려하는 것이 중요하다. 만성정신질환자가 천식이나 고혈압과 같은 신체적 증상을 호소하는 것처럼 당뇨병과 같은 만성 신체질환자가 기분이 우울하거나 불안한 상태를 경험할 수 있기 때문이다.

개인의 정신건강 요구사항에 대응하려면 대상자의 이야기를 경청하고 대상자의 정신적 문제에 대한

당사자 이야기 1.1

나는 힘든 어린 시절을 보냈고, 13살에 집을 떠나 살아남기 위해 어떤 일이든 가리지 않고 했다. 나는 폭력성이 있는 남자와 어린 나이에 결혼해 4명의 아이를 나았다. 나는 40대 중반에 스피드(메스암페타민)가 중독성이 없다는 말을 듣고 시작하게 되었다. 아주 오랫동안 주사를 맞았고, 주사를 맞기 위해 습관적으로 하루에 300 달러를 벌었다. 팔에 정맥이 보이지 않을 때는 목에도 주사를 놨다. 나는 항상 드래곤(첫번째 경험에서 느낀 그 놀라운 흥분)을 쫓고 있었다. 나는 마약 중독자였고, 쾌락을 얻는 것보다 더 중요한 것은 없었다. 심지어 내 아이들 조차도. 결국 나는 문제가 있다는 것을 깨달았고, 내가 사는 지역에 있는 한 의원에 가서 도움을 요청했다. 그 의원에서는 나 같은 사람들은 치료하지 않는다고 하였다. 실망한 나는 다시 다른 의원에 가서 치료를 받으려고 접수대 앞에 서 있었는데 우연히 그 근처에 있던 의사 중 한 명이 나를 바로 자신의 진료실로 불렀다. 그는 나를 병원에서 일하고 있는 정신간호사에게 소개했고, 그 이후 몇 년 동안 두 사람으로부터 치료를 받게 되었다. 정신간호사는 내가 병원에 가지 않은 날은 집에 방문했다. 다시 약물을 시작해서 미안함에 눈을 마주치지 못한 적도 있었다. 하지만 그녀는 나를 포기하지 않았다. 10년이라는 중독기간을 거쳐 지금 나는 이제 2년 이상 중독에서 벗어났다. 나는 이제 중독이 없는 일상의 삶을 살고 있다. 나는 두 가지 일을 하고 있지만 무엇보다 중요한 것은, 나는 내 아이들과 꽤 좋은 관계를 맺고 있고 3명의 멋진 손주들과 환상적인 관계를 갖고 있다는 것이다. 그리고 지금은 거의 11개월 동안 담배도 피우지 않았다.

생각을 탐색하며 이를 공감하고 격려할 뿐만 아니라 대상자의 강점 강화와 같은 다양한 치료적 정신건강 간호기술(치료적 의사소통기술 포함)이 필요하다. 정신건강 간호는 일반적인 신체간호에 통합될 수 있다. 전인간호를 제공하는 간호사는 대상자를 만나는 순간 그 사람의 필요를 인식하고 정신적 · 신체적 건강 문제에 대해 개방적으로 대화를 나누며, 대상자가 제공해 준 정보에 입각하여 도움이 되는 방식으로 편안하게 응답한다. 필요에 따라 추가적으로 다른 전문가로부터 자문을 구하거나 전문 서비스에 의뢰할 수 있다. 간호실무 범위를 넘어서는 문제에 대해서는 대상자를 위해 관련 기관으로 연계하거나 자문을 구하는 것이 간호실무에서 필수적이다. 따라서 간호사가 대상자의 문제를 직접적으로 간호하거나 전문 서비스 기관에 의뢰할지라도 정신건강 영역은 모든 간호사의 핵심 업무 중 하나이다.

단원 요약

정신건강 문제는 모든 임상 환경에서 볼 수 있는 현상으로 개인적, 사회적, 경제적으로 상당한 영향을 미친다. 불안, 우울과 같은 정신건강 문제도 간호실무 범위의 일부를 형성하기 때문에 중요하다. 정신건강도 건강의 일부이므로 정신건강 문제는 신체건강 문제의 경과에 심각하게 영향을 미쳐 신체질환의 예후를 나쁘게 한다. 정신건강 문제를 가진 대상자는 신체건강 문제를 경험함으로써 신체질환 발생률이 높고, 결과적으로 정신건강 문제가 없는 일반 인구보다 사망률이 높다. 또한 신체질병이 있는 사람들은 질병이 없는 사람들 보다 정신건강 문제를 경험하는 경우가 많고 이러한 정신건강 문제는 신체질환의 치료, 회복 및 삶의 질에 부정적인 영향을 준다. 따라서 간호사는 대상자들의 정신 및 신체 건강을 향상시키기 위해 정신건강 간호기술들을 기회가 있을 때마다 사용해야 한다.

환자의 정신건강 요구에 대응하는 것은 간호사의 전문적인 의무이며 책임이다. 하지만 모든 간호사가 꼭 정신건강 전문간호사가 될 필요는 없다. 경청, 확인 및 공감적 반응과 같은 기본적인 정신건강 간호기술(치료적 의사소통 기술 포함)만으로도 모든 임상 환경에서 환자의 정신건강 요구를 충족시키는 데 도움이 될 것이다. 필요시 간호사는 특정 치료 방법에 대한 기술을 배우고 간호중재 방법을 개발할 수 있다. 또한 어떤 경우에는 간호사가 환자의 필요에 따라 자문을 하거나 정신건강 전문간호사나 전문가에게 의뢰할 수도 있다. 모든 간호사가 당뇨병이나 관상동맥 치료 전문가가 아닌 것처럼 모든 간호사는 정신건강 전문간호사가 아니어도 된다. 그러나 정신건강이 건강의 일부이므로 정신건강 관리도 모든 간호사의 간호 범위의 일부임을 알아야 한다.

수업참여를 위한 연습

이 장을 읽은 후 소그룹으로 나누어 다음 시나리오에 대해 토론하라.

● 시나리오 1

정신건강은 모든 간호사의 간호실무 범위에 포함된다. 그러나 일반 의료 환경(예 의료 및 외과 병동 및 1차 보건)에서 대상자의 정신건강 요구는 종종 간과된다. 일반 의료 환경에서 대상자의 정신건강 요구에 대응하는 간호사에게 장벽이 되는 요소에 대해 토의한다. 개인, 시스템 및 정책으로 나누어 각각 여섯 가지 가장 중요한 장벽의 목록을 작성해 본다.

● 시나리오 2

위 시나리오 1에서 논의하여 작성된 목록을 사용하여 도움이 될 전략을 제시한다. 이 전략을 구현하려면 다른 사람의 지원이 필요할 수 있다.

● 시나리오 3

수많은 개인적, 사회적, 정치적 요인이 정신건강에 영향을 미칠 수 있다. 하지만 반대로 정신적 디스트레스와 정신질환은 고용, 사회 조직 및 국가 경제에 영향을 미칠 수 있다.

1. 개인의 정신건강에 영향을 미칠 수 있는 다섯 가지 사회적 요인에 대해 토의한다.
2. 각 요인에 대해 그 요인을 어떻게 해결할 수 있는지에 대해 토의한다.
3. 정신적 디스트레스나 정신질환의 다섯 가지 사회적 영향에 대해 토의한다.
4. 각 요인에 대해 정신적 디스트레스나 정신질환의 영향을 줄일 수 있는 방법에 대해 토의한다.

● 시나리오 4

32세의 R은 5개월 전 첫 아이를 낳은 후 점점 더 피곤함을 느끼고 탈진된 일상을 보내고 있다. 그녀가 수면제를 처방받기 위해 개인의원을 방문했을 때 의사는 1차적으로 간호사에게 R을 면담하고 그녀의 기분상태, 안전성, 수면상태를 평가하도록 요청했다. 이때 R은 간호사와 의사가 자신이 우울할 수 있다고 생각한다는 사실을 알고 놀란다.

1. R을 위해 어떤 초기 지원과 개입을 고려할 수 있는가?
2. R을 인터뷰할 때 어떤 영역의 평가를 고려하겠는가?
3. R을 정신전문의에게 어떤 시점에서 추가 평가 및 치료를 의뢰할 것인지 고려하겠는가?

● 유용한 웹사이트

Australian Bureau of Statistics Mental Health Australia. https://mhaustralia.org/

Australian Government Department of Health. PHN mental health tools and resources. http://www.health.gov.au/internet/main/publishing.nsf/content/phn-mental_tools.

Black Dog Institute, Australia. https://www.blackdoginstitute.org.au/

Health Navigator New Zealand. https://www.healthnavigator.org.nz/health-a-z/m/mental-illness/

Mental Health Australia. https://mhaustralia.org

Mental Health Commission, Australia. https://www.mentalhealthcommission.gov.au/

Mental Health Coordinating Council. http://www.mhcc.org.au/about-mhcc/

Mental health data and statistics (New Zealand). https://www.health.govt.nz/nz-health-statistics/health-statistics-and-data-sets/mental-health-data-and-stats

Mental health data, Australia. https://www1.health.gov.au/internet/main/publishing.nsf/Content/PHN-Mental_Health_Data

Mental Health Foundation of New Zealand. www.mentalhealth.org.nz

Wellplace New Zealand. https://wellplace.nz/facts-and-information/mental-wellbeing/mental-health-in-new-zealand/

● 참고문헌

김동겸, 정인영. 2021. 연령대별 정신질환 발생 추이와 시사점: 코로나19의 잠재위험 요인. 고령화리뷰,제 39호, p.1–8.

Australian Bureau of Statistics (ABS). National Survey of Mental Health and Wellbeing: Summary of results. Cat. No. 4326.0. Canberra: Commonwealth of Australia; 2008.

Australian Bureau of Statistics (ABS). National Health Survey First results. Australia 2017 – 18. Canberra: Commonwealth of Australia; 2018.

Australian College of Mental Health Nurses. Standards of Practice for Mental Health Nursing in Australia. Canberra: Australian College of Mental Health Nursing; 2010.

Australian Government Department of Health. PHN Mental Health Flexible Funding Pool Programme Guidance: Stepped Care. Canberra: Australian Government Department of Health; 2019.

Australian Institute of Health and Welfare, Deaths in Australia. Cat. no. PHE 229. AIHW, Canberra, 2019. https://www.aihw.gov.au/reports/life–expectancy–death/deaths–in–australia. (Accessed 9 February 2020).

Balagopal, G., Kapanee, A. R.M. Lessons learnt from NGO approaches to mental healthcare provision in the community. In: Mental Health Care Services in Community Settings. Singapore: Springer; 2019:185 – 204.

Burns, R. A. Sex and age trends in Australia's suicide rate over the last decade: something is still seriously wrong with men in middle and late life. Psychiatry Res.. 2016; 245:224 – 229.

Caneo, C., Marston, L., Bellón, J.Á., et al. Examining the relationship between physical illness and depression: is there a difference between inflammatory and non inflammatory diseases? A cohort study. Gen. Hosp. Psychiatry. 2016; 43:71 – 77.

Chan, M. K., Bhatti, H., Meader, N., et al. Predicting suicide following self–harm: systematic review of risk factors and risk scales. Br. J. Psychiatry. 2016; 209(4):277 – 283.

Cleary, M., Raeburn, T., West, S., et al. Two approaches, one goal: how mental health registered nurses perceive their role and the role of peer support workers in facilitating consumer decision–making. Int. J. Ment. Health Nurs.. 2018; 27(4):1212 – 1218.

Commonwealth of Australia. Mental health statement of rights and responsibilities 2012. Canberra: Commonwealth of Australia; 2012.

Crane, D. A., Lepicki, T., Knudsen, K. Unique and common elements of the role of peer support in the context of traditional mental health services. Psychiatr. Rehabil. J.. 2016; 39(3):282.

Damery, S., Brown, C., Sein, K., et al, The prevalence of mild–to–moderate distress in patients with end–stage renal disease: results from a patient survey using the emotion thermometers in four hospital trusts in the West Midlands, UK. BMJ Open 9 5 2019 e027982

Davison, K. Historical aspects of mood disorders. Psychiatry. 2006; 5(4):115 – 118.

de Munter, L., Polinder, S., Haagsma, J. A., et al. Prevalence and prognostic factors for psychological distress after trauma. Arch. Phys. Med. Rehabil.. 2020; 101(5):877 – 884.

Firth, J., Siddiqi, N., Koyanagi, A., et al. The Lancet Psychiatry Commission: a blueprint for protecting physical health in people with mental illness. Lancet Psychiatry. 2019; 6(8):675 – 712.

Gilbertson–White, S., Campbell, G., Ward, S., et al. Coping with pain severity, distress, and consequences in women with ovarian cancer. Cancer Nurs.. 2017; 40(2):117.

Grech, E., Raeburn, T. Experiences of hospitalised homeless adults and their health care providers in OECD nations: a literature review. Collegian. 2019; 26(1):204 – 211.

Gürhan, N., Beşer, N. G., Polat, Ü., et al. Suicide risk and depression in individuals with chronic illness. Community Ment. Health J.. 2019; 55(5):840 – 848.

Harrison, J., Henley, G. Suicide and hospitalised self–harm in Australia: trends and analysis. Injury research and statistics series. Canberra: AIHW; 2014.

Inoue, M., Yamaoka, K. Social factors associated with psychological distress and health problems among elderly members of a disaster–affected population: subgroup analysis of a 1–year post–disaster survey in Ishinomaki area, Japan. Disaster Med. Public Health Prep.. 2017; 11(1):64 – 71.

Islam, F. M.A., Psychological distress and its association with socio–demographic factors in a rural district in Bangladesh: a cross–sectional study. PLoS ONE 14 3 2019 e0212765

Jayasuriya, D., Jayasuriya, R., Tay, A. K., et al. Associations of mental distress with residency in conflict zones, ethnic minority status, and potentially modifiable social factors following conflict in Sri Lanka: a nationwide cross–sectional study. Lancet Psychiatry. 2016; 3(2):145 – 153.

Kang, S. K., Bodenhausen, G. V. Multiple identities in social perception and interaction: challenges and opportunities. Annu.

Rev. Psychol.. 2015; 66:547 – 574.

Kolappa, K., Henderson, D. C., Kishore, S. P. No physical health without mental health: lessons unlearned? Bull. World Health Organ.. 2013; 91:3. [3A].

Kurtz, D. L.M., Janke, R., Vinek, J., et al. Health sciences cultural safety education in Australia, Canada, New Zealand, and the United States: a literature review. Int. J. Med. Educ.. 2018; 9:271 – 285.

Laverty, M., McDermott, D. R., Calma, T. Embedding cultural safety in Australia's main health care standards. Med. J. Aust.. 2017; 207(1):15 – 16.

Lubbe, J. C., Roets, L. Nurses' scope of practice and the implication for quality nursing care. J. Nurs. Scholarsh.. 2014; 46(1):58 – 64.

Maybery, D., Jones, R., Dipnall, J. F., et al. A mixed–methods study of psychological distress following an environmental catastrophe: the case of the Hazelwood open–cut coalmine fire in Australia. Anxiety Stress Coping. 2019; 33(2):216 – 230.

McCarthy, M. M., Whittemore, R., Gholson, G., et al. Diabetes distress, depressive symptoms, and cardiovascular health in adults with type 1 diabetes. Nurs. Res.. 2019; 68(6):445 – 452.

McPhillips, R., Salmon, P., Wells, A., et al, Cardiac rehabilitation patients' accounts of their emotional distress and psychological needs: a qualitative study. J. Am. Heart Assoc. 8 11 2019 e011117

Mental Health Commission of NSW. Physical health and mental wellbeing: evidence guide. Sydney: Mental Health Commission of NSW; 2016.

Ministry of Health. He Ara Oranga. Report of the Government Inquiry into Mental Health and Addiction. Wellington: Ministry of Health; 2018.

Ministry of Health. Annual Update of Key Results 2015/16: New Zealand Health Survey. Wellington: Ministry of Health; 2016.

Ministry of Health. Briefing to the Incoming Minister of Health 2017: The New Zealand Health and Disability System. Wellington: Ministry of Health; 2017.

Ministry of Health. Every life matters – He Tapu te Oranga o ia tangata: suicide prevention strategy 2019 – 2029 and suicide prevention action plan 2019 – 2024 for Aotearoa New Zealand. Wellington: Ministry of Health; 2019.

Morgan, V. A., Waterreus, A., Jablensky, A., et al. People living with psychotic illness in 2010: the second Australian national survey of psychosis. Aust. N. Z. J. Psychiatry. 2012; 46(8):735 – 752.

Mortier, P., Cuijpers, P., Kiekens, G., et al. The prevalence of suicidal thoughts and behaviours among college students: a meta–analysis. Psychol. Med.. 2018; 48(4):554 – 565.

Nasif, J., The emotional impact of chronic illness. J. Psychol. Clin. Psychiatry 3 6 2015 00177

Neil, A. L., Carr, V. J., Mihalopoulos, C., et al. Costs of psychosis in 2010: findings from the second Australian National Survey of Psychosis. Aust. N. Z. J. Psychiatry. 2014; 48(2):169 – 182.

NiaNia, W., Bush, A., Epston, D. Collaborative and Indigenous Mental Health Therapy. Tataihono – Stories of Maori Healing and Psychiatry. New York: Routledge; 2017.

Nursing Council of New Zealand. Guidelines for Cultural Safety, the Treaty of Waitangi and Maori Health in Nursing Education and Practice. Wellington: Nursing Council of New Zealand; 2011.

O'Brien, A. Every nurse is a mental health nurse. Nurs. N. Z.. 2014; 20(8):2.

O'Brien, A. J., DeSouza, R., Baker, M. Providing culturally safe care. In: Chambers M., ed. Psychiatric and Mental Health Nursing. The Craft of Caring. London: Routledge; 2017:419 – 430.

Oakley Browne, M. A., Wells, J. E., Scott, K. M., et al. Lifetime prevalence and projected lifetime risk of DSM–IV disorders in Te Rau Hinengaro: the New Zealand Mental Health Survey. Aust. N. Z. J. Psychiatry. 2006; 40(10):865 – 874.

Olver, J. S., Hopwood, M. J. Depression and physical illness. Med. J. Aust.. 2013; 199:S9 – S12.

Perkins, D., Williams, A., McDonald, J., et al, What is the place of generalism in mental health care in Australia?: A systematic review of the literature. Australian Primary Health Care Research Institute, 2017. Available at: https://openresearch–repository.anu.edu.au/handle/1885/119238

Prioreschi, P. Possible reasons for neolithic skull trephining. Perspect. Biol. Med.. 1991; 34(2):296 – 303.

Productivity Commission. Mental Health, Draft Report. Canberra: Australian Government; 2019.

Rhodes, A. Youth suicide in Canada: distinctions among boys and girls. Healthc. Q.. 2013; 16(3):11 – 13.

Summers, A., Leidman, E., Periquito, I. M.P. F., et al. Serious psychological distress and disability among older persons living in conflict affected areas in eastern Ukraine: a cluster–randomized cross–sectional household survey. Confl. Health. 2019; 13(1):10.

Tapsell, R., Hallett, C., Mellsop, G. The rate of mental health service use in New Zealand as analysed by ethnicity. Australas Psychiatry. 2018; 26(3):290 – 293.

Tauranga, M., Moore, D. Adult Māori patients' healthcare experiences of the emergency department in a district health facility in New Zealand. Int. J. Indig. Health. 2018; 13(1):87–103.

Te Ao Maramatanga (New Zealand College of Mental Health Nurses). Standard of Practice for Mental Health Nursing in New Zealand. Auckland: Te Ao Maramatanga; 2012.

Te Pou o Te Whakaaro Nui. The physical health of people with mental health conditions and/or addiction. Evidence update: December 2017. Auckland: Te Pou o Te Whakaaro Nui; 2017.

Te Pou o Te Whakaaro Nui. The physical health of people with a serious mental illness and/or addiction: an evidence review. Auckland: Te Pou o te Whakaaro Nui; 2014.

Te Pou o Te Whakaaro Nui. Take action to improve physical health outcomes for New Zealanders who experience mental illness and/or addiction. A consensus position paper. Auckland: Te Pou o Te Whakaaro Nui; 2014.

Te Pou o Te Whakaaro. Talking Therapies: Where to Next?. Auckland: Te Pou o te Whakaaro Nui; 2012.

Thomas, H. J., Chan, G. C., Scott, J. G., et al. Association of different forms of bullying victimisation with adolescents' psychological distress and reduced emotional wellbeing. Aust. N. Z. J. Psychiatry. 2016; 50(4):371–379.

Tomitaka, S., Kawasaki, Y., Ide, K., et al. Distribution of psychological distress is stable in recent decades and follows an exponential pattern in the US population. Sci. Rep.. 2019; 9(1):1–10.

Trueman, S. W. Contextualizing mental health nursing encounters in Australian remote Aboriginal communities: part 2, client encounters and interviews. Issues Ment. Health Nurs.. 2013; 34(10):772–775.

Vicary, D., Westerman, T. That's just the way he is': some implications of Aboriginal mental health beliefs. Aust. e-J. Adv. Ment. Health. 2004; 3(3):103–112.

Walker, E. R., McGee, R. E., Druss, B. G. Mortality in mental disorders and global disease burden implications: a systematic review and meta-analysis. JAMA Psychiatry. 2015; 72(4):334–341.

White, J., Hemingway, S., Stephenson, J. Training mental health nurses to assess the physical health needs of mental health service users: a pre-and post-test analysis. Perspect. Psychiatr. Care. 2014; 50(4):243–250.

Wilson, A., Reilly, R., Mackean, T., 2018. Analysis of factors associated with Aboriginal and Torres Strait Islander suicide in Australia: a scoping review. Transcult. Psychiatry Manuscript submitted for publication.

World Health Organization (WHO). Mentalhealth.who.int/news-room/facts-in-pictures/detail/mental-health, 2019

World Health Organization (WHO). Constitution of the World Health Organization. Geneva: WHO; 2014.

CHAPTER 2

모든 상황에서의 정신건강

Nursing and Mental Health in Context

주요 내용

- 정신건강 문제, 정신질환 및 정신적 디스트레스를 겪고 있는 사람은 어디든 존재한다.
- 정신건강서비스는 사람 중심 및 회복 중심의 단계적 치료 모델의 서비스 스펙트럼 전반에 걸쳐 제공한다.
- 정신건강 간호실무에 대한 사회생태학적 접근은 전인간호를 위한 체계를 제공한다.
- 단계적 간호 중재는 개인의 필요를 충족시키기 위한 중재과정과 일치한다.
- 간호실무는 정신건강의 사회적 결정요인을 포함하는 폭넓은 정신건강의 상황에서 이루어진다.
- 모든 간호사는 임상환경 및 진료범위와 관련된 정신건강 간호 지식과 기술을 개발해야 한다.

주요 용어

- 정신상태(mental state)
- 정신상태 변화(alteration in mental state)
- 정신적 디스트레스(mental distress)
- 정신건강 문제(mental health issues)
- 정신질환(mental illness)
- 정신건강서비스 제공(mental health service delivery)
- 전인간호(holistic care)
- 사회적 결정요인(social determinants)
- 사회생태학적(social ecological)
- 전문적인 경계(professional boundaries)
- 자문조정정신의학(consultation–liaison psychiatry)
- 회복 중심 간호(recovery informed care)
- 외상 기반 간호(trauma informed care)
- 단계별 간호(stepped care)

학습 목표

이 단원을 통해 다음을 수행할 수 있다.

- 정신상태를 악화시키는 요인을 탐색하고 설명 및 토의한다.
- 신체 및 정신건강 문제가 동반된 경우 복합적인 치료의 특성에 대해 토의한다.
- 정신건강 간호실무에 대한 사회적 · 생태학적 접근을 설명한다.
- 정신건강의 사회적 결정요인을 구분한다.
- 정신건강 간호가 모든 치료 환경 및 서비스에 적용될 수 있는 방법을 설명한다.
- 정신건강서비스 전달이 의료서비스 전반에 걸쳐 통합되는 방법을 설명한다.
- 신체 및 정신건강 문제가 동반된 경우 복합적인 치료의 특성에 대해 토의한다.

서론

주거안정, 교육기회, 고용, 사회적 연결기회, 재정적 스트레스, 육아 및 가족 문제, 동시에 약물 및 알코올 사용 및 남용의 영향, 상실 및 슬픔 및 기타 중대한 사건 등, 우리의 정신적 · 정서적 안녕에 해로운 요소는 많다. 이는 우리 삶의 다양한 시기에 보편적으로 영향을 미치는 문제이다. 이것이 간호사에게 의미하는 바는 간호사가 어떤 임상환경에서 일을 하든 정신질환을 경험하거나 위기에 처해 정신적 디스트레스를 겪고 있는 사람을 만날 수 있다는 것이다. 간호사는 사회적 요인과 관련된 여러 가지 문제로 어려움을 겪는 사람, 신체 또는 정신 질환으로 인해 삶이 변화된 사람, 중환자, 또는 질병이나 부상으로 죽음을 앞둔 사람을 간호해야 한다.

정신간호는 간호실무에서 가장 흥미롭고 도전적인 영역 중 하나이다. 정신간호는 정신적 · 정서적 고통을 경험하고 있는 사람, 그리고 자신이나 환경 및 주변 사람을 의심하는 사람과 함께 작업하는 것이다.

이러한 작업의 보상은 자신이나 다른 사람에 대한 신뢰를 재성취할 수 있게 하는 안전과 간호의 맥락을 제공하기 위하여 지식과 기술을 사용하는 것에 대한 만족감이다. 정신간호는 개인의 특성, 전문지식, 경험, 임상 및 대인관계 기술의 융합을 필요로 한다. 정신질환자는 복잡하고 때로는 장기적인 관리가 요구된다. 그들은 의료시스템을 자주 이용하는데, 정신건강서비스 제공자와 규칙적으로 만나거나 일회성 만남을 경험했을 수 있다. 일부 정신질환의 경우 장기적이고 반복되는 특징을 보이는데, 이는 정신간호사와 대상자 간의 치료적 관계가 장기간 지속될 수 있음을 의미한다.

이 장에서는 정신간호실무를 위한 사회적 · 생태학적 체계이며, 이 체계의 다양한 요소를 설명하고 있다. 관련 요소로는 치료적 관계와 대상자–간호사 파트너십; 실무에 영향을 미치는 개인적이고 상황적인 요소들; 성역할과 문화를 포함하는 간호사와 대상자의 정체성; 정신간호실무(건강을 결정하는 사회적 요인과 정신건강 간호의 주된 접근인 회복 중심 간호와 외상 기반 간호를 포함)가 있다. 또한 정신건강 분야에서 제공되고 있는 다양한 정신건강서비스를 대상자의 상태에 따라 단계적 간호 접근에 대해 살펴보고, 이 장의 후반부에서는 임상 상황에 대한 시나리오를 통해 정신건강과 관련된 다양한 상황, 의료환경 속에서 효과적으로 정신간호를 수행해 나가는 과정의 예를 살펴볼 것이다.

건강 문제의 경험

건강 문제(질병) 경험은 흔히 개인 전체에 영향을 주는 안녕감을 저하시키는 사건이다. 이는 1장과 2장에서 설명한 바와 같이 생물정신사회적 영역 중 하나–즉 개인의 신체적, 발달적, 정신적, 사회적, 문화적 또는 영적 경험의 손상을 포함한다. 질환의 경험은 개인의 인간관계, 학업과 업무능력 또는 대처방식에 영향을 미칠 수 있다. 반대로 건강의 사회적 결정요인과 개인이 성장하고, 생활하고 나이 들어 가는 환경과 밀접한 관련이 있는 요인 역시 개인의 전반적인 건강 및 안녕에 긍정적 또는 부정적 영향을 미칠 수 있다(WHO, 2008). 이러한 요인은 개인의 개별 경험, 지원 및 자원을 개발, 유지 또는 접근할 수 있는 능력에 따라 질병의 발병 또는 회복에 대한 위험과 취약성을 보호하거나 증가시킬 수 있다. 개인의 질환 경험을 유발하는 질병, 상태 또는 위험요인의 징후와 증상을 사정하고 확인하는 것 외에도 보호요인도 확인해야 한다(**박스 2.1**). 보호요인은 개인에게 긍정적인 영향을 미치고 정신상태를 개선하

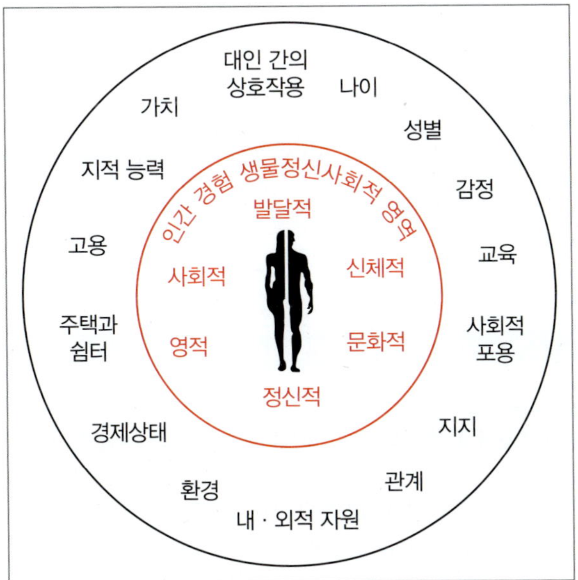

그림 2.1 건강과 안녕에 영향을 미치는 생물정신사회적 영역과 요인

며 회복에 기여할 수 있으므로 평가 및 확인되어야 하고, 간호, 치료 및 퇴원 계획에도 포함되어야 한다. 예를 들어, 지지적인 가족은 회복에 도움이 되는 경제적, 정서적 지원 및 자원을 제공할 수 있다. 반대로 폭력, 약물 남용 또는 갈등의 가족력이 있는 가족은 또한 위험을 유발할 수 있다.

정신상태

개인의 정신상태는 존재의 전반적인 상태를 반영한다. 정신상태는 개인이 경험하는 생물정신사회적 측면과 밀접하게 연결되어 있다. 정신상태의 변화는 개인이 내외적 경험, 환경 및 상황의 변화에 대해 적응하는 정상적인 측면이다. 모든 개인의 정신상태는 전반적인 기능 및 (긍정적 또는 부정적) 경험에 따라 다양한 시점에서 언어 및 비언어적 의사소통을 통해 다르게 나타난다. 개인의 생각, 인지 및 감정적 경험은 행동을 통해 표현된다. 따라서 개인이 타인에게 반응을 하고 스스로 행하고 행동을 취하는 방식은 정신상태를 직접적으로 반영한다.

박스 2.1 건강 및 안녕의 위험 및 보호 요인

일상생활에서 우리 모두는 우리 존재 전체에 긍정적 또는 부정적 영향을 미칠 수 있는 상황, 상호작용 및 사건을 경험한다. 일생 동안 우리의 건강과 안녕에 긍정적 또는 부정적 영향을 미칠 수 있는 현재 존재하거나 발달 또는 발생할 수 있는 위험 및 보호 요인이 있다. 위험 및 보호 요인은 이 책의 1부에서도 논의되어 있다.

위험요인은 다음과 같은 가능성을 높일 수 있다.

- 정신건강 문제, 신체적/정신적 질병 또는 전반적인 생물정신사회적 건강 및 안녕의 감소가 단기 또는 장기적으로 발생할 가능성
- 기존의 문제가 더 심각해지고 더 오래 지속될 가능성

위험요인의 예로는 만성적인 신체적 질병 및 상태, 심리적 외상, 사회적 지지의 부족, 빈약한 대인관계, 상실, 낙인, 스트레스 및 노숙자 등이 있다.

보호요인은 다음과 같다.

- 개인의 생물정신사회적 건강과 안녕을 강화하고 보호한다.
- 정신질환에 대한 예방 또는 발병, 발병 가능성을 감소시킨다.
- 질병의 영향력을 최소화한다.
- 개인의 스트레스 생활 사건 관리능력을 강화하고 위험 요인에 대한 저항력을 향상시킨다.

보호요인의 예로는 지지적인 친밀한 사람들과의 관계, 고용, 긍정적인 대인 간의 상호작용, 유머감각, 취미활동과 관심 등이 있다. 위험 및 보호 요인은 건강의 사회적 결정요인과 밀접하게 연결되어 있으며 개인적, 생물정신사회적, 문화 또는 환경적 상황에서 발생하거나 존재할 수 있다.

정신상태 변화

정신상태 변화는 개인의 정신상태가 평소(문화적/사회적) 기준에서 벗어나거나 달라질 때 발생한다. 건강관리의 측면에서 개인의 정신상태 변화는 생물정신사회적 항상성의 파괴를 나타내며, 일반적으로 건강문제의 첫 징후가 될 수 있다. 정신상태 변화의 유형, 심각도 및 기간은 개인의 질병 상태 및 증상(신체적/정신적 또는 모두), 치료와 대처 방식, 내외적 자원 및 지지, 개인 상황과 현재 상태 및 상황의 심각성과 같은 현존하는 생물정신사회적 원인에 따라 크게 영향을 받는다.

모든 개인의 정신상태는 각기 다르며 미묘하고 천천히 또는 매우 빠르고 갑자기 변화할 수 있다. 개인의 질병 경험에 따라 정신상태 변화는 매우 빠르게 해결되거나 며칠, 몇 주 또는 몇 달 동안 간헐적으로 지속될 수 있으며, 치료기간 동안 변동되거나 동일하게 유지될 수 있다. 하지만 개인의 건강상태와 상황이 개선되면 정신상태 또한 개선되며(다양한 비율로) 평소 상태(항상성)로 회복하게 된다.

• 정신상태의 악화 사정

모든 종합병원에 근무하는 간호사는 정신상태의 변화를 경험하는 전 연령의 환자(및 그 가족)를 간호할 가능성이 높다. 전인간호 면에서 환자가 병원에 처음 왔을 때나 교대근무를 통해 정신상태(생각, 인지, 감정 및 행동 상태)에 대해 관찰한 사항을 사정하고 기록하는 것은 바람직한 실무이다. 환자에게 질문을 하거나 가족 또는 기타 간호제공자를 통해 참고할 수 있는 정보를 얻을 수 있다면, 환자의 병전 정신상태가 대체로 어떠했는지를 이해하는 데 도움이 된다. 이를 통해 간호사는 환자의 정신상태 및 건강상태의 악화 또는 개선을 나타낼 수 있는 어떠한 변동 및 변화를 정확하게 감지할 수 있다. 또한 정신상태에 대한 정기적인 평가는 개인의 정신상태와 건강상태의 변화를 유발하는 요인이나 패턴을 모니터링하는 데에도 도움이 된다.

종합병원에 입원하거나 치료를 받고 있는 모든 환자가 그렇듯이 신체질환을 가진 기존의 정신질환자는 정신상태가 어느 정도 악화될 수 있다. 하지만 반드시 정신질환이 재발하거나 전반적인 정신건강 및 안녕이 악화되는 것을 의미하지는 않는다. 모든 사례에서 개인별로 증상의 경험, 심각성 및 지속기간과 신체적 건강상태 및 치료를 고려할 때 치유 및 회복에 미치는 영향 정도를 초기 및 지속적으로 생물정신사회적 측면에서 평가하는 것이 필요하다(그림 2.2).

만일 정신상태의 뚜렷한 변화 또는 장기간의 변화나 정신질환의 증상 악화가 나타난다면 치료계획, 중재 또는 치료에 대한 심층평가와 상담을 위해 자문조정정신의학서비스(박스 2.2) 또는 종합병원에서 제공하는 다른 정신건강서비스가 연계될 수 있다.

박스 2.2 자문조정정신의학 - 종합병원을 위한 자원

자문조정정신의학은 정신건강의학의 한 하위 전문 분야이다. 자문조정정신의학의 다학제팀에는 정신과 의사, 정신과 수련의, 정신간호사 및 종합병원에서 정신건강서비스를 제공하는 관련 직원이 포함된다. 자문조정정신의학팀이 제공하는 서비스(이 장의 후반부에 있는 박스 26.3의 예시 참조)에는 사정, 교육, 상담, 치료 및 치료계획 지원이 포함된다.

이러한 서비스는 종합병원에서 정신질환 상태에 있는 대상자의 간호 및 치료와 관련된 비정신건강 직원(non-mental health staff)과 치료팀에게 제공된다. 여기에는 신체적 질병으로 인해 정신상태의 변화를 경험하고 동반 정신질환이 있거나 없는 대상자들이 포함된다.

자문조정정신의학팀은 최선의 환자 중심 의료를 제공하고 증진하기 위해서 환자의 치료팀과 협력하여 환자에게 직접 중재(예 사정 또는 심리적 지원 및 상담)를 통해 자문을 제공하거나 종합병원의 의료직원과 조정, 교육 및 협업을 통해 간접적으로 환자 치료에 참여하고 있다. 자문조정정신의학에서 간호사는 흔히 지역 및 더 광범위한 건강서비스 수준에서 직원이 안정적인 전인적 실무를 위해 교육, 질 향상 프로젝트 및 정책을 개발하고 제공하도록 돕는 조정의 중요한 구성요소를 제공한다. 환자와 치료환경이 다양하므로 자문, 평가 및 중재 과정은 입원 시 언제든지 제공될 수 있다. 예를 들어, 치료를 받고 있는 환자가 완전히 의식이 없는 경우에도 가족/보호자에게 환자에 관한 정보를 얻고 지원을 제공하고, 환자의 치료와 중재에 대해 직원 교육과 조언을 제공할 수 있다.

자문조정정신의학에서 간호사의 역할은 다음과 같다.

- 환자 및 가족과 협력하여 정신건강 평가 및 중재 제공하기
- 환자를 돌보는 일반 직원에게 지침, 교육 및 지원을 제공하고 치료계획을 수립하기 위해 협력하기
- 정신건강 관리 및 실무에서 일반 직원에게 긍정적인 역할 모델이 되기
- 정신건강 관련 프로젝트, 교육 및 정책 개발을 위한 정신건강 자원인 조직 또는 부서와 협력하기
- 일반의와 정신건강서비스(공공 및 사립 병원 및 지역사회) 간의 연결을 제공하기

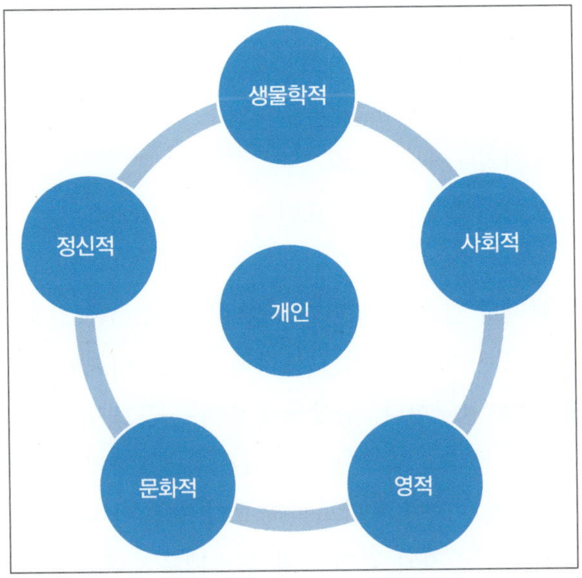

그림 2.2 생물정신사회적 사정

정신건강 간호실무에 대한 사회생태학적 접근

우리는 정신건강 간호실무에 대한 사회생태학적 접근을 살펴볼 것이다. 사회생태학적 관점은 건강과 안녕에 영향을 미치는 개인과 환경 간의 역동적인 상호작용을 나타낸다. 사람-환경 상호작용에는 여러 요인과 과정이 포함된다. 정신건강은 개인의 신체적 · 정신적 · 정서적 · 영적 특성과 그 사람과 환경 또는 생태(사회 및 가족 맥락 포함) 사이에서 발생하는 상호작용 과정을 포함하는 것으로 이해할 수 있다. 정신건강에 대한 사회생태학적 접근은 정신건강을 유지하는 데 도움이 되는 가용자원에 대한 접근, 재정 지원과 주택과 같은 실질적인 자원, 정신건강 간호(병원 또는 지역사회 기반)와 간호를 포함하는 건강자원, 친구, 가족을 포함하는 인적 자원과 지원이 대상자의 회복을 지원하는 것이다. 정신건강 문제는 삶의 모든 측면에서 사람들에게 어려움을 줄 수 있기 때문에 사회생태학적 또는 전인론적 관점은 정신건강 및 정신건강 간호실무를 이해하는 것과 연관이 있다. 마찬가지로, 간호실무는 우리의 개인적 특성과 기술, 그리고 우리가 제공하는 의료서비스 맥락에 의해 형성된다. 역동적인 사람-환경 상호작용에는 간호사의 간호실무 및 대상자와의 관계에 영향을 미치는 개인적 · 상황적 요인이 포함된다.

따라서 사회생태학적 관점에서 간호실무에는 다음이 포함된다.

- 간호사의 개인 특성(예 성격, 대인관계 방식, 문화 및 성정체성, 간호지식, 태도 및 기술)
- 간호사와 대상자 사이의 치료적 관계 및 대인관계(상호작용)
- 간호사와 대상자가 기반을 두고 있는 문화적 및 실제적 맥락
- 대상자의 회복을 지원하기 위해 접근할 수 있는 가용 인력과 자원

그림 2.3은 이러한 모든 요소와 상호작용을 도식으로 표현한 것이다. 다음은 각 요소에 대해 간략히 설명한 것이다.

건강의 사회적 결정요인

정신건강의 상황이나 환경과 관련된 건강의 사회적 결정요인은 우리가 태어나고 살아가는 사회적 · 경제적 상황이다(WHO, 2018). 이러한 결정요인은 사회의 권력과 자원 분배에 의해 형성되며, 불평등한 정신건강은 정신건강의 중증도와 유병률에 직접적으로 영향을 미치기 때문이며 평생동안 지속될 수 있다(WHO, 2018). 정신건강과 관련하여 건강과 삶의 질에 직접적인 영향을 미치는 주요 사회적 결정요인은 다음과 같다.

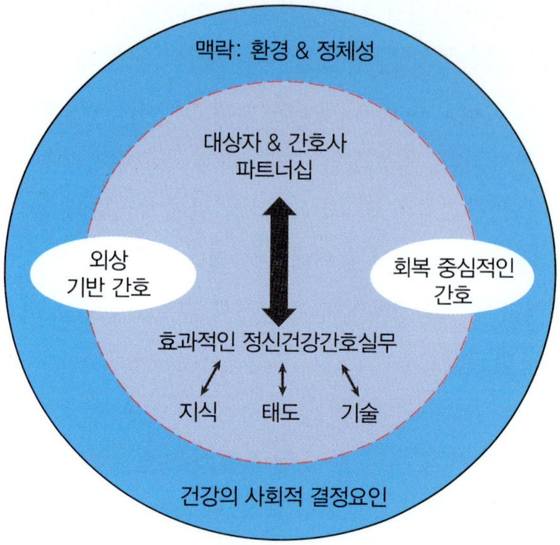

그림 2.3 **정신건강 간호실무에 대한 사회생태학적 접근**

- 정신건강 낙인(mental health stigma)
- 빈곤(poverty)
- 폭력(violence)
- 강제이주(forced migration)
- 노숙자를 포함한 불안정한 생활조건(WHO, 2018)

정신질환은 이러한 요인들에 의해 많은 영향을 받기 때문에 정신건강 문제는 정신건강 치료만으로는 개선될 수 없다. 정신건강 문제에 영향을 미친 사회적 요인도 해결되어야 하며, 가능하다면 제거하거나 줄여나가야 한다. 사회적 결정요인은 근위요인과 원위요인으로 나눌 수 있다. 근위요인은 건강에 직접적으로 영향을 미치는 요인(예 지속적인 외상)인 반면, 원위요인은 보다 간접적으로 영향을 미치는 요인(예 사회적 박탈)이다. 사회적 결정요인의 감소를 목표로 할 필요가 있다. 정신질환의 부담을 줄이기 위해 룬드 등(Lund, et al., 2018)은 사회생태학적 틀을 사용하여 정신질환의 위험 또는 보호 요인이 되는 근위 및 원위적인 사회적 결정요인을 다음의 다섯 가지 영역으로 확인하였다(**표 2.1**).

- 인구통계학적 요인(demographic)
- 경제적 요인(economic)
- 이웃(neighbourhood)
- 환경(environmental)
- 사회적 및 문화적 요인(social and cultural)

따라서 간호에 대한 사회생태학적 접근은 간호사가 대상자가 살고 있는 사회적 상황을 이해하고 다룰 것을 요구한다. 임상에서 일하는 간호사에게 이러한 모든 요소에 영향을 미치거나 예방하거나 개입할 수 있는 능력이 반드시 필요한 것은 아니지만 정신건강 대상자와 작업할 때에는 매우 중요하다. 개인과 관련하여 이러한 요소들은 병력 조사와 사정의 한 부분으로 고려되고 구분된다. 다학제팀 작업의 일환으로 이러한 여러 요소를 직접 처리하여 위험을 줄이고 추가 질병에 대한 보호를 강화할 수 있다. 예를 들어 대상자를 위한 적절한 주택 협상(또는 돌아갈 집이 없는 경우 퇴원하지 않도록 보장)을 하거나, 소외된 대상자를 위한 사회적 지지체계를 구축하고, 외상 기반 치료접근 방식과 같은 외상 및 관련 고통의 심리적 영향에 대한 심리적 지원을 제공한다. 간호사는 간호에 대한 사회생태학적 접근을 하기 위해 자신이 간호하는 환경을 이해해야 한다.

정신건강의 상황: 환경과 정체성

간호업무를 수행하는 상황에서 간호사는 간호 모델과 그들이 일하는 의료서비스 접근방식이 업무에 직접적인 영향을 미친다는 것을 이해해야 한다. 마찬가지로 간호실무는 우리가 일하는 환경을 형성하고 영향을 미친다. 병원에 입원하는 사람은 간호사에게 고유한 윤리적 문제를 제기할 수 있다. 왜냐하면 그들은 위험과 안전을 고려하여 자율성의 일부 또는 전부를 박탈당하고 「정신건강복지법」에 따라 강

표 2.1 정신장애의 사회적 · 문화적 결정요인

영역	근위요인	원위요인
인구통계학적 요인	• 연령 • 성별 • 인종	• 커뮤니티 다양성 • 인구 밀도 • 장수 • 생존율
경제적 요인	• 소득 • 부채 • 자산 • 재정적 부담 • 상대적 박탈감 • 실업 • 식품안전	• 경기 침체 • 경제적 불평등 • 거시경제
이웃	• 안전과 보안 • 주택 구조 • 과밀 • 휴양	• 하부구조(사회/공공 기반시설) • 이웃의 빈곤 • 환경 조성 • 환경 • 안전과 보안
환경	• 외상 • 고통	• 자연재해 • 산업재해 • 전쟁 또는 갈등 • 기후변화 • 강제이주
사회적 및 문화적 요인	• 개인의 사회적 자본 • 사회 참여 • 사회적 지지 • 교육	• 지역사회의 사회적 자본 • 사회적 안정 • 문화

출처: Lund, C., et al., 2018

제입원이 필요한 정신질환을 앓고 있을 수 있기 때문이다. 비자발적 입원은 간호사가 대상자에게 강점을 개발할 수 있는 선택과 기회를 제공하려는 회복 중심적인 접근방식을 적용하기 어렵게 만들기도 한다. 그러한 도전적인 환경에서 일하는 것은 간호사가 건강상태 및 중재에 대한 최신 전문지식을 갖추어야 할 뿐만 아니라 단절되고 자원이 부족한 의료 시스템 속에서 대상자가 정신질환 경험으로부터 회복하는 과정에서 직면하는 어려움에 공감할 수 있어야 함을 의미한다.

문화적, 성적 및 영적 정체성

정체성의 개념

정체성은 개인이 한 개인으로서 자신에 대해 지속적으로 느끼는 감각으로 생각할 수 있다. 즉, '나는 누구인가?'라는 질문에 사람들이 하는 대답이다. 심리학자들은 전통적으로 정체성을 개인주의적 용어로 정의했으며, 안정적인 성격 특성을 개발하는 데 중점을 두었다. 그러나 정체성은 중요한 사회집단(예 문화집단, 종교적 신념, 또래집단)에 속하거나 그 집단과의 차이에 따라 많은 영향을 받는다. 사회집단의 가치와 신념을 규명함으로서 우리는 우리가 누구인지에 대한 고유한 감각을 정의하게 된다. 다른 사람들은 정체성이 본질적으로 불안정하고 끊임없이 변화하며 여러 요소로 구성되어 있다고 주장했다. 정체성의 몇 가지 예가 아래에 요약되어 있다. 개인은 여러 개의 정체성을 갖고 있으며, 이러한 정체성은 일생 동안 바뀔 수 있음을 기억하는 것이 중요하다. 간호사는 대상자의 정체성이 무엇인지 안다고 가정하지 않아야 하며, 특정 정체성에 대한 간호사의 고정관념으로 개인을 대해서는 안 된다. 또한 대상자도 특정 정체성이 의미하는 바에 따라 자신을 맞추는 것을 조심해야 한다.

문화적 정체성

문화적 정체성은 하나 이상의 문화집단에 대한 개인의 소속감을 의미한다. 의료인은 대상자가 자신의 문화적 정체성을 선언하도록 지원하며, 이를 존중해야 한다. 문화적 정체성은 정신건강에 영향을 미치고 개인이 자신의 회복 프레임워크를 개발하도록 돕는 신념, 가치 및 실무의 중요한 원천이다. 간호사의 경우 간호사 자신의 문화적 정체성과 그것이 대상자와의 상호작용에 어떻게 영향을 미칠 수 있는지를 성찰하는 것이 중요하다. 간호사는 의료서비스 대상자의 모든 문화에 대해 지식을 갖추거나 숙련되어 있지는 않지만 대상자의 문화를 존중하고 문화적 선호도를 진심으로 인정하는 것이 중요하다.

영적 정체성

정신건강 이론가들은 영성과 종교에 대해 회의적인 오랜 전통을 가지고 있다. 개인주의적 정신건강 모델(예 합리적 정서 치료)은 믿음과 신념보다 합리주의를 중시했으며, 영성을 정신건강을 위한 자원이 아니라 병리학의 원천으로 보았다. 그러나 지역사회의 다양성이 증가함에 따라 이러한 견해는 도전을 받고 있으며, 영성과 종교적 믿음은 정신사회적 기능과 정체성의 중심으로 여겨진다. 임상 지원은 사람들이 스트레스를 관리하고 대처전략을 개발하는 데 도움이 될 수 있지만, 영성은 겉보기에 극복할 수 없는 삶의 문제에 직면했을 때 이를 수용하고 희망을 갖게 할 수 있다. 영성은 대개 종교적 믿음과 관련이 있지만 많은 사람은 영적 믿음과 가치를 유지하면서 비종교적 세계관을 가지고 있다. 또 다른 사람은 종교적 세계관과 비종교적 세계관을 모두 가지고 있다. 간호사로서 우리는 대상자의 영적 신념을 항상 공유하지는 않는다. 그러나 문화적 정체성과 마찬가지로 대상자의 영적 신념과 가치를 정체성의 중요한 부분으로 인식하고 회복의 일환으로 영성을 유지하도록 지원해야 한다.

성정체성

젠더(gender)는 정체성의 다른 자원이다. 이전의 정신건강 실무에서는 성정체성을 병리적인 상태로 보고 그 차이를 치료해 왔고, 자신의 성정체성과 성적 선호도가 당시의 지배적인 사회적 규범에 맞지 않는 개인에게 강제적인 치료법을 적용했다. 이제 젠더는 생물학적으로 고정된 기능으로 인식되는 것(개인은 태어날 때 남성 또는 여성의 성별로 지정되었으며 변화하지 않는다는)에서 유동적이고 사회적으로 구성된 개념으로 간주한다. 용어의 범위는 현대 사회의 젠더에 대한 변화하는 관점을 반영하며, 간호사가 마주하게 될 성정체성의 범위를 통합한 '레즈비언, 게이, 양성애자, 트랜스젠더, 인터섹스 또는 퀴어[Lesbian, Gay, Bisexual, Transgender, Intersex or Queer/Questioning, LGBTIQ+'라는 용어에 반영된다. 성별에 대한 특정 용어에는 양성애자, 트랜스젠더, 게이, 다양한 성별, 퀴어, 인터섹스 및 시스젠더(sis-gender)] 등이 있다. 성별은 친밀한 관계에서 개인의 성별 선호도를 나타내는 성적 선호도와 혼동하지 않아야 한다. 선호도는 고정되어 있지 않으며, 정신사회적 발달과정에서 변할 수 있다. 간호사는 자신과 다른 성정체성과 성적 취향을 가진 대상자를 만나게 될 것이다. 성별과 성정체성은 일반적으로 낙인과 편견으로 인해 고통의 원인이 될 수 있으므로 다양한 젠더의 대상자와 치료적 관계를 맺는 데 익숙해지는 것이 중요하다.

정체성, 스트레스 및 정신질환

한 사람으로서 자신이 누구인지에 대해 확실하게 발달된 감각이 정신건강에 중요하지만, 정체성이 평가절하되고 낙인 찍힌 견해와 편견을 받는 사람들에게 정체성은 스트레스의 원인이 될 수도 있다. '소수자 스트레스'라는 용어는 사람들이 자신의 정체성과 관련하여 접하는 낙인과 차별의 경험을 의미한다. 이것은 문화 및 민족성, 종교적 소속, 성별 및 성정체성 및 기타 정체성 측면과 관련될 수 있다. 차별은 소수자 스트레스가 우울증, 불안, 자살 충동 및 유해물질 사용을 포함한 정신질환의 증상으로 이어지는 적대적인 환경을 조성할 수 있다. 한 가지 형태의 주변화에 놓인 사람들은 '교차성'이라는 개념인 다른 형태의 주변화도 경험할 가능성이 더 크다. 간호사는 하나 이상의 주변화를 경험하는 많은 대상자를 만나게 되는데, 이러한 경험이 어떻게 개인의 건강 경험과 의료인의 반응을 형성하는지에 대해 인식할

역사적 일화 2.1 : 낙인과 정신질환

사회학자 어빙 고프만(Erving Goffman)은 1963년 발간한 자신의 책 『스티그마』에서 저평가된 정체성을 초래하는 세 가지 유형의 낙인을 확인했다. 고프만은 정신질환자는 앓는 사람은 약하고, 신뢰할 수 없고, 위험할 수 있으며, 정신질환자로 분류된 사람은 장애인 그룹과 관련 있는 사람이라는 부정적 측면을 통해서 사회적 낙인과 같은 특징적인 편견을 경험한다고 주장했다. 고프만의 연구는 개인이 지배적인 사회집단의 부정적인 고정관념을 믿게 하는 낙인의 내면화를 포함하여 정신질환자들에 대한 낙인의 부정적인 영향에 초점을 맞추었다. 고프만은 또한 간호사와 같은 정신건강 분야에서 일하는 사람들이 사회적으로 평가받지 못한 집단과의 연관성에 의해 정체성이 영향을 받기 때문에 '정중한 낙인(courtesy stigma)'을 받는다고 주장했다.

자세히 알아보기: Goffman, E., 1963. Stigma: notes on the management of spoiled identity. Prentice-Hall, Englewood Cliffs

필요가 있다. 논쟁의 여지가 있는 정체성을 가지고 있는 대상자를 지지하는 것은 정신건강이 향상되고 낙인과 차별이 흔한 환경 속에서도 대상자가 살아갈 수 있는 회복탄력성을 구축할 수 있도록 한다.

돌봄에 대한 회복 지향 및 외상 기반 접근방식

지난 100년 동안 많은 연구가 정신질환자가 경험한 결과를 탐구했다. 이러한 연구의 대부분은 '임상적 회복'이라고 하는 정신건강 전문가가 개발한 회복을 이해하는 접근방식을 사용했다. 이 개념은 정신질환을 임상치료가 필요한 건강상태로 간주한다. 따라서 대부분의 신체적 질병에서의 회복과 마찬가지로, 이러한 관점에서는 회복이 증상의 실질적인 감소와 기능의 회복을 포함해야 한다는 의미이다. 이러한 개념에 따르면 연구자들은 약물치료가 더 이상 필요하지 않은 사람의 수, 입원하지 않은 사람의 수, 또는 유급 취업기회를 얻은 사람의 수와 같은 양적 자료를 통해서 회복을 측정할 수 있다. 임상적 회복의 패러다임을 사용한 연구에 따르면 지난 100년 동안 회복률은 증가하지 않았다. 예를 들어, 1921~2010년에 발표된 50개의 연구결과를 검토한 메타분석에서는 조현병 환자의 13%만이 회복을 경험한다고 하였다(Jääskeläinen, et al., 2012). 이 연구에서 확인된 결과에도 불구하고 정신질환자는 회복 과정에 대해 더 희망적인 이야기를 하는 경우가 많다.

정신질환자들이 지난 수십 년 동안 정치적 영향력을 가지게 되면서 임상적 회복의 개념과 의학적 치료에만 초점을 맞춘 치료 모델에 문제를 제기했다. 이는 정신질환으로부터의 회복이 어떻게 이해되는지에 대한 검토로 이어졌다. 정신질환자들은 회복이 개인적인 여정(즉, 개인적인 회복)이며 정신질환으로 분류되거나 진단된 많은 사람이 상당한 외상의 경험을 가지고 있다고 강조했다.

• 회복 중심 간호

'개인적 회복'이라는 개념은 20세기 후반 정신질환자의 권리를 옹호하기 위해 발전한 소비자 운동에서 등장했다. 그들의 관점에서 회복은 임상치료가 필요 없는 건강상태라기보다는 개인적인 발달 여정에 관한 것이었다. 정신건강 회복에 대한 단일 정의는 없지만 가장 일반적으로 사용되는 설명 중 하나는 빌 앤서니(Bill Anthony, 1993)의 설명과 같다.

> 회복은 자신의 태도, 가치, 감정, 목표, 기술 및/또는 역할을 바꾸는 매우 개인적이고 독특한 과정이다. 질병으로 인한 한계에도 불구하고 만족스럽고 희망적이며 기여하는 삶을 사는 방법이다. 회복은 개인이 정신질환의 치명적인 영향을 넘어 성장함에 따라 삶의 새로운 의미와 목적을 개발하는 것을 포함한다.
>
> 앤서니, 1993; p.15

디건(Deegan, 1988) 및 리트(Leete, 1989)와 같은 정신질환 병력이 있는 사람이 출판한 회복 여정에 대한 개인적인 이야기를 시작으로 정신건강 회복의 생생한 경험을 설명하는 많은 문헌이 출간되었다. 개인의 회복 경험에 대한 이야기는 회복 기반 관점과 회복 여정에서 개인에게 중요한 것이 무엇인지 결정하는 데 중요하다. 국제적인 소비자, '생존자'이자 교육자이자 저명한 컨설턴트인 메리(Mary O'Hagan)의 회복에 관한 **사례연구** 2.1은 사람들이 자신에게 중요하다고 말하는 것과 전문가 및 시스템이 집중하는 것 사이의 차이가 있음을 보여준다. 이러한 차이에서 많은 사람은 자신의 '광기'의 의미에 집중하지만, 회복의 과정에 있는 사람을 '광기'를 병리적으로 관리하고, 약을 먹어야 하는 증상으로 간주한다. **표** 2.2는 회복 중심의 실무와 전통적인 실무의 차이를 기술하였다.

글로버(Glover, 2012)는 호주에서 관리되는 비자발적 입원으로 인한 정신적 고통에 대한 두 여성의 이야기와 그들의 개인적인 경험을 발표했다. 여성들은 자신이 받은 보살핌에 대해 자신의 경험을 이해하는 데 도움을 받지 못하고, 권한을 박탈당하며, 사람으로 대우받지 못하고 '진단 범주'로 인식된다고 말하였다. 여성들의 경험은 전문지식 기반의 언어와 의미를 사용하여 설명되었다. 자신의 경험에 대한 자신의 의미와 언어는 고려되지 않았고 가치가 없었다. 글로버의 발표가 중요한 이유는 두 여성이 매우 유사한 경험을 했는데, 하나는 1985년에 발생한 이야기이고 다른 하나는 2010년에 발생한 이야기이기 때문이다. 후자는 '회복 중심' 모델로서 서비스가 증진되던 그 시점에 연구된 결과이다. 지난 25년동안 실제로 무엇이 바뀌었는지를 글로버가 우리에게 질문하였다.

2011년 리미 등(Leamy, et al., 2011)은 개인적 회복과 일반적으로 관련된 경험을 확인하기 위해 체계적 문헌고찰을 했다. 5,000편 이상의 논문을 고찰한 후 저자는 개인 회복에서 희망과 낙관, 정체성, 삶의 의미, 임파워먼트의 공통적인 다섯 가지 프로세스를 확인했다. 정신건강 회복과 관련하여 의료전문가와 정신건강서비스가 수행해야 하는 다섯 가지 핵심 영역은 다음과 같다.

- 희망과 낙관주의의 문화와 언어 증진
- 사람을 최우선으로 하여 실천의 중심에 두고 그들의 삶을 총체적으로 바라봄
- 개인의 회복을 지원하고 그것을 실천의 중심에 두기
- 숙련된 실무자 및 회복에 도움이 되는 환경을 위한 조직적 헌신 및 인력 개발
- 사회 통합 및 건강, 정신건강 및 평안의 사회적 결정요인에 대한 조치(Commonwealth of Australia, 2013).

정부 지침에서 장려하는 실무의 종류를 더 잘 이해하기 위해 보틀리에 등(Le Boutillier, et al., 2011)은 영국, 스코틀랜드, 아일랜드, 덴마크, 뉴질랜드 및 미국 정부로부터 30개의 회복 관련 정책 문서를 정성적 분석하였다. 이 연구는 정책이 조직적 헌신, 개인적으로 정의된 회복 지원, 업무관계 및 시민권 증진을 포함한 네 가지 공통 실천 영역을 촉진한다는

사례연구 2.1

정신적 고통을 겪는 많은 사람과 마찬가지로 M은 자신의 광기를 자기 존재의 확고한 핵심인 자아상실로 설명한다. 이 핵심은 광기의 시간 동안 분명하지 않지만 더 강력하고 새로워지며 다시 광기 어린 시간으로 돌아갈 준비가 되어 있다는 것이다. 광기는 인간 경험의 전체 범위의 일부인 존재의 위기이다. M은 다음과 같이 설명한다.

내 자아는 내 존재의 견고한 핵심이다. 내 모든 변덕스러운 감정, 생각, 감각이 그 주위를 도는 동안 사물의 중심에 앉아 있는 불변의 어두운 태양과 같다. 그러나 나의 자아는 광기 동안 숨어 있다. 때로는 지는 해처럼 거대한 무(無) 속으로 미끄러져 들어간다. 때로는 내 몸과 마음의 윙윙 거리는 소리에 먼지에 짓밟히고… 때로는 내 광기가 나를 맨발로 벗기기도 하지만 회복의 시작이기도 하다. 내가 그것에서 나올 때마다 나는 새롭게 다시 시작할 준비가 되어 있다고 느낀다.

M은 그녀의 광기와 싸우기보다 친구가 되어야야 했고, 그것을 알고 이해하고 존중해야 했다. 복잡한 과정이었다.

내 광기는 적국의 시민으로 밝혀진 내 집에 살기 위해 오는 하숙인과 같았다. 내가 그를 없애지 못할 수도 있다는 것을 알기 때문에 나는 그와 화해하고 그의 언어를 이해하는 법을 배워야 했다. 하숙인을 알게 되자 그는 더 이상 고정관념에 사로잡힌 적이 아니라 존경받을 만한 복합적인 인물이었다.

정신건강 전문가들은 M이 자신의 광기의 의미를 이해하도록 돕는 데 아무런 가치도 찾지 못했다. 또한 그들은 그녀가 자신의 힘, 자신의 자원을 활용하도록 허용하지 않았다. M이 정신건강서비스에서 보살핌을 받았을 때 그녀는 '낮은 기대치(lowered expectations)에 능숙한' 사람이었다. 예를 들어, 공부나 일과 같은 일이 너무 스트레스가 많아서 할 수 없다는 말을 반복해서 들었다. M에게 제공되는 정신건강 관리방식은 자율성보다는 수동성을 장려했다. 그녀는 자신에게 영감을 준 소비자/생존자 문헌을 접했을 때야 자신의 지략을 활용할 수 있는 능력을 발견했다. 그녀는 광기의 순환에서 벗어나기 위해 자신의 힘을 찾고 사용할 수 있었다. M은 뉴질랜드에서 정신건강 위원으로 임명되었으며, 그 이후로 정신건강에 관한 국제 컨설턴트로 활동하고 있다.

M에게 가장 힘든 것은 증상이 아니라 사람들이 M을 대하는 방식이었다. 돌이켜보면 그녀의 광기는 아름다움과 어려움, 영혼으로 가득 찬 광기의 장소였다. M은 그녀의 광기에 대한 끔찍한 고통과 필사적인 투쟁에 대해 이야기하지만, 그녀는 또한 목적과 의미로 가득 차 있다고 해석할 수 있는 경험의 풍요로움에 대해서도 이야기한다. 그녀는 자신의 현실을 받아들이기를 원했다. M에게 사람들이 할 수 있는 최선은 친절하고 그녀의 현실을 받아들이는 것, 즉 기본적인 인간의 반응이었다.

M의 웹사이트(www.maryohagan.com)를 방문하여 그녀의 이야기에 대해 자세히 알아보시오.

것을 발견했다. 이러한 결과에도 불구하고 저자는 정신건강서비스의 핵심 과제는 회복 중심 실무를 구성하는 서비스의 명확성이 지속적으로 부족하다고 결론지었다. 이러한 명확성의 부족에 대해 슬레이드 등(Slade, et al., 2015)은 정부 정책이 개인 회복의 개념을 촉진할 수 있지만 실무에서 실제로 어떻게 구현되는지에 대한 방법과 이 방법들이 실제로 대상자의 회복에 영향을 주었는지에 대한 근거가 부족하다는 점을 관찰했다.

더 나은 회복 중심 치료를 위해서는 정신질환자에게 제공하는 서비스, 서비스 계획, 정책 및 연구에 대한 더 큰 협력과 공동설계가 필요하다. 이를 위해서는 온정주의적이고 권위주의적인 실무에서 벗어나 상호 존중하는 사람 중심의 치료로의 의도적인 전환이 필요하다. 대상자와 서비스 제공자는 건강 및 정신건강 시스템 내에 존재하는 부적절함과 기회를 이해해야 한다. 결국 그들은 그것을 탐색하려고 시도하는 사람들이다. 건강 및 정신건강 시스템을 완전

표 2.2 회복 기반 실무와 전통적 실무 사이의 주요 차이점

회복 기반 실무	전통적 실무
• 사람 중심 • 인권 의제에 의해 주도 • 의미 있는 역할, 관계 및 지역사회와 연결하고 유지하는 것이 핵심이며, 많은 것이 회복에 기여함 • 가능성을 찾고 희망을 고취함 • 위험 관리를 위한 사람과의 협업 • 사람들의 이야기에서 회복을 배움	• 질병과 증상 중심 • 의료 모델에 의해 주도 • 질병으로 인해 손실되거나 반복되는 개인적인 삶의 경향 • 제약조건을 찾고 한계를 설정하고 기대치를 낮춤 • 다른 사람들에 의한 위기관리에 초점 • 개인적인 이야기가 치료의 초점이 아님
• 정신건강 문제에 대한 경험을 통해 얻은 전문성을 가진 사람 • 약물치료는 관리의 작은 부분임. 유형과 용량은 개인에 따라 적정하게 조절함 • 사람은 변화하는 주체 • 사람들이 경험의 의미를 밝히는 데 도움이 되도록 '모르는(un-knowing)' 자세와 호기심을 가짐 • 자신의 전문성을 인정받을 수 있도록 권한 부여 • 개인의 적극적인 참여를 요구하는 자기주도적 돌봄을 촉진함 • 그 사람에게 중요한 것이 무엇인지 탐색하며, 독특한 경험을 인식하고 영성을 고려함 • 그 사람의 강점과 연결하고 도전을 극복하기 위해 그 강점을 활용함 • 지역사회의 광범위한 서비스와 연결할 수 있는 능력과 선택 • 동료 지원 또는 동료 실행 서비스가 필수적임 • 외상기반 돌봄은 '당신에게 무슨 일이 일어났나요?'라고 질문함	• 전문가는 그 사람의 경험에 대한 전문가임 • 일반적으로 약물로 증상을 치료하는 것이 중재의 주요 형태임 • 변경 주체는 프로그램임 • '안다(knowing)'의 자세를 취하고 진단을 내리기 위해 증상을 확인하려고 함 • 개인의 의미보다 증상이 더 중요 • 수동성 및 규정 준수 촉진 • 회복은 주로 다른 사람들의 적극적인 참여를 포함함 • 사람들에게 질병과 질병을 관리하는 데 중요한 것이 무엇인지 알려주며, 영성은 고려되지 않음 • 치료 및 관리를 위한 결핍에 중점을 둠 • 서비스 선택이 제한될 수 있음 • 동료 지원이 제한적이거나 존재하지 않음 • 외상기반이 아니고 "배경 문제('당신에게 무슨 문제가 있습니까?')가 더 중요함
• 회복은 새로운 자아를 개발하고 번창을 향하여 발병 전 기능을 넘어 이동하는 것 • 비선형 프로세스 • 기간은 의미가 없으며, 계속 진행되는 과정임 • 위기는 어떻게 극복할 것인지 배우는 기회이고, 적극적인 회복 공간임	• 회복은 발병 전의 기능 수준으로 돌아가는 것임 • 중재의 선형 프로세스 • 프로세스의 종점은 회복임 • 위기는 재발과 실패로 간주함

히 회복 중심적으로 전환하려면 의료 연속체의 모든 지점에서 대상자 참여를 저해하는 요인과 차별을 해결하는 실제 경험 관점의 진정한 통합이 필요하다.

외상 기반 간호

회복 중심 접근방식은 정신건강 문제를 경험하는 많은 사람이 외상의 경험을 가지고 있음을 인식하고 이를 실무에 적용하는 것이다. 외상 또는 외상 사건은 고통스러운 사건이라고 설명할 수 있다. 예를 들어, 심각한 신체적 상해 또는 정신적 · 정서적 고통을 유발하는 특정 경험이다. 외상는 종종 상실이나 슬픔과 관련이 있다. 상실과 슬픔의 경험은 인간 삶의 보편적인 부분이다. 상실은 개인에게 속해 있고 개인에게 소중하거나 의미가 있는 것을 빼앗기거나 파괴된 사건으로 설명할 수 있다. 여기에는 지갑을 잃어버리는 것과 같은 '사소한' 손실부터 산불로 집과 모든 소유물을 잃는 것과 같은 '황폐한 손실'까지 다양한 손실이 포함된다. 사별은 일반적으로 물건이나 사람을 박탈당하는 것을 의미한다. 일반적으로 죽음을 통해 사랑하는 사람을 잃는 맥락에서 사용된다. 슬픔은 '물리적, 정서적, 인지적, 행동적, 영적 표현을 포함한 모든 상실에 대한 반응과 상실에 대한 자연스럽고 정상적인 반응'으로 정의된다.

연구는 다양한 정신건강 문제의 발병과 외상 사이의 명확한 연관성을 보여준다. 따라서 간호사는 재외상화를 유발할 수 있는 취약성과 잠재적 유발요인에 민감해야 하고 이것이 회복을 방해할 수 있음을 인식해야 한다.

중대 교통사고, 예상치 못한 가까운 가족의 사망, 자연재해와 같은 단일 사건의 외상은 한 사람의 삶에 지장을 주지만 반드시 위기로 이어지는 것은 아니다. 그러나 그러한 사건은 임박한 위기의 잠재적 위험을 나타낸다. 사건에 대한 개인의 반응과 인식, 그리고 외상의 본질이 개인의 대처능력을 압도할 때 급성 위기상태로 이어질 수 있다. 대중적인 생각과는 달리, 연구에 따르면 외상 사건에 노출된 대다수의 사람은 불안정한 초기 기간 후에 회복된다. 적응과 회복의 기간이 지나면 일부 사람은 삶과 사랑하는 사람에 대한 새로운 감사, 개인적 성장 및 강화된 대처전략과 같은 긍정적인 변화를 나타낸다.

1990년대 후반에 시작된 ACE (Adverse Childhood Experiences) 연구는 미국에서 이루어진 대규모 연구이다. 참가자들은 어린 시절에 경험한 부정적인 사건에 대해 보고하도록 요청받았다. 부정적인 아동기 사건에는 학대를 받고 있는 어머니와 동거; 약물을 남용하거나, 정신질환을 앓고 있거나, 자살 충동을 느꼈거나, 감옥에 수감된 적이 있는 사람들이 있는 가정에 살고 있는 것 등이 있다. 연구자들은 어린이가 이러한 부정적 사건을 많이 겪을수록 만성폐쇄성폐질환, 심장질환과 같은 신체질환과 우울증과 같은 정신질환에 대한 위험성이 더 크다는 것을 발견했다. 연구자들은 이러한 초기 참가자로부터 건강상태를 문서화하는 데이터를 지속적으로 수집했다. 이러한 발견은 후속 연구에서 확인되었는데, 초기 역경은 지속적으로 이후 삶에 영향을 미치고, 평생 동안 신체적 · 정신적 질병의 위험을 증가시킨다는 것을 보여주었다. 외상에 노출된 어린이는 회복탄력성이 덜 발달하고 우울증 위험이 50% 이상 증가한다.

외상과 정신질환의 부정적인 영향에도 불구하고 인간의 뇌는 놀라운 적응능력을 가지고 있다. 많은 연구(일부는 100년 이상 거슬러 올라감)는 뇌졸중(뇌혈관 사고) 및 외상성 뇌손상과 같은 생리적 장애로 심각한 뇌손상을 입은 사람들이 손상의 결과로 상실된 것처럼 보였던 기능을 어떻게 회복하고 회복할 수 있는지를 보여준다. 이 과정의 핵심은 새로운 뇌세포(신경발생)를 생성하고 대체 신경경로를 설정하는 뇌의 능력이다. '신경가소성(neuroplasticity)'이라는 용어는 1960년대에 많은 외부 및 내부 사건에 대한 반응으로 뇌의 구조와 기능에 영향을 미치는 신경해부학의 재구성을 이해하는 방법으로 도입되었다.

우리는 간호교육에서 뇌는 아래에서 위로 발달하는 세 부분으로 구성되었다고 배웠을 것이다. 뇌의 부분들은 수조 개의 신경경로를 통해 서로 '대화'한다. '뇌간'은 호흡, 심박수 및 생존과 같은 자율기능을 담당한다. '변연계'는 감정과 기억을 담당한다. 이는 생존과 안전에 관련한다. '대뇌 피질'은 사고, 학습, 의사결정, 추론, 조직화, 계획, 의미 결정, 감정 및 언어 제어와 같은 고차원적인 명령을 담당한다. 사람들이 외상이나 심각한 정신적 디스트레스를 경험하면 대뇌피질을 사용하기가 훨씬 더 어려울 수 있다. 대신 그들은 변연계 피질에서 고리 모양(loop)으로 움직이면서 더 강한 신경경로를 구축하는데, 그렇게 함으로서 미래에 도전이 발생할 때 고통스러운 감정을 경험할 가능성이 더 커진다. 여기서 핵심은 사람들이 안전하다고 느끼는 것이 절대적으로 필요하다는 것이다. 그래야 사람들은 자신을 지속적으로 돌보는 데 있어서 다른 사람들과 효율적으로 관계를 맺을 수 있다. 환자가 입원실에서 치료를 받을 때를 생각해 보자. 개인의 안전은 효과적인 간호를 위한 중요한 기초이다. 일반적으로 사람들은 정신과적 응급개입을 포함한 입원환경을 두려워할 것이다. 특히 정신과에 처음 입원한다면 더욱 그렇다. 따라서 간호사는 시간을 내어 그 사람이 어떻게 느끼는지 그리고 그들이 안전하고 안정적이라고 느끼기 위해 필요한 것이 무엇인지 알아내는 것이 중요하다. 이는 그들의 말을 듣거나 그들이 안전감을 높이기 위해 사용할 수 있는 전략을 고려하는 데 도움이 될 수 있다. 예를 들어 누군가가 방에 들어올 때 도움을 요청하는 것이다. 간호사가 자신이 근무하는 환경에서 편안함을 느낀다고 해서 정신적 디스트레스를 겪고 있는 사람이 의료환경에서 안전하다고 느낄 것이라고 가정하지 말아야 한다.

외상 기반 간호의 고려사항은 다음을 인식하는 것이다.

- 외상과 그 영향은 정신건강시스템 설계에서 역사적으로 인식되지 않았다. 이에 대응하기 위해서는 정신간호를 받는 모든 사람이 외상를 경험했을 수 있다고 가정하는 보편적인 예방조치를 취해야 한다.
- 외상 병력을 조기에 반드시 사정하도록 하고 외상에 대해 표현하는 것에 대하여 민감하고 적절하게 반응하도록 하기 위해서는 직원들을 지도·감독하는 서비스가 필요하다.
- 사람들이 안전하다고 느낄 필요가 있음을 거듭 강조하면서, 간호사는 사람들이 고통스러운 감정을 줄일 수 있도록 도와주기 위해 대응할 수 있다. 함께 앉아 있거나 들어 주고 함께 걷는 것, 기본적인 마음챙김 또는 이완기법 사용, 그리고 조용한 환경을 보장하는 것 모두 도움이 될 수 있다. 이런 일이 발생하면 사람들은 사고력을 발휘하고 안전함을 느낄 수 있는 방법을 찾을 가능성이 더 커진다.
- 외상의 영향은 사람들이 잠재적으로 도움이 되는 관계를 맺는 방식에 영향을 미칠 수 있다. 이러한 사람들과 작업을 하려면 신뢰 구축이 중요하다. 외상은 사람이나 상황에 대한 신뢰가 심각하게 침해되었을 때 발생한다는 것을 기억해야 한다. 간호사는 외상과 학대가 어떻게 관계형성을 어렵게 하고, 치료관계에 영향을 미칠 수 있는지 이해할 필요가 있다.
- 강압적인 중재는 사람들에게 다시 외상을 유발할 수 있다. 간호사는 일반적으로 권위 있는 인물로 간주된다는 점을 명심해야 한다. 간호사가 '해야 한다'고 생각하는 활동을 하기 위해 권력을 사용하여 대상자를 통제하는 것은 강압적으로 보이고 오히려 역효과를 가져와 결과적으로 대상자에게 또 다른 외상을 유발할 수도 있다. 대상자의 강점을 인지하고 선호하는 간호를 확인하여 대상자가 어떻게 디스트레스를 관리해야 할지에 대한 간호계획을 함께 개발함으로써 대상자를 지원할 수 있다.
- 수치심과 굴욕감을 줄 수 있는 중재를 피한다. 간호사는 항상 개인의 존엄성과 개인의 권리를 유지할 책임이 있다. 그리고 유연하고, 개별화되어 있으며, 문화적 요소를 반영하고 존중하는 최상의 실무에 기반한 서비스를 제공할 책임이 있다.
- 보여지는 증상의 결과로 사람을 병리적으로 바라보기 보다는 그 사람에게 발생했던 사건에 집중할 필요가 있다(초점은 그 사람의 문제에 있음). 간호사는 과거 경험의 맥락에서 나타나는 현재의 행동과 증상을 이해하는 역량을 발전시켜야 한다.

요약하면, 외상 기반의 실무서비스는 세 가지 핵심 원칙에 따라 전달된다.

- 대상자는 정신질환으로부터 자신의 회복에 대해 희망적이며 정보를 얻을 수 있고, 가치가 있으며, 소외되지 않고 연결되어 있다고 느낄 필요가 있다.
- 간호사는 아동기 외상과 성인기의 정신건강 문제 사이에 연관성이 있다는 것을 이해해야 한다.
- 간호사는 대상자, 가족, 친구 및 기타 서비스 그리고 대상자의 자율성을 증진하기 위한 서비스를 수행해야 한다.

이러한 원칙은 대상자와 그 가족 및 친구의 요구에 초점을 맞추며, 직장에서의 스트레스를 관리하기 위한 지지를 제공할 수 있다. 외상 기반 간호는 회복지향적인 간호를 대체하는 것이 아니라 간호사와 대상자에게 회복을 위한 또 다른 관점을 제공하는 것이다.

단계적 간호 접근

박스 2.3에는 다양한 상황에서 개인의 정신적 또는 정서적 평안과 관련하여 간호사의 역할이 무엇인지 생각하는 데 도움이 되는 몇 가지 질문이 있다.

서비스 스펙트럼 전반에 걸친 정신건강 통합

정신건강 증진 및 예방은 지역사회, 학교 및 1차 보건의료환경에서 이루어진다. 신체건강과 정신건강 사이의 상관 관계는 잘 알려져 있다. 예를들어 신체적 문제를 가지고 내원한 환자에게 간호사는 현재 겪고 있는 증상과 어떻게 하면 건강한 정신상태를 유지할 수 있는지, 잠재적인 정신증상을 효과적으로 예방할 수 있는지 등에 관하여 이야기해야 한다. 정신적 고통을 겪고 있거나 정신건강 문제가 있음을 확인하면 그에 맞는 중재가 필요하다.

정신건강서비스 제공은 1차적으로 지역사회 및 병원 환경에서 이루어진다. 과거에는 병원 및 병상 기반 서비스가 정신건강 관리를 지배했지만, 탈시설화와 회복에 중점을 두면서 지역사회 기반 서비스가 현대 정신건강서비스 제공 과정에서 선호된다.

이런 서비스는 정부(공공), 비정부 및 민간 조직에서 제공한다. 정신간호사 또는 정신건강간호사(정신전문간호사)는 주산기 및 유아기부터 아동기 및 청소년기, 성인기 및 노년기에 이르기까지 생애주기별 정신건강 평가, 관리 및 간호를 제공한다. 또한 모든 의료환경에서 대상자와 가족의 정신건강 및 정서적 어려움을 고려해야 한다. 이들은 당연히 겁이 나고, 괴로워하거나, 쉽게 화를 낼 수 있다. 모든 상황에서 정신건강 간호는 '최소한의 제한(least restriction)' 치료 모델을 사용하여 제공되어야 한다. 대상자의 자율성을 증진하고, 권리 및 개개인의 가치, 존엄성, 사생활을 존중하며, 최소한의 제제를 가해야 대상자가 자신에게 영향을 미칠 치료를 결정하는 데 최대한 많이 참여할 수 있다. 가장 제한이 적은 치료환경을 제공하는 것은 세계보건기구(WHO)의 정신건강 관리법 내의 10가지 기본 원칙(1996) 중 하나이다. 치료 대상을 결정할 때 건강전문가는 환자가 겪고 있는 장애, 이용 가능한 치료법, 환자의 자율 및 치료에 대한 수용 및 협력의 범위, 또한 자신 및 타인에게 줄 수 있는 위해 가능성을 고려해야 한다.

이 책에서 논의한 바와 같이 인간 중심 의료시스템에서는 사람들이 기존의 시스템을 중심으로 자신의 치료를 조직되는 것이 아니라 자신의 요구를 중심으로 서비스가 조직되도록 한다. 대상자의 요구가 증가함에 따라 건강관리팀은 다양한 지지자원을 포

박스 2.3 생각해 보기

다음 상황에 처했을 때 여러분은 어떻게 느낄지 생각해 봅시다. 여러분이 환자로서 걱정할 만한 부분과 간호사에게 필요하고 기대하는 부분이 무엇일지 생각해 본다.

- 충수돌기 제거수술을 받기 직전 혼자 수술실 밖에 있다고 생각해 본다. 어떤 느낌이 드는가?
- 가슴 통증 때문에 응급실에 내원했지만 밖에서 기다리고 있다면? 또한 당일 아침에 직장에서 해고당했다면?
- 검사 결과를 받고 백혈병 진단을 받았다면?
- 처음으로 자궁암검사를 받았거나, 아기가 백일해에 걸리고 숨쉬기 어려워하거나, 청소년 자녀가 자해했다는 사실을 알게 된다면 어떤 기분이 들겠는가?
- 평소 온화하던 노인 대상자가 탈장수술을 받은 후 정신이 혼미해져서 공격적이고 욕을 한다면 어떻게 할 것인가? 아니면 자신의 부모님이 주거형 노인요양시설에 입원해야 한다면?
- 너무 오랜 기간 동안 과음해 왔다는 사실을 알게 되었다면?
- 성이력이 확실하지 않은 사람과 보호되지 않은 성관계를 가졌다면 어떤 느낌이 들겠는가? 아니면 가정폭력의 결과로 부상을 입었다면?
- 다가오는 시험에 대해 너무 걱정해서 공황 발작을 경험했다면? 아니면 이전에 우울증을 앓았었는데 방금 임신한 사실을 알게 되었다면?

함해야 하며, 대상자가 줄어들어 관련된 건강팀의 인원이 줄어든다. 하더라도 다양한 지지집단, 예를 들어 일반간호사, 대상자의 가족, 다른 중요한 지지집단과의 관계를 유지해야 한다.

단계적 간호 접근

단계별 간호서비스는 불안, 우울증과 같은 일반적인 정신건강 문제가 있는 사람을 위한 무료 및 저비용 선택사항부터 정신병과 같은 심각하고 지속적인 정신질환을 가진 사람을 위한 지원 및 돌봄서비스에 이르기까지 다양하다. 치료의 끝에 모든 대상자가 사회에 기여하는 삶을 살 수 있도록 하는 것을 목표로 하고 있다(National Mental Health Commission, 2014). 단계적 간호 접근에서 환자는 현재의 어려움에 가장 적합한 수준의 중재와 매칭된다. 다음 '단계'로 진행하기 위해 가장 낮고 가장 덜 집중적인 중재 수준에서 시작할 필요는 없다. 오히려 치료시스템에 들어와 필요한 요구사항에 맞게 치료서비스 수준을 조정한다.

단계별 간호 접근은 인간 중심 및 최소 제한 치료 모델과 어떻게 통합하여 적용할 수 있는지 알아볼 수 있게 한다. 단계적 간호 접근은 대상자 개개인의 어려움에 맞춰 1차, 지역, 급성, 아급성 및 재활치료 등 다양한 치료환경에서 지속적으로 치료를 제공하는 다른 모델들과 일치한다. **표 2.3**은 이러한 개념이 어떻게 통합되고 특히 간호사, 정신간호사, 정신건강간호사, 정신전문간호사가 각 단계별로 정신적 정서적 문제를 간호하기 위해 어떠한 역할을 해야하는지를 보여준다. 물론, 개인의 정신건강을 위해 필요한 것이 간호사만 있는 것은 아니다. 이는 가장 일반적인 설정 중 일부일 뿐이다.

간호환경 및 간호사의 역할

1차 보건서비스에는 일반간호 및 1차 보건현장에서 일하는 정신건강 임상가(예 정신건강간호사, 정신전문간호사, 정신과 의사, 심리사)가 포함된다.

지역사회 건강. 지역사회 정신건강 및 급성기 간호(예 위기관리팀, 모바일 진단팀)는 지자체에서 정신건강서비스와 관련한 예산지원과 관리감독을 받는다. 민간의 지역사회 기반 서비스는 종종 보조금 기반(지자체 또는 국가가 지원)이거나 종교 또는 자선 단체를 통해 지원받는다.

정신건강과 안녕을 증진하는 주요 방법 중 하나는 대상자가 살고, 일하고, 놀고, 상호작용하는 주변환경과 관계를 맺고 문화적으로 적절한 지원을 제공받을 수 있는 지역사회 내 서비스와 연결하도록 돕는 것이다. 이러한 환경에 있는 간호사는 특히 정신

표 2.3 간호, 정신건강 및 단계별 치료 대응

개인의 정신적, 정서적 디스트레스	지원이 필요한 정도	간호 요소	간호 환경	간호사 자격
중증 디스트레스	• 매우 높은 수준의 지원 필요 • 생명에 대한 위험; 심각한 자기 방치	• 진단 • 위험 진단 • 중요한 사건 관리 • 급성 정신건강 관리 • 약물 • 치료	• 급성 정신건강서비스 • 급성 치료팀	• 정신전문 간호사 • 정신건강 간호사 • 정신간호사
		• 평가 • 위험 평가 • 중요한 사건 관리 • 약물 • 입원 준비	• 응급실	• 정신전문 간호사 • 정신건강 간호사
				• 응급실 간호사
중등도 - 중증 디스트레스	• 높은 수준의 지원 필요 • 지속적인, 비정형 및 심각한 위험에 처한 환자; 복잡한 치료 필요	• 간단한 진단 및 위험 진단 • 간단한 심리적 중재 • 심리치료 • 복약교육 및 관리 • 사회적 지원 및 돌봄 조정	• 정신과 입원병동 • 급성 간호팀 • 지역사회 정신건강	• 정신전문 간호사 • 정신건강 간호사 • 정신간호사
			• 1차 보건	• 정신전문 간호사 • 정신건강 간호사
		• 진단 • 위험 진단 • 간단한 중재 • 복약교육 및 관리 • 적절한 병원으로 추천	• 응급실	• 정신간호사 • 응급실 간호사
			• 중독관리통합지원센터	• 알코올 및 기타 약물 담당 간호사
중등도 디스트레스	• 중간 수준의 지원 필요 • 중등 또는 심각한 정신건강 문제	• 간단한 심리적 중재 • 심리치료 • 복약교육 및 관리 • 재활서비스	• 지역사회 정신건강 • 1차 보건 • 법의 정신건강	• 정신전문 간호사 • 정신건강 간호사 • 정신간호사 • 법의 정신간호사
		• 스트레스 식별 • 적절한 병원으로의 추천 • 사회적 지원	• 의료 환경 • 1차 보건 • 일반 간호	• 응급실 간호사 • 중독정신 간호사 • 만성질환자를 돌보는 간호사 • 1차 의료에서 일하는 간호사 • 일반 병원 간호사
경증에서 중등도 디스트레스	• 낮은 수준의 지원 필요 • 가벼운 정신건강 문제	• 자가회복 지도 • 단순한 심리적 중재	• 청년마음건강센터 • 일반간호	• 정신건강 간호사 • 정신간호사
		• 디스트레스 정의하기 • 위험 자각하기 • 위험 신고 • 조심스러운 관찰	• 의료환경 • 1차 보건 • 일반간호	• 응급실 간호사 • 중독 정신간호사 • 만성질환자를 돌보는 간호사 • 1차 의료에서 일하는 간호사 • 일반 병원의 간호사
최소에서 경증 디스트레스	• 정서적 평안 및 탄력적인 회복 증진 필요	• 위험과 디스트레스 인식 • 정신건강 지식 • 정신건강 증진	• 모든 의료환경	• 모든 환경의 간호사

범례

파란색: 기본적인 정신건강 지식과 기술을 사용하는 일반 간호사

녹색: 전문적인 정신건강 지식과 기술을 사용하는 정신간호사

건강 문제가 발생할 위험이 있는 대상자를 식별하는 방법을 이해하고 사람들이 정신건강 이상 증상, 만성질환 또는 기타 동시발생적인 정신건강 문제 및 신체적 질병을 나타낼 때 이를 적절하게 인식하고 중재해야 한다. 정신건강 문제를 겪고 있는 대상자가 필요한 수준의 전문치료를 받을 수 있도록, 간호사는 정신건강 임상가와 협력할 수 있어야 한다. 또한 재정적 · 정서적 또는 실용적 · 물리적일 수 있는 대상자의 충족되지 않은 요구를 식별하고 대응하기 위해 대상자의 가족 또는 기타 지원 네트워크와 협력할 수 있다. 제22장은 1차 보건 및 지역사회 환경에서 진료를 제공할 때 개인의 정신건강을 적절하게 고려하는 방법을 인식하고 모든 환자 및 대상자의 전반적인 건강과 삶의 질을 개선하기 위해 정신건강 간호기술을 적용하는 방법을 식별하는 데 도움이 될 것이다.

입원 기반 서비스에는 응급실, 종합병원, 정신과 입원병동 및 재활병동이 포함된다. 응급실은 정신과 응급상황을 포함하여 모든 유형의 건강 응급상황에 대한 핵심 부서이다. 또한 자해 후 집중치료가 필요한 사람은 응급실을 통해 종합병원에서 지속적인 치료가 필요할 수 있다.

응급실이나 일반 의료환경에서 간호사는 정신건강선별 또는 위험요소, 정신건강 관련 이상증상이 있는지 사정하고 적절한 병원으로 의뢰할 수 있다. 간호사는 인간 중심, 당사자 중심 간호를 제공하고 다양한 삶의 단계, 문화 및 환경에 놓여있는 인간에게 회복 중심, 근거기반의 전문적 간호를 제공한다. 임상 및 사회적 지원을 통합적으로 제공하는 것은 대상자가 가족 및 지역사회와의 연결을 유지하는 데 도움이 된다. 중요한 점은 환자와 협력하여 그들이 경험하고 있는 것이 무엇인지 확인하고 필요한 정신건강서비스 및 간호를 받도록 지원하여 급성으로 재발되지 않도록 하는 것이다(또는 가능한 한 빨리 지역사회로 돌아갈 수 있도록 하 는 것).

정신과를 종합병원에 배치함으로써 종합병원 간호사가 정신질환자 및 임상가와의 만남이 증가했다. 물론 정신질환자도 신체질환이 있을 수 있기 때문에 일반 의료환경에서도 간호가 필요하다.

정신과 입원병동은 환자의 상황 및 연령에 맞는 다양한 치료서비스를 제공한다. 예를 들어, 어린이, 청소년, 성인 또는 노인을 구분하고, 급성 혹은 아급성 증상을 구분하여 간호하는 것이 필요하며, 다양한 수준의 관리, 감독, 규제를 제공하여야 한다. 또한 치료에 자의적인 대상자만 입원을 하도록 하거나, 「정신건강복지법」에 따라 격리되어(강박하는 경우도 존재) 치료를 받고 있는 사람을 볼 수도 있다. 병원이나 지역사회에서 활용할 수 있는 정신재활병동은 다양한 증상으로 인해 집중치료가 필요하거나 장기입원(예 3~12개월)이 요구되는 환자에게 필요하며, 여기서는 환자의 회복, 독립적인 생활, 삶의 질을 향상시킬 수 있도록 돕는다.

지역사회에서 건강돌봄을 제공하는 것이 늘어나면서 환자를 간호하는 돌봄제공자는 대개 가족, 배우자 또는 친구이다. 이들이 신체적 또는 정신적 건강 문제(또는 둘 다)를 가지고 있는지에 관계없이 환자를 돌본다는 것은 돌봄제공자 자신의 건강 및 정신건강에 부정적인 영향을 미친다. 연구에 따르면, 정신건강위기에 있는 환자를 돌보는 돌봄제공자들은 건강전문가들이 자신을 무시하거나 거부하는 것 같다고 느끼며, 환자들을 돌보면서 오는 소진 때문에 주변의 사회적 관계를 맺지 않아 결국 사회적으로 고립될 수도 있다고 보고하였다. 따라서 간호사가 모든 환경에서 가족과 돌봄제공자들을 지지하는 것은 무엇보다 중요하다.

돌봄제공자의 역할을 검증하고 인정하고, 정신건강과 질병 및 그 관리에 대한 조언과 교육을 제공하고, 지역사회의 자원과 연결하여 일상적인 문제를

시나리오 2.1

K씨는 최근 이차성 뇌종양 진단을 받은 적이 있는 38세 여성 유방암 환자이다. 가족에 의하면 K씨가 집에서 지내고 있었는데 밤새도록 잠을 자지 않고 말이 많아지고 과민하며 이전에 한 적이 없는 자선활동에 몰두하는 등 갑자기 행동과 감정상태가 변화했다고 한다. K씨는 또한 이전의 유방 수술의 상처가 회복되지 않아 수술과 고용량의 프레드니솔론(prednisolone)이 필요하였다. 직원에 의하면 K씨가 병동으로 전동되었을 때, 가족과 직원들에게 화를 내고 욕을 하였다고 한다.
간호사는 K씨를 ICU에서 인계받았다. K씨는 불안정한 상태로 ICU 간호사의 모든 말에 논쟁을 벌이고 있다. K씨는 지남력이 있으며 기분상태는 적대적으로 보인다. 중환자실 간호사가 K씨 앞에서 '정신건강의학과의 협진이 필요하다'고 말하자 K씨의 초조가 더 심해졌다. 지금 K씨는 퇴원을 원한다.

해결하도록 해야 한다. 또 돌봄제공자의 정신적 스트레스를 모니터링하고 알맞은 대응을 할 수 있어야 한다. 환자의 가족은 자신이 돌보는 가족을 위해 어떠한 서비스들이 있는지(자원봉사나 민간에서 제공하는 서비스들을 포함), 돌봄을 제공하는 데 발생되는 비용은 얼마나 되는지에 대한 정보를 요구할 수 있다. 따라서 간호사는 가족과 돌봄제공자에게 필요한 모든 정보를 제공할 수 있기 위해서는 지역사회 내에 어떤 지원이 가능한지, 어느 곳에 가야 이러한 서비스를 받을 수 있는지에 대해 인지하고 있어야 한다.

위험신호

- ICU 입원은 섬망의 위험을 증가시키는 것으로 알려져 있다.
- 프레드니솔론(prednisolone)의 사용은 조증의 임상적 특징을 포함한 행동의 변화를 촉진할 수 있다.
- K씨가 필요한 치료를 받지 않고 퇴원할 위험성이 있다.
- 과민성, 초조 및 공격적인 언어 사용은 K씨의 평소 태도가 아니다.

보호요인

- 프레드니솔론(prednisolone) 투여의 시작과 같이 행동 변화의 분명한 촉발 요인이 존재한다.
- 지지적인 가족이 있다.
- 의식이 명료하고 지남력이 있다.
- 종양팀은 K씨에 대해 잘 파악하고 있다.
- 병동으로 전동된 후에는 K씨와 협조가 잘 되는 직원이 돌볼 것이다.

지식

- 프레드니솔론(prednisolone)으로 인한 행동 변화의 위험이 있다.
- 정서장애는 개인의 상황과 기질적 요인 모두에 기인할 수 있다.
- 환자의 권리와 책임/윤리적 치료를 확립한다.
- 환자의 초조가 지지적인 간호에 반응하지 않는다면 보고절차를 고려해야 한다. 여기에는 의학적 검토를 받아야 하는 시기, 임상적으로 초조를 조절하기 위해 사용 가능한 약물 및 심층 조사가 포함된다.
- ICU에서 병동으로 전동할 때 저산소증, 요로 또는 호흡기 감염과 같이 환자의 행동에 가역적 변화를 초래

할 가능성이 있는 기질적 원인을 조사해야 한다.

기술

- 정신상태 사정
- 위험성 사정(퇴원, 필요한 치료 누락)
- 대상자 안전과 치료계획 사정(유치도뇨관과 같은 침습적 관을 최소화하기, 조기에 검토 요청하기)
- 대인관계 기술(예 자기소개, 사생활 존중하기, 대상자를 언급할 때 대상자의 이름 사용하기, 사적인 공간 존중하기, 간호를 제공하기 전에 설명하기)
- 대상자의 상황에 대한 공감
- 감성지능(자신과 타인의 감정에 대한 인식과 정서적 자기 조절)
- 대상자가 자신에게 발생한 일에 대해 이해하고 사전동의서를 제공하며, 간호, 중재 및 치료에 관해 올바르게 의사결정하는 능력에 대한 평가

박스 2.4 자문조정정신의학팀에 연계할 때

때때로 개인이 행동의 변화를 보일 때 치료팀은 정신질환의 병력이 있는지 또는 정신질환 삽화를 경험하고 있는지 문의하게 된다. 이 경우 흔히 더 포괄적인 정신건강 사정 또는 치료계획, 중재 및 치료에 대한 조언을 요청하기 위해 조정자문정신의학팀에게 연락하게 된다. 자문조정정신의학팀은 환자에 대한 사정 결과와 정신상태 변화에 대해 가능한 감별진단이나 기타 이유를 제공하여 의료팀이 대상자가 정신질환의 병력이 없음을 확인할 수 있도록 지원할 수 있다. 대상자의 증상을 고려할 때 가장 가능성 높은 감별 진단은 섬망일 것이다.
자문조정정신의학팀은 대상자의 치료팀원(의사, 간호사 및 관련 직원)과 연락하여 섬망의 치료방법 및 관리원칙이 적용되도록 조언한다. 이는 요로감염이나 약물 부작용과 같은 가역적 원인이 있는지 확인하고 지속적인 검토와 조정을 의료팀에게 제공한다. 자문조정정신의학팀은 초조 관리에 대한 전문 지식을 보유하고 있으며 초조에 사용할 수 있는 약물에 대한 정보를 제공하고 대상자의 정신상태 변화에 기여하는 요인을 탐색할 수 있다.

간호 처치 및 중재

초기 상황:

- 대상자의 정신적 고통에 반응하고 말의 내용과 관심사에 대해 경청한다.
- 차분하고 부드러운 방식으로 말한다.
- 대상자를 괴롭힐 수 있다면 대상자 가까이에서 임상적 대화를 피하되 인계를 위한 의사소통에는 대상자를 참여시킨다.
- 논쟁하고 정당화하거나 주장하지 않는다.
- 모든 치료는 제공하기 전에 설명을 하고 의사소통을 위한 시간을 할애한다.

대상자의 인계 완료 후:

- 대상자의 안위를 위해 병동 오리엔테이션에 참여한다(누가 대상자를 간호하는지, 다음 단계는 무엇인지).
- 관찰을 한다(통증, 활력징후, 약물 검토).
- 간호의 우선순위를 정하고 업무별로 그룹화하여 서로 방해가 되지 않도록 한다.
- 대상자의 평소 행동, 감정표현 및 인지기능을 기준으로 현재의 인지, 행동 및 감정 상태를 비교한다(대상자의 정신상태에서 변화/악화는 무엇인가?).
- 대상자의 행동 변화에 대해 임상적 검토를 요청한다.

가족 참여:

- 가족이 환자의 행동 변화에 대비하도록 한다.
- 가족에게 교육을 제공하여 환자에게 대처할 수 있도록 준비시킨다(예 논쟁하지 말기, 경청하기, 동조하지 않고 고통을 인정하기, 단순한 주제로 대화하기, 환자에 대한 요구나 의사결정에 제한을 두기).
- 대상자를 돌보는 데 필요한 간호자원을 검토한다(대상자에 대해 잘 아는 직원이 근무 중인가? 대상자의 안정을 위해 초과시간이 필요한 경우 직원의 근무배정에 여유가 있는가?).

시나리오 2.2

P씨는 48세의 과체중 여성으로 제I형 양극성 장애의 병력이 있으며 집에서 쓰러져 일반 병동에 입원했다. 남편은 P씨가 의식을 잃고 거실 바닥에 쓰러져 있는 것을 발견하고 구급차를 불렀다. 남편에 의하면 P씨가 그때까지는 '괜찮았었다'고 보고했다. P씨는 쿠에티아핀(quetiapine) 300mg, 발프로산나트륨(sodium valproate) 600mg을 처방 받아 하루에 2회 경구투약을 하고 있다. 또한 제2형 당뇨병 치료를 위해 메트포르민(metformin) 500mg을 하루 2회 투여하고 혈당 수치를 지속적으로 자가 모니터링하고 있다. P씨는 응급실에서 수분 보충을 위해 정맥 내 수액 주입을 받았고, 요로감염으로 인한 정맥 내 항생제 치료가 시작되었다. P씨는 현재 추가 관찰 및 치료를 위해 4인실 병동에 입원하고 있다.
간호사는 P씨에게 자신을 소개하고 맥박, 혈압 및 혈당 수치를 확인하기 위해 기본적인 관찰이 수행될 것이라고 설명한다. P씨는 빠르고 횡설수설하는 언어적 반응을 보인다. P씨는 의식이 혼미하며 시간과 장소에 대한 지남력이 없다. 간호사는 P씨가 요실금을 보였다고 보고한다. P씨는 손가락을 만지작거리고 침대시트를 잡아당기며 주위를 두리번거리고 있다. P씨는 반복해서 '도와주세요! 도와주세요!'라며 소리치기 시작하고 갑자기 침대에서 뛰어내린다.

잠재적 정신상태의 변화요인에 대한 평가:

- 통증
- ICU에서의 수면 박탈
- 탈수
- 요로감염(ICU에서 유치도뇨관 유지)
- 정서장애/두려움(진단 및 악화)
- 생화학적 불균형(혈액 검토)
- 수술부위의 잠재적 감염/저류 가능성
- 섬망

기록:

- 관찰한 대상자의 행동 및 관심사항
- 발생한 일과 도운 일에 대한 기술
- 식사/음식 섭취량
- 간호계획
- 감염 확인을 위한 혈액검사 결과와 같이 진행되고 있는 검사

위험신호

- 요실금
- 당뇨
- 탈수
- 빠르고 횡설수설하는 말
- 시트를 만지작거리고 당기는 것
- '도와주세요'라고 소리지르는 것
- 의식의 혼미 및 지남력 장애
- 최근 의식의 상실
- 발프로산나트륨의 처방
- 갑자기 침대에서 뛰어내림

보호요인

- 병전에 잘 지냄
- 남편과 생활함
- 자신의 이름에 반응함
- 일상적인 약물요법을 잘 유지함
- 평소 혈당 수치를 스스로 모니터링함

지식

- 대상자의 평소/기본적인 행동, 감정표현, 인지기능(정신상태의 항상성)
- 신체적 및 정신적 건강상태와 예상되거나/잠재적인 임상징후(제I형 양극성 장애, 당뇨, 요로감염, 탈수의 징후 및 증상 및 정신상태에 미치는 영향)의 구별
- 약물(상호작용, 적응증, 부작용)
- 정서장애에 대한 인식
- 동반질환
- 병동 절차 및 경고
- 치료의 연락 및 보고 절차
- 전과 절차 및 경로
- 환자의 권리와 책임, 윤리적 치료

기술

- 정신상태와 관련 위험 및 보호 요인 사정
- 대인간 의사소통(언어적 및 비언어적)
- 공감
- 감성지능(자신과 타인의 감정에 대한 인식과 정서적 자기조절)
- 안전 및 치료 계획(신체 및 정신)
- 안전하고 민감하게 절차를 수행하고 치료 제공
- 보고 및 기록
- 요구사항의 우선순위를 결정하는 능력
- 대상자가 자신에게 발생한 일에 대해 이해하고 사전동의서를 제공하고 간호, 중재 및 치료에 관해 올바르게 의사결정하는 능력에 대한 사정
- 비정상적인 혈액학적 병리상태를 인지(평소/기준선에서 벗어남)

태도

대상자와 다른 사람의 안전을 증진하고 유지하는데 도움이 되는 행동과 이해는 다음과 같다.

- 비판단적 접근
- 전문적인 호기심
- 객관성
- 공감

간호 처치 및 중재

초기 상황:

- 대상자, 다른 대상자 및 간호사/직원과 관련된 안전 수준을 사정한다.
- 침착함을 유지하고(바람직한 행동의 역할-모델이 됨), 대상자에게 약간의 공간을 제공하며, 부드럽고 차분한 목소리로 말하고, 대상자가 선호하는 이름으로 불러준다. 대상자의 고통을 인정하고, 무슨 일이 있었는지 물어보고, 간호사가 도울 것임을 알려준다. 짧은 문장을 사용하고 간단한 정보를 제공하여 대상자가 새로운 지남력을 갖도록 하고, 대상자가 느끼는 요구에 대해 물어본다. 자리에 앉거나 가능하다면 잠자기 전에 샤워를 하도록 한다(실금이 있었기 때문에 실금으로 당혹스러워질 수 있으므로).
- 필요한 경우 다른 간호사에게 도움을 요청한다.

대상자가 진정되었을 때:

- 기본적인 관찰을 수행한다. 대상자의 호흡, 피부색 및 의식 수준을 관찰하고 맥박, 혈압, 혈당 수치를 측정해야 한다고 설명한다.
- 각각의 처치 전에는 (대상자와 신체접촉을 하기 전에) 처치내용에 대해 설명해야 한다(예 '혈압을 재기 위해 이 커프를 팔에 감을 것입니다. 조금 조이는 느낌이

박스 2.5 대상자를 위한 자문조정정신의학팀에 의뢰

대상자는 동반 신체질환(제II형 당뇨병)과 정신질환(제I형 양극성 장애)을 갖고 있다. 대상자의 남편이 입원하기 전에 '괜찮다'고 말했다는 점을 감안할 때, 현재 주로 정서적 및 행동적 장애로 나타나는 정신상태 변화는 기존의 정신질환 때문이 아닐 가능성이 크다. 하지만 대상자의 정신상태는 병전보다 현저히 저하되어 있다. 이 경우 자문조정정신의학팀에 연락하여 직원 지원 및 교육을 제공할 수 있다.

- 대상자의 정신질환: 치료팀과 간호사는 환자가 경험하고 있는 제I형 양극성 장애의 증상이 무엇이고 어느 정도인지를 인지하고 신체적 원인과 구별할 수 있다.
- 정신약물
- 대상자의 장애가 심각할 때 효과적으로 의사소통하고 참여시키는 대인관계 중재 및 전략
- 입원하고 있는 동안 대상자의 참여, 자기효능감 및 회복을 증진하기 위한 치료계획 전략

대상자의 정신상태가 계속 악화되는 경우(박스 2.6 참조), 자문조정정신의학팀은 대상자에 대한 포괄적인 정신건강 사정을 완료하고 현재의 정신약물에 대해 검토하고 현재 치료에 대한 변경 또는 추가에 대한 권장사항을 제공할 수 있다. 이 경우, 자문조정정신의학팀은 보다 공식화된 치료 과정(예 사례 검토)에 정기적으로 참여할 수 있으며, 필요한 경우 대상자의 치료 및 퇴원 계획을 조정하는 역할을 할 수도 있다(퇴원에 대한 옹호와 관련된 치료제공자에 의뢰 포함). 만일 대상자의 정신상태 악화가 신체건강 상태로 인한 것이라면 신체건강이 향상됨에 따라 정신상태도 개선되어 정상으로 회복될 것임을 알려주는 것이 중요하다. 만일 빨리 회복되는 경우, 자문조정정신의학팀의 개입이 필요하지 않을 수 있다.

있을 수 있지만 금방 끝납니다'). 대상자에게 존중을 받고 있고 존엄성이 보장된다는 확신 주는 것이 중요하다. 또한 대상자를 깜짝 놀라게 하거나 당황시킬 가능성을 줄인다. 이런 식으로 진행을 하면 대상자는 가능한 한 모든 질문을 할 수 있는 기회를 가지며, 간호사는 안전에 대한 문제와 단서를 관찰할 기회를 갖게 될 것이다.

- 만일 그렇게 하는 것이 안전하다면, 대상자가 스스로 혈당 수치를 측정하도록 하여 (집에서 정기적으로 수행) 자기효능감을 높이고, 현재 대상자에게 발생한 일에 대해 이해하고 자신의 치료에 관해 의사결정하는 능력을 평가한다.
- 평소에 대상자에 대해 알고 있고 보고된 행동, 감정표현 및 인지기능과 비교하여 현재 인지, 행동 및 감정 상태를 고려한다(대상자의 정신상태에서 변경/악화된 것은 무엇인가?).
- 대상자의 현재 신체건강 상태와 평소 상태에서 벗어난 신체상태를 비교한다.
- 필요한 경우 배변에 대해 환자와 함께 계획하고 지원을 제공하고 소변검사를 위해 소변샘플을 채취한다.
- 대상자를 담당할 경우 침대를 바꾸거나 린넨 교체를 도와줄 인력을 요청한다.

정신상태의 변화에 대한 잠재적 기여요인 평가:

- 혈당 수치
- 탈수
- 발프로산나트륨 과다복용
- 요로감염
- 정서적 장애/두려움
- 양극성 장애의 활성증상
- 알지 못하는 기타 잠재적인 다른 감염 또는 관련된 신체 상태-혈액의 병리적 결과를 확인(또는 혈액검사가 처방되었는지 확인)
- 섬망

기록:

- 특정 행동, 감정표현, 사고 및 신체사정에 대한 관찰(수액 주입량/배설량, 음식 섭취량 포함)
- 수행된 간호중재와 처치 및 그에 따른 결과 보고
- 누구에게 무엇을 의뢰했는지에 대한 세부정보
- 명확한 그리고 최신의 치료계획

의뢰:

• 심층적 의학적 검사를 위해 대상자를 치료팀에 의뢰한다.
• 대상자의 정신질환 병력, 정신상태의 변화 및 악화 수준으로 볼 때 자문조정정신의학팀에 대한 의뢰를 고려할 수 있다(박스 2.5).

박스 2.6 정신상태가 악화된 환자를 대하기 위한 유용한 팁

• 대상자가 입원 시 가능한 한 빨리 평소 생활방식이 무엇인지 탐색하고 발견하여(평소 기본 정신상태는 무엇인가?) 명확하게 기록한다.
• 대상자의 일상적인 기능에 대한 인식을 발달시킨다(혼자 살고 있는가? 독립적인가? 정기적으로 받고 있는 의료서비스가 있는가? 음식, 음료 및 개인물품에 대한 개인적 취향은 무엇인가?).
• 대상자의 정신상태가 변화하더라도 대상자에게 말한다. 직접 질문을 하고 대상자에 대해 말하기보다 대상자에게 말을 걸도록 노력한다.
• 개인의 정신상태 변화에 기여할 수 있는 패턴이나 유발요인을 모니터링하다. 그 행동이 정신질환 때문이라고 가정하지 않는다. 흔히 질병의 첫 번째 증상이거나 주요 특징 또는 징후일 수 있다(통증, 섬망 또는 기타 가역적 원인 때문일 수 있습니까?).
• 진단에만 집중하지 말고 스스로에게 질문해 본다: '여기에서 요구되는 치료는 무엇인가?' 대상자는 근거기반 치료를 지지하는 의료진을 신뢰한다.

치료에 대해 동의와 거부하는 대상자의 능력을 판단할 필요가 있다. 이러한 능력이 있는 대상자는 반드시 간호사가 동의하는 결정을 내리는 것은 아니라는 사실을 인식해야 한다.

단원 요약

정신간호는 간호실무의 흥미롭고 도전적인 영역이다. 효과적인 정신간호는 간호사의 전문성과 삶의 경험뿐만 아니라 높은 수준의 기술을 요구하며, 그것은 고무적이고 보람 있는 경험으로 되돌려 준다. 이 장에서는 정신건강 간호실무를 형성하고, 정보를 제공하는 핵심 개념과 아이디어를 소개하며, 본문에서는 간호실무에 사회생태학적 접근, 회복중심간호 접근, 외상 기반 간호 접근, 단계별 간호 접근의 개요를 설명했다. 정신간호에 대한 사회적 · 생태학적 또는 전인적 접근을 위해 간호사는 정신적 디스트레스를 인식하고 반응하는 역량이 필요하며, 정신건강에 영향을 미치는 신체적 건강의 악화 또는 치료의 부작용 증상을 구분할 수 있어야 한다. 간호사가 대상자의 생물학적 · 정신적 · 사회적 · 영적 차원의 역동을 이해하는 것은 대상자의 정신간호의 핵심이다.

대상자의 정신상태를 악화시키는 요인과 간호수행에 대해 확인했다. 정서적 장애 및 관련 행동을 가진 대상자를 돕기 위한 대인관계 중재에 대하여 설명하고 임상 사례에 적용하였다. 정신질환 또는 기질적 장애의 임상적 특징을 구별하고 간호관리의 핵심 원리를 파악하기 위한 간호사정에 대해 서술했다. 정신상태의 악화를 경험하는 대상자를 사정하고 지원하는 자문조정정신의학팀의 역할에 대해 설명했다.

● 유용한 웹사이트

Australian Commission on Safety and Quality in Health Care: https://www.safetyandquality.gov.au/standards/nsqhs-standards/recognising-and-responding-acute-deterioration-standard/detecting-and-recognising-acute-deterioration-and-escalating-care

Australian College of Mental Health Nursing - Consultation Liaison Nurses Special Interest Group: http://www.acmhn.org/index.php/home-clsig

Australian Nurses and Midwives Council. www.nursingmidwiferyboard.gov.au/Codes-Guidelines-Statements/Codes-Guidelines.aspx

Mental Health Australia. https://mhaustralia.org/

Primary Health Network mental health tools and resources. https://www1.health.gov.au/internet/main/publishing.nsf/Content/PHN-Mental_Tools

SANE Australia. https://www.sane.org/

Te Kaunihera Tapuhi o Aotearoa, Nursing Council of New Zealand - Guidelines: professional boundaries. https://www.nursingcouncil.org.nz/Public/Nursing/Standards_and_guidelines/NCNZ/nursing-section/Standards_and_guidelines_for_nurses.aspx?hkey=9fc06ae7-a853-4d10-b5fe-992cd44ba3de

Te Ao Maramatanga (New Zealand College of Mental Health Nurses). https://www.nzcmhn.org.nz/

Victorian Department of Health and Human Services physical health framework: https://www2.health.vic.gov.au/about/publications/policiesandguidelines/equally-well-in-victoria-physical-health-framework-for-specialist-mental-health-services

Victorian specialling guidelines: https://www2.health.vic.gov.au/mental-health/practice-and-service-quality/service-quality/nursing-observation-through-engagement-in-psychiatric-inpatient-care

Recovery

National Standards for Mental Health Services - Principles of recovery oriented mental health practice. www.health.gov.au/internet/publications/publishing.nsf/Content/mental-pubs-i-nongov-toc~mental-pubs-i-nongov-pri

Trauma

Adults Surviving Child Abuse. http://www.asca.org.au/

Adverse Childhood Experiences (ACE) study. http://acestudy.org/ and. www.cdc.gov/violenceprevention/acestudy/

Australian Institute of Health and Welfare - Closing the Gap. Trauma-informed services and trauma-specific care for Indigenous Australian children. http://www.aihw.gov.au/uploadedfiles/closingthegap/content/publications/2013/ctg-rs21.pdf.

Domestic Violence Services New Zealand Help for family violence. ww.police.govt.nz/advice/family-violence/help

Mental Health Coordinating Council (MHCC) - Trauma informed care and practice. http://www.mhcc.org.au/our-work/resources/

NSW Service for the Treatment and Rehabilitation of Torture and Trauma Survivors (STARTTS). http://www.startts.org.au/

Phoenix Australia, Centre for Posttraumatic Health. www.acpmh.unimelb.edu.au/trauma/ptsd.html

● 참고문헌

Albert, R., Simpson, A.,2015 . Double deprivation: a phenomenological study into the experience of being a carer during a mental health crisis. J. Adv. Nurs. 71(12), 2753-2762.

Anthony, W. A. Recovery from mental illness: the guiding vision of the mental health service system in the 1990s. Psychiatr. Rehabil. J.. 1993; 16(4):11-23.

Australian College of Mental Health Nurses, 2018. Consultation Liaison Special Interest Group. [online] Available at: http://www.acmhn.org/index.php/home-clsig. (Accessed 30 March 2020).

Australian Commission on Safety and Quality in Health Care (ACSQHC), 2016. Delirium Clinical Care Standard. Sydney: ACSQHC.

Banfield, M. A., Morse, A. R., Gulliver, A., et al. Mental health research priorities in Australia: a consumer and carer agenda. Health Res. Policy Syst.. 2018; 16:119.

Browne, G., Cashin, A., Graham, I. W. The therapeutic relationship and the mental health nurse: it is time to articulate what we do!. J. Psychiatr. Ment. Health Nurs.. 2012; 19(9):939-943.

Carretta, C. M., Ridner, S. H., Dietrich, M. S. Hope, hopelessness, and anxiety: a pilot instrument comparison study. Arch. Psychiatr. Nurs.. 2014; 28:230-234.

Cashin, A., Newman, C., Eason, M., et al. An ethnographic study of forensic nursing culture in an Australian prison hospital. J. Psychiatr. Ment. Health Nurs.. 2010; 17:39-45.

Cleary, M., Horsfall, J., O'Hara-Aarons, M., et al. Mental health nurses' perceptions of good work in an acute setting. Int. J. Ment. Health Nurs.. 2012; 21(5):471 – 479.

Cleary, M., Raeburn, T., West, S., et al. 'Walking the tightrope': the role of peer support workers in facilitating consumers' participation in decision–making. Int. J. Ment. Health Nurs.. 2018; 27(4):1266 – 1272.

Cleary, M., Raeburn, T., West, S., et al. Two approaches, one goal: how mental health registered nurses' perceive their role and the role of peer support workers in facilitating consumer decision–making. Int. J. Ment. Health Nurs.. 2018; 27(4):1212 – 1218.

COAG Health Council. The Fifth National Mental Health and Suicide Prevention Plan. Retrieved from: https://apo.org.au/sites/default/files/resource–files/2017–10/apo–nid114356–1220416.pdf, 2017.

Commonwealth Department of Health and Aged Care, 2000. National Action Plan for Promotion, Prevention and Early Intervention for Mental Health. Mental Health and Special Programs Branch. Commonwealth Department of Health and Aged Care, Canberra.

Commonwealth of Australia. A national framework for recovery–oriented mental health services: guide for practitioners and providers. https://www1.health.gov.au/internet/main/publishing.nsf/content/67D17065514CF8E8CA257C1D00017A90/$File/recovgde.pdf, 2013.

Commonwealth of Australia. National Standards for Mental Health Services. https://www1.health.gov.au/internet/main/publishing.nsf/Content/CFA833CB8C1AA178CA257BF0001E7520/$File/servst10v2.pdf, 2010.

Crawford, P., Nolan, P., Brown, B. Ministering to madness: the narratives of people who have left religious orders to work in the caring professions. J. Adv. Nurs.. 1998; 28(1):212 – 220.

Cutcliffe, J. R., Hummelvoll, J. K., Granerud, A., et al. Mental health nurses responding to suffering in the 21st century occidental world: accompanying people in their search for meaning. Arch. Psychiatr. Nurs.. 2015; 29:19 – 25.

Day, H. The meaning of compassion. Br. J. Nurs.. 2015; 24(6):342 – 343.

De Hert, M., Correll, C., Bobes, J., et al., 2011. Physical illness in patients with severe mental disorders. I. Prevalence, impact of medications and disparities in health care. World Psychiatry 10 (1), 52 – 77.

Deegan, P. E. Recovery: the lived experience of rehabilitation. Psychiatr. Rehabil. J.. 1988; 11(4):11 – 19.

Doherty, A.M., Gaughran, F., 2014. The interface of physical and mental Health. Soc. Psychiatry Psychiatr. Epidemiol. 49 (5), 673 – 682.

Duggleby, W., Hicks, D., Nekolaichuk, C., et al. Hope, older adults, and chronic illness: a metasynthesis of qualitative research. J. Adv. Nurs.. 2012; 68(6):1211 – 1223.

Everymind, 2017. Prevention First: A Prevention and Promotion Framework for Mental Health. Everymind, Newcastle.

Felitti, V. J., Anda, R. F., Nordenberd, D., et al. Relationship of childhood abuse and household dysfunction to many of the leading causes of death in adults. The Adverse Childhood Experiences (ACE) Study. Am. J. Prev. Med.. 1998; 14(4):245 – 258.

Finfgeld–Connett, D. Meta–synthesis of caring in nursing. J. Clin. Nurs.. 2008; 17(2):196 – 204.

Fowler, J. Reflection and mental health nursing. Part one: is reflection important. BJMHN. 2019; 8(2):68 – 69.

Gardner, A. Therapeutic friendliness and the development of therapeutic leverage by mental health nurses in community rehabilitation settings. Contemp. Nurse. 2010; 34(2):140 – 148.

Glover, H. Recovery, Life–long learning, social inclusion and empowerment: is a new paradigm emerging? In: Ryan P., Ramon S., Greacen T., eds. Empowerment, Lifelong Learning and Recovery in Mental Health Towards a New Paradigm. London: Palgrave Macmillian; 2012:15 – 35.

Godin, P. A dirty business: caring for people who are a nuisance or a danger. J. Adv. Nurs.. 2000; 32(6):1396 – 1402.

Goffman, E. Stigma: Notes on the Management of Spoiled Identity. Englewood Cliffs: Prentice–Hall; 1963.

Gordon, S., O'Brien, A. J. Co–production. Power problems and possibilities. Int. J. Ment. Health Nurs.. 2018; 27(4):1201 – 1203.

Green, M., Linscott, R. J., Laurens, K. R., et al. Latent profiles of developmental schizotypy in the general population: associations with childhood trauma and familial mental illness. Schizophr. Bull.. 2018; 44(Suppl. 1):S229.

Grzanka, P. R., Brian, J. D. Clinical encounters: the social Justice question in intersectional medicine. Am. J. Bioeth.. 2019; 19(2):22 – 24.

Gunasekara, I., Pentland, T., Rodgers, T., et al. What makes an excellent mental health nurse? A pragmatic inquiry initiated and conducted by people with lived experience of service use. Int. J. Ment. Health Nurs.. 2014; 23:101 – 109.

Gustin, L. W., Wagner, L. The butterfly effect of caring – clinical nurse teachers' understanding of self–compassion as a source of compassionate care. Scand. J. Caring Sci.. 2013; 27:175 – 183.

Hall, C. Bereavement theory: recent developments in our understanding of grief and bereavement. Bereave. Care. 2014;

33(1):7 – 12.

Hemingway, S., Rogers, M., Elsom, S. Measuring the influence of a mental health training module on the therapeutic optimism of advanced nurse practitioner students in the United Kingdom. J. Am. Assoc. Nurse Pract.. 2014; 26:155 – 162.

Henderson, J. The challenge of relationship boundaries in mental health. Nurs. Manage.. 2004; 11(6):28 – 31.

Hogan, K. Caring as a scripted discourse versus caring as an expression of an authentic relationship between self and other. Issues Ment. Health Nurs.. 2013; 34:375 – 379.

Inouye, S.K., Westendop, R.G.J., Saczynski, J.S., 2014. Delirium in elderly people. Lancet 383, 911 – 922.

Isobel, S., Edwards, C. Using trauma informed care as a nursing model of care in an acute inpatient mental health unit: a practice development process. Int. J. Ment. Health Nurs.. 2017; 26(1):88 – 94.

Jääskeläinen, E., Juola, P., Hirvonen, N., et al. A systematic review and meta-analysis of recovery in schizophrenia. Schizophr. Bull.. 2012; 39(6):1296 – 1306.

Javier, J. R., Hoffman, L. R., Shah, S. I., Pediatric Policy Council. Making the case for ACEs: adverse childhood experiences, obesity, and long-term health. Pediatr. Res.. 2019; 86(4):420 – 422.

Jayatilleke, N., Hayes, R., Chang, C., et al., 2018. Acute general hospital admissions in people with serious mental illness. Psychol. Med. 48 (16), 2676 – 2683.

Jones, T., Nurius, P., Song, C., et al. Modeling life course pathways from adverse childhood experiences to adult mental health. Child Abuse Negl.. 2018; 80:32 – 40.

Le Boutillier, C., Leamy, M., Bird, V. J. What does recovery mean in practice? A qualitative analysis of international recovery-oriented practice guidance. Psychiatr. Serv.. 2011; 62(12):1470 – 1476.

Leamy, M., Bird, V., Le Boutillier, C., et al. Conceptual framework for personal recovery in mental health: systematic review and narrative synthesis. Br. J. Psychiatry. 2011; 199(6):445 – 452.

Lees, D., Procter, N., Fassett, D. Therapeutic engagement between consumers in suicidal crisis and mental health nurses. Int. J. Ment. Health Nurs.. 2014; 23(4):306 – 315.

Leete, E. How I perceive and manage my illness. Schizophr. Bull.. 1989; 15(2):197.

Loi, S.M., Dow, B., Moore, K., et al., 2015 . The adverse mental health of carers: does the patient diagnosis play a role? Maturitas 82(1), 134 – 138.

Lund, C., Brooke-Sumner, C., Baingana, F., et al. Social determinants of mental disorders and the Sustainable Development Goals: a systematic review of reviews. Lancet Psychiatry. 2018; 5(4):357 – 369.

McAndrew, S., Chambers, M., Nolan, F., et al. Measuring the evidence: reviewing the literature of the measurement of therapeutic engagement in acute mental health Inpatient wards. Int. J. Ment. Health Nurs.. 2014; 23:212 – 220.

Mental Health Commission. Blueprint II: How Things Need to Be. Wellington: Mental Health Commission; 2012.

Muskett, C. Trauma-informed care in inpatient mental health settings: a review of the literature. Int. J. Ment. Health Nurs.. 2014; 32(1):51 – 59.

National Mental Health Commission, 2014 . The National Review of Mental Health Programmes and Services. NMHC, Sydney .

O'Brien, L. Nurse-service user relationships: the experience of community psychiatric nurses. Aust. N. Z. J. Ment. Health Nurs.. 2000; 9:184 – 194.

O'Brien, L. The relationship between community psychiatric nurses and service users with severe and persistent mental illness: the service user experience. Aust. N. Z. J. Ment. Health Nurs.. 2001; 10:176 – 186.

Oral, R., Ramirez, M., Coohey, C., et al. Adverse childhood experiences and trauma informed care: the future of health care. Pediatr. Res.. 2016; 79(1 – 2):227.

Peplau, H. Peplau's theory of interpersonal relations. Nurs. Sci. Q.. 1997; 10(4):162 – 167.

Pilgrim, D., Rogers, A., Bentall, R. The centrality of personal relationships in the creation and amelioration 36of mental health problems: the current interdisciplinary case. Health (London). 2009; 13:235 – 254.

Raeburn, T., Liston, C., Hickmott, J., et al. Life of Martha Entwistle: Australia's first convict mental health nurse. Int. J. Ment. Health Nurs.. 2018; 27(1):455 – 463.

Raeburn, T., Schmied, V., Hungerford, C., et al. Autonomy support and recovery practice at a psychosocial clubhouse. Perspect. Psychiatr. Care. 2017; 53(3):175 – 182.

Ramezani, M., Ahmadi, F., Mohammadi, E., et al, Spiritual care in nursing: a concept analysis. Int. Nurs. Rev. 2014; 61:211 – 219. doi:10.1111/inr.12099

Reid, R., Escott, P., Isobel, S. Collaboration as a process and an outcome: consumer experiences of collaborating with nurses in care planning in an acute inpatient mental health unit. Int. J. Ment. Health Nurs.. 2018; 27(4):1204 – 1211.

Reyner, L., Matcham, F., Hutton, J., et al., 2014. Embedding integrated mental health assessment and management in general hospital settings: feasibility, acceptability and the prevalence of common mental disorder. Gen. Hosp. Psychiatry 36, 318 – 324.

Sawbridge, Y., Hewison, A. Compassion costs nothing – the elephant in the room? Pract. Nurs.. 2015; 26(4):194 – 197.

Schofield, R., Allan, M., Jewiss, T., et al. Knowing self and caring through service learning. Int. J. Nurs. Educ. Scholarsh.. 2013; 10(1):267 – 274.

Schrank, B., Stanghellini, G., Slade, M. Hope in psychiatry: a review of the literature. Acta Psychiatr. Scand.. 2008; 118:421 – 433.

Sharrock, J., Bryant, J., McNamara, P., et al., 2008. Exploratory study of mental health consultation–liaison nursing in Australia: part 1 demographics and role characteristics. Int. J. Ment. Health Nurs. 17 (3), 180 – 188.

Sharrock, J., Happell, B., 2000. The psychiatric consultation–liaison nurse: towards articulating a model for practice. Aust. N. Z. J. Ment. Health Nurs. 9, 19 – 28.

Slade, M., Bird, V., Clarke, E., et al. Supporting recovery in patients with psychosis through care by community–based adult mental health teams (REFOCUS): a multisite, cluster, randomised, controlled trial. Lancet Psychiatry. 2015; 2(6):503 – 514.

Slade, M., Leamy, M., Bacon, F., et al. International differences in understanding recovery: systematic review. Epidemiol. Psychiatr. Sci.. 2012; 21(4):353 – 364.

Smith, S., Macduff, C. A thematic analysis of the experience of UK mental health nurses who have trained in Solution Focused Brief Therapy. J. Psychiatr. Ment. Health Nurs.. 2017; 24(2 – 3):105 – 113.

Spittlehouse, J. K., Boden, J. M., Horwood, L. J., Sexual orientation and mental health over the life course in a birth cohort. Psychol. Med. 2019; 1 – 8. doi:10.1017/S0033291719001284

Stewart, D., Burrow, H., Duckworth, A., et al. Thematic analysis of psychiatric patients' perceptions of nursing staff. Int. J. Ment. Health Nurs.. 2015; 24(1):82 – 90.

Sweeney, A., Filson, B., Kennedy, A., et al. A paradigm shift: relationships in trauma–informed mental health services. BJPsych Adv.. 2018; 24(5):319 – 333.

Tariman, J. D. Where to draw the line: professional boundaries in social networking. ONS Connect. 2010; 25(2):10 – 13.

Temple, J.B., Dow, B., 2018 . The unmet support needs of carers of older Australians: prevalence and mental health . Int. Psychogeriatr. 30(12), 1849 – 1860.

The Royal Australian & New Zealand College of Psychiatrists (RANZCP), 2016. Service Model for Consultation–Liaison Psychiatry in Victoria. RANZCP Victorian Branch, Melbourne.

Turolla, A., Venneri, A., Farina, D., et al. Rehabilitation induced neural plasticity after acquired brain injury. Neural Plast.. 2018, 2018.

Ungar, M. The social ecology of resilience: addressing contextual and cultural ambiguity of a nascent construct. Am. J. Orthopsychiatry. 2011; 81(1):1 – 17.

van Weeghel, J., van Zelst, C., Boertien, D., et al. Conceptualizations, assessments, and implications of personal recovery in mental illness: a scoping review of systematic reviews and meta–analyses. Psychiatr. Rehabil. J.. 2019; 42(2):169 – 181.

Voss, P., Thomas, M. E., Cisneros–Franco, J. M., et al, Dynamic brains and the changing rules of neuroplasticity: implications for learning and recovery. Front. Psychol. 2017; 8 1657

Warner, R. Does the scientific evidence support the recovery model? Psychiatrist. 2010; 34(1):3 – 5.

Wheeler, K. A relationship–based model for psychiatric nursing. Perspect. Psychiatr. Care. 2011; 47(3):151 – 159.

World Health Organisation (WHO). Social determinants of health. Retrieved from: http://www.who.int/social_determinants/sdh_definition/en/, 2018.

World Health Organization, 1996 . Mental health care law: ten basic principles, WHO Geneva. https://www.who.int/mental_health/media/en/75.pdf.

World Health Organization, 2008. Closing the Gap in a Generation: Health Equity Through Action on the Social Determinants of Health. World Health Organization, Geneva.

Wyder, M., Bland, R., Blythe, A., et al. Therapeutic relationships and involuntary treatment orders: service users' interactions with health–care professionals on the ward. Int. J. Ment. Health Nurs.. 2015; 24(2):181 – 189.

Wyder, M., Ehrlich, C., Crompton, D., et al. Nurses experiences of delivering care in acute inpatient mental health settings: a narrative synthesis of the literature. Int. J. Ment. Health Nurs.. 2017; 26(6):527 – 540.

Zugai, J. S., Stein–Parbury, J., Roche, M. Therapeutic alliance in mental health nursing: an evolutionary concept analysis. Issues Ment. Health Nurs.. 2015; 36(4):249 – 257.

CHAPTER 3

정신건강 환경

Mental Health Settings

주요 내용

- 정신건강 관련 서비스는 다양한 환경에서 제공된다. 정신간호사는 급성기, 지역사회, 주거시설돌봄 법의학 환경, 1차 보건의료 및 학교 등 대상자의 생애 주기에 맞춰 간호를 수행한다.
- 환경에 관계없이 모든 서비스 제공의 목표는 정신건강 회복이며, 이는 자기지향, 책임역량, 동료 지원, 회복에 대한 비선형적 접근, 존중, 강점 기반 초점 및 희망에 관한 것이다.
- 모든 상황에서 정신건강 관리는 최소한의 제한을 목표로 하여 개인이 자율성을 유지할 수 있고 권리가 존중되며 개인의 가치, 존엄성 및 사생활이 유지되도록 보장해야 한다. 이 모델 내에서 책임과 돌봄의 의무에 관한 결정을 숙고하는 것은 전문가와 가족에게 어려울 수 있다.
- 모든 상황에서 대상자는 건강 문제나 장애를 앓고 있는 사람이기보다 다른 사람과 상호작용하는 한 사람으로서 지지된다. 대상자 중심의 실천은 참여와 의사결정 공유를 극대화하고 격려한다.
- 낙인과 차별은 정신건강 돌봄에 접근하는 일부 대상자에게 여전히 장벽으로 남아 있다. 간호사는 지역사회 내에서 대상자들과 함께 낙인과 차별을 다루는 역할을 한다.
- 간호사의 자기인식, 통찰력 및 성찰은 정신건강 간호실무를 위한 기본 기술이다.

주요 용어

- 의사결정 지원(supported decision making)
- 입원간호(inpatient care)
- 정신건강 회복(mental health recovery)
- 지역사회 돌봄(community care)
- 최소 제한 치료(least restrictive care)
- 회복 중심 실무(recovery-oriented practice)
- 자기(self)
- 자기인식(self-awareness)
- 자기노출(self-disclosure)
- 연민(compassion)
- 영성(spirituality)

학습 목표

이 단원을 통해 다음을 수행할 수 있다.

- 정신건강 관리시스템의 구성요소를 정의하고 설명한다.
- 다학제팀의 기능을 설명한다.
- 정신건강 회복 및 의사결정 지지 원칙과 함께 다양한 환경에서 회복 파트너로서의 간호사의 역할에 대해 논의한다.
- 다양한 환경에서 최소 제한 치료 모델과 간호에 대해 이해한다.
- 치료적 관계가 무엇인지, 정신건강의 맥락에서 치료적 관계가 어떻게 발전되는지 설명한다.
- 자기인식을 정의하고 자기인식을 개발하기 위한 전략을 설명한다.

서론

1장에서 언급했듯이 세계보건기구(WHO, 2019)에 따르면 정신질환은 선진국에서 전체 질병 부담의 10%를 차지한다. 2010년에 우울장애는 전 세계 질병 부담에서 2위를 차지했으며(또한 심혈관질환 및 자살과 관련된 추가 부담의 주요 원인으로 간주됨), WHO는 우울장애가 2030년까지 전 세계 질병 부담의 주요 원인이 될 것이라고 예측했다.

우리나라의 경우 2019년 정신건강의학과 의료비 지출은 16조 8,644억 원이며(국민건강보험공단, 2019, 2020), 2017년 정신건강사업 관련 지출은 10조 4,477억 원(보건복지부, 2017)이다.

우리나라는 「정신건강복지법」을 기반으로 정신질환의 예방, 치료, 정신질환자의 재활, 복지, 권리보장 그리고 환경 조성과 관련된 정책과 서비스를 제공하고 있다. 또한 보건복지부는 정신건강 정책과 정신장애가 있는 국민을 위한 지원 및 서비스 제공에 대한 책임을 가지고 있다. 이에 보건복지부는 국민의 정신건강 증진과 정신질환 치료를 위해 국립정신건강센터와 국립병원(나주, 부곡, 춘천, 공주)을 운영하고, 지역사회 정신건강사업을 위해 정신건강복지센터(광역, 기초), 중독관리 통합지원센터를 운영하고 있다. 이와 같이 보건복지부는 정신건강서비스와 관련된 인프라를 구성하고 재원을 지원하며 기관관리를 하고 있다. 2022년 보건복지부는 통합정신건강 증진사업을 통해 정신건강복지를 위한 정책을 확대하고 청년 정신건강 조기중재센터 운영, 자살예방 안전망 강화를 위한 서비스 운영을 계획하였다.

다학제팀은 정신질환에 대한 개선된 치료법의 출현과 대상자가 병원에서 지역사회로 잘 전환하기 위한 특화된 전문 분야의 지원이 필요하다는 인식에서 비롯되었다. 다수의 건강 및 사회복지 전문가들이 대상자들에게 다양한 정신건강서비스를 제공한다. 다학제팀을 구성하는 전문가에는 정신건강 간호사(정신건강에 대한 전문 자격, 기술 및 경험을 갖춘 등록간호사, RN), 정신과 의사, 심리학자, 사회복지사, 작업치료사가 포함된다. 정신건강 간호사의 전문 기술과 지식은 급성 및 지역사회 환경 모두에서 실무의 범위를 확장한다. 또한 미술이나 음악 치료사와 같은 보완적인 치료사는 팀에 귀중한 추가자원이 될 수 있다.

이 장에서는 지역사회 및 입원 환경에서 정신건강 간호에 관한 주요 고려사항 범위에 대한 개요를 제공한다. 이는 다양한 정신건강 관련 환경에서 다양한 치료 초점을 이해하고, 대상자의 회복 과정에서 간호사가 어떻게 협력자가 될 수 있는지 이해하는 데 도움이 될 것이다. 두 가지 임상 시나리오를 통해 지역사회 및 입원 환경에서 간호사의 역할을 검토할 수 있다.

정신건강 환경

급성기 치료환경

- 급성기 치료환경은 지역사회 환경에서 지원을 받을 수 없는 정신질환의 급성 삽화를 경험하는 대상자를 위해 전문적인 단기 및 중기, 24시간 평가 및 치료를 제공한다.
- 이 환경은 자발적 및 비자발적 대상자 모두 입원한다. 비자발적 대상자는 추가 사정 또는 치료를 위해 「정신건강복지법」에 따라 입원한 환자이다.
- 입원 대상자의 경우 가정이나 지역사회에서 치료받는 대상자에 비해 일반적으로 비자발적 치료의 비율이 가장 높다.
- 입원기간 동안 환자의 상태는 위험요인, 치료계획 및 치료에 대한 대상자의 반응에 따라 자발적 또는 비자발적으로 변화할 수 있다.

- 2021년 기준으로 국내 정신의료기관 연간 재원기간의 중앙값은 28일이다(국가정신건강현황 보고서, 2021).
- 일반적으로 정신과 의사, 간호사 및 관련 의료인으로 구성된 다학제팀에서 치료가 이루어진다. 대상자 또는 돌봄제공자도 다학제팀에 기여할 수 있다.
- 급성기 치료환경의 간호사는 회복을 촉진하고 모두의 안전을 보장하면서 다수의 높은 감각적 요구를 가진 사람들과 협력해야 하는 책임이 있다.
- 간호사는 입원병동의 환경이 대상자의 행동에 어떻게 영향을 미치는지 이해할 수 있는 위치에 있다.

주거시설 돌봄환경

- 주거시설 돌봄환경에서 치료의 초점은 질병관리보다 의미 있는 삶을 영위하는 데 필요한 기술을 평가하고 개발함으로써 일상적인 기능에 더 중점을 둔다.
- 대상자는 재정관리, 식사 계획 및 약물관리와 같은 일상생활 활동을 가능하게 하는 기능적 기술을 개발한다.
- 회복하는 동안 가족 및 친구와 관계를 수립하고, 유지하여 활용할 수 있는 능력과 같은 사회적 능력도 다룬다.
- 주거시설돌봄의 주요 목표는 대상자가 독립적인 삶을 살 수 있도록 돕고 지역사회에서 성공적으로 자신의 삶을 살아가고 소속감을 갖도록 돕는 것이다.
- 이러한 초점은 회복 원칙과 일치한다. 이는 개인의 안녕과 삶의 질, 건강과 능력(질병과 장애가 아닌), 그리고 대상자가 병원 밖에서 사는 것에 중점을 둔다.

지역사회 정신건강 환경

- 지역사회 정신건강 환경에서 치료의 연속성은 지역사회로 확장되며 서비스 선택은 그 시점에서 대상자의 욕구에 달려 있다.
- 지역사회서비스는 환자가 참석하는 클리닉 기반 서비스에서 대상자 자신의 환경에서 이루어지는 적극적인 아웃리치서비스에 이르기까지 포괄적이다.
- 서비스는 업무시간(오전 9시~오후 6시)에만 제공되거나 야간상담이 있을 수 있으며, 위기중재서비스는 종종 하루 24시간, 주 7일 제공된다.
- 사례관리는 현재 지역사회서비스 전달의 지배적인 형태이다.
- 사례관리는 개별 임상가 또는 팀이 맡을 수 있다.
- 사례관리의 목표는 대상자의 재원기간을 줄이고 지역사회 정신건강체계 안에서 잘 살아가도록 돕는 것이다. 서비스 제공에 대한 역할은 수년에 걸쳐(그리고 회복 중심의 채택과 함께) 발전했으며, '돌봄 코디네이터(care coordination)', '회복 파트너(recovery partner)' 또는 '핵심 작업자(key worker)'라는 용어가 더 많이 사용된다.

법정신건강 환경

- 정신질환이 있는 대상자는 교도소에 매우 많이 수감되어 있다(Singh & Castle, 2007).
- 법의학서비스는 제25장에서 더 자세히 다루지만 법의학서비스 내에서 정신건강 간호사가 다음에서 일할 수 있음을 인식하는 것이 중요하다.
  - 국립법무병원(청소년 및 성인 모두)
  - 법원
  - 관리 전환 서비스
  - 교도소(일반 의료서비스 및 전문 정신건강서비스 모두)
  - 형을 선고받은 수감자와 정신질환으로 인해 재판에 부적합하다고 판단되는 수감자를 위한 전문 법정신건강서비스

학교

- 특별히 정신건강 교육을 받은 간호사는 학교 내에서 학생 및 가족을 상담하고 학생의 안녕을 위한 팀과 긴밀하게 협력할 수 있는 좋은 위치에 있다.
- 그들은 건강한 행동(정신건강증진)에 대한 정보와 조언을 제공하고 학생과 가족을 지역사회 기반 건강서비스에 연계한다.
- 이러한 역할은 정신건강 문제 조기선별, 위기중재, 전문기관으로의 의뢰도 포함한다.

개인 진료 및 1차 진료

- 정신건강간호사는 일반의 및 개인 정신과 의사와 협력하여 1차 진료에서 일할 수 있다.
- 또한 정신건강간호사는 개인, 가족 또는 그룹에 상담 및 심리치료를 제공하고 동료에게 임상 수퍼비전 및 교육을 제공하는 개인 진료를 선택할 수도 있다. 이러한 업무를 선택하는 간호사는 다음을 고려해야 한다.
  - 실무 장소
  - 대상자의 서비스 이용
  - 청구 수수료, 독립 진료소 운영비용, 보상보험 및 휴가 보장과 같은 비즈니스 문제
- 이러한 정신건강 간호사는 종종 특정 분야를 전문으로 하며 치료 분야의 대학원 자격을 보유한다.

정신간호사

국내 정신간호사는 간호사 면허 취득 후 수련기관에서 수련과정을 이수한 뒤 자격시험에 합격하여 자격을 취득하게 되는 정신건강간호사와 전문간호사 교육과정 이수 후 시험에 합격하여 자격을 취득하게 되는 정신전문간호사가 있다. 정신건강간호사는 1995년 「정신보건법」 제정 이후 1997년 도입되었고, 2018년까지 8,185명의 정신건강간호사가 배출되었다. 우리나라의 전문간호사제도는 2003년 법제화되었고, 2006년 전문간호사직제가 확립되었다. 2021년 기준 전문간호사 자격시험을 통해 배출된 정신전문간호사는 642명이다. 이러한 직위는 양질의 정신건강 관리의 적절성, 경제성 및 접근성에 대한 우려

시나리오 3.1

J는 1년 전에 어머니, 여동생과 함께 이주한 19세 남성이다. 그는 실직 상태로 셰어하우스시설에서 살고 있다. 그는 정신건강서비스와 이전에 접촉한 적이 없지만 과거 정신건강 문제를 경험했으며, 마리화나 사용에 대한 해독치료를 받았다고 말했다. 그는 15세까지 학교에 다녔지만 호주에서 그의 직업의 대부분은 육체노동이었다. 그는 현재 실직상태이며 실업수당(Newstart Allowance)을 받으며 힘겹게 살고 있다

최근 J는 한 무리의 남자들이 지나가는 것을 보았고, 그들 중 한 명이 자신을 쳐다보며 자신에 대해 이야기하고 있다고 생각했다. J는 그들에게 돌을 던졌고 그들이 J에게 다가갔을 때 그는 들고 있던 칼을 꺼내 휘둘렀고, 체포되어 3일 동안 감옥에 갇혔다. 지방법원의 정신건강 간호사는 그가 환청과 피해망상이 있어 자신과 다른 사람에게 해를 끼칠 위험이 있다고 우려했고, 법원은 J에게 정신건강 평가 명령을 내리고 그를 응급실로 이송했다.

응급실 진료 인터뷰 과정에서 J는 유쾌하고 협조적이었다. 그는 어렸을 때부터 환청과 환시를 경험했다고 보고했으며, 가족이 해를 입을 것이라는 편집증적인 생각을 표현했다. 그는 평가와 치료를 위해 자발적으로 병원에 내원했고 정신과에 입원했다. 그는 응급실에서 quetiapine 25mg을 처방받았고 어머니에게 연락하는 것에 동의했다.

간호사는 J가 병동에 도착했을 때 피곤하고 초조해 보인다고 말했다. 그는 담배를 피우러 나갈 수 있는지 물었고 나가고 싶다고 말했다.

를 일부 개선할 수 있다. 2021년 우리나라의 인구 10만 명당 정신건강 전문인력수는 18.9명이고, 정신건강 전문인력의 상근인력 구성을 살펴보면 간호사가 31.5%를 차지한다.

위험신호

- 응급실에서 정신건강의학과로의 전환은 특히 처음으로 내원하거나 입원하는 대상자에게 힘든 경험이 될 수 있다.
- 현재 정신병적 증상이 있는 사람은 다른 사람을 잘못 해석할 위험이 높다. J는 아직 치료를 시작하지 않았고 고통스러운 정신병적 증상을 겪고 있다.
- J는 다른 사람들을 의심하고 병원에 입원하는 것에 대해 양가감정을 가지고 있다.
- 초기 치료 기간 동안 J는 약물 복용을 꺼린다.
- J의 가족은 고통스러워하며 그의 예후와 치료에 대한 명확한 설명을 듣고 싶어 한다.

보호요인

보호요인은 정신건강이 나빠질 가능성을 줄이는 특성을 말한다. 여기에는 개인이 인생의 도전에 성공적으로 대처하는 데 도움이 되는 개인의 특성 또는 가정 환경, 동료, 학교 및 더 넓은 지역사회의 환경이 포함된다(https://beyou.edu.au/ 참조).

J는 지지적인 가족이 있고, 사회적 지지체계와 연결되어 있다. 그는 어머니가 돌봄제공자가 되는 것에 동의했으며 이는 긍정적인 관계를 나타낸다.

지식

갈등과 격리 및 억제 피하기

- Safewards는 Len Bowers 교수와 그의 동료들이 영국에서 개발한 모델이다. 이 모델 및 관련 중재는 갈등, 격리와 억제를 줄이고 직원과 환자 모두 안전과 상호지지에 대한 느낌을 증가시키는 데 매우 효과적이었다.
- Safewards는 모델에서 '충돌(자해, 자살, 공격성 및 도주와 같이 직원과 환자의 안전을 위협하는 사건)'과 '예방활동(자주 관찰하고 추가적인 약물 사용과 격리 및 억제 사용과 같이 직원이 환자와 직원에 대한 위해 행동을 예방하거나 줄이기 위해 수행하는 일)'에 대해 구체적으로 조사한다.
- '상호 기대(mutual expectation)'로 알려진 Safewards 중재는 급성 입원 대상자 환경에 들어오는 대상자에게 적절한 오리엔테이션을 제공하여 그들이 입원하는 동안 무엇을 기대해야 하는지 알도록 하는 데 중점을 둔다. 예를 들어, 병동에 입원할 때 J는 흡연을 할 수 있는 장소가 있을 것으로 생각했기 때문에 병원의 금연정책과 니코틴 금단관리에 대한 명확한 설명은 간호의 고려사항에서 중요하다.
- Safewards는 환자가 보여주는 어렵고 도전적인 행동 중 일부는 그들이 어떻게 행동해야 하는지에 대한 명확성이 부족하거나 병동 직원 간의 일관성 부족으로 인한 것임을 인정한다.
- 이러한 모호성 또는 명확성 부족은 다음과 같은 사람들에게 특히 문제가 된다.
  - 명료한 사고가 어렵다.
  - 정신병적 사고나 집착으로 인한 주의산만이 있다.
  - 집중력 저하, 다른 사람의 언어적 및 비언어적 의사소통을 해석하기가 어렵다.
  - 극도의 감정적 고통과 기분 변화를 경험하여 주변에서 일어나는 일에 대한 지각과 해석의 편향

을 초래할 수 있다.

- 이러한 기대는 양쪽 모두에게 해당한다. 직원이 환자에게 기대하는 것처럼 환자도 직원에 대해 기대한다.

간호관찰

- 간호관찰은 임상적인 의사결정을 위해 치료를 받는 사람들로부터 의도적으로 정보를 수집하는 것이다.
- 관찰을 하기 위해서 간호사는 대상자 중심적이어야 하며 치료를 받는 대상자와 함께 치료에 참여해야 한다.
- 간호사는 대상자와의 대화를 통해서만 가장 시급한 문제를 포괄적으로 이해할 수 있다.
- 모든 간호관찰을 뒷받침하는 것은 회복을 지원하는 목표여야 한다. 이 정의에 내포된 것은 대상자를 멀리서 수동적으로 바라보는 것보다 대상자와 능동적으로 참여하도록 장려하는 것이다.
- 관찰은 간호사정에서 필수적 요소이다.
- 간호관찰은 심리사회적 기능, 신체건강 및 안전, 그리고 다양한 형태의 관찰을 수행하기 위한 결정에 정보를 제공한다. 이러한 다양한 형태의 사정과 관찰은 정신병동 입원간호 시 주기적이고 지속적으로 이루어져야 한다.
- 간호관찰의 실행을 뒷받침하는 몇 가지 핵심 원칙은 다음과 같다.
  - 다면적 간호관찰이 이루어져야 한다.
  - 관찰과 사정은 상호 연관되어 있다.
  - 관찰은 대상자와의 치료적 참여에 기반한다
  - 간호사는 입원환경이 행동에 미치는 영향을 이해한다.
  - 관찰 내용은 동료들과 의사소통되어야 한다.
  - 시기적절하고 설명이 포함된 명확한 문서 프로세스가 있다.

태도

- 회복 지향적 접근에서 임상수행을 기반으로 하는 간호사는 간호를 제공하는 대상자와 지지적이고 생산적인 관계를 형성할 수 있다.
- 정신건강 회복은 '자기결정, 자기관리, 개인적 성장, 임파워먼트, 선택 및 의미 있는 사회적 참여의 개념을 포괄하는 포괄적인 철학'으로 정의될 수 있다.
- 회복 지향적 접근방식을 사용하여 돌봄이 제공되도록 하기 위해 간호사는 자신의 간호수행이 회복 중심 수행을 위한 프레임워크에서 권장하는 원칙과 일치하는지 확인해야 한다.
- 회복 중심 돌봄은 다음 측면을 강조한다.
  - 희망의 문화 증진
  - 자율성과 자기결정권 증진
  - 협력 파트너십 및 의미 있는 참여
  - 강점 중심
  - 전인적이고 개별화된 돌봄
  - 가족, 돌봄제공자, 지지자 및 중요한 사람들
  - 지역사회 참여 및 시민권
  - 다양성에 대한 반응성
  - 성찰과 학습
- 회복에 대한 자세한 내용은 제2장에서 확인할 수 있다.

간호 수행 및 중재

치료목표

- J가 정서적으로 안전하게 느끼고 지지를 받으며 병동이 어떻게 운영되는지 이해할 수 있는 치료적 환경을 제공한다.
- 신뢰에 영향을 미치고 안전과 회복을 지지하는 치료적 중재를 실행한다.
- J가 자신의 치료를 이해하고 참여하도록 하고 치

료팀과 의사결정 과정을 공유하도록 지지한다. 그가 자신의 치료에 참여하고 진정한 파트너라고 느낄 수 있도록 격려한다.

생물심리사회적 평가

- 정신질환이 발생할 가능성이 있는 모든 젊은이는 급성 치료팀의 종합적인 생물심리사회적 평가를 받아야 한다. 여기에는 다음이 포함되어야 한다.
  - 개인적 맥락에서 질환에 대해 이해하기
  - 사례관리계획
  - 정신상태검사
  - 신체검사
  - 인지평가
  - 동반질환에 대한 사정
  - 위험 사정
- 환자는 또한 자신의 가치와 삶의 의미 목적, 그리고 삶의 질을 부여하는 것에 전문가이다.

전환 및 오리엔테이션

- 급성기에 행동장애를 경험하는 사람들, 특히 치료 환경이 변화되는 동안 위험을 고려한다.
- J가 자신의 권리와 책임, 식사시간, 면회시간, 우려사항을 제기하는 방법, 성적 안전 및 금연 환경에 대한 정보를 제공받는 것을 포함하여 병동의 일상과 환경에 대한 오리엔테이션을 받았는지 확인한다.
- 낯선 환경에서 J의 불안을 예상하고 안심시켜 준다.
- J에게 담배를 피울 수 없다거나 즉시 퇴원할 수 없다고 말할 때 힘들어 할 수 있다는 것을 인지한다.

실제 관찰

- 간호관찰은 다음을 포함한 직접적인 접촉을 통해 수행한다.
  - 대상자와 함께 앉기
  - 경청
  - 비언어적 및 언어적 지표 또는 신호 이해
  - 적절한 질문하기
  - 대상자의 일상생활에서 가장 시급한 문제에 대해 이해하기
  - 입원으로 인한 스트레스와 그 환경에서 일어나는 모든 일에 대한 반응 이해하기
- J는 '관찰' 과정을 한 번도 경험하지 않았기 때문에 간호사는 그에 대해 설명해야 한다.
- J에게 그의 안전과 그의 안전을 지원하기 위한 조치에 대해 이야기하는 것은 신뢰관계를 구축하는 목적과 함께 관찰 과정의 중요한 부분을 형성한다.

공감과 치료적 관계

- 치료적 관계를 구축하고, 위험에 대해 논의하고, 환자와 협력하여 위험상황에서 대처할 수 있는 전략을 개발하는 것이 중요한 중재이다.
- 참여에는 다음과 같은 일련의 활동이 필요하다.
  - 관계 구축(사람 대 사람 연결)
  - 다양한 견해에 대한 수용 전달
  - 듣기, 경청 및 이해
- 참여를 통해 사람들은 적극적으로 자신의 건강을 관리할 수 있고, 이는 건강증진으로 이어질 수 있다.
- 사람들과 라포를 형성할 수 있는 간호사는 긍정적인 치료결과를 촉진할 수 있는 더 강력한 위치에 있다.
- 간호사는 치료적 중재를 통해 라포를 형성하고 대상자들의 고유한 역사, 강점 및 미래에 대한 희망을 알아보면서 간호를 수행할 수 있다.

의사결정 공유

- 의사결정을 공유하는 것은 의사와 환자가 함께 협력하여 의사결정을 내리고 위험과 예상되는 결

과를 환자의 선호도 및 가치와 균형을 이루는 임상증거를 기반으로 검사, 치료 및 치료계획을 선택하는 과정이다.

- 여기서 간호사의 핵심 역할은 J가 의사결정 과정에 참여할 수 있도록 도와주는 것이다. 여기에는 제공된 정보에 대한 J의 참여를 모니터링하고 해당 정보가 연령에 적합한 방식으로 제공되는지 확인하는 것이 포함된다.
- J의 결정능력은 입원기간 동안 변동될 수 있으므로 그 과정을 조정할 필요가 있음을 강조한다.
- 의사결정 공유를 촉진하기 위해 동료 지원 담당자, 옹호자 또는 프로그램을 활용하는 것이 도움이 될 수 있다.
- 의사는 퇴원 전에 대상자와 함께 퇴원계획을 세우고 문서화하고 의사소통하여야 하며, 가족, 관련 전문가 및 새로운 서비스 제공자와 공유해야 한다.

가족을 지원하고 참여시키기

- J와 그의 가족이 상황을 어떻게 보고 있는지 충분히 이해하고 J가 경험하고 있는 일의 본질을 가족에게 전달하기 위해 노력하며 정신질환에도 불구하고 그들의 어려움에 대해 공통된 의견을 찾으려고 노력하는 것이 중요하다.
- J가 자신의 경험을 이해할 수 있도록 돕고 지지하는 것은 명백하고 필수적인 치료의 과정이다. 똑같이 중요하지만 자주 간과되는 치료요소는 가족의 요구를 이해하고 가족의 경험을 이해하도록 지지하는 것이다.
- 아들이나 딸이 처음으로 정신질환 진단을 받으면 부모는 죄책감, 불안, 슬픔 또는 분노를 포함한 다양한 감정을 느낄 것이다. 이러한 고통을 이해해주고 J의 가족이 그들의 감정을 표현할 수 있는 시간을 제공하는 것이 중요하다.
- 가족이 질병에 부여하는 의미를 이해하고 일반적인 속설을 적극적으로 불식시키는 것도 중요하다.
- 대상자의 가족과 함께 일할 때 고려해야 할 사항과 공유해야 하는 것은 다음과 같다.
  - 대부분의 대상자는 첫 번째 정신병 삽화에서 회복한다.
  - 회복은 점진적인 과정이며 시간이 걸릴 수 있다.
  - 정신병은 생물학적 취약성과 환경적 스트레스 사이의 상호작용으로 인해 발생한다. 이는 그들의 잘못이 아니다.
- 약물치료는 중요하지만 일반적으로 심리사회적 치료로 보완되어야 한다.

치료방식

- J의 경우 발견된 정신질환을 입원치료를 통해 즉각적인 치료를 제공한다.
- 치료의 초기 초점은 양성증상과 불면증, 초조함, 자가간호 결핍과 같은 이차적 증상을 조절하는 것이다.
- 치료는 대상자가 자신의 경험을 이해하도록 돕고 재발을 예방하고 회복을 지원하는 방향으로 점진적으로 진행된다.
- 대상자 및 가족과 모든 치료선택을 논의하는 것이 중요하다.

최소한의 제한 치료

- 의학적 치료나 약물요법, 의료기기의 적용에 의해 발생하는 의인성 외상을 최소화하기 위해 정신건강 치료는 개인의 요구가 충족될 수 있도록 최소한의 제한적 환경에서 제공되어야 한다.
- 의인성 외상은 대상자가 치료를 받고 있고 그 치료가 더 많은 해를 수반할 때 발생한다. 예를 들어, 입원병동에서 치료를 받는 과정은 특히 외상병력이 있는 대상자의 경우 외상 반응을 유발할

수 있다.

- 격리, 물리적 및 기계적 억제, 약리학적 강박 및 폐쇄 병동은 모두 의인성 외상을 유발할 수 있는 제한적 치료 조치이다. 이것은 최후의 수단이며 호주와 뉴질랜드 전역의 의료서비스는 정신건강서비스의 격리와 억제를 없애기 위해 노력하고 있다.
- 정신상태 악화에 조기 대응하고 행동장애가 적절한 시기와 대상자 중심적인 방식으로 대응되도록 관심을 확대하는 것이 중요하다. 조기 경고신호, 진정에 좋은 요인과 흥분을 유발하는 요인을 확인하고 개인의 안전계획을 수립하는 것이 가장 좋은 수행이다.
- 외상과 외상기반 접근방식에 대한 자세한 정보는 제4장을 참조한다. 최소한의 제한적 치료 선택사항 적용에 대한 자세한 내용은 제2장을 참조한다.

● 약물

- 약물은 정신질환의 일차적 치료법이다. J가 정신질환을 경험한 것은 이번이 처음으로, 치료를 받지 않으면 그의 증상이 완전한 정신병적 삽화로 발전하거나 생물학적으로 질병이 더 확고해지고 치료에 덜 반응하게 될 수 있다.
- 약물의 이행도를 개선시키기 위해 치료적 관계의 질이 가장 중요하다. 대상자의 생각과 신념에 주목하고 환자와 협력하는 접근방식은 단순한 주장보다 성공할 가능성이 더 크다. 간호사는 대상자의 두려움이나 걱정을 탐색하고 대상자가 치료에 대한 의사결정에 참여할 수 있도록 격려해야 한다. 공유되고 정보에 입각한 의사결정은 대상자의 자율성을 존중하는 핵심 원칙이다.
- 첫 번째 정신병 삽화를 경험하는 사람은 일반적으로 항정신병 약물의 약리학적 효과와 부작용 가능성에 매우 민감하다. 간호사는 다음과 같은 모든 부작용(이에 국한되지 않는)에 대해 주의 깊게 모니터링해야 한다.
  - 급성 근긴장 반응: 일반적으로 머리와 목의 근육에 영향을 미치는 갑작스럽고 고통스러운 근육경련
  - 가성 파킨슨증: 근육경직, 떨림 및 운동저하증(신체 움직임 감소)
  - 정좌불능증: 계속 움직여야 한다고 느끼게 만드는 운동성 불안감
- 항정신병 약물의 잠재적 부작용(대사 부작용, 체중 증가, 추체외로 운동증상 및 성적인 부작용 포함)은 약물요법을 시작하기 전에 공유된 의사결정 방식을 사용하여 J에게 알리고 논의한 다음 모니터링하고, 관리해야 하고, 가능하면 예방 모델을 사용하여 조기에 대처해야 한다(예 치료를 시작하기 전에 체중 관리 전략을 시행함).
- 정기적인 대사 검사가 안내되어야 한다. 신체적인 질환을 예방하는 것은 조기 정신질환 치료의 일부로 우선되어야 한다.

● 인지교정

- 인지교정 프로그램 또는 인지적응전략은 기능회복을 방해하는 인지결손이 있는 젊은이들에게 제공되어야 한다.
- 인지적 결함을 보상하거나 회복시키는 것을 목표로 인지 과정(주의력, 기억력, 사회적 인지 및 메타인지)을 개선하는 행동훈련 기반 중재이다.
- 훈련은 일련의 운동으로 제공되거나 특정 결핍을 목표로 맞춤화될 수 있다. 심리사회적 재활 프로그램과 결합하면 결과가 가장 효과적이다.

정신질환을 경험하는 사람들을 위한 심리치료에 대한 자세한 정보는 제12장을 참조한다.

시나리오 3.2

V는 68세 여성으로 막내딸 S와 함께 지역사회 노인 정신서비스를 이용하였다. S는 그녀의 어머니가 빠른 속도로 말하고 그녀가 말할 때 끊을 수가 없다고 하면서 잠을 잘 자지 못하고 짜증을 낸다고 설명한다. V는 양극성 정동장애 진단을 받고 리튬으로 치료를 받고 있다.

V는 거의 30년 동안 2층짜리 테라스 하우스인 자신의 집에서 살고 있다. 그녀는 2년 전 남편이 심장마비로 사망한 후에는 그 집에서 혼자 살고 있다. 직장을 잃은 후 1년 전 딸과 함께 이사했다. V의 장녀 C는 그녀의 가족과 함께 살고 있다.

V는 은퇴한 교사이며 두 딸은 그녀가 집에서 방문자를 만나는 것을 한 번도 본 적이 없는 매우 내성적인 여성이라고 설명한다. V는 최근 조증 재발로 입원한 후 일주일에 한 번 청소 및 쇼핑 지원을 받도록 많은 격려를 받았으나 서비스 제공 증가에 동의하지 않는다.

두 딸의 대화에서 간호사는 V가 막내딸과 매우 친밀했으며 두 딸 사이에 오랫동안 갈등이 있었고, 아버지의 죽음으로 악화되었다는 것을 알게 되었다. 두 딸 모두 양극성 정동장애가 어머니의 전반적인 기능에 미치는 영향을 이해하지만 가장 적절한 치료법이 무엇인지에 대해서는 동의하지 않았다. V는 자신이 일단 집에 돌아오면 괜찮을 것이라고 말하며 그녀의 사례관리자가 가정방문하는 것을 꺼려하는데, 이는 그녀의 치료에 대한 병식이 부족함을 보여준다. 같은 방에 있는 모든 당사자와 선택사항을 논의하려는 반복적인 시도는 모두가 동의할 수 있는 결정으로 이어지지 않았다. V는 자신의 건강문제가 심각함에도 불구하고 그녀를 돌볼 수 있다고 말하는 막내딸과 함께 살고 싶다고 단호하게 말한다.

위험신호

- V는 경조증 증상의 출현과 함께 양극성 장애가 재발할 위험이 높다.
- V의 리튬 수치는 치료용량 이하이거나 독성이 있을 수 있다.
- V의 딸은 소진의 위험에 처해 있으며, 자신의 신체건강 문제를 해결해야 한다.
- V와 C의 관계가 깨질 위험이 있다.

보호요소

- V는 교사로서 전문적인 경력을 가지고 있고 30년 동안 자신의 집에서 살았던 여성이다.
- 둘 사이의 긴장된 관계에도 불구하고 V의 딸들은 어머니의 안녕을 염려한다.

지식

- 양극성 장애(이전에는 '조울증'이라고 함)는 최소 한 번 이상의 조증 삽화 또는 경조증 삽화를 포함하는 정신질환이다. 이 질병의 기분 변화는 한 번에 몇 주 동안 지속될 수 있다.
- 사람들은 의기양양해지고 극도로 활기찬 기분을 느낄 수 있으며, 기쁨과 슬픔이 뒤섞인 속에서 무기력해지는 우울증에 빠지게 된다.
- 정확한 원인은 알려져 있지 않으며 유전적 소인이 명확하게 규명되어 있지만 여러 요인이 관련될 수 있다.
- 호주인 50명 중 1명이 이 질병에 걸리는 것으로 추정되며, 이는 남성과 여성에게 동등하게 영향을 미친다. 영향을 받은 사람들의 대부분은 처음 진단을 받았을 때 20대였다.

리튬

- '리튬 독성'은 리튬 과다복용의 또 다른 용어이다.
- 올바른 복용량은 사람마다 다르지만 대부분의 대상자는 1일 900~1,200mg을 처방받는다.
- 리튬의 안전한 혈중 농도는 0.6~1.2mEq/L이다.
- 리튬 독성은 1.5mEq/L 이상의 수준에서 발생할 수 있다. 사람이 탈수상태가 되거나 혈중 약물 농도가 증가하였을 때, 또는 다른 약물과의 상호작용이나 용량을 증량한 이후, 너무 많은 리튬을 복용했을 때 신장기능 문제가 있는 경우 독성이 발생할 수 있다.

간호 수행 및 중재

● 치료목표

- V가 해를 입거나 부상을 당하지 않도록 하고 초조함과 과잉행동을 감소시키도록 돕는다.
- 리튬 독성 또는 치료용량 이하로 유지되는 것에 유의한다. 처방된 약물복용을 준수한다.
- 돌봄제공자가 임시 간호 선택사항 및 지원을 탐색하고 V가 사용할 수 있는 NDIS 지원에 대해 이해한다.

● 평가

- 정신상태검사를 포함한 종합적인 정신건강 사정, 신체건강 문제와 함께 경조증 또는 조증 증상 평가
- 조증을 겪고 있는 사람은 다음과 같은 증상이 나타날 수 있다.
  - 기분이 고양됨
  - 에너지 증가 또는 과잉활동
  - 수면이나 음식에 대한 욕구 감소
  - 짜증
  - 사고의 비약, 말이 많고 장황함
  - 과대한 계획과 신념
  - 통찰력 부족
  - 주의산만

● 약물

- 음식과 수분 섭취에 대해 질문하고 수분 섭취를 권장한다. 특히 날씨가 덥거나 활동이 증가할 때
  - 탈수는 리튬 독성을 악화시킬 수 있다.
- 다음과 같은 리튬 독성 증상에 주의한다.
  - 구토
  - 설사
  - 떨림
  - 졸음
  - 복통
  - 근육 약화
  - 운동실조
- 리튬 치료의 장기적인 부작용을 모니터링하는 것도 다학제팀의 중요한 책임이다. 장기간의 치료는 신장과 갑상선에 영향을 줄 수 있다. 리튬 수치, 갑상선과 신장 기능에 대한 정기적인 검사는 지역사회 치료계획의 일부로 포함되어야 한다.

● 돌봄제공자에 대한 지원

- 돌봄제공자에게 직접적인 지원을 제공하는 것은 정보를 제공하고 가족의 역동성을 탐색하며 모든 당사자 간의 연결 및 지원을 촉진할 수 있는 위치에 있는 정신건강 간호사에게 중요한 중재이다.
- 돌봄제공자의 욕구를 사정하는 것이 핵심이다. V의 경우 딸들은 돌봄에 대한 의견이 다르다. 사례관리자는 계획 및 의사결정을 용이하게 하기 위해 가족을 하나로 모을 수 있다.
- 돌봄제공자 동료들은 V의 딸들이 질환에 대해 스스로 이해하고 필요한 지원과 보살핌을 받을 수 있도록 도울 수도 있다.

- 의료시스템은 탐색하기에 복잡하다. 간호사는 환자와 가족이 관련성이 있고 대상자의 요구를 충족시키는 지역사회 기반 지원을 이용할 수 있도록 도울 수 있다. 이 경우 간호사는 V 가족이 가정 내 지원을 신청하도록 권장하는 것을 고려할 수 있다. 현재 S는 주요 지원을 제공하지만 그녀는 돌봄 제공자로서 부담을 겪고 있으며 자신의 건강 문제를 가지고 있다.

태도

다음 가치는 정신건강 임상의가 사람, 가족, 돌봄 제공자 및 지역사회와 협력할 때 기술과 지식을 적용하는 방법을 뒷받침한다.

- 존경
- 옹호
- 회복
- 협력 관계
- 탁월한 간호

태도 또한 중요하며, 여기에는 신념, 감정 및 가치관, 그리고 특정 방식으로 행동하려는 성향의 상호작용이 포함된다. 간호사의 태도는 상황과 개인을 보는 방식을 정의한다. 주요 태도는 다음과 같다.

- 존경
- 연민, 배려 및 공감
- 윤리적이고 전문적이며 책임감 있는 태도
- 자기인식
- 문화적 인식
- 협력

관련 치료양식

- 기질적 상태를 배제하기 위한 주의 깊은 평가는 경조증/조증을 관리하는 중요한 첫 번째 단계이다. 정신병 증상, 수면장애 및 초조를 치료하기 위해 기분안정제, 벤조디아제핀 또는 항정신병약물이 필요할 수 있다. 기분안정제에 대한 혈중 약물 농도를 모니터링하는 것은 중요한 치료 기능이다.
- 심리사회적 전략에는 교육, 개인 및 가족 지원, 스트레스 관리, 투약 결정 및 순응에 대한 지원이 포함된다. 제10장에서 기분장애가 있는 대상자의 심리치료에 대해 자세히 알아본다.

동료 지원

정신건강 동료 전문가는 정신질환 및 회복에 대한 생생한 경험(소비자 동료 종사자) 또는 정신질환이 있는 가족이나 친구를 지원한 경험(간병 동료 근로자)을 기반으로 고용된 사람이다. 이러한 실제 경험은 그들이 수행하는 특정 역할에 필요한 다른 기술 및 경험과 더불어 직무에 필수적인 자격이다.

> 동료 지원은 존중, 책임 공유, 도움이 되는 것에 대한 상호 동의의 핵심 원칙에 기초하여 도움을 주고받는 시스템이다. 동료 지원은 정신과 모델 및 진단 기준을 기반으로 하지 않는다. 정서적·심리적 고통의 공유 경험을 통해 다른 사람의 상황을 공감적으로 이해하는 것이다. 사람들은 자신과 '닮았다'고 느끼는 다른 사람들과 유대감을 느낄 때 연결되어 있다고 느낀다. 이러한 연결 또는 제휴는 사람들이 전통적인(전문가/환자) 관계의 제약 없이 서로 '존재'할 수 있는 상호 경험을 기반으로 하는 깊고 총체적인 이해이다.
>
> Mead, 2001

단원 요약

이 장에서는 두 가지 임상 시나리오를 통해 입원 및 지역사회 환경 전반에 걸친 정신건강 치료환경과 정신건강 간호에 대한 정보를 제공했다. 정신질환을 경험하는 사람들과 협력하는 데 도움이 되는 몇 가지 중재와 핵심 지식 및 태도가 설명되어 있다.

간호환경에 관계없이 간호사의 태도는 근본적으로 중요하다. 초보 간호사로서 진정한 연민과 이해하려는 의지를 갖는 것은 엄청난 도움이 될 것이다. 실무경험이 늘어나면서 습득하게 될 기술, 지식 및 태도는 훌륭한 임상감독과 평생 학습태도에 의해 향상될 것이다.

급성기 치료환경에서 간호사는 가장 취약한 사람들에게 정기적으로 노출된다. 이것은 간호 관찰 및 안전계획을 통한 정기적이고 의미 있는 참여를 요구하는 대상자에게 높은 수준의 고통과 우려행동을 유발한다. 이 상황은 간호사, 환자 및 가족에게 큰 감동을 준다. 질병의 단계에서 사람들과 함께 일하면서 느끼는 엄청난 보상은 정신건강 간호경력의 의미와 목적을 제공한다. 이것은 간호사가 개인의 회복에 협력하기 위해 지속적인 방식으로 지역사회 환경의 사람들과 협력할 기회를 갖기 때문에 계속된다.

● 유용한 웹사이트

Bipolar disorder. https://www.sane.org/information-stories/facts-and-guides/bipolar-disorder

Early psychosis services. https://iepa.org.au/

National Disability Insurance Scheme (NDIS). https://www.ndis.gov.au/

Safewards interventions. https://www2.health.vic.gov.au/mental-health/practice-and-service-quality/safety/safewards

Stigma. https://www.sane.org/information-stories/facts-and-guides/reducing-stigma

Supported decision making. https://www2.health.vic.gov.au/mental-health/practice-and-service-quality/mental-health-act-2014-handbook/recovery-and-supported-decision-making

● 참고문헌

Australian Commission on Safety and Quality in Health Care, 2017. National Safety and Quality Health Service Standards, second ed. Australian Commission on Safety and Quality in Health Care, Darlinghurst.

Australian Institute of Health and Welfare, 2018. Patient-reported experience and outcome measures. In: Australia's Health 2018. AIHW, Canberra (Chapter 7.17).

Australian Institute of Health and Welfare, 2020. Mental health services in Australia. 30 January 2020 Revision. Available: https://www.aihw.gov.au/reports/mental-health-services/mental-health-services-in-australia/report-contents/summary-of-mental-health-services-in-australia.

Bloch, S., Green, S., Janca, A., et al., 2017. Foundations of Clinical Psychiatry. Melbourne University Press, Melbourne.

Bowers, L., 2014. Safewards: a new model of conflict and containment on psychiatric wards. J. Psychiatr. Ment. Health Nurs. 21, 499–508.

Corbett, B., 2018. Lithium toxicity. In: Nordstrom, K., Wilson, M. (Eds.), Quick Guide to Psychiatric Emergencies. Springer, Cham.

Cutcliffe, J.R., Stevenson, C., 2007. Care of the Suicidal Person. Churchill Livingstone, Edinburgh.

Department of Health Victoria, 2013. Nursing Observation Through Engagement in Psychiatric Inpatient Care Guideline. State Government of Victoria, Melbourne.

Department of Health Victoria, 2011. Framework for Recovery-Oriented Practice. State Government of Victoria, Melbourne.

Keet, R., de Vetten-Mc Mahon, M., Shields-Zeeman, L., et al., 2019. Recovery for all in the community; position paper on principles and key elements of community-based mental health care. BMC Psychiatry 19, 174.

Mead, S., 2001. Peer support: a theoretical perspective. Psychiatr. Rehabil. J. 25 (2), 134-141.

Mitchell, P.B., Loo, C.K., Gould, B.M., 2010. Diagnosis and monitoring of bipolar disorder in general practice. Med. J. Aust. 193 (4), S10.

NZ Ministry of Health, 2019. New Zealand's nursing workforce the largest its ever been [media release]. Available: https://www.health.govt.nz/news-media/media-releases/new-zealands-nursing-workforce-largest-its-ever-been.

Orygen, 2016. Clinical Practice in Youth Mental Health Shared Decision Making. The National Centre of Excellence in Youth Mental Health, Melbourne.

Salleh, M.R., 2018. The burden of mental illness: an emerging global disaster. J. Clin. Health Sci. 3 (1), 5-12.

Singh, B., Castle, D., 2007. Why are community psychiatry services in Australia doing it so hard? Med. J. Aust. 187 (7), 410-412.

World Health Organization (WHO), 2019. Mental health. who.int/news-room/facts-in-pictures/detail/mental-health.

CHAPTER 4

정신건강과 질환의 스펙트럼

The Spectrum of Mental Health and Illness

주요 내용

- 간호사는 업무 중 정신건강 문제를 경험하고 있는 사람들과 자주 마주친다.
- 간호사는 스트레스와 정서적 혼란, 위기, 정신적 디스트레스, 정신장애 및 정신질환을 포함한 정신건강과 질환의 스펙트럼을 이해하고, 개인의 요구에 따라 반응할 필요가 있다.
- 간호사는 모든 임상환경에서 대상자의 정신적 · 정서적 안녕을 돕기 위해 정신간호기술이 필요하다. 이는 간호사에게 치료적 관계 형성을 위한 발판을 제공할 것이다.
- 정신적 건강 약화를 경험하는 대부분의 사람은 회복할 것이다.

주요 용어

- 사별(bereavement)
- 대처전략(coping strategies)
- 위기(crisis)
- 감정(emotions)
- 비애(grief)
- 상실(loss)
- 정신장애(mental disorder)
- 정신건강(mental health)
- 정신건강 문제(mental health problems)
- 스트레스(stress)

학습 목표

이 단원을 통해 다음을 수행할 수 있다.

- 사람들이 일생 동안 경험할 수 있는 정신건강과 정신질환의 스펙트럼을 이해한다.
- 스트레스, 위기, 상실 및 사별을 구별한다.
- 다양한 유형의 위기를 확인한다.
- 실무에서 강점에 초점을 두는 방법을 설명한다.

서론

정신건강은 모든 사람의 삶의 질에 매우 중요하며, 국적이 어디인지, 어떤 언어를 사용하는지, 얼마나 많은 돈을 가지고 있는지는 중요하지 않다. 정신건강은 개인과 가족뿐 아니라 지역사회 및 국가 전체의 사회경제적 구조에 영향을 준다.

정신건강과 정신질환은 정지된 상태가 아니다. 오히려 모든 사람은 끊임없이 변화할 수 있고 변화하기 쉬우며 매우 다양하고 복잡한 상태를 포함하는 정신건강과 정신질환의 스펙트럼을 경험한다. 누구나 신체적으로 건강한 사람이 병이 나거나 신체질환을 가진 사람이 건강해질 수 있는 것과 같이 정신이 건강한 사람이 병이 나거나 정신질환이 있는 사람이 회복하거나 다시 건강해질 기회는 항상 있다. 대상자는 정신건강과 정신질환의 스펙트럼을 따라 변화할 수 있으며(그림 4.1) 단기간 또는 장기간 동안 다양한 상태에 처할 수 있다. 따라서 간호사는 사람을 효과적으로 돕기 위해 정신건강과 정신질환의 스펙트럼에 대해 반드시 이해해야 한다. 세계보건기구(World Health Organization, WHO)는 건강에 대해 다음과 같이 정의하고 있으며, 정신건강은 전반적인 건강의 개념과 분리될 수 없다.

> 단순히 질병이나 손상이 없는 상태가 아니라
> 신체적, 정신적, 사회적으로 완전한 안녕 상태
> WHO, 2014

하지만 간호사와 타 의료전문가들은 흔히 정신건강의 중요성을 과소평가하며, 회복을 돕기보다 정신질환을 평가하는 데 더욱 중점을 둔다. 이는 축구팀이 골 넣는 연습을 잊은 채 수비에만 집중하는 것에 비유할 수 있다. 이러한 치료서비스는 평가, 진단, 치료 및 퇴원의 주기를 계속 반복하게 만들고, 결국 재발률을 높이고 환자와 가족의 건강악화를 초래한

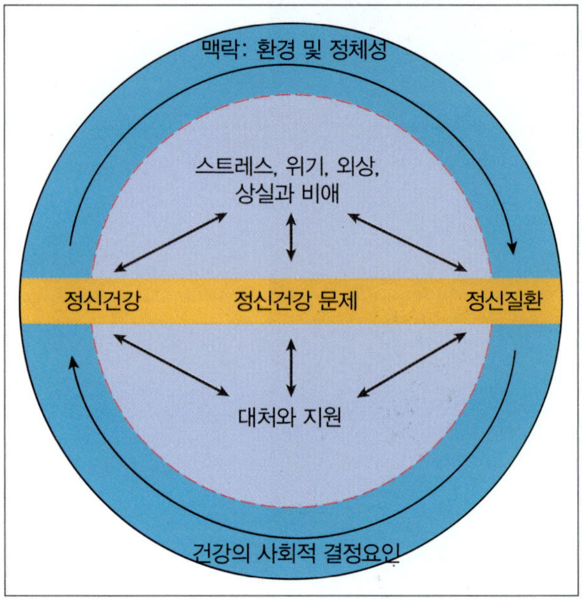

그림 4.1 정신건강과 정신질환의 스펙트럼

다. 이 책에서는 정신간호실무에 대해 정신건강을 사회적 · 환경적 · 정신적 · 생물학적 영향을 받는 다면적인 환경 내에 존재하는 것으로 보는 사회생태학적 이해를 권장한다. 이러한 개념화를 이용할 때 정신건강과 정신질환은 정신건강에서 질환에 이르는 스펙트럼에 존재하는 것으로 설명할 수 있다. 정신건강의 스펙트럼은 이질적이며, 모든 사람이 다르게 경험한다는 의미이다. 또한 스펙트럼의 다양한 단계를 설명하는 매우 다양한 단어와 개념에 대해 아는 것이 중요하다. 다음 부분에서는 정신건강과 정신질환에 대한 몇 가지 주요 개념을 종합하고자 한다.

정신건강

정신건강은 하나의 현상이며, 모든 인간이 일상에서 공유하는 일반적인 사회적 · 정서적 경험이다. 그럼에도 불구하고 정신건강에 대한 정의는 언어, 문화 및 특정 이해집단의 영향력과 같은 요인들 때문에 역사적으로 차이가 있었으며, 현대에도 계속 변

화하고 있다. 예를 들어 다음과 같이 생산적이고 조화로운 사회를 유지하기 위해 정신건강의 중요성이 강조되기도 했다.

> 건강한 상태는 건강한 정신건강 상태의 필수적인 부분이며, 생산적이고 포용적인 사회를 뒷받침한다.

정신건강에 대해 가장 널리 받아들여지는 현대적 설명은 WHO의 정의일 것이다.

> 정신건강은 모든 개인이 자신의 잠재력을 깨닫고, 일상적인 생활 스트레스에 대처할 수 있으며, 생산적이고 유익하게 일할 수 있고, 지역사회에 기여할 수 있는 안녕한 상태이다.
>
> WHO, 2013

정신적으로 건강한 삶은 모든 면에서 완벽하고 항상 긍정적인 삶이 아니라는 인식이 중요하다. 대부분의 사회는 폭넓은 다양성을 인정하며, 정신적으로 건강한 삶을 사는 대부분의 인간은 다양한 개인적 · 사회적 특성을 나타낸다. 정신적으로 건강한 삶을 살고 있는 개인은 다양한 개인적 특성과 사회적 상황을 보일 수 있다. 정신적으로 건강한 사람이 보이는 다양한 개인적 특성은 다음과 같이 표현할 수 있다. 솔직하거나 화난, 희망적이거나 혐오스러운, 적극적이거나 불안한, 겸손하거나 유머감각이 없는, 즐거운 또는 질투하는, 용감한 또는 괴롭히는, 성공한 또는 슬픈, 배려심이 있거나 음해하는, 융통성 있거나 열정적인, 신뢰하거나 인내심이 없는, 또는 현명하거나 그렇지 않다. 마찬가지로, 정신적으로 건강한 사람의 사회적 상황도 또한 매우 다양하다. 미혼 또는 기혼, 동성애자 또는 이성애자, 취업 또는 실업, 부자 또는 가난한, 사회적 연결이 있는 또는 고립된, 내성적 또는 외향적, 가족 및 친구가 있거나 없는 사람 등 다양하다. 정신건강은 개인이 자신과 그들이 살고 있는 지역사회에 만족하는 삶을 살도록 돕는다. 개인과 그들이 사는 지역사회가 자신의 삶이 만족스럽다고 믿는 한 개인의 삶이 어떤 모습인지 또는 어떻게 성취했는지는 전혀 중요하지 않다.

정신간호사는 정신건강에 영향을 미칠 수 있고 변경이 가능한 환경적 · 관계적 · 정신적 · 신체적 건강 결정요인을 개인과 지역사회가 개선하도록 돕는 좋은 위치에 있다. 간호사는 임상에서 정신건강 사정, 정신치료, 신체건강 간호, 사회적 옹호와 윤리적인 투약관리와 같은 실무를 통해 대상자의 정신건강을 향상시킬 수 있다. 공중보건 수준에서 간호사는 서비스 모델을 개발하고, 적정 가격의 주택공급제도, 교육의 기회, 균등한 소득, 고용 및 지역사회자원 이용과 같이 정신건강에 영향을 미치는 사회적 요인이 더 공정해지도록 옹호하는 업무를 수행할 수 있다.

정신건강 스펙트럼에 대한 설명에서 대상자 부분은 J의 정신건강에 관한 실제 사례를 볼 수 있다. 아래 상자는 J 이야기의 첫 부분이다.

J의 이야기: 정신건강

우리는 일이 순조롭게 진행되고 소위 '정신건강'을 경험하고 있을 때는 그것을 당연하게 여기고, 별로 중요하게 생각하지 않는 것 같다. 안전하고 가족을 사랑하는 가정에서 행복한 어린 시절을 보낸 나는 초등학교에서도 좋은 성적을 거두었다. 나는 초등학교 마지막 해에 학생회장, 토론팀의 주장, 운동부 대표를 맡아서 내가 할 수 있는 모든 것을 해냈다.

스트레스

일상적인 스트레스 경험은 정상적인 삶의 일부이다. 스트레스원으로는 시험, 관계의 실패 또는 중요

역사적 일화 4.1: 정신건강에 대한 고대의 개념

고대 그리스 철학자인 아리스토텔레스(B.C. 384~322)는 좋은 정신건강은 행복 추구와 연관된다고 주장하였다. 그는 행복을 경험하는 두 가지 폭넓은 방법을 제안했다. 첫째는 가난한 사람이나 노숙자를 돌보는 것과 같은 도덕적인 삶을 통해 좋은 성품을 배양하는 것이다. 그는 이것을 '자기실현적(eudemonic)' 행복으로 언급하였다. 두 번째는 재산이나 성행위를 통해 쾌락을 추구하는 것이다. 그는 이것을 '쾌락적' 행복으로 언급하였다. 아리스토텔레스는 자기실현적 행복이 쾌락적 행복보다 더 가치가 있다고 하였는데, 이는 권력, 재산, 성적 쾌락과 같은 쾌락적 이득은 일반적으로 지속되기 어려운 감정과 연관되기 때문이라고 하였다. 아리스토텔레스에 따르면 사람들이 자기실현적 행복을 추구하기 위해서는 부모의 지도, 좋은 교육, 적당한 수준의 재산 모두가 필요하며 그러한 기회를 위한 사회적 기반을 제공하는 것이 정부의 역할이라고 주장했다.

자세히 알아보기: Ryan, R.M., Huta, V., Deci, E.L., 2008. Living well: a self-determination theory. Anecdote on eudemonia. Journal of Happiness Studies 9(1):139 - 70

한 약속에 늦는 것과 같은 생활사건 등이 있다. 스트레스원에 대한 개인의 반응을 '스트레스 반응'이라고 하며, '스트레스'는 개인의 신체적 · 정신적 항상성 또는 일정한 존재상태를 위협할 수 있다. 정신적 디스트레스는 일련의 생활 스트레스, 위기, 외상, 상실과 사별을 통해 일어난 개인적 · 사회적 어려움으로 인해 발생할 수 있다. 대부분 정신적 디스트레스를 표현하는 개인은 진단, 치료 및 약물 보다 공감, 이해 및 정서적 지지가 필요하다. 모든 개인은 스트레스원에 대한 평가와 기존의 대처전략에 따라 스트레스원에 대해 다르게 반응한다. 연구에 따르면 생활 스트레스는 일반적으로 다음과 같이 크게 네 가지로 나눌 수 있다.

1. 환경: 인간은 실업, 빈곤, 노숙, 폭력, 전쟁과 같은 상황이나 산불 또는 홍수와 같은 자연재해를 입은 환경에서 생활할 때 장애를 경험하기 쉽다.
2. 관계: 가족, 지역사회, 생활환경 및 문화는 우리에게 역시 영향을 미칠 수 있다. 이러한 요인은 다양한 방식으로 정신건강에 영향을 미치게 된다.
3. 심리상태: 우리가 직면하고 있는 상황에 대한 태도, 사고기술, 성격 및 스트레스 대처방식은 정신건강의 여부에 막대한 영향을 미칠 수 있다.
4. 건강: 우울장애, 양극성 장애, 조현병 및 알코올 중독과 같은 많은 질병은 우리의 신체를 원활하게 작동시키는 생화학물질에 영향을 줄 수 있다. 이러한 생화학물질의 취약성은 때때로 가족 간에 발생할 수 있다. 어떤 가족이 당뇨나 고혈압에 취약한 것처럼 다른 가족도 역시 정신건강에 취약할 수 있다.

스트레스는 급성 또는 만성적일 수 있다. 스트레스는 개인의 평소 대처전략과 상황을 해결하는 능력을 넘어선 급성 상태인 위기와는 다르다.

정신건강 문제

우리가 집에 있든, 학교에 있든, 직장에 있든, 어느 다른 상황에 있든지에 상관없이 삶의 스트레스 요인이나 위기에 대처하고 적응할 수 있는 능력이 없다면 우리 모두는 정신건강 문제를 경험할 수 있다. 이 장에서 정신건강 문제는 개인의 삶에 영향을 주지만 대인관계나 정상적인 일상활동을 심각하게 방해하는 정도는 아닌 사회적 또는 정서적 상처로 정의된다. 누군가는 새 학기 첫날이나 직장의 첫날, 또는 신체질환이나 입원기간 동안처럼 우리가 취약하다고 느낄 때 정신건강 문제를 경험할 수 있다. 정신건강 문제에 대한 취약성은 불안이나 두려움, 또는 어떤 상황이나 앞으로 발생할 상황에 대해 거의 또는 전혀 통제할 수 없다는 느낌에 의해 고조될 수 있다. 그렇지 않으면 정신건강 문제에 대한 취약성은 해결이 필요한 특정 사회적 또는 정치적 문제를 경험하는 사회집단(노숙자, 가정폭력으로 인해 보호기관을 찾는 사람, 감옥에 있는 사람)에서 증가할 수 있다. 정신건강 문제는 또한 신체적 학대나 폭력의 위험에 처한 사람에서 증가할 수 있으므로 이들을 안전하게 보호하기 위한 조치가 필요하다.

하지만 간호사는 정신건강 문제가 진단이 가능한 정신질환과 같지 않다는 사실을 인식해야 한다. 정신건강 문제는 일반적으로 장애, 역기능 및 일탈의 세 가지 유형의 현상으로 이해할 수 있다. 장애는 흔히 불안 사고, 저하된 기분, 고립 행동, 기억상실(또는 지각이상), 수면방해, 과민한 행동, 알코올 또는 기타 약물 사용 증가와 같은 사고, 감정 및 행동 증상으로 나타난다. 역기능은 타인에 의해 부정적으로 이해될 수 있는 행동으로 언급되며 장기간에 걸쳐 개인의 대인관계에 손상을 줄 수 있다. 일탈은 반사회적이거나 범죄행동에 가담하는 것을 포함하여 개인이나 타인에게 위험한 행동이라고 할 수 있다.

간호사는 개별적 기준에서 정신건강 문제가 있는 사람들을 돕고자 해야 한다. 영유아, 어린이 및 장애나 심각한 신체질환, 노쇠 또는 높은 연령으로 인해 의사소통이 전혀 불가능한 사람과 같은 일부 그룹은 취약해서 높은 수준의 치료와 지지가 필요하다는 점을 명심해야 한다. 마찬가지로 전쟁과 신체적 폭력 또는 성폭력, 폭행, 납치, 고문, 가족 사망과 같은 외상적 사건에 노출된 후에 난민으로 오거나 망명을 원하는 사람은 극도로 취약하며 광범위한 치료와 지지가 필요하다. 하지만 개인이 취약한지 여부를 평가하려면 개인 및 상황요인 모두를 신중하게 고려해야 한다.

J의 이야기: 정신건강 문제

무슨 일이 있었는지 잘 기억나지 않지만 초등학교를 졸업할 무렵 부모님이 결혼생활에 어려움을 겪으셨고, 중학교에 입학할 즈음 나는 학교에 가고 싶지 않았다. 여전히 설명할 수 없지만, 12세 첫 개학 날에 어머니는 나를 학교까지 데려다 주셨고 어머니가 나를 학교에 두고 떠나자 마자 공황상태에 빠졌다. 나는 어머니가 떠난 동시에 울고, 발로 차고, 비명을 질렀기 때문에 선생님은 나를 억제해야 했다. 그날 이후로 중학교는 나에게 힘든 생활이었다. 나는 중 1(12세)부터 고 1(16세)까지 어떻게든 학교를 자주 빠졌고 학교는 거의 눈치채지 못하는 것 같았다. 나는 학교에 갔을 때 배움에 큰 관심을 기울이지 않고 서성거렸다. 나는 어린 나이였기 때문에 거의 또는 어떠한 부작용이나 노력 없이 사회적 책임을 피할 수 있었다. 친구의 파티나 행사에 초청을 받으면 운동을 하고 있다거나 할머니의 이사를 도와야 한다는 등 초대를 피하기 위해 내가 할 수 있는 모든 것을 핑계로 대곤 했다. 나는 초대를 피하려고 할뿐만 아니라 주말에 내가 참석하지 않은 행사에서 친구들이 모두 한 일에 대해 이야기하는 어색함을 피하려고 했다. 사람들은 종종 고등학교를 졸업한 후의 계획과 진학할 대학에 대해 이야기하곤 했다. 나의 관심사는 그저 고등학교 생활을 잘하는 것뿐이었다. 우리 학교의 상담지원은 나이 많은 신부님이 하고 계셨다. 신부님은 친절하게 내가 수업에 가기 싫으면 대신 사무실에 있는 신부님의 방에 앉아 있을 수 있게 해주셨다. 종종 가벼운 대화를 나누기도 하였는데 교실에 앉아 있을 때 경험했었던 사회적 불안을 피하는 데 도움이 되는 경우가 많았다.

위기

간호사는 모든 임상환경에서 위기, 외상, 상실 및 슬픔을 경험하는 사람들을 만난다. 위기는 단순히 주의가 필요한 어려운 또는 위험한 상황으로 설명될 수 있다. 삶의 스트레스 요인과 마찬가지로 위기는 재정적 · 사회적 · 환경적 · 정치적 또는 개인적 삶의 측면과 관련이 있다(**표 4.1**). 취업 면접이나 시험과 같은 스트레스성 사건과는 대조적으로 실직, 사랑하는 사람의 죽음, 폭행(신체적 · 정서적 · 성적) 또는 이혼과 같이 개인이 위협적으로 인식하는 특정 경험은 급성 위기상태를 촉발할 수 있다. 이러한 상태에서 평소의 대처전략은 효과적이지 않으며, 그 결과 취약하다는 느낌이 증가하고 불안, 장애 및 혼란 수준이 올라간다. 평소 개인이 일상생활의 요구를 처리하는 능력이 손상되며 무질서와 불균형이 초래된다. 만일 이것이 해결되지 않는다면, 위기는 결국 심각한 정신적 · 인지적 · 행동의 장애를 초래하여 자신이나 타인을 위험에 노출시킨다.

촉발 사건과 개인의 반응을 구별하는 것은 유용할 수 있다. 위기감은 외부에서 보기에는 문제없어 보이는 것에서부터 위기상태에 있는 개인은 문제가 있다는 것을 전혀 알 수 없는 반면 타인은 위기로 볼 수 있는 상황에 이르기까지 광범위한 사건으로 발생할 수 있다. 친구나 가족은 '무슨 소란인지' 이해하기 어려워하는 반면 대상자는 한 특정 사건이 재난이라고 느꼈던 때가 있었을 수도 있다. 처음으로 시험에 실패했을 때 학업을 성공적으로 완수할 수 있는 능력에 대해 자신감이 흔들렸을 수 있으며 심각하게 학업을 그만둘까 고민했을 수도 있다. 또한 이번 실패로 미래를 망쳤다고 느끼는 자신을 발견했을 수도 있다. 자신의 관점에서 볼 때 위기상황에 처한 친구가 있을 수 있다. 친구가 연인 관계에서 신체적 폭행을 당해 몇 달 동안 여러 차례 상의를 했을 수 있다. 때때로 친구가 연인관계를 끊도록 격려하고자 했으며, 데이트 폭력 피해자를 위한 서비스에 관한 정보를 제공했을 수 있다. 반대로 친구가 검게 멍든 눈을 가리려고 진하게 화장을 하고 다시 일하러 왔고, 친구의 팔에 멍이 든 것을 알게 되었다 치더라도 친구의 안전이 걱정은 되었지만 '지난번만큼 나쁘지는 않아' 그리고 '걱정할 필요 없어'라며 일축할 수도 있다. 누군가는 지금을 위기상황으로 보지만 친구는 지원을 이용하지 않거나 심지어 힘든 상태라는 것을 인정하지도 않을 수 있다. **표 4.1**의 위기 유형은 분

표 4.1 위기의 유형

위기의 유형	설명
발달 위기	삶의 단계 사이의 주요 전환('통과의례'): 출생, 청소년기, 결혼, 은퇴 또는 죽음과 같이 중요하고 때로는 스트레스가 장기화되는 기간이 될 수 있다.
상황적 위기 또는 우발적 위기	직업, 소득 또는 주택의 상실, 사고, 절도, 관계 상실, 별거, 이혼 또는 가정 폭력과 같은 상황 관련 또는 문화 관련 위기
사회적 위기	마약 또는 알코올 남용, 범죄 행동 또는 폭력으로 인해 발생
복합적 위기	다음과 연관된 위기를 포함하며, 일상적인 경험이 아니다. • 정신질환 • 외상 • 생명을 위협하는 신체질환의 진단 • 내전, 인종말살정책 또는 종교박해로 인해 망명이 필요한 상태

명하게 확인할 수 있는 스트레스 요인, 상실 또는 외상 사건에서 급성의 위기 상태까지 전개되는 순서를 보여준다. 위기의 유형을 고려한다면 위기를 촉발한 요인은 무엇인지와 개인을 도울 수 있는 대처 과정은 무엇인지 깊이 이해하는 데 도움이 될 수 있다.

정신질환

정신건강에 문제가 있는 사람들 중에 많은 사람은 정신건강 전문가에게 도움을 요청하지 않으며 또한 자신의 문제를 결코 정신질환으로 이해하지 못한다. 많은 사람은 인터넷을 이용하며 정신건강에 대한 적응 및 회복에 대한 필요한 정보를 제공받는다. 하지만 연구에 따르면 인터넷 기반의 조언은 문제에 대한 과도한 분석과 자가진단으로 이어질 수 있으며, 사람들이 자신의 경험과 회복능력에 대해 부정적인 믿음을 갖게 할 수 있다.

역사적으로 정신건강에 대한 설명이 다양했던 것과 마찬가지로 정신질환에 대한 생각도 역시 다양하다. 정신질환에 대한 최신 정의는 특정 집단의 문화, 언어 및 관심 분야에 따라 다양하다.

> 정신질환은 정신기능의 기초가 되는 정신적 · 생물학적 또는 발달과정의 기능장애를 나타내는 개인의 인지, 감정 조절 또는 활동에서 임상적으로 심각한 장애를 특징으로 하는 증후군이다. 정신장애는 일반적으로 사회적 · 직업적 또는 기타 중요한 활동의 심각한 장애와 연관된다.
>
> American Psychiatric Association, 2013

J의 이야기: 정신질환

17세가 되었을 때 사회적 상호작용에 대한 불안감이 매우 뚜렷해졌다. 16세에서 18세까지 사교활동에 대한 압박이 늘어나면서 점점 심한 공황을 경험하는 것이 불안하고 두려웠다. 나는 학업이나 사회활동에는 거의 관심이 없었다. 공황발작 없이 하루를 버티는 것만으로도 힘들었다. 점심시간 동안 학교 운동장에서 친구들과 만나지 않기 위해 학교의 한쪽 끝에 있는 화장실에서 다른 쪽 끝에 있는 화장실 사이를 왔다 갔다 하는 습관이 생겼다. 내 방광에 문제가 있어서가 아니라 순전히 화장실에 앉아 다른 사람들을 피해 숨을 수 있기 때문이었다. 나는 학교를 결석하고, 시험도 치지 않고, 의사의 진료를 받지 않았다. 결국 무언가를 해야만 했고, 그때가 고등학교 2학년 되었을 때였다. 나는 정신건강서비스를 받았고, 사회공포증 진단을 받았다. 곰곰이 생각해 보니 사회가 나를 정신질환으로 라벨을 붙인 때가 바로 그때였던 것 같다.

결국 학교는 내가 너무 많은 날을 결석하여 고등학교 2학년을 마치고 3학년에 진급할 수 없다고 결정했다. 이는 나와 가족에게 큰 충격은 아니었지만 앞으로 6개월 동안 무엇을 해야 할지, 어떻게 시간을 생산적으로 사용할지에 대한 계획이 전혀 없었다. 우리 가족은 단지 내가 내년에 복학해서 1년을 다시 다니는 것만 알고 있었다.

나는 가족을 포함하여 세상과 거의 접촉하지 않고 집의 침실에서 그 후 6개월을 보냈다. 내가 방을 나가는 유일한 시간은 화장실에 가거나 밥을 먹을 때였다. 나는 다른 형제들처럼 식탁에 앉아 저녁식사를 하지 않고 대신 방에서 나와 접시에 음식을 담은 다음 방으로 돌아와 식사를 했다.

돌이켜보면 그 당시에 내 삶은 불청객의 방해를 받지 않기 위해 고유의 민첩함으로 눈에 띄지 않게 밤을 틈타 어두운 틈새의 은신처에서 나와 배를 채우려고 허둥대는 쥐처럼 보였다. 쥐는 가족의 애완동물이나 쥐덫에 놓여 있는 음식조각과 마주치지 않으려 한다. 내 경우는 가족과 마주치거나 가족과의 상호작용으로 생길 수 있는 불안을 피하려고 노력했다. 나는 자주 쥐덫처럼 느껴지는 저녁식사를 피해야만 했는데, 나에게는 음식을 이용해서 사회적 상호작용을 유인하는 것처럼 보였다.

당사자 이야기 4.1

25세 N은 몹시 흥분하고 격한 감정 상태로 응급실을 방문하였다. 최근 몇 차례의 상실 경험으로 N은 심각한 슬픔을 겪고 있고 평소의 회복력과 실제적인 대처방식은 무력해졌다. N은 이전에 사용하였던 어떠한 문제해결 전략도 수행할 수 없다고 느꼈다. N은 연속적인 사건으로 인해 삶을 마감하는 것이 자신이 취할 수 있는 최선의 조치라고 생각하게 되었다며 괴로워하고 눈물을 흘렸다. 간호사는 초기 사정을 통해 N은 자살사고를 동반한 우울 증상을 나타내고 있다고 판단하였다. N은 자해에 대해 구체적인 계획은 없었지만 이전에는 전혀 자살 사고를 겪어 본 적이 없었기 때문에 자살 사고에 대해 두렵다고 했다. 자해의 위험이 있는 것으로 보아 간호사는 N이 자신의 안전을 지키는 능력이 염려되었고, 가장 처음 떠오른 생각은 가능하다면 N의 의지와 달리 병원에 입원시키는 것이다.

N은 조금씩 진정이 되었지만 여전히 무력감과 절망감을 느꼈고 자신의 고통을 헤쳐 나갈 방법을 찾지 못했다. 간호사는 N에게 안전하다고 안심시켰고 N은 사정을 계속 진행하는 데 동의했다. 간호사는 N과 염려사항에 대해 대화를 나누고 힘든 시기 동안 N을 안전하게 보호하기 위해 어떻게 협력할 수 있는지에 대해 상의했다. 병원에 입원하는 것은 가능한 선택이었다. N은 입원을 거부하지는 않았지만 확실히 원하지도 않았다. 간호사는 N이 강점을 이용하고 현재 중단된 대처전략을 활용할 수 있도록 도우면서 함께 다른 선택 사항을 찾아보았다. 간호사는 N에게 자신의 문제를 극복하기 위해 무엇이 필요하다고 생각하는지 질문하였다. '저는 몰라요'라고 답했다. 극심한 위기로 인한 정서적 동요가 사고에 영향을 준 전형적인 개인의 반응이다. 간호사는 질문을 바꿔서 N에게 이러한 사건이 발생하지 않았다면 자신의 삶과 상황이 어떠했을지 물었다. N은 그런 압도적인 슬픔과 상실감이 없었다면 자신의 삶이 어땠을지 조금 자세하게 설명했다. N은 다시 빠르게 낙담하기 시작했고, 슬픔과 상실감에 압도된 느낌 없이 살아가는 방법에 대해 생각할 수 없었다.

다시 초점의 전환이 필요했다. 불안을 진정시킨 뒤 간호사는 N이 인생에서 역경을 극복한 노력과 과거 성공에 대해 궁금함을 표현했다. N은 몇 가지 힘들었던 사건을 떠올리며 어떻게 자신이 이러한 어려움을 극복했었는지에 대해 설명했다. 간호사는 N이 이러한 도전을 극복하는 과정에서 보여주었던 강점과 회복력에 대해 크게 말해주었다. N이 역경을 극복하는 자신의 능력을 인식한다면 그의 변화는 거의 명백해진다. 간호사는 '아하' 하는 순간을 목격했다. N은 자신이 이미 회복하기 위해 열심히 노력하고 있다는 사실을 깨달았을 때 문제 수준은 현저히 감소했고 계속 회복하기 위해 사용할 다른 전략에 대해서 생각하기 시작했다. N은 간호사의 도움에 매우 감사했다. 간호사는 N의 감사를 받아들이는 동시에 겸손하였으며 실제로 기적을 행한 적이 없고 장담하지도 않았기 때문이다. 오히려 이는 N이 자신의 강점과 회복력을 재연결하도록 시간을 주는 경청 과정(참된 경청)이었다. 간호사는 불안해 하는 대신 N의 무력감이 강화되는 것을 방지하고 병원에 입원하는 것을 피할 수 있었다. N은 새로운 강점과 미래에 대한 희망을 가지고 응급실을 퇴원할 수 있었다. 퇴원하기 전에 N은 외래 진료를 예약하고 간호사와 다시 만나기 전에 대화가 필요하다면 연락할 수 있는 전화번호를 받을 수 있어 기뻤다.

이 장에서 설명하는 정신건강 스펙트럼은 복잡한 인간 현상을 단순화시키려는 시도임을 인식하는 것이 중요하다. 이해에 대한 단순한 모델을 제공하는 것은 적용방법에 따라 유용할 수도 있고 해로울 수도 있다. 위에서 언급한 바와 같이 사람들의 정서적·정신적 경험은 삶의 경험에 대해 반응하고 그것이 사회적 기능에 영향을 미치기 때문에 끊임없이 변화하는 상태이다. 정신질환자는 흔히 생각, 감정 및 행동의 심각한 장애를 경험하며 환자가 가진 자신에 대한 기대와 사회의 요구를 충족시키는 능력을 상실하여 가정과 직장에서 심각한 관계의 단절을 초래한다. 정신질환의 경험은 개인의 만족스러운 삶의 추구와 사회가 그들의 행동을 수용하는 능력 간에 어떤 불일치를 유발할 수 있으며, 사회는 그들을 장애인으로 간주할 수도 있다. 이러한 이해의 맥락으로 본다면 '절대적인 건강' 또는 '완전히 정상'인 사람은 아무도 없다. 이와 대조적으로, 만일 어떤 사람이 정신질환을 경험하고 있다면, 이때는 '절대적인 질환'이라는 주장에 대해 반대하는 것을 거의 듣거나 보지 못한다. 일반적으로 개인은 정신질환이 있는지 또는 없는지로 묘사된다. 즉, 개인이 일련의 특정 증상을 가진 것으로 확인되면 특정한 임상상태인 것으로 라벨을 붙인다. 이러한 정신건강과 정신질환에 대한 구체적인 구별은 지나치게 단순화한 것이기 때문에 인간의 폭넓은 일상생활의 경험을 다루지 못한다. 결국 정신건강과 정신질환은 복합적인 사회적 구성 개념이며 우리가 삶의 경험 속에서 인식하는 차이를 설명하고자 하였기 때문에 각 사회와 문화적 집단에 따라 다양하다.

대처

인간은 놀라울 정도로 회복탄력성이 있으며, 대부분 사람은 생활 스트레스원에 대처할 수 있고 비교적 빨리 정신건강을 회복할 수 있다. 대처는 지속되는 문제가 없이 생활 스트레스원 이후 사람들의 '다시 일어서는' 능력을 말한다. 효과적인 대처기술을 보여준 개인과 그룹은 삶의 도전에 적응할 준비를 갖춰 주는 일련의 공통적 특성을 갖는 경향이 있다. 대처능력은 스트레스 사건 이후 '다시 일어서는' 능력에 영향을 미치는 개인의 내적 심리 태도뿐만 아니라 다양한 외적 요인에 달려 있다. 갈수록 연구적인 관심이 사람들의 대처능력에 대한 사회적·문화적 맥락의 영향에 집중되고 있다. 전 세계적으로 많은 사람이 극심한 강압적 환경 속에서 생활하고 있으며, 아무리 가장 잘 견디는 개인과 지역사회라도 대처능력의 한계치에 도달할 수밖에 없다. 폭력적인 환경에서 물질적 자원과 심리사회적 지지를 크게 상실한 상황은 정신적 디스트레스와 정신질환의 위험을 현저하게 증가시킨다. 전쟁과 내전이 지속되면서 인명 손실, 대량 이주, 식량과 안전한 식수, 피난처 및 안전과 같은 인간의 가장 기본적인 욕구조차 상실되는 지역에서 개인 및 지역사회의 대처능력은 엄청난 영향을 받게 된다.

그렇다면 왜 표면적으로 유사해 보이는 생활 스트레스원에 대해 어떤 사람은 잘 대처하고 다른 사람은 어려움을 겪게 되는가? 개인의 정신건강에 보호 또는 위험을 주는 다양한 요인이 있음을 이해하는 것이 중요하다. 보호 요인은 주로 규칙적인 신체활동, 배우자 또는 부모와의 친밀한 관계 같은 것들이 포함된다. 위험 요인에는 안전한 주거의 부재와 생물학적 스트레스원이 포함된다. **표 4.2**는 사회적 환경, 대인관계, 정신적·신체적 건강 전반에 대한 보호 요인과 위험 요인의 실례를 제공하고 있다.

• 신경생물학 및 신경가소성

정신적 디스트레스는 정신적으로 경험되지만, 어떤 경우에는 변화에 대해 개인을 자동적이 되거나 저항하는 반응을 하도록 만드는 신경회로를 형성하여 뇌의 기능에 중대한 영향을 준다. 이러한 스트레스 반응은 외부 환경의 즉각적인 도전에 대처하는 적응방식이지만 시간이 지나면서 반복되고 새로운 학습을 방해하고 부적응적으로 변할 수 있다. 만성 스트레스는 뇌의 변연계 과민성을 초래할 수 있는데, 처음 스트레스를 유발했던 경험과 유사한 경험이 서로 연결된 방식의 사고와 행동반응을 동반하는 급성 스트레스 반응을 촉발할 수 있기 때문이다. 그러한 경우 스트레스 반응은 우리의 기억에 암호화되고 자동적으로 작동된다. 만성 스트레스는 교감신경계와 뇌하수체 및 시상하부의 영향을 받으며, 코티졸 수준을 증가시킨 결과 고조된 흥분상태가 유지된다. 만일 신체적·정서적 학대의 환경에서 자란 아동의 경우를 생각해 본다면, 높은 수준의 정신적 디스트레스에 계속 노출되는 것은 지속적인 스트레스

표 4.2 보호 및 위험 요인

	보호 요인	위험 요인
사회적 환경	• 안전한 주거 • 교육 이용 • 고용 • 경제적 안정 • 필요한 경우, 사회복지 지원 이용	• 전쟁 • 빈곤과 범죄 • 정치적 불안정 • 취약한 치안 • 노숙 • 차별 • 지원서비스의 부족
대인관계	• 긍정적 아동기 애착 • 지지적인 가족 및 친구 • 의사소통 기술 • 개인의 자율성 • 지역사회 참여	• 학대(신체적, 정신적, 성적, 재정적, 영적) 또는 학대에 대한 노출 (예 가정폭력) • 방치 • 분리와 상실 • 또래의 거부 • 사회적 고립
정신적 요인	• 긍정적인 자아상 • 효과적인 대처기술 • 가족에 대한 애착 • 사회적 기술 • 신체적으로 건강한 상태	• 낮은 자존감 • 낮은 자기효능감 • 대처능력 부족 • 불안정한 아동기 애착 • 신체 및 지적 장애
신체적 건강	• 깨끗한 공기와 물의 이용 • 적절한 영양상태 • 규칙적인 신체운동 • 양질의 신체적 건강관리 이용	• 질이 낮은 영양상태 • 알코올/약물 과다섭취 • 흡연 • 의료서비스에 대한 낮은 접근성

반응을 일으키고 스트레스의 부정적 경험이 아동의 생활방식이 될 것이다. 시간이 지남에 따라 흥분하지 않은 정서적 정상상태로 회복하는 능력이 떨어지고, 심지어 외상 경험과 연관된 단어와 같은 사소한 자극에도 급성 스트레스 반응이 촉발될 수 있다. 중재를 하지 않으면 이러한 방식의 지속적인 스트레스 반응은 심각한 정서적 · 정신적 · 사회적 기능의 변화를 일으켜 정신질환을 초래할 수 있다. 반대로, 긍정적인 대처전략을 개발하는 것 역시 뇌기능의 변화를 일으키는 것으로 밝혀졌다. 역경을 경험한 적이 있는 청소년에서 회복력은 전두엽 구조의 변화와 관련이 있으며, 뇌가 부정적 및 긍정적 생활경험 모두에 반응하여 변화하는 것으로 나타났다. 신경가소성의 개념은 새로운 경험에 반응하여 변화하고 부적응적이거나 도움이 되지 않는 경로를 대체하는 새로운 신경경로를 생성하는 뇌의 능력을 말한다. 그렇지만 뇌는 도움이 되지 않고 원하지 않는 반응이라 하더라도 기존의 반응으로 되돌아가려는 경향이 있기 때문에 변화하기가 어려울 수 있다. 중독 문제가 이러한 어려움의 한 예시이며, 하지만 지각된 위협에 대한 반응같이 다른 습관화된 행동들도 마찬가지로 변화되기 어려울 수 있다. 경우에 따라 약물요법이 뒷받침되는 정신적 중재는 뇌기능의 변화를 일으킬 수 있고, 시간이 지남에 따라 새로운 반응을 유지하도록 도울 수 있다.

• 정신적 디스트레스를 경험하는 사람 간호하기

정신질환을 경험하는 사람을 위한 간호는 회복 중

역사적 일화 4.2: 역사적인 온정적 접근방식

고대 그리스의 치료사 아스클레피아데스 (Asclepiades) (B.C. 129~40)는 정신질환자에 대한 억제대 사용을 비난하고 정신건강을 위해 식이요법, 긴장을 풀어 주는 목욕 및 음악을 장려했다. 아스클레피아데스의 '카두세우스(뱀이 얽힌 지팡이)'는 오늘날 의료전문직과 관련된 상징이 되었다. 아스클레피아데스와 유사하게 로마의 의사 세라누스(B.C. 250년경)는 정신질환을 경험하는 사람에 대한 온정적 접근방식을 장려했다. 그는 정신질환자는 두려움, 분노, 비난으로부터 그들을 보호하기 위한 관심과 이해가 필요하다고 믿었다. 그는 정신질환은 대화, 독서, 음악 및 긴 산책에 참여할 수 있는 치료자의 비위협적 지원이 필요하다는 생각을 널리 확산시켰다. 세라누스에 의하면 치유는 돌봄 관계에 달려 있다.

자세히 알아보기: Horden, P. (Ed.), 2017. Music as medicine: the history of music therapy since antiquity. Routledge, New York

심 간호와 외상 기반 간호(trauma-informed care) 모두가 필요하다. 정신건강 회복과 관련하여 의료전문가와 정신건강서비스가 수행해야 하는 다섯 가지 핵심 영역이 있다.

- 희망적이고 낙관적인 문화와 언어 증진
- 개인을 실무의 최우선으로 하고 중심에 두며, 삶을 전인적으로 보기
- 개인의 회복을 실무의 핵심에 두고 지원하기
- 숙련된 실무자 및 회복에 도움이 되는 환경을 위한 조직적 헌신 및 인력 개발
- 건강, 정신건강 및 안녕에 대한 사회적 포용과 사회적 결정요인에 대한 조치

외상 기반 간호와 관련하여 간호실무자는 '외상은 사람들에게 중대한 영향을 미칠 수 있다'는 것을 인식하고 '정서적 · 신체적으로 안전한 환경을 제공할 책임이 있다'는 것을 명심해야 한다. 정신건강서비스는 격리 및 억제와 같은 강압적인 실무 수행을 통해 외상의 병력을 가진 사람에게 다시 외상을 입힐 수 있으며, 입원은 자율성과 통제력의 상실 및 가족과 친구로부터 분리되기 때문에 외상 병력의 유무와 상관없이 대상자에게 잠재적으로 외상이 될 수 있다.

이러한 점을 고려하여 외상 기반 간호는 다음의 세 가지 주요 원칙을 따른다.

- 사람들이 정신질환의 회복에 대해 자신의 일이며, 가치가 있으며, 알고 있고, 희망적이라고 느껴야 한다.
- 아동기 외상과 성인 정신건강 문제 사이의 연관성을 이해한다.
- 대상자의 자율성을 증진하기 위해 대상자, 가족, 친구 및 기타 서비스의 능력을 강화하는 방식으로 실무를 수행한다.

이러한 원칙이 대상자와 가족 및 친구의 요구에 초점을 두고 있을 때, 외상 기반의 치료적 접근은 또한 직장 스트레스 관리에 대한 지원을 제공할 수 있다. 외상 기반의 실무는 회복 중심적 간호를 대신하는 것이 아니라 보완적인 것이며 치료자와 대상자가 회복 및 치료 참여에 대해 가질 수 있는 또 다른 관점을 제공한다. 회복 중심적이고 외상에 기반한 간호수행은 신규 간호사와 경력 간호사 모두에게 어려울 수 있다. 연구에 따르면 대상자는 간호사가 대상자와 협력하여 일하기보다는 '손을 놓는' 접근방식을 취하는 것을 자주 경험한다고 시사하였다. 이는 무

엇을 해야 할지에 대한 불확실성 때문일 것이다. 대상자가 자신의 회복을 주도하는 데 초점을 두는 것은 대상자를 내버려 두는 것으로 잘못 해석될 수 있다. 다음 부분은 실무 안내를 위한 몇 가지 간단한 제안으로 이러한 문제를 해결하고자 하였다.

협업하기

과거 정신건강의 실무는 질환을 경험하는 개인이 아닌 질환에 초점을 두었다. Tondora 등(2014)은 개인이 도움을 받기 위해 건강전문가의 진료를 받는 과정에 대해 다음과 같이 설명했다. 전문가는 '문제(일반적으로 경험하고 있는 증상)'에 대해 점점 더 큰 그림을 그려가면서 질문하게 된다. 이는 개인이 '문제'에 점점 더 집중하게 유도할 것이다. 문제는 점점 더 커지고 그 문제에 대해 질문하는 가족이나 다른 사람들에 의해 추가된다. 곧 개인의 정체성은 '문제'나 '질환'으로 대체되어 쓰인다. 정신건강전문가의 심층적인 면담은 거의 전적으로 질병에 대한 질문에만 집중함으로써 이를 강화할 수 있다. 이것은 문제-포화의 개념과 유사하다. 분명히 이러한 접근은 도움이 되지 않으며 사람을 무력하게 만든다. 개인과 개인의 경험, 강점 및 과거에 역경을 극복한 방법에 대해 질문하는 것은 이해와 주인의식을 증진시킬 수 있다. '문제'는 전체 맥락에서 이해되어야 한다. 개인이 자신을 질병이나 문제와 완전히 하나라고 생각하기보다는 보다 확고한 자아의식을 유지하도록 해야 한다. 누군가를 위해 무언가를 하는 것과 사람을 스스로 돌보도록 격려하는 것 사이에는 갈등이 있다. 개인을 위해 과제를 수행하도록 함으로써 의존성을 기르는 것이 필요해 보일 때가 있지만, 많은 경우에는 역효과를 가져온다.

우리는 정서적 · 사회적 · 신체적 안녕을 위해서 생애 초기의 애착 경험에서 비롯된 대인관계가 기본적으로 중요하다는 것을 알고 있다. 간호 분야에서 수행된 대인관계 관련 정신치료의 효과에 관한 연구는 '비특이적 정신치료(진정성, 공감, 온정, 긍정적 존중, 유연성 및 치료적 동맹)'가 치료효과를 결정하는 데 가장 중요하다는 것을 일관되게 발견했다. 다른 연구에 따르면 효과의 15%는 위약, 15%는 치료기법, 30%는 치료적 관계, 40%는 대상자 특성 요인에 기인한 것으로 보고하였다. 이러한 요인들은 치료적 관계 외에도 개인이 한 일을 위주로 다루고 있을 뿐만 아니라 개인이 원하는 것을 인식하는 것까지 포함한다. 치료적 관계와 대상자 요인을 고려할 때, 협력관계에서 일하며 도움이 되는 것에 대한 개인의 관점을 고려하는 것의 중요성은 간호사가 효과가 있다고 믿는 것보다 더 중요한 것 같다.

협력관계는 회복에 필요한 변혁의 열쇠이다. 주체성의 핵심 측면으로 활동과 직업에 대한 강조는 개인의 삶의 질을 결정한다. 주체성은 모든 시민이 권리를 갖고 지역사회에 모두 참여할 수 있는 기본적인 자유이다. 또한 삶의 의미를 만드는 데 능동적이 되는 것이며 특정 활동(예 직장 복귀)을 하기로 결정하거나 기본 인권을 주장함으로써 능동적인 행위자가 되는 것이다.

강점에 초점 맞추기

강점 모델은 모든 사람이 목표, 재능 및 자신감을 갖고 있으며, 모든 환경에는 자원, 사람 및 기회가 포함되어 있다고 제안한다. 이는 정신적 디스트레스를 경험한 사람이 지역사회 내에서 가능한 한 정상적으로 생활하고 삶을 영위하기 위해 할 수 있는 일에 집중하는 데 더 관심이 있다는 주장을 뒷받침한다. 강점과 개인적 가치에 초점을 맞추는 것은 개인의 회복력, 열망, 재능, 고유성 및 어려움을 극복하기 위해 이러한 강점을 동원하고 기르는 방법을 증진시킨다.

중요한 치료는 비관적인 세계관에서 희망을 심어

J의 이야기: 회복

나는 우리 지역에 개장한 청소년 센터에 의뢰되었을 때 실제로 변화하기 시작했다. 나는 심리치료사가 아니라 정신건강 간호사에게 예약했다. 그 당시 후원금이 있어서 장기간 동안 간호사를 만날 수 있었고 이미 다른 서비스보다 더 효과적이었다.

내가 과거에 만났던 다른 의사들과 달리 간호사는 무엇이 잘못되었고 어떻게 즉시 도움을 줄 수 있는지에 대해 바로 중재하거나 질문하려고 하지 않았다. 그는 그 접근방식이 나에게 결코 통하지 않을 것을 알고 있는 것 같았다. 이전에 나는 많은 심리치료사들과의 약속 중 내내 앉아 있었고 말 없이 바닥만 응시했던 기억이 난다. 나는 울고 있었고 간호사는 너무 사적인 것을 캐묻지 않고 관심을 보이려고 했던 것을 기억한다. 나는 첫 번째 약속에서 검은색 럭비 유니폼을 입고 있었으며, 간호사는 어머니에게 몇 가지 간단한 정보를 받은 후 상담실에 둘만 있게 해달라고 요청하였다. 간호사는 호주와 뉴질랜드 럭비팀에 관해 친근하게 농담을 시작했고, 이는 나를 상호작용하게 시키는 손쉬운 방법이었다. 정신건강 간호사와 관계는 '전문가와 환자'로 형성되기보다 '선생님과 학생'에 가까웠다. 정신건강 간호사는 내 경험은 드문 일이 아니며 내가 경험해왔던 내 신체, 뇌와 다양한 생물학적·사회적 상호작용과 관련하여 설명될 수 있음을 가르쳐 주었다. 나는 정신적 또는 신체적으로 나에게 무슨 일이 일어나고 있는지에 대해 많은 것을 배웠으며, 반면 이전 치료사들은 내게 질문만 남겼다. 이러한 통찰과 지식은 내가 성장하고 이해하는 데 도움이 되었으며 더 나은 결과로 이어졌다. 이전에 나는 몹시 불편하고 그것을 설명할 길이 없었던 상태로 끝났다면, 지금도 여전히 불편을 느끼지만 왜 그런 불편함이 있었고 왜 그런 방식으로 나타났는지를 이해했다.

내 자신을 돌보는 데 실질적인 도움을 줄 수 있는 일종의 협력관계가 우리 사이에 형성되었다. 나는 내 자신뿐만 아니라 간호사의 사고방식에 대한 통찰이 있었기 때문에 앞으로 나아갈 방법을 제안할 때가 있었다. 나는 간호사의 관점과 권고사항에 동의하지 않을 때가 있었는데, 나에게 맞지 않는 것을 알고 있기 때문이었다. 간호사는 내가 불편해서 동의하지 않는 접근방식을 제안할 때가 있었지만 내 사고방식에 근거할 때 간호사는 나에게 적합한 선택이라는 것을 알았다. 내가 회복하기 위해 선정한 팀과 협상할 수 있는 기회는 매우 권위적이라고 느꼈던 이전의 서비스보다 훨씬 더 나은 결과를 가져왔다.

나는 또한 매 회기들이 두루 대화뿐 아니라 환경이 자유로운 것이 좋았다. 어떤 회기에는 현지 커피숍에서 만나거나 상점 주변을 산책만 하기도 하였다. 또 다른 큰 이점은 때때로 간호대학생이 배치된다는 사실이었다. 그들은 지나치게 임상적이지 않았지만 정신건강 문제에 대해 완전히 무지하지 않았다는 점에서 나에게는 정말 좋은 중간 지점이었다. 이는 역시 내가 관계의 전문가가 되도록 관계의 역동을 변화시켰다. 또한 다양한 환경을 탐색할 수 있게 해주었다. 예전에는 가게에서 무언가를 사고, 기차를 타거나 버스를 탈 때 누군가와 기본적 상호작용도 하지 않았지만, 지금 나는 다른 사람들에게는 단순하지만 나에게는 큰 장애물을 극복할 수 있도록 학생들의 지원을 받았다.

이러한 간호는 사회적인 측면뿐 아니라 장기적인 목적을 볼 때 중요한 발전을 위한 촉매가 되었다. 우리는 상호작용하는 동안 대학이 달성하고 싶은 합리적인 목표가 될지도 모른다는 생각이 들게 되었다. 당연히 처음에는 학교에서 보내는 시간이 너무 힘들어서 많이 주저했다. 전후로 있었던 꽤 많은 토의는 도전적이고 계획적이며, 건전한 토의였다. 결국 나는 성인 입학제도를 통해 대학교에 입학하게 되었다. 이 입학제도는 학사과정 입학 준비를 위한 1년 단기과정 수료에 대해 알려 주었다. 당연히 어려움이 있었지만 지금은 통찰력이 있기 때문에 이전과 달리 극복할 수 있었다. 나는 이전 학교생활에 비해 지금은 훨씬 더 많은 경험을 했기 때문에 동료, 교과 내용 및 교수와 더 잘 소통할 수 있다. 이전에 고등학교에서 나는 교과과정을 잘 달성하지 못한 반면 이번 과정에서 나는 눈에 띄게 높은 수준의 성적으로 수석을 차지했다.

주고 자기 낙인에 도전하는 낙관적인 세계관으로 '재구성'하는 것이다. 예를 들어, 간호사는 개인이 과거에 삶의 어려움을 극복하기 위해 무엇을 했는지, 그리고 현재의 어려움을 극복하기 위해 이전에 사용했던 강점을 어떻게 사용할 수 있는지에 대해 알고 싶어 할 것이다. 간호사는 사람들에게 예외적인 것(자신의 해결방법이 효과가 있었을 때 등)에 대해 질문함으로써 부드럽고 조금 긍정적인 시각을 갖도록 유도하는 좋은 위치에 있다. 여기서 평가하거나 거절하지 않는 것이 중요하다. 다음을 고려해 보자.

- 그렇게 생각해주셔서 감사합니다.
- 당신에게 그것이 효과가 있던 때가 있었는지 궁금합니다.

사람들은 정신적 디스트레스에 대한 경험을 과거의 자신은 가버리고 새로운 자신으로 탈바꿈하는 과정이라고 매우 힘주어 말한다. 정신건강 문제를 해결하기 위한 치열한 투쟁은 개인을 정신건강 문제를 경험하지 않았었더라면 도달 못할 수준 그 이상으로 긍정적인 결과와 개인의 주체의식을 만든다.

비판적 사고 과제 4.1

- 다음 질문에 답하는 개념 지도를 작성하기. 어떻게 정신적으로 건강한 사람이 정신이 건강하지 못하게 되는가?
- 이제 다음 질문에 답하는 개념 지도를 작성하기. 어떻게 정신질환을 경험한 사람이 정신적으로 건강하게 되는가?
- 두 개념 지도 사이에 유사점이 있는가? 차이점은 무엇인가?
- 이들 개념 지도는 정신건강과 질병에 대해 무엇을 시사하는가?

J의 생생한 경험담

이 장에서는 강점 모델, 회복 모델 및 외상 기반 간호의 중요한 영역을 전문적으로 다룬다. 이러한 모델은 생생한 경험과 대상자 운동의 초석이 된다. 우리 모두 다양한 정도와 서로 다른 이유로 정신적 디스트레스를 경험한다는 점에서 정신장애를 '인간적 경험'으로서 인정하는 것이 매우 감사하다.

간호사 이야기 4.1

22세 대학생 P는 차량들 앞을 걷고 있었고, 무슨 일이 있었는지 설명하거나 생각하고 느끼는 것을 표현하지 못했기 때문에 비자의로 입원했다. P는 작년에 성폭행을 당한 이력이 있었고 가장 최근에는 한 여성이 기차 앞에서 떨어지는 것을 목격했다. 또한 최근에 불면증과 식욕부진을 경험했고 공부도 할 수 없었고 자신과 가족의 죽음에 대해 큰 두려움을 느꼈다. P는 부모님과 쌍둥이 남동생과 매우 친밀하고 사랑하는 관계를 맺고 있었다.

회복 중심 간호(recovery-informed care)의 원칙을 적용하여 간호사는 P가 입원환경에서 안전 및 통제감을 갖도록 돕기 위해 상당한 시간을 할애했고, P가 잠들 때까지 가족이 함께 머물도록 허용함으로써 이는 달성되었다. 간호사는 P가 안전감을 갖는 데 필요한 시간만큼 다른 직원이 함께 있어 주도록 협상할 뿐 아니라 병원의 환자 면회규정이 보다 유연하게 해석될 수 있도록 협상을 하였다.

P는 간호사와 직접 대화하는 데 어려움이 있었지만 P의 앞에서 가족의 생활, 강점, 어려운 시기에 서로 도왔던 방법에 대해 가족과 대화하는 것이 P가 마음을 진정시키는 데 도움이 되는 방식처럼 보였다. 마침내 P는 자신감을 갖기 위해 가족이 해줄 수 있는 일에 대해 이야기할 수 있었다. 가족과 함께 다음 날 일정을 잡을 수 있었고, 병원으로 자신의 소지품을 가져다 주고, 친구에게 연락할 것을 요청했다. 가족은 어려움을 극복한 시간과 서로를 돕게 한 강점에 대한 이야기를 할 수 있었다. P의 입원기간은 매우 짧았으며, 자신이 가졌던 가족과 친구의 자원과 그때 자신과 함께 있으면서 어떻게 도왔는지 떠올리면서 간호사와 가족이 자신을 격려하고 있었음을 느꼈다고 보고했다. P는 간호사가 자신이 말할 수 있을 때까지 인내심 있게 기다려 준 시간에 대해 감사하였다.

자기결정 증진하기

자기결정은 자신의 삶을 사는 방법을 결정하는 선택과 자신의 삶에 대한 통제력을 갖고 자신의 삶에 대한 결정을 내리고 참여할 수 있는 기본적인 인간의 권리이다. 이는 모든 인권선언과 협약의 기본원칙이다. 자기결정 이론은 개인의 회복을 중시하기 때문에 회복 패러다임의 일부이다. 자기결정 이론은 자기결정의 구성요소를 자율성, 유능성, 관련성으로 제시한다. 이들은 자신의 삶에 대해 효과적으로 참여하고 의사결정을 내리고 선택하고 통제하는 데 요구된다. 모든 사람은 성장하고 발전하기 위해 이들을 필요로 한다. 자기결정은 사람들이 자신의 가치와 신념에 따라 좋은 삶을 살 수 있도록 한다. 어떻게 보일지는 개인과 문화에 따라 다양할 것이다. 소비자 운동의 좌우명인 '내가 없다면 나에 관한 것이 아니다'는 위의 내용을 반영해 준다. 자기결정권을 유지하고 증진하는 것이 정신건강서비스 표준 및 법률의 기본원칙이다.

우리는 고난이나 도전의 시기 동안 사람들과 상호작용할 때 그들의 고유한 능력에 대해 왜곡된 관점을 갖게 된다는 점을 기억해야 한다. 우리 모두 마치 이러한 가정이 사실인 듯이 행동하게 될 가능성을 억제하기 위해서는 사람들에 대해 할 수 있는 가정에 대해 계속 성찰해야 한다. 자기 결정권을 보호하고 증진하기 위해 다음을 고려할 수 있다.

- 자신이 한 일에 대해 통제력과 책임감을 가짐으로써 개인의 자율성과 자기조절능력을 최대화한다.
- 개인의 정보에 기반하여 선택하고 자신에 관한 결정에 반드시 참여하는 능력을 최대화한다.
- 약물이나 기타 중재가 개인의 선택이 아닐지도 모른다. 치료환경 내에서 개인의 자율성과 의사결정을 최대화한다.

실제 정신질환자는 회복, 자조 및 책임과 관련하여 서로에게 중요한 지지원이 될 수 있다. 유사한 경험을 했었던 사람들과 경험을 나누고 극복한 이야기를 공유하는 것이 치료자들이 제공하는 지원보다 훨씬 더 강력할 수 있다. 사람들은 혼자만의 경험이 아니며, 희망이 있고, 유용한 회복을 위한 많은 다양한 선택과 기회가 있다는 것을 배우기 때문이다. 다양한 단체가 조언, 옹호, 지원 및 서비스를 제공하고 있다. 또한 동료 지원이나 당사자에 의한 서비스가 점점 증가하고 있다. 증상이 고착된 사람을 지원하는 목소리를 듣는 집단과 특이한 신념을 탐구하는 집단과 같은 일부 보완·대체의 지지집단도 설립되었다.

유용한 웹사이트

Mental Health Australia: http://mhaustralia.org/about-us.
Mental Health Council of Australia: http://www.mhca.org.au/.
Mental Health in Multicultural Australia: http://www.mhima.org.au/framework/mhima-website.
National Mental Health Commission: http://www.mentalhealthcommission.gov.au/.
NSW Mental Health Act (2007): https://www.legislation.nsw.gov.au/#/view/act/2007/8/whole.
NSW Mental Health Commission: Lived experience (contains consumer stories): https://nswmentalhealthcommission.com.au/lived-experience.
NSW Mental Health Coordinating Council: http://www.mhcc.org.au/about-mhcc/.
Royal Australian and New Zealand College of Psychiatrists Practice Guidelines: https://www.ranzcp.org/practice-education/guidelines-and-resources-for-practice.
SANE Australia: http://www.sane.org/.

참고문헌

Allard, J., Lancaster, S., Clayton, S., et al., 2018. Carers' and service users' experiences of early intervention in psychosis

단원 요약

정신건강과 정신질환의 스펙트럼에 대한 이해를 계속 증진할 수 있는 토대를 제공했다. 이제 개인의 발달과 개인이 일생 동안 고난에 대처하는 방식에 외상이 미치는 장기적이고 지속적인 영향을 이해하기 시작했다. 정신질환은 인간 존재의 일부이다. 정도는 다르지만 우리 모두에게 때때로 일어날 것이다. 치유와 회복의 여정은 누구에게나 중요하다. 우리 모두는 특정 상황에서 정신질환에 취약하므로 회복은 '다른 사람'에게 일어나는 일이 아니기 때문에 더 인도적인 용어로 이야기할 필요가 있다. 간호사는 증상과 진단에 초점을 맞춘 병리적 차이, 환원주의적 입장보다는 인도적인 입장에서 사람들과 함께 할 필요가 있다.

정신건강실무의 원리가 정신과에만 국한된 것이 아니라 모든 간호실무의 기초가 되고 있는지 성찰해 보기를 권장한다. 실무상황의 복잡성과 현실에 대한 인식을 높여서 더 완전하게 간호실무를 수행하는 방법에 대해 생각하도록 격려했기를 바란다. 좀 더 구체적으로는 자신의 태도, 가치, 신념이 일상적인 간호실무에서 얼마나 중요한 역할을 하는지에 대해 제대로 인식하기를 바란다.

정신건강 간호실무는 끊임없이 진화하는 지식 기반의 영향을 받는다. 따라서 이러한 지식 기반에서 제공하는 원리는 계속 변경되고 발전한다. 간호실무는 시간과 상황에 따라 다르므로 변화를 견디고 도입하는 능력을 기르는 것이 중요하다. 결과적으로, 간호실무에 대한 생각은 자기인식의 개발, 간호실무에 대한 새로운 아이디어 도입과 전문적 및 개인적 경험의 증대에 의해 지속적으로 영향을 받을 것이다. 정신건강 간호실무의 주요 초점은 실제 경험을 가진 사람과 간호사가 어떻게 회복을 촉진할 것인가에 있다. 간호사는 이러한 과정에서 대상자와의 외상-이해 기반의 협력관계를 통해 대상자가 자신의 잠재력을 깨닫고 정신건강서비스를 포함하여 다양한 지역사회 자원 및 지원을 활용하도록 지원할 수 있다. 또 중요한 것은 정신건강 간호를 보람 있는 일로 느끼기를 바란다.

수업참여를 위한 연습

관용구는 사용된 실제 단어의 문자적 정의와 다른 것을 의미하는 표현이다. 다른 문화권에서 온 동료 학생과 토론을 하고 신체적으로 불편하거나 감정적으로 괴로움을 느낄 때 사용하는 관용구를 가능한 한 많이 찾아보도록 한다. 가족의 다른 구성원이 사용할 수 있는 관용구를 포함하도록 목록까지 작성해 보도록 한다. 동료의 관용구가 의미하는 것을 해석할 수 있는지에 대해 성찰해 본다. 이는 정신건강 평가에 대해 어떤 함축적 의미를 가질 수 있는가?

services: implications for care partnerships. Early Interv. Psychiatry 12 (3), 410–416.

American Psychiatric Association, 2013. Diagnostic and Statistical Manual of Mental Disorders, fifth ed. APA, Washington, DC.

Australian Health Ministers Advisory Council, 2013. A National Framework for Recovery–Oriented Mental Health Services: Policy and Theory. Commonwealth of Australia, Canberra.

Burt, K.B., Whelan, R., Conrod, P.J., et al., 2016. Structural brain correlates of adolescent resilience. J. Child Psychol. Psychiatry 57 (11), 1287–1296.

Cleary, M., Raeburn, T., Escott, P., et al., 2018b. 'Walking the tightrope': the role of peer support workers in facilitating consumers' participation in decision–making. Int. J. Ment. Health Nurs. 27 (4), 1266–1272.

Cleary, M., Raeburn, T., West, S., et al., 2018a. Two approaches, one goal: how mental health registered nurses perceive their role and the role of peer support workers in facilitating consumer decision–making. Int. J. Ment. Health Nurs. 27 (4), 1212–1218.

Commonwealth of Australia, 2009. Fourth national mental health plan – an agenda for collaborative government action in mental health 2009–2014, Department of Health and Ageing, Australian Government: Canberra.

Deane, F., Goff, R., Pullman, J., et al., 2019. Changes in mental health providers' recovery attitudes and strengths model implementation following training and supervision. Int. J. Ment. Health Addict. 17 (6), 1417–1431.

Deegan, P.E., 2004. Recovery: The Experience and the Evidence. National Empowerment Center/SeaRose Productions, Lawrence MA.

Deegan, P.E., 1988. Recovery: the lived experience of rehabilitation. Psychosoc. Rehabil. J. 11 (4), 11–19.

Department of Health and Ageing, 2013. National Mental Health report: tracking of mental health reform in Australia 1993–2011. Commonwealth of Australia, Canberra.

Fazel, M., Reed, R.V., Panter–Brick, C., et al., 2012. Mental health of displaced and refugee children resettled in high–income countries: risk and protective factors. Lancet 379 (9812), 266–282.

Goldfarb, E.V., Tompary, A., Davachi, L., et al., 2019. Acute stress throughout the memory cycle: diverging effects on associative and item memory. J. Exp. Psychol. Gen. 148 (1), 13.

Grech, E., Raeburn, T., 2019. Experiences of hospitalised homeless adults and their health care providers in OECD nations: a literature review. Collegian 26 (1), 204–211.

Horden, P. (Ed.), 2017. Music as Medicine: The History of Music Therapy Since Antiquity. Routledge, New York.

Hungerford, C., 2014. Recovery as a model of care? Insights from an Australian case study. Issues Ment. Health Nurs. 35 (3), 156–164.

Isobel, S., Edwards, C., 2017. Using trauma informed care as a nursing model of care in an acute inpatient mental health unit: a practice development process. Int. J. Ment. Health Nurs. 26 (1), 88–94.

James, R.K., Gilliland, B.E., James, L., 2013. Crisis Intervention Strategies, seventh ed. Brooks/Cole, Belmont, CA.

Javed, A., Amering, M., 2016. Mental health and human rights: working in partnership with persons with a lived experience and their families and friends. Indian J. Psychiatry 58 (3), 250.

Loughran, H., 2011. Understanding Crisis Therapies: An Integrative Approach to Crisis Intervention and Post Traumatic Stress. 2011. Jessica Kingsley Publishers, London.

Maron, E., Baldwin, D.S., Balõtšev, R., et al., 2019. Manifesto for an international digital mental health network. Digital Psychiatry 2 (1), 14–24.

Middleton, H., Shaw, I., 2000. Distinguishing mental illness in primary care: we need to separate proper syndromes from generalised distress. BMJ 320 (7247), 1420–1421.

Muskett, C., 2014. Trauma–informed care in inpatient mental health settings: a review of the literature. Int. J. Ment. Health Nurs. 23 (1), 51–59.

Neumeister, P., Gathmann, B., Hofmann, D., et al., 2018. Neural correlates of trauma–related single word processing in posttraumatic stress disorder. Biol. Psychol. 138, 172–178.

Nienhuis, J., Owen, J., Valentine, J.C., et al., 2018. Therapeutic alliance, empathy, and genuineness in individual adult psychotherapy: a meta–analytic review. Psychother. Res. 28 (4), 593–605.

New South Wales Government, 2007. Mental Health Act. Retrieved from: https://www.legislation.nsw.gov.au/#/view/act/2007/8/whole.

Raeburn, T., Schmied, V., Hungerford, C., et al., 2017. Autonomy support and recovery practice at a psychosocial clubhouse. Perspect. Psychiatr. Care 53 (3), 175–182.

Raeburn, T., Schmied, V., Hungerford, C., et al., 2016. The use of social environment in a psychosocial clubhouse to facilitate recovery–oriented practice. BJPsych. Open 2, 173–178.

Raeburn, T., Schmied, V., Hungerford, C., et al., 2015. Self–determination theory: a framework for clubhouse psychosocial rehabilitation research. Issues Ment. Health Nurs. 36 (2),

145–151.

Rashed, M.A., Bingham, R., 2014. Can psychiatry distinguish social deviance from mental disorder? Philos. Psychiatr. Psychol. 21 (3), 243–255.

Robertson, N., Polonsky, M., McQuilken, L., 2014. Are my symptoms serious Dr Google? A resource–based typology of value co–destruction in online self–diagnosis. AMJ 22 (3), 246–256.

Rosenberg, S., Hickie, I., 2019. No gold medals: assessing Australia's international mental health performance. Australas. Psychiatry 27 (1), 36–40.

Ryan, R.M., Huta, V., Deci, E.L., 2008. Living well: a self–determination theory. Anecdote on eudemonia. J. Happiness Stud. 9 (1), 139–170.

Selye, H., 1956. The Stress of Life. McGraw–Hill, New York.

Siegel, D.J., 2004. Attachment and self–understanding: parenting with the brain in mind. J. Prenat. Perinat. Psychol. Health 18 (4), 273.

Solomon, M., Siegel, D.J., 2017. How People Change: Relationships and Neuroplasticity in Psychotherapy. WW Norton & Company, New York.

Tondora, J., Miller, R., Slade, M., et al., 2014. Partnering for Recovery in Mental Health: A Practical Guide to Person–Centered Planning. John Wiley & Sons, Chichester.

Voss, P., Thomas, M.E., Cisneros–Franco, J.M., et al., 2017. Dynamic brains and the changing rules of neuroplasticity: implications for learning and recovery. Front. Psychol. 8, 1657.

World Health Organization, 1947. Constitution of the World Health Organization. WHO, Geneva.

World Health Organization, 2013. Mental Health Action Plan 2013–2020. WHO, Geneva.

Yaribeygi, H., Panahi, Y., Sahraei, H., et al., 2017. The impact of stress on body function: a review. EXCLI J. 16, 1057.

CHAPTER 5

정신건강과 관련된 법적 윤리적 문제

Related to Mental Health Legal and Ethical Issues

주요 내용

- 정신건강 간호에는 윤리적 문제에 대한 성찰과 윤리적 추론의 원칙 적용이 포함된다.
- 윤리강령은 전문직 종사자에게 대상자에게 적절한 행동을 제공할 의무가 있음을 안내한다.
- 윤리원칙은 간호사에게 윤리적 실천 지침을 제공한다.
- 법적 문제에 대한 올바른 지식은 현대 정신간호에 매우 중요하다.
- 「정신건강복지법」은 대상자의 비자발적 치료를 알리고 이들의 권리를 고려한 적절한 치료를 보장하도록 하는 법적 틀이다.
- 간호와 업무에서 안전한 환경을 조성하는 것은 정신건강의 맥락에서 필수적이다.
- 간호사는 성찰적으로 실무를 수행할 필요가 있으며, 자신의 행동을 염두에 두어야 한다.

주요 용어

- 동의(consent)
- 무해(non–maleficence)
- 비밀유지(confidentiality)
- 비자발적 치료(involuntary treatment)
- 선행(beneficence)
- 윤리(ethics)
- 윤리강령(code of ethics)
- 인권(human rights)
- 자율성(autonomy)
- 「정신건강복지법」(mental health legislation)
- 정의(justice)
- 제한을 최소화한 대안 (least restrictive alternative)
- 주의 의무(duty of care)
- 어려운 행동(difficult behaviour)
- 공감(empathy)
- 법적인 문제(legal issues)
- 제한 설정(limit setting)
- 조종(manipulation)
- 인간 중심 돌봄(person–centred care)
- 성찰(reflection)
- 안전한 간호(safe care)
- 안전한 업무(safe work)
- 자해(self–harm)
- 외상(trauma)

학습 목표

이 단원을 통해 다음을 수행할 수 있다.

- 정신간호에서 일반적인 윤리적 문제를 식별하고 윤리적 원칙을 적용한다.
- 정신건강 서비스 제공 시 건강과 관련된 법의 중요성을 이해한다.
- 개인정보보호 및 기밀유지와 관련된 문제를 식별한다.
- 장애인 권리에 관한 유엔 협약의 중요성을 이해한다.
- 돌봄이라는 개념이 정신건강 환경에서 어떻게 적용되는지 확인한다.
- 대상자와의 치료적 관계를 개발하고 유지한다.
- 간호인력, 대상자 및 업무에서의 안전과 돌봄의 안전에 기여하는 환경요인을 이해한다.
- 안전한 간호와 업무의 맥락에서 위험을 이해한다.
- 안전한 간호와 업무환경 조성의 일반 원칙을 이해한다.
- 안전한 간호와 업무환경에 도전하는 행동을 관리하기 위한 특정 접근방식을 구분한다.

서론

정신간호는 윤리적, 법적 맥락과 윤리적 원칙 안에서 수행한다. 이 장에서는 정신간호의 윤리적, 법적 맥락을 설명하고, 간호사가 전문적, 법적, 윤리적 기준을 충족하는 전문 간호를 제공하는 데 도움이 되는 지침을 제공한다. 정신간호사는 법적, 전문적 능력을 갖추고 사회적 기대에 따라 간호를 수행할 의무가 있다. 전문가로서 정신간호사는 정신건강 영역과 관련된 법을 알고 있어야 한다. 윤리이론과 원칙을 아는 것은 간호사가 갈등 문제에 대한 결정을 내리고 의료에 대한 명확하고 안전한 경계를 유지하는 데 도움이 된다. 모든 진료 환경에 내재된 윤리적 문제 외에도 정신건강 상황은 동의 없는 강제 및 치료라는 고유한 문제를 제시한다. 「정신건강복지법」에 따른 강제 치료는 모든 인간이 가진 보편타당한 인간 및 의료 권리에서 크게 벗어 나기 때문에 정신간호를 제공해야 하는 상황은 간호사에게 도전적인 상황이 된다. 유엔장애인권리협약은 정신질환자들의 권리를 보호하기 위해 만들어진 국제 협약이다.

최근 「정신건강복지법」에 따른 강제 치료가 정신질환자들의 권리를 침해하지 않는지 그 근거가 있는지에 대해 도전받고 있다. 「정신건강복지법」은 당사자의 동의 없는 치료에 대한 법적 기준과 전기경련요법(ECT), 정신치료 관련 외과적 처치 및 격리와 같은 절차에 대한 특정 지침을 제공한다.

이 장에서는 실천의 윤리적, 법적 맥락에서의 윤리적 행동의 원칙을 설명하고, 정신간호에서 일반적으로 직면하는 몇 가지 윤리적 문제를 논의한다. 또한 「정신건강복지법」의 활용과 비자발적 강제 치료로 인해 제기되는 인간의 권리문제에 대해 설명 한다.

개정된 법과 지침 및 지지적인 의사 결정들은 장애인 권리협약 도전에 대한 응답일 것이다.

전문직 실무와 윤리

전문직은 구성원들에 의해 만들어진 업무와 지식의 질을 보장하기 위한 역할과 책임들에 대한 정의를 명확하게 한 집합체이다. 스스로를 전문직이라고 부를 수 있는 권리는 서비스를 제공하는 그룹의 사람들이 함께 구축한 신뢰를 통해 만들어 간다. 간호가 하나의 전문직으로 인정받기 위해서는 윤리와 정체성을 분리할 수 없다. 이는 간호의 정체성과 공동체 내에서 지속적인 신뢰를 보장하는 자기규제 과정이 불가분의 관계로 얽혀 있기 때문이다. 다른 말로

역사적 일화 5.1: 공정한 사회는 정신건강을 향상시킬 수 있다

프랑스 혁명(1789~1799)은 개인의 권리와 평등과 같은 원칙을 강조하면서 정신질환자들을 관리하는 방법에 대한 이해에 큰 영향을 미쳤다. 혁명의 결과로 정신질환자는 질서가 무너진 사회의 희생자로 간주되기 시작했다. 이러한 태도는 정신질환에 대한 책임의 초점을 환자 개인에서 사회로 옮김으로써 정신건강에 대한 모든 관리가 사회적 형태를 취해야 하며, 회복에 대한 희망을 불러일으키도록 환경이 지지적이여야 함을 강조한다.

혁명의 이상적인 관점은 프랑스 정신과 의사 필리페 피넬(Phillippe Pinel)과 망명 관리자 진 뱁티스 부신(Jean Baptise Pussin)에게 힘을 실어 주었다. 이들은 정신건강관리에 대한 보다 친절하고 인간적인 접근 방식, 즉 '도덕적 치료'의 개발을 주도하였다.

자세히 알아보기: Pinel, P., 1806. A treatise on insanity. Messers Cadell & Davies, Strand

박스 5.1 정신건강전문요원 윤리선언

우리 정신건강전문요원은 정신건강전문가로서의 사회적 책무를 인식하고, 정신장애를 가진 당사자를 포함한 모든 사람의 존엄함과 인권을 보장하기 위해 끊임없이 노력하며, 정신장애에 대한 부당한 차별과 편견이 없는 사회를 만들기 위해 헌신한다.

우리 정신건강전문요원은 개인과 사회의 마음을 돌보고, 지키는 사람으로서 개인의 자기결정권과 비밀을 보호하며, 이를 위해 전문가로서의 자율성과 독립성을 존중받는다.

우리 정신건강전문요원은 여러 다양한 직역의 전문가로 구성된 유기적 집단으로서 서로의 역할에 대한 신뢰와 존중을 바탕으로 상호 협력한다.

I. 정신건강전문요원의 기본적인 윤리

1. 정신건강전문요원의 역할

정신건강전문요원은 과학적 지식과 윤리적 원칙에 따라 국민의 정신건강을 증진하고 정신질환의 예방, 치료 및 재활과 회복에 이바지한다.

2. 인권과 존엄, 알권리 및 자기결정권

서비스 이용자의 인권과 존엄을 존중하며 동반자적 서비스 이용자 – 제공자 관계를 만들기 위해 노력한다. 서비스 제공 과정에서 서비스 이용자의 자율성을 존중하고, 서비스 이용자가 자신의 가치관과 선호에 따라 합리적인 서비스를 선택할 수 있도록 필요한 정보를 제공한다.

3. 안전하고 차별 없는 서비스 제공

정신건강전문요원은 서비스이용자의 국적, 인종, 종교, 연령, 성별, 정치적 · 사회적 · 경제적 지위, 성적 지향, 질병과 장애의 종류와 정도, 문화적 차이를 불문하고 누구에게나 차별 없는 적절한 서비스를 제 때에 제공자와 이용자 모두 신체적 심리적으로 안전한 환경에서 제공한다.

4. 서비스 이용자의 권익옹호

정신질환에 의하여 서비스 이용자가 의사결정능력의 손상이 있는 경우에도, 이용자의 인간적 존엄성과 법적 권리뿐만 아니라 기호나 가치관을 보호하고 정신질환 및 장애로 고통을 받는 사람에 대한 사회적 편견과 차별, 소외를 없애기 위해 노력하며, 서비스는 항상 서비스 이용자의 이익을 위한 것이어야 한다.

5. 사생활 보호 및 비밀 보장

서비스 이용자의 사생활을 존중하고 보호하며 서비스 제공 과정에서 알게 된 서비스 이용자의 비밀을 보장하고, 서비스 외의 목적으로 동의 없이 서비스 이용자의 정보를 사용하지 않는다.
다만 법률에 특별한 규정이 있는 경우에는 그러하지 아니한다.

II. 정신건강전문요원의 전문가로서의 의무

6. 전문성과 교육 참여

정신질환의 생물, 심리, 사회적 요인에 대한 이해와 지식을 습득하고 법과 정책을 바탕으로 서비스를 제공하기 위해 노력하며 법 적용에서 아동 청소년과 가족들의 특별한 필요에 대해 이해해야 한다. 또한, 이를 위한 교육과 훈련에 참여하여야 한다.

7. 직업적 정직과 동료에 대한 존경과 신의

전문직업성(Professionalism)의 기준을 지키고 정직하여야 하며 전문가로의 품위와 신뢰를 유지하고 지위와 상관없이 상호 존중하며 존경과 신의로 대하여야 한다.

8. 사회적 책무

정신건강전문요원으로서 사회적 책임과 의무를 다하며, 사회적 책무를 실천하고 복무규정에 자발적이고 적극적으로 동참한다. 또한 다양한 매체를 통해 공적 진술(public statements)을 하는 경우에는 과학적 근거와 사실을 기반으로 진술하며, 거짓되고 기만적인 진술을 하지 않는다.

9. 소통과 협업의 능력

서비스 이용자, 가족, 보호자들과 다학제적(multidisciplinary)을 넘어선 학제간(interdisciplinary) 및 초학제적(transdisciplinary) 서비스를 위해 다른 직역의 전문가들과 소통하고 협업을 위해 노력한다. 또한 여러 관련 단체나 시설의 관계를 활용하여 협력할 수 있어야 한다.

10. 연구윤리

정신건강전문요원은 정신건강서비스 표준 개발과 발전에 기여하기 위해 연구에 참여하고 모든 연구는 과학 규범에 따라 시행한다. 연구수행에 있어 국가적, 국제적 규정을 준수하고 적법한 연구심의위원회의 승인을 받는다. 특히 정신질환이 있는 서비스 이용자는 취약한 대상이기 때문에 그들의 권리, 안전, 복지를 보호하기 위해 각별히 주의하여야 한다.

간호이론과 간호실무는 법과 윤리원칙을 따르며 대중은 윤리적 실무자로서의 간호사를 신뢰한다. 간호사는 법과 윤리적 행동강령을 준수하며 실무를 해야 한다.

국제적으로 전문간호단체는 간호실무의 방향을 이끄는 윤리강령의 필요함을 천명하였다. 최초의 간호사 국제윤리강령은 1953년 국제간호협회에서 만들었고, 가장 최근 개정판은 2012년에 출판되었다(International Council of Nurses, 2012).

윤리강령은 보편화된 윤리원칙을 따르는데, 일반적으로 채택되는 네 가지 원칙(Beauchamp & Childress, 2019)인 자율성, 선행, 악행 금지 및 정의는 박스 5.2에 설명되어 있다. 우리나라는 1972년 한국간호사 윤리강령이 제정된 이래 2013년 마지막으로 개정되었으며, 한국간호사 윤리지침을 제시하고 있다. 정신간호 분야는 독립적인 윤리강령은 없으나 2020년 정신건강전문요원 윤리선언문을 채택하고 정신건강전문요원의 역할, 인권과 존엄, 알권리 및 자기결정권 등 10가지의 정신건강전문요원 윤리강령을 따르고 있다(박스 5.1).

윤리적 틀

윤리강령은 하나의 직업이 가진 이상과 가치를 반영하는 공식화된 규칙 또는 기대치를 제공한다. 윤리강령은 윤리이론과 가치 진술을 기반으로 한다.

박스 5.2 윤리적 추론을 적용할 때 고려해야 할 일곱 가지 영역

1. **권리**(Rights): 권리는 대부분의 전문 규범 및 법적 판단의 기초를 형성하며 자기 결정권, 권리 및 문화 상대주의, 의료에 대한 권리, 사생활 보호 및 비밀 유지에 대한 권리와 같은 측면을 고려한다.
2. **자율성**(Autonomy): 자율성은 자기 결정권, 독립 및 자유를 포함한다. 자율성은 개인이 스스로 결정을 내릴 수 있는 권리를 촉진하지만 그 사람이 내린 결정에 대해서도 책임을 지게 됨을 의미한다. 자율성 존중이란 간호사가 개인의 독특함, 원하는 삶을 영위할 권리, 개인적인 목표를 설정할 권리를 인정하는 것을 의미한다. 자율성의 원칙을 따르는 간호사는 간호사 관점에서 대상자의 선택이 최선이 아닌 경우에도 선택할 수 있는 대상자의 권리를 존중한다.
3. **선행과 악행 금지**(Beneficence and non-maleficence): 선행은 '선을 행함'을 의미한다. 간호사는 대상자와 그 가족에게 혜택을 주는 행동을 취해야 한다. 하지만 매일 매일 새로운 의료기술이 개발되는 시스템에서 최선을 다하지만 잠재적으로 대상자를 위험에 빠뜨림으로써 해를 입힐 수도 있다(예 집중 치료 프로그램). 악행 금지는 해를 끼치지 않을 의무를 의미한다. 피해에는 고의적으로 발생한 것과 의도하지 않았지만 사람을 위험에 빠뜨리는 행동이 포함된다. 간호에서 고의적인 피해는 있을 수 없지만 피해를 유발할 가능성이 있는 위험이 항상 분명한 것은 아니다. 예를 들어, 대상자에게 도움이 되도록 제공된 간호중재가 해를 유발할 수도 있다(예: 약물 투여).
4. **정의**(Justice): 정의는 공정성으로도 간주될 수 있다. 간호사는 정의가 법보다 우선되는 상황에 자주 직면한다. 예를 들어, 대상자가 자신의 위험한 상태를 스스로 평가하고 관리할 수 없어 자신이나 다른 사람들에게 위험한 경우에 정의가 요구되므로 대상자를 「정신건강복지법」에 의해 구금할 수 있다.
5. **정확도**(Fidelity): 정확도는 계약을 성실히 이행하고 이에 대한 책임에 충실함을 의미한다. 간호사는 대상자, 병원, 정부, 사회, 전문직 및 자신에 대한 책임이 있다. 특정 시간에 어떤 책임이 우선적으로 적용되는지는 상황이 영향을 미치는 경우가 많다.
6. **진실성**(Veracity): 진실성은 진실을 말하는 것을 의미한다. 대상자들은 간호사가 계획된 치료 및 자율성에 대한 제한과 같은 문제에서 진실하기를 기대한다. 진실성은 약물에 대한 이점 뿐만 아니라 위험과 부작용에 대해서도 간호사가 진실해야 함도 포함한다.
7. **신뢰와 상호호혜성**(Trust and reciprocity): 간호사들은 동료들이 서로를 지원하고 서로에게 해가 되지 않는 방식으로 행동할 것이라고 믿는다. 상호주의 원칙은 간호사가 대상자 뿐만 아니라 전문가들 간 업무 관계에서 신뢰를 구축하는 데 필수적이다. 대상자는 피해없이 자신의 회복을 촉진하기 위해 의료진들이 최선을 다할 수 있도록 의료진들을 신뢰하고 그들의 상호호혜성 원칙을 받아들인다.

그러한 규범은 그 자체로 '목적을 위한 수단'이 아니라 윤리적 행동과 의사결정에 대한 지침이다. 간호사는 모든 상황에서 도덕적 대리인의 역할을 할 수 있다. 다음은 전문직 실무에 도움을 주는 세 가지 주요 윤리이론을 간략하게 설명한다.

● 공리주의

공리주의 이론은 어떤 행동이 다른 행동과 비교하여 가장 좋거나 가장 바람직한 결과를 낳는다면 그 행동이 옳다고 요구한다. 행복/쾌락/관심/선호를 최대화함과 동시에 불행/고통/피해를 최소화하는 행동(효용 대비 측정)이 옳다. 이를 위해서는 '최대 다수를 위한 최대 선'을 수행해야 한다.

● 의무론

의무론은 본질적으로 선하거나 본질적으로 선한 행위를 수행할 의무를 안내한다. 우리는 본질적으로 나쁘거나 본질적으로 잘못된 행동을 삼가할 의무가 있다. 윤리적 개념은 우리가 매일의 업무에서 건강 전문가로서 활동할 수 있도록 안내한다. **박스 5.2**에 표시된 7개 영역은 임상 상황을 생각하고 윤리적 추론을 적용할 때 고려되어야 한다.

● 미덕

결과에 기반한 행동에 대한 공리주의의 강조와 도덕적 의무를 이행할 의무와 관련하여 올바른 행동에 대한 의무론의 강조와 대조적으로, 미덕은 행위자의 도덕적 성격을 강조한다. 어떤 사람들은 간호사의 도덕적 성격에 대한 간호의 관심 때문에 미덕이 간호와 특히 관련이 있다고 생각한다(Sellman, 2017).

비판적 사고 과제 5.1

'경계성 성격장애(BPD)'의 현재 진단명과 BPD의 임상 징후 및 증상을 참고한다(14장 참조).

경계성 성격장애 대상자는 정상적인 의식상태에서 다양한 자해 행동을 보인다. 의사들은 이들이 스트레스가 많고 힘들다는 것을 알고 있다. 이들은 의료서비스 체계에 도전적이므로, 경계성 성격장애라는 진단명은 이를 치료할 수 있는 의사에게 무력감을 불러일으킨다. 경계성 성격장애로 분류된 많은 사람이 종종 성적 또는 신체적 학대의 결과로 그들의 삶이 잘못 평가되었다는 사실을 고려하여 경계성 성격장애를 외상후스트레스장애로로 보도록 한다면, 이 진단명이 가진 대상자들을 간호하는 우리의 태도도 바뀔 것인가?

윤리원칙

윤리원칙은 윤리적 의사결정이 합리적이고 신뢰할 수 있는 윤리적 기준을 준수해야 한다는 견해를 나타낸다(때로는 '강요'라고도 함). 뷰챔크와 차일드레스(Beauchamp and Childress, 2019)가 보편적으로 채택한 아래의 네 가지 원칙은 인간이 함께 사는 사회나 환경에서 해서는 안 되거나 허용되거나 요구되는 행동이나 행위의 범위를 지정해 준다.

● 자율성

이 용어는 그리스어 autos('자아'를 의미)와 nomos('지배' 또는 '거버넌스'를 의미)에서 파생되었으며 사람들이 자신의 선호도에 영향을 미치지 않는 한 자유롭게 선택하고 결정하고 행동할 수 있음을 의미한다. 따라서 '최선의 이익'에 관한 소비자의 결정은 존중되어야 한다. 따라서 돌봄과 치료를 제공함에 있어 일반적으로 대상자의 동의가 필요하다. 이 요구사항에 대한 일부 예외는 이 장의 뒷부분에 설명되었다.

• 선행

이 용어는 라틴어 beneficus에서 파생된 것으로, bene('잘' 또는 '좋은'을 의미)와 facere('좋은 일을 하다'를 의미) – '무엇보다도 선을 행하다'이다. 다른 사람의 이익을 위해 행동해야 하는 간호사의 적극적인 의무를 규정하고 있다. 간호는 돌봄 행위 시 연민, 공감, 친절, 이타주의, 보살핌, 자선, 우정 및 자비와 같은 고결한 행위가 포함된다. 중요한 자격은 간호사가 자신의 도덕적 이익에 영향을 미치거나 손상시킬 경우 그렇게 행동할 의무가 없다는 것이다.

• 악행 금지

이 용어는 라틴어('아픈' 또는 '악인'을 의미)에서 파생되었으며 '무엇보다도 해를 끼치지 않아야 한다'를 규정한다. 따라서 간호함에 있어 간호사는 불필요하게 상해, 피해 또는 고통을 유발하는 행위를 삼가할 의무가 있다. '피해'는 대상자의 안녕이나 이익을 침해하는 것을 포함한다. 중요한 것은 간호사가 제공한 간호와 관련하여 선행과 부정행위 사이에 충돌이 있는 경우 일반적으로 후자가 더 엄격하게 적용된다.

• 정의

건강관리 상황에서 '정의'는 일반적으로 대상자에게 마땅히 해야 할 일과 책임이 있는 일을 용이하게 하는 것을 의미한다. 사용 가능한 자원이 제한되어 있기 때문에 이는 종종 이익과 피해의 균등한 분배, 즉 분배적 정의를 보장하기 위해 배급에 대한 결정을 내리는 것을 의미한다. 그러한 결정을 내리기 위해서는 모든 대상자에게 공정성을 보장하기 위해 간호사 측의 공정성과 객관성이 필요하다.

비판적 사고 과제 5.2

가장 일반적으로 인용되는 윤리적 행동의 네 가지 원칙(자율성, 선행, 악행금지 및 정의)을 사용하여 대상자의 의사에 반하여 약물을 근육 주사하는 것이 적절한 경우와 시기를 생각해 본다.

정신간호 실무에서의 윤리적 문제

정신질환자들은 자신의 질병으로 인해 소외될 수 있으며, 질환으로 인해 스스로 계획하고 주장할 수 있는 능력이 부족함으로써 정치적인 힘이 없어 인권 침해와 낙인에 취약할 수 있다. 정신질환의 증상으로 보통 낮은 자존감, 위축, 자기 의심 및 사고의 왜곡이 포함된다. 결과적으로, 정신질환자들은 살면서 자율적인 결정을 내리기 힘들며, 자신을 보호하기 어려울 수 있다. 대상자의 이러한 취약성 때문에 정신간호사는 윤리적 의사결정이 요구되는 복잡한 문제에 자주 직면한다. 이 섹션은 윤리적 추론이 필요한 정신간호 실무에서의 몇가지 쟁점을 제시한다.

• 정신의학적 진단

정신의학적 진단(psychiatric diagnosis)은 정신건강관리에서 윤리적 성찰의 제일 첫 번째 측면이다. 대상자에 대한 정신의학적 진단은 그 대상자의 자유 상실, 부과된 치료 요법 및 평생 정신병자라고 낙인 찍힐 가능성이 포함될 수 있다. 정신질환자들의 진단명에 따른 입원은 그들을 지역사회에서 소외시킴으로써 사회적 통합 및 회복을 달성하거나 회복할 기회를 위태롭게 한다.

진단은 이상하거나 잘못된 행동을 명명하는 강력한 도구가 될 수 있다. 진단은 절도나 폭력 등 불법 행위에 대해 일반적인 사회적 제재나 처벌을 가하기보다는 의학적 문제로 설명하는 데 활용되어 왔다. 즉, 정신질환이 개인의 자유 의지를 손상시키는 것으로 인식하고 정신질환자를 자신의 행동에 대해 법적 책임이 없는 사람으로 분류한다. 따라서 정신질

간호사 이야기 5.1

나는 여러 분야에서 간호사로서 일하다가 약 15년 전에 정신간호사로 나의 방향을 틀었다. 모든 임상 영역에는 각 분야별로 도전할 문제는 있다. 그 문제들은 종종 대상자를 위한 진료 및 치료 선택에 대한 윤리적 문제 뿐만 아니라 법적 요구 사항에 관한 것이다. 간호사는 소비자인 대상자의 법적 요구 사항을 확인하고 윤리적인 의사 결정에 대해 생각하는 사람이다. 정신 관련 치료에서 주는 이점이 치료가 주는 부작용보다 얼마나 큰지 생각하는 것은 어렵다. 물론 정신 관련 치료를 규율하는 「정신건강복지법」이 있다. 그것은 우리에게 많은 권한을 주지만, 동의없이 구금되어 치료를 받은 대상자들에게 정신간호사는 이 이상의 결정과 책임을 져야하는 경우가 많다. 우리는 할 수 있는 한 대상자와 그 보호자와 협력하지만, 대상자가 심하게 우울하거나 정신질환을 앓고 있는 경우에는 협력하기 어려운 경우가 많다.

나의 주요 역할 중 하나는 전기경련요법 간호사 코디네이터이다. 이것은 내가 정신과 의사 및 마취과 의사와 협력하여 전기경련요법를 시행한다는 것을 의미한다. 나는 대상자가 전기경련요법실에 도착한 후, 절차 중에 대상자를 돌볼 책임이 있으며, 회복실에서 대상자를 보호하고, 치료 후에도 관리를 위한 간호를 제공한다.

전기경련요법에 대한 논란은 여전하다. 나는 수년간 전기경련요법을 관리했으며 전기경련요법의 효과를 알고 있지만 하나의 치료로서 전기경련요법에 대한 낙인과 오해가 많다. 「정신건강복지법」은 절차에 대한 지침을 제공하며 이 법에 따라 대상자로부터 자발적인 동의를 받아야 한다. 하지만 그렇게 할 수 없는 경우 대상자의 동의가 없어도 처방된 전기경련요법을 제공할 수 있도록 하는 조항이 있다. 따라서 이것은 합법적일 수 있지만 의사결정에서 대상자의 자율성은 무시되기 때문에 잠재적인 피해보다 이점이 더 큰지 생각해야 한다

대상자들은 미디어 영향으로 전기경련요법에 대해 상당히 겁을 먹고 있는 경우가 많다. 따라서 정신과 의사의 처방으로 동의한 경우라도 치료에 수동적일 수 있다. 나의 경우는 대상자를 전기경련요법실로 먼저 데려가 오리엔테이션을 한다. 나는 그들을 방으로 데려가 여기가 당신이 와서 치료를 받을 곳이라는 것과 그런 다음 룸으로 들어가 이 곳에서 당신이 누울 것이며, 단기 마취제를 투여받을 곳이며, 일부 모니터를 연결할 것이라고 말한다. 그런 다음 회복실을 보여주고 여기에서 일어나겠다고 말하고 준비가 되면 병동으로 돌아가 아침 식사를 할 수 있다고 설명하였다. 이 오리엔테이션 시 학생 간호사도 포함시키려고 하지만 항상 대상자에게 절차 중에 학생들이 방에 들 어와도 되는지 먼저 승낙을 받았다. 학생 간호사들은 대상자 관찰만 하는 것이 아니라 감독을 하면서도 대상자를 돌보고, 모니터링 장비를 장착을 돕고, 활력징후를 측정하고, 대상자가 회복하는 과정에 대해 실제를 경험을 할 수 있었다. 치료 후 대 상자가 회복되면 질문하고 대상자와 이야기를 나누어 보도록 한다.

환으로 진단을 내리는 것은 범죄 행위를 질병의 증상으로 봄으로써 대상자의 행동에 면죄부를 주는 이득을 줄 수 있다. 그러나 정신의학적 진단 과정은 여전히 불확실하여 신뢰하기가 어렵다고 보고되고 있다(Zachar, et al., 2014). 정신적 측면에서 정신적 디스트레스에 대한 객관적인 증상은 항상 분명한 것은 아니므로 진단이 어렵다. 대상자가 자신의 이야기를 다하기에는 전문가에 대한 신뢰감이 충분하지 않을 수 있으며, 자신의 과거 일부 측면은 너무 고통스러워 설명할 수 없다. 더욱이 사람들은 자신의 과거의 삶을 보고할 때 부정과 환상과 같은 방어기제의 영향도 받는다. 정신의학적 진단이 일부 사람들의 삶에 의미 있는 역할을 하기 기대하지만 한계가 있다. 정신의학적 진단이 사람들에게 평생 낙인이 될수 있으므로 문화적으로 다른 현상을 정신질환으로 낙인찍지 않도록 주의해야 한다.

정신의학적 진단은 대상자를 정상에서 벗어난 사람으로 분류할 수 있으며, 정신질환으로 진단을 받은 대상자와 그들을 돌보는 정신의료 전문가 모두에게 이미 정해져 있는 문제적 증상 및 사회적 행동을

하도록 초래할 수 있다. 일리히(Illich, 2001)는 1977년 그의 저서에서 처음으로 사회적 문화에 의해 어떤 사람들은 정신질환자로 분류되는 반면 다른 사람들은 진단 및 치료 능력을 부여하는 정신과의사로 된다고 기술하였다. 자신 주위에 다른 사람들이 자신의 이야기를 하는 것에 대해 두려움을 가지고 주위 소리가 들린다는 B가 있다면, 당신은 이를 바탕으로 어떤 생각을 하게 될 것이다. 하지만 B가 '4호실의 조현병 환자'로 묘사된다면 당신의 초기 인식은 어떻게 다를까? 대상자는 정신의학적 진단을 포함하여 의료인의 행동으로 인해 피해를 받아서는 안 된다. 우리가 사용하는 대상자에 대한 명명은 강력한 힘이 될 수 있다.

고려해야 할 몇 가지 질문은 다음과 같다. 어떤 행동을 도덕적 일탈이 아니라 정신질환으로 결정할 권리가 누구에게 있는가? 술에 취해 욕설을 하는 사람, 항정신성 물질에 중독된 사람, 반사회적인 사람, 자신과 다른 성적 취향을 가진 사람, 비정상적인 종교적 신념을 가진 사람, 과하게 도박을 하는 사람을 어떻게 분류하는가?

우리에게는 정상 행동과 비정상 행동을 구별하는 분류체계, 『정신질환 진단 및 통계 편람(DSM)(American Psychiatric Association, 2013)』이 있다. 그러나 정신질환에 대한 계속 확장되는 기준을 만들어 더 많은 사람들이 정신질환으로 분류되도록 하는 『DSM-5』를 겨냥해 비판도 이루어지고 있다. 플레스커라우드(Flaskeraud, 2010)는 『DSM-5』가 성격의 일반적인 문제나 특성을 정신질환으로 둔갑시킨 다음 약물로 치료한다고 말했다. 이러한 진단 기준의 문화적 민감성과 혼란스러운 용어로부터 오는 대상자들의 무력감에 대해서도 의문이 제기되고 있다.

● 정신과 치료

정신질환자는 강압적 치료(예 약물 남용, 강박 및 격리 및 치료 명령)를 비판적이며, 간호사들의 행위를 처벌로 인식한다(Mayers, et al. 2010). 전 세계적으로 입원 기간은 감소하고, 입원률은 증가하고 있으며, 입원 병동은 대상자의 재활 및 종합적인 퇴원 계획보다는 급성기 치료 및 격리가 주된 치료로 제공되는 환경으로 변경되었다.

지역사회치료명령(Community Treatment Orders, CTOs)은 대상자의 동의를 받지 않아 자율성을 위반하며, 강압적인 면과, 강제적인 온정주의 및 선행의 위반(악행금지 위반)과 관련하여 여러 가지 윤리적 문제를 포함하고 있다. 지역사회치료명령이 대상자에게 치료 계획을 준수하도록 요구함으로써 수용적이지 않고 강압적일 수 있다는 우려가 있다. 따라서 정신질환자에 대한 인권 문제를 야기한다. 지역사회치료명령은 대상자의 개인 정보와 자율성에 막대하게 부정적인 영향을 미칠 수 있는 법적으로 강제적인 집행제도이다(Light, et al., 2012b). 지역사회 치료 명령에 대한 추가 논의는 이 장의 뒷부분에서 제공된다.

● 정신약리학

정신질환 치료 약물들은 강력하여 종종 주요 부작용과 독성 문제를 일으키며, 클로자핀과 같은 비정형 항정신병약의 경우 심장합병증과 대사장애를 유발할 수 있다(Moncrieff, 2013). 항정신성 약물들은 또한 다른 치료제와 상호작용할 수 있으므로 면밀히 관찰해야 한다. 대사증후군, 의존성 등의 부작용은 악행금지의 윤리적 문제를 제기하고, 동의받지 않은 약물투여는 대상자의 자율성을 훼손한다. 항정신성 약물 복용자는 금단증후군(Massabki & Abi-Jaoude, 2020; Salomon & Hamilton, 2014)으로 인해 약물 중단이 어려울 수 있다. 다른 정신과 치료(psychiatric treatment)와 마찬가지로 약물치료가 환자의 증상 완화라는 동기가 선행하지만 약물치료에 대한 대상자의 선택에서의 자율성 문제와 부작용과 관련된 악행

간호사 이야기 5.2

나는 남자와 여자 환자들이 병동을 함께 공유하는 곳에서 교육을 받았다. 내가 간호사로 일하기 이전인 1970년대 말은 남자와 여자 병동을 분리하였다. 그 후 병실은 남녀 구분 없이 침대만 있었고 간호사는 남성이든 여성이든 상관없이 대상자를 돌봐야 했다. 우리는 항상 대상자의 개인간호가 필요할 때만 여자 환자는 여자 간호사가 남자환자는 남자간호사가 간호를 제공했었으나 대체적으로 병실의 병상배정은 성별이 아닌 대상자의 안전에 대한 요구로 병실을 배정하였다. 그리고 내가 지역사회에서 일을 했을 때에도 성별에 관계없이 대상자의 집에 가서 주사를 놓기도 했었다.

곰곰히 생각해 보면 이런 환경은 병동에 입원하게 되는 대상자들에게 많은 걱정을 끼쳤고 국가에서도 중요하게 해결해야 할 사항으로 확인되기도 했었다. 우리 병동은 여성 전용을 만들기 위해 예산을 받았다. 회의를 위한 공간과 여성 전용 침대 및 욕실을 위한 별도의 복도를 만들었다. 처음에는 논란이 되기도 했지만 이제는 일상적인 실무상황이 되었다.

여성들은 갈 수 있는 공간이 따로 있고 남성들이 들어오는 것을 두려워하지 않고 쉬고 샤워할 수 있는 공간이 있어서 더 편안함을 느꼈다. 화장실 문은 정신건강시설에서는 잠그지 않기 때문에 여성들은 불편하고 안전하지 않다고 느낄 수 있었다. 우리가 이 여성전용공간을 확보하여 집과 같은 환경으로 만든다고 아무리 노력해도 여전히 공공장소이기는 했다. 우리는 여성이 정신건강시설에 와서 불편함을 느낄 필요가 없는데 불편해하는 것을 원하지 않았다. 관리자들은 예산을 확보했고 임상의와 간호사 및 대상자로 구성된 위원회가 병동재설계를 계획하고 정책을 만들기 위한 가이드라인을 만들었다. 결과는 매우 좋았다. 이것은 「정신건강복지법」에 따라 대상자와 협력하고, 대상자의 의견을 경청하고, 가능한 한 최소한의 제한적 환경을 제공하는 방법을 개발해나가는 과정을 보여주고 있다. 그래서 이 경우 여성이 자유롭게 이동하고 안전함을 느끼며 목욕할 수 있는 환경이 되었다. 간호를 제공하지만 위험하지 않는 환경을 만든 것이다.

우리는 또한 트랜스젠더 대상자를 위한 계획도 세웠다. 입원 시 사정을 통해 트랜스젠더로 식별된 대상자는 욕실이 딸린 병실에 배정하기도 하였다. 만약 보다 면밀한 관찰이 필요하다면 이를 치료계획의 일부로 여겼다.

정신건강종사자들은 제한적 환경에 대해 생각하는 것이 중요하다. 격리를 줄이기 위해 많은 활동을 수행하지만 격리라는 것이 대상자에게 안전한 문과 매우 엄격한 일상을 따르도록 하고 있음을 발견하곤 한다. 간호사는 대상자가 이러한 환경에서 편안함을 느끼도록 하고 이를 모니터링해야 한다. 관찰과 돌봄이 필요없게 되면 가능한 한 빨리 개방 병동으로 옮긴다. 그러나 병동에는 자신에게 스스로도 위험한 사람들이 있기 때문에 병동을 잠그는 경우도 있다. 폐쇄병동은 일반병동의 대상자들이 겪는 많은 문제를 해결할 수 있지만 인권과 윤리적 문제를 안고 있다. 법적으로 병동은 한 명의 대상자라도 자신이나 다른 사람에게 위험을 초래할 경우 병동을 폐쇄할 수 있다. 예를 들어, 자해가 심한 경우이다. 그러나 「정신건강복지법」은 대상자에게 항상 최소한의 제한적 환경을 제공해야 하며 대상자의 자기주장과 선택을 촉진하기 위해 우리가 윤리적 의사결정을 해야 한다고 말한다. 폐쇄병동의 이점이 명확하고 이에 대한 필요성이 대상자와 가족에게 잘 전달되도록 해야 한다. 우리는 또한 종사자들이 제한 없는 업무수행을 위해 병동을 벗어날 수 있도록 규정을 가지고 있어야만 한다. 이것은 시간이 필요할 수 있지만 정신간호사가 매일매일 대상자에게 최선의 간호를 제공하기 위해 매우 중요한 부분이다.

금지의 문제가 있음을 고려해야 한다.

약물치료와 관련하여 고려해야 할 질문은 다음과 같다. 정신약물치료에 대한 개인의 권리는 무엇인가? 이러한 권리에는 효과적인 비약물적 치료 및 처방된 약물에 관한 정보(원하는 효과, 부작용, 금기, 합병증)에 대한 접근 및 치료를 수락하거나 거부할 자유가 포함된다. 「정신건강복지법」에 따라 비자발적 환자인 경우 이러한 권리가 제한될 수 있다. 그러나 모든 대상자는 약물 선택에 있어 어느 정도 자신의 주장을 할 수 있어야 한다. 특정 약물의 부작용이 견디기 힘든 경우 대상자는 비약물적 대안을 포함한 치료방법의 검토 및 변경을 요청할 수 있어야 한다.

정신약물치료 시 약물의 이점이 위험보다 커야 하며(Stein & van Niekerk, 2015), 최소 피해 원칙(primum non nocere)의 법적 규정을 적용한다.

• 전기경련요법

전기경련요법(electroconvulsive therapy, ECT)은 주로 주요 우울증에 사용된다(Griffiths & O'Neill-Kerr, 2019). 전기경련요법의 심각한 윤리적 문제는 정신과 의사가 대상자의 자해나 자살에 대한 피해의 위험을 줄이기 위해 대상자의 동의와 관계없이 전기경련요법을 처방할 때 발생한다. 또한 전기경련요법 이후 일시적인 기억상실이 있어 대상자와 그 가족에게 큰 충격을 줄 수 있다(Smith, et al., 2009). 전기경련요법의 선택 이유, 효과 및 문제에 대해 간략하게 대상자에게 설명하고, 특히 간호사가 전기경련요법에 대한 자신의 신중한 견해를 가지고 있어야 한다고 했다(Cleary and Horsfall, 2014). 동의 없는 치료는 대상자의 기본 권리인 자율성에 상당한 제한을 가하므로 윤리적 정당화가 필요하다. 간호사는 대상자와 그 가족에게 전기경련요법의 절차와 동의없이 제공되는 이유에 대한 정보를 정확히 제공해야 한다.

• 격리 및 강박

격리는 비자발적으로 자극적이지 않은 방에 대상자를 두고 관리하는 것이다. 이 방에는 담요와 매트리스만 있을 수 있다. 이렇게 제한된 가구는 대상자가 자신이나 다른 사람을 다치게 하는 것을 방지하기 위한 것이다(Bowers, et al., 2010). 「정신건강복지법」상 격리는 조치가 아니라 치료로 간주되지만 격리가 치료적 개입으로 남발되어서도 안 된다(Ministry of Health, 2010). 격리는 일반적으로 정신질환자를 보호하거나 급박한 위험으로부터 다른 사람을 보호해야할 때 합법적으로 실시할 수 있다. 다양한 「정신건강복지법」 및 관련 법률에서 격리에 대한 정의와 절차는 다를 수 있지만 격리가 대상자 보호장치라는 공통성은 가지고 있다. 정신건강서비스기관에서 격리 및 강박(seclusion and restraint) 사용 시 정신과 의사 또는 보호자의 승인이 있어야 한다. 대상자 또는 다른 사람에 대한 심각한 피해를 긴급히 예방할 필요가 있을 때 정신과 전문의의 지시하에 시행한다.

신체적 격리 및 강박 중인 대상자는 의료진의 지속적인 관찰하에 있어야 한다. 또한 의료진은 대상자의 신체적 격리 및 강박의 임상적 타당성을 최소 15분마다 검토해야 한다. 정신과 의사는 격리 및 강박대상자를 최소 4시간마다 검사해야 한다. 대상자와 일부 정신과 의사 및 연구자들은 격리에 대한 부정적인 인식을 높이는 데 영향을 끼쳤다. 대상자들은 갇힌 상황에 대해 불만을 토로하면서 부정적이고 무섭고 차갑고 칙칙하여 치료효과가 없다고 하였고, 안정되기보다 감정의 동요가 더 심하다고 보고했다(Askew, et al., 2019; Larue, et al., 2013). 세계보건기구(WHO, 2019)는 국가들이 정책적으로 격리실을 없애고 격리를 금지해야 한다고 제안했지만 우리나라에서는 아직 이러한 권고가 완전히 시행되지 않고 있다.

• 자살 행동

자살하려는 사람을 돌보는 것은 정신간호사가 대면할 수 있는 가장 어려운 임상 상황 중 하나이다.

자살에 대한 정보는 근거 중심으로 문서화되어 있지만 자살 시도에 실패한 횟수는 실제 드러난 자살의 8~10배로 많다는 사실을 아는 사람은 거의 없다. 자살 및 자살 행동의 높은 발생률은 정신간호사에게 중요한 쟁점이다. 자살에 대한 윤리적 논쟁은 주로 한 개인의 생사를 결정하는 데 개입하는 것이 정당한 것인지에 초점을 둔다. 의료인은 고의적인 자살 행위를 방지하기 위해 개입할 의무가 있지만, 이는 개인의 자율성을 존중하는 것과 갈등을 초래한다.

이 윤리적 딜레마를 더 복잡하게 만드는 것은 자

살하려는 사람이 정신질환을 앓고 있지 않을 때와 자신의 독립적인 의사결정 능력이 있을 때이다. 임상환경에서 간호사는 자살을 예방할 책임이 있지만 그 의무의 한계와 대상자가 스스로 결정을 내리고 책임을 지는 자율성을 가지고 있을 때 어떻게 해야 할지 생각해 봐야 한다.

• 비자발적 치료

「정신건강복지법」에 따라 병원 입원이라는 비자발적 상황에서 간호사-대상자 간 치료적 관계에 제한을 두기 때문에 윤리적 행동지침은 특히 정신간호사와 관련된 것이 많다.

법에 의해 자신의 권리가 제한을 받는다고 느끼는 대상자는 정신간호사가 제공하는 간호중재에 잘 동참하지 않을 수 있다. 대상자가 「정신건강복지법」의 적용을 받을 경우 대상자를 사회적으로 통제하는 것은 간호사이다. 대상자가 비자발적인 입원을 한 경우 간호사는 합법적으로 투약을 시작하고 대상자의 동의 없이도 행동을 제지하거나 격리할 수 있다.

개인이 정신건강시설에 수용될 때 주요 윤리적 논쟁은 국가의 법적 책임(부모처럼 대상자를 보호해야 하는 국가 의무)과 개인의 도덕적 권리(자유, 자율성) 사이의 상충으로 인한 긴장이다. 「정신건강복지법」에 따라 비자발적으로 입원해야 하는 경우는 언제인가?에 대한 답은 일반적으로 대상자가 자신이나 다른 사람에게 위험한 상태인 정신 질환을 앓고 있는 경우이다. 그러나 그 대상자가 내 가족이거나 친한 친구라면 정신건강 시설이나 정신병원에 보내는 것이 옳은 것인지 고민할 것이다.

정신질환을 치료하기 위해서 스스로 병원을 찾아오는 대상자는 완전한 인격체로 대우받아야 하며 모든 치료에 대해 그 대상자의 동의를 받아야 할 뿐만 아니라 치료를 보류할 권리도 인정되어야 한다. 하지만 「정신건강복지법」에 의해 병원에 비자발적으로 입원한 대상자는 치료를 거부하거나 동의할 법적 능력이 제한된다. 간호사로서 우리는 법적 권한이 없는 대상자를 옹호해야 하지만 치료방향에 협조하여 옹호해야 한다. 그렇지 않으면 온정주의가 될 위험이 있다. 부모처럼 대상자를 보호하는 것은 간호사가 무엇이 대상자에게 가장 좋은 것인지(즉, 최선의 이익을 위한 것) 알고 있어 대상자를 대신하여 말할 수 있는 자격이 있다고 믿을 때 할 수 있다. 이것은 의도는 좋지만 대상자는 성인으로서의 자율성은 위협을 받는다. 모든 대상자 요구는 간호사 자신의 요구 수준과 동일하게 존중받아야 하며, 가능하다면 대상자가 자율적으로 행동할 수 있도록 도와 주어야 한다. 이럴 때 대상자는 자신의 통합성을 유지하게 되고 자신이 나약하고 무력하다고 느끼지 않게 된다.

비판적 사고 과제 5.3

B는 23세 여성으로 응급으로 정신과 병동에 비자발적 입원을 했다. B는 약물로 인한 정신병이 재발하여 이에 대한 치료를 위해 단기적으로 입원하게 되었다. B는 첫 입원 시 남자 환자가 밤에 그녀의 방에 들어와 그녀의 물건을 뒤진 일을 겪음으로써 이번 입원 후 병실에서 잠을 자는 데 어려움을 겪고 있다. B는 prn (pro re nata) 진정제를 처방받아야 하는가? 성평등 관점으로 혼성 병동 허용에 대한 현대적 신념을 고려 할 때 단지 상황 발생에 따라 방을 바꾸는 것만이 적절한가? 비자발적 입원 대상자에 대한 구분없이 통합되어 운영되는 정신병동에서 발생하는 성 문제는 무엇이며, 이에 대해 우리는 무엇을 할 수 있는가?

• 대인관계 치료

대상자는 치료자가 자신에게 도움이 될 것을 기대하면서 치료자를 신뢰한다. 치료자와 대상자의 관계는 치료에서 강점일 수도 있고 약점이 될 수도 있다.

치료자는 전문가로서 인정을 받을 뿐만 아니라 대상자와의 관계 내에서도 힘을 가진다. 윤리적인 문제의 발생은 이러한 권한을 사용하는 방법이다. 대상자와의 관계가 계속 평등한가? 아니면 권위적인가? 또한 대상자와의 관계 내에서의 전이가 치료 과정을 얼마나 방해하는가? 치료자는 대상자의 삶에서 가장 중요한 사람이 됨으로써 다른 모든 사람보다 우선적인 대상이 될 수 있다.

일반적으로 개인치료나 집단치료에서의 윤리적 지침은 두 가지이다. (1) 대상자가 정보를 제공받고 그 정보에 입각한 결정을 내릴 수 있는 권리를 지지해야 한다. (2) 대상자 개인의 성장과 정신건강을 증진하기 위해 노력한다. 따라서 집단 치료나 개인 치료에서 대상자가 자신을 돌아보거나 자신의 가치와 신념을 공유하는 목적은 대상자가 성장하고 자신의 삶이 왜 그렇게 진화했는지 이해하기 위함이다. 하지만 대상자의 요구에 의해 하기 보다는 치료자나 입원한 기관의 요구에 의해 수행된다면 치료의 목적을 이루기가 어렵다. 극단적인 예로 대상자의 성적 착취와 같은 문제 행동이 발생할 수도 있다.

• 직업적 경계

치료적 관계에서 대상자와 치료자는 서로 상호존중하는 관계이다. 법에서는 이러한 관계를 치료자는 윤리적 원칙을 충실하게 지키면서 환자인 대상자를 존중하는 '수탁적 관계'라고 부른다. 전문적 경계와 관련된 문제를 식별하고 적절하게 관리할 수 있는 보호 장치를 마련해야 하고 경계를 유지하는 책임은 치료자에게 있다(Griffith & Tengah, 2013). 적절한 전문 기준이 없는 것은 대상자가 정신적 피해를 입을 위험이 있으므로 윤리적 원칙에 위배된다. 또한 무모한 행동으로부터 대상자를 구하고 싶어하는 우정과 같은 감정, 대상자와의 관계에서의 지루함 또는 대상자가 우선이기 보다 치료자인 자신의 요구가 무엇인지 더 잘 알고 있다는 느낌을 가지는 경우 등은 모두 잠복된 역전이의 징후이다. 이를 방지하기 위한 안전장치는 자신을 주기적으로 성찰하고 동료나 수퍼바이저로부터 수퍼비전을 받는 것이다.

그러므로 간호사도 대상자 중심의 간호를 유지하는데 필요한 경계를 알고 있어야 한다. 간호사가 대상자와 치료적 관계를 벗어나서 우정이나 사회적 관계를 형성한다면 간호사와 대상자 사이의 직업적 경계가 없어진다. 직업적 경계가 흐려지면 그 관계는 비치료적이 되면서 둘다에게 문제가 발생할 수 있다. 이때 윤리적 의사결정 원칙을 활용하는 것은 직업적 경계를 넘지 않도록 하는 데 도움이 된다.

비판적 사고 과제 5.4

간호사 C는 정신병동에서 3개월 동안 근무했으며, 대인관계 기술을 개발하고 전문적인 경계를 유지하기 위해 자신을 슈퍼비전하는 슈퍼바이저와 함께 일하고 있다. C가 간호하는 대상자 중 한 명은 C와 비슷하나 이의 젊은 여성인 M이다. M과 대화하면서 C는 비슷한 삶의 문제가 있음을 알게 되었다. 그 문제는 누군가가 그들에게 너무 가까이 다가오도록 내버려두면 버려질까봐 두려워 하는 것이었다. C는 M과 공통점이 너무 많기 때문에 병동의 다른 간호사보다 M을 더 많이 도울 수 있다고 생각하였다. C는 C의 친구들이 계획한 다음 주말 파티에 M이 새로운 사람들을 만나 우정을 쌓을 수 있도록 초대하기로 결정한다. C는 파티가 끝나고 나면 이 문제를 자신의 슈퍼바이저와 논의하기로 결정하였다. 이때 C의 중재가 어떤 효과가 있었는지 보고될 것이다. 이 사례에서 C가 직업적 경계를 무너뜨릴 위험이 있다고 생각하는가? C가 M과 치료적 관계를 발전시키는 데 도움이 될 만한 제한을 한다면 무엇인가?

• 비밀유지

대상자는 자신의 개인정보를 간호사에게 공개하지만 해당 정보를 비밀로 유지할 것을 요청한다. 비밀 보장은 치료적 관계의 기본 원칙이며 윤리적 원칙이다. 대상자는 자신의 개인 정보를 간호사가 다른 사람에게 공개하지 않을 것이라고 믿기 때문에 반드시 이를 지켜야 한다. 하지만 비밀유지에는 몇 가지 예외 사항이 있다. 정의라는 윤리적 원칙에 따라 대상자의 비밀을 제3자에게 공개해야 할 수도 있다. 예를 들어, 대상자가 다른 사람을 해칠 의도가 있는 경우로 이때는 정의의 원칙이 자율성의 원칙보다 우선할 수 있다. 또 다른 경우는 일반의에게 대상자에게 처방된 치료 내용과 건강 정보를 공유하는 경우이다. 대상자들은 때때로 간호사들에게 비밀을 지켜달라고 요청한다. 비밀은 친밀한 우정관계에서는 적절하지만 치료적 관계에서는 적절하지 않다. 따라서 대상자의 정보가 치료팀과 공유된다는 것을 대상자에게 미리 알리는 것이 중요하다. 이런 상황에서 비밀 유지는 일차적인 도덕원칙이지 절대원칙이 아니므로 이런 경우 관습법과 간호윤리강령 및 원칙에 따른다.

법과 정신건강

다른 영역의 간호도 마찬가지이지만 정신건강 간호는 법 및 관습법 내에서 이루어진다. 모든 간호 영역은 개인 정보 보호, 후견인 및 의료 권리와 같은 전문업무를 규율하는 법의 적용을 받는다. 하지만 정신건강 관리 측면에서 정신간호는 다른 간호 영역과는 다른 점이 있다. 정신간호는 반드시 대상자 본인의 동의가 없더라도 법적 범위 내에서 상당 부분의 서비스가 제공될 수 있는 유일한 전문분야이다. 이 장에서는 정신건강 관리 대상자를 돌보는 정신간호사의 업무에 영향을 미치는 주요 법률 영역을 설명한다.

개인정보보호법

개인정보는 모든 상황에서의 대상자에게 중요하지만 특히 정신건강관리를 받은 이력이 알려지는 경우 대상자가 낙인 또는 차별을 받을 수 있으므로 더 중요하다. 임상에서 정신간호사는 민감한 개인 정보를 가진 대상자와 치료적 관계를 맺는다. 또한 정신건강 전문가와 대상자가 치료적 관계를 맺는 과정에서 사생활 보호의 필요성을 강조하는 가족과 갈등이 있을 수 있다. 이러한 문제를 해결하기 위한 법이 도입되었지만 대상자 개인의 사생활에 대한 다양한 개인 정보 보호는 정신간호사의 윤리적 의무이기도 하다.

관습법에서 의료 및 간호 기록은 종이, 전자 또는 기타 형식 여부와 관계없이 대상자에게 소유권이 있지만 의료서비스로 보관해야 하는 의료기관에도 속해 있다. 하지만 이를 명확히 하기 위해 건강기록 및 그와 관련된 각종 데이터를 포함한 개인정보에 대한 비밀 유지 문제와 관련하여 법이 만들어졌다.

「정신건강복지법」에는 부분적인 비밀 유지 및 정보공개 시기에 관한 법이 포함되어 있다. 예를 들어, 대상자가 동의하지 않는 경우라도 상황에 따라 정보가 간호제공자에게 공개될 수 있다. 즉 대상자의 개인정보가 간호제공자가 해당 치료를 제공하는 데 반드시 필요한 경우 간호제공자에게 제공될 수 있다.

그러나 대상자가 간호제공자에 대한 정보 공개에 동의하지 않는 경우 이를 존중해야 한다. 이러한 경우 더 많은 대상자의 정보를 합법적으로 요구하는 간호 제공자의 요청과 사생활 보호 및 비밀 유지에 대한 대상자의 우려 간에 차이가 발생한다.

정신건강복지법

「정신건강복지법」에 따른 비자의치료는 정신질환자의 인권에 중요한 영향을 미치므로 이들을 간호하는 정신간호사에게는 임상적, 윤리적 및 전문적인 측면에서 책임이 요구된다. 「정신건강복지법」에 대한 논의 후에 장애인권리협약을 특별히 참조하여 「정신건강복지법」이 정신장애인의 인권에 미치는 영향을 논의할 것이다.

● 정신건강 입법 기반

서양에서는 정신질환으로 인한 행동으로부터 대상자를 보호하거나 타인을 보호하기 위해 법적인 통제 권한이 필요하다는 것을 이미 오래전부터 알고 있었다(Scull, 2015).

윤리적인 관점에서 보면 국민의 합의(약속)는 일반적으로 가부장주의의 윤리적 정당화에 기반한다.

즉 타인들에 대한 피해를 줄이는 것이 다수의 이익이 된다는 원리로 한 개인의 자율성을 침해하는 행위를 정당화한다. 이러한 기반에서 만들어진 「정신건강복지법」은 해당 법의 기준에 해당되는 대상자들에게 강제적인(비자발적) 치료를 할 수 있는 기반을 제공한다.

● 「정신건강복지법」에 따른 평가

「정신건강복지법」에 따른 평가는 포괄적인 평가의 표준 기준을 따르지만 대상자가 이행에 대한 법적 기준을 충족하는지 여부에 중점을 둔 임상평가가 포함된다. 「정신건강복지법」에 따른 평가는 일반적으로 정신과 전문의가 수행하며 대상자의 현재 및 과거 위험 문제에 대해 신중히 사정하며 정신간호사도 함께 동참한다. 정신간호사는 대상자 평가에 중요한 관찰 정보를 제공하기도 한다. 또한 추가적으로 지역사회나 가족의 지원 정도를 탐색하고, 대상자가 제한을 적게 받도록 자발적으로 치료에 참여하도록 조율할 수 있다.

● 강제 치료

대상자가 「정신건강복지법」에서 규정하는 비자발적 치료 대상이 되면 대상자의 동의 없이도 치료를 할 수 있지만, 의사는 의무적으로 대상자에게 지속적으로 동의를 구해야 한다. 비자발적 치료는 대상자에게 안전한 환경 제공을 통한 안전성 확보, 지속적인 임상 평가, 급성 증상을 줄이기 위한 약물 치료, 스스로를 돌볼 수 없는 대상자를 위한 개인 관리(위생, 수분, 영양) 및 지지적 정신 치료(사람, 심리 치료 지원, 안전한 사회화, 친구나 가족과의 방문 또는 접촉)가 포함된다.

대상자의 동의없이 치료할 수 있는 권한이 법에 의해 주어지지만 정신간호사는 동의 없이 치료할 수 있는 법적 권리를 단순히 시행하기보다는 대상자의 동의를 항상 얻기 위해 노력해야 한다. 비자발적 치료가 자신이나 타인에게 위험한 대상자에게 적용되므로 이런 경우는 대상자와 협력해야 한다는 기본적인 간호사의 윤리적, 직업적 의무에 위배한다고는 할 수 없다. 예를 들어, 대상자가 처음 약을 처방받으면 그 약을 복용하는 것을 거부할 수 있다. 이 경우 정신간호사는 약의 작용기전을 설명하고, 약 복용에 대한 대상자의 걱정을 확인하며, 약물 투여 방법에 대한 선택권을 대상자에게 줌으로써 대상자가 동의할 수 있도록 협조를 구할 수 있다. 정신간호사가 대상자에게 강제로 약물을 투약해야 하는 상황일 때는 대상자에게 솔직해야 하며 이때 대상자와 정신간호사 두 사람 모두의 안전이 매우 중요하다. 특히 강제적인 힘을 사용한 서비스 제공 시에는 이와 관련된 정책과 절차가 있으므로 이를 주의깊게 따라야 한다. 법에서는 상황에 맞는 합리적이고 적절한 강제력만 허용한다는 것을 기억하면서 대상자에게 상황을 설명하고, 대상자를 안심시키는 대화와 함께 그 상황에서 꼭 필요한 최소한의 힘만 사용한다는 것임을 설명한다. 이 후 대상자는 자신이 경험한 강제 투약에 대해 토의할 수 있는 기회가 제공받아야 하며, 간호사 역시 동료와 이런 상황에 관해 토의할 기회를 가진다.

● 「정신건강복지법」의 보호 메커니즘

「정신건강복지법」은 일반적인 의료행위와는 다르게 대상자의 인권에 상당한 제한을 가하기 때문에 이 법에는 대상자를 격리하여 강제적으로 치료를 하는 과정과 지원하는 다양한 조항들이 포함되어 있다. 이러한 보호 메커니즘에는 옹호할 권리(법적 또는 기타), 재판소 및 법원의 항소 및 검토 절차, 입법 및 불만 처리 과정 및 절차를 감독하는 공무원(예 지역 검사관) 임명이 포함된다.

법적 문제에서 야기시키는 판결은 「정신건강복지법」에 따라 임상의가 시행하는 법적 조치, 의사 결정 및 절차에 관한 지침을 제공하고 체계를 만든다. 판례법 판례는 임상 상황에 영향을 미칠 수 있다.

● 격리 및 강박: 절차적 원칙의 역할

절차적 공정성 및 적법 절차 원칙의 법적 개념은 법적 지위나 부과된 제한 조건에 의해 자율성이 제한되는 대상자의 협조를 얻기 위해 템플릿 자료를 제공한다. 절차적 정의는 자연적 정의의 한 분야이며 결정이 내려지는 공정성으로 정의할 수 있다. 공정성은 의사결정 과정과 대상자를 위한 결과 모두와 관련이 있다. 절차에는 대상자를 경청하고 존중하며, 상황에 따라 대상자에게 선택권을 주고, 대상자가 자신의 입장을 고려하고 자율성이 제한되는 경우 대처하도록 돕는 간호기술들이 포함되어 있다. 법에 따르지만 강압적인 경우는 절차적으로 정의원칙에 위배되어 부당한 영향력을 줄 수 있으며, 상호작용이 제한되는 강박 치료는 치료자들에게도 매우 어렵다.

정신질환자가 입원 병동에서 대상자의 동의 없이 이루어지는 강제적 치료 관행에 대한 연구에서 제한 설정은 입원 환자의 안전에 중요할 수 있으며, 행동에 대한 명확한 경계를 제공함으로써 대상자를 돕지만 동시에 대상자의 자율성을 제한할 수 있다. 간호사와 대상자에게 행동 제한의 경험 관련 인터뷰를 한 결과 공감적 참여가 치료관계를 유지하는 데 도움이 되는 것으로 나타났다(Maguire, 2014). 연구자들은 또한 공정하고 대상자를 존중하며 합리적인 지식을 활용하여 일관성있게 대상자를 대하는 치료자가 대화 없이 무조건으로 통제하는 스타일의 치료자에 비해 대상자에게 긍정적인 치료결과가 있었다고 발표했다. 입원 환경에서는 간호사가 「정신건강복지법」 상 제한해야 하는 대상자와 많은 상황에 맞딱드릴 수 있다. 이때 절차적 원칙이 강압 경험을 감소할 수 있다(Galon & Wineman, 2011). 절차적으로 원칙을 지키는 것이 반드시 대상자의 권리가 존중되고 유지되도록 한다고 평가할 수는 없지만 상호작용이 덜 강압적으로 되는 데는 도움이 된다.

● 우리나라의 「정신건강복지법」

우리나라는 1995년 「정신보건법」이 제정된 이래 최종적으로 2020년 4월 7일 정신건강증진 및 정신질환자 복지서비스 지원에 관한 법률이 개정되어 시행되고 있다. 이 법은 정신질환의 예방 · 치료, 정신질환자의 재활 · 복지 · 권리보장과 정신건강 친화적인 환경 조성에 필요한 사항을 규정함으로써 국민의 정신건강증진 및 정신질환자의 인간다운 삶을 영위하는 데 이바지함을 목적으로 한다. 제17조에서는 정신건강전문요원의 자격을 명시하고 있는데, 정신건강전문요원에는 정신건강간호사, 정신건강임상심리사, 정신건강사회복지사, 정신건강작업치료사가 포함되어 있다.

제5장 보호 및 치료에서는 민법을 적용한 정신질환자의 보호의무자를 명시하고 있으며, 보호의무자는 정신질환자가 적절한 치료 및 요양과 사회적응

훈련을 받을 수 있도록(제40조) 보호의무자의 의무를 명시하고 있다. 또한 제41조에서 44조는 정신질환자의 입원유형을 설명하고 있는데, 우리나라 입원의 유형은 자의입원, 동의입원, 보호의무자에 의한 입원, 특별시자치시장 · 특별자치도지사 · 시장 · 군수 · 구청장에 의한 입원의 네 가지로 구분하며, 제50조에는 앞서 말한 네 가지 이외에 자타해 위험이 있는 대상자를 72시간 강제입원시킬 수 있는 응급입원을 설명하고 있다.

만일 자의 입원이 아닌 대상자가 입원의 부당함을 호소할 경우는 적법한 절차에 따라 입원의 정당성을 평가하는 입원적합성심사위원회의 구성과 운영에 대한 법률 또한 제45조와 49조에 마련하고 있다.

제7장에서는 대상자의 권익보호 및 지원등에 관한 법률을 제정하여 응급입원을 제외하고는 정신건강의학과 전문의의 대면진단하에 입원할 수 있도록(제68조 입원 등의 금지)하였으며, 정신질환자라고 해서 교육, 고용, 시설이용의 기회를 박탈하는 등의 불공평한 대우를 금지하고(제69조 권익보호), 대상자의 비밀누설의 금지(제71조), 수용 및 가혹행위 등의 금지(제72조), 통신과 면회의 자유제한의 금지(제74조), 격리 등 제한(강박)의 금지(제75조)를 제시하고 있다. 또한 대상자들이 건강한 사회로의 복귀를 촉진을 위해 작업치료, 직업훈련지원, 경제적 부담의 경감, 비용부담에 지원 조항들도 제시하고 있다.

비판적 사고 과제 5.5

1. 친구나 가족이 「정신건강복지법」에 따라 병원에 입원하게 된다면 어떤 기분이 드는가?
2. 비자발적 상태의 적정성을 평가받기 위해 대상자가 가질 수 있는 권리는 무엇인가?
3. 「정신건강복지법」에 따라 치료에 불만을 표시하는 대상자를 어떻게 지원할 수 있는가?
4. 강제 입원이 대상자에게 장기적으로 어떤 영향을 미칠 수 있는가?

비판적 사고 과제 5.6

1. 친구나 가족이 지역사회 치료 명령을 받고 병원에서 퇴원한다면 어떠할까?
2. 지역사회 치료 명령을 받은 대상자의 권리는 무엇인가?
3. 많은 국가들이 유엔 장애인권리협약과 같은 국제조약을 체결하는 것이 왜 중요한가?
4. 정신건강 대상자의 권리를 보호하기 위한 법은 무엇인가?

● 인권 및 「정신건강복지법」

정신질환자들은 역사적으로 법적인 차별을 받아왔으며, 정신 관련 법에 근거하여 체계적으로 인간으로서의 권리를 행사 할 수 없도록 명시되어 있었다(예 정신이상 증상 및 미치광이 행위). 정신질환자의 인간으로서의 권리 거부의 대부분은 의학적 무지, 일부 치료 조건 및 낙인에서 비롯된다. 정신질환자의 권리를 보호하는 데 도움이 되는 다양한 국제 협약이 비준되었다. 2008년까지 「정신건강복지법」에 따른 인권 보호는 주로 세 가지 협약– 시민적 및 정치적 권리에 관한 1966년 국제 규약; 경제적, 사회적 및 문화적 권리에 관한 1966년 국제 규약; 및 1991년 정신질환자 보호 및 정신건강 관리 개선을 위한 유엔 원칙–에 의해서이다. 그러나 국제협약이 국내법을 구속하거나 국제협약이 의무적이지 않기 때문에 정신질환자들은 「정신건강복지법」의 과오에 의해서 지속적인 차별을 경험하고 있다.

장애인권리에 관한 협약은 2006년에 채택되어 2008년 5월에 발효되었다. 협약은 장애인을 위한 새로운 권리를 말하지는 않지만 위에 언급된 것과 같은 기존 권리를 명확히 한다. 즉, 장애인의 권리가 편견과 차별로부터 자유로울 뿐만 아니라 사회적 통합의 장벽도 제거되어 장애인이 사회의 다른 구성원이 이용할 수 있는 모든 기회를 동등하게 누릴 수 있다. 이 협약의 50개 조항은 정의에 대한 평등한 접근, 성 문제, 거주, 아동 및 노인의 권리, 이동의 자유와 같은 문제를 다루는 광범위한 도구이다. 협약 전문은 www.un.org/disabilities에서 다운로드할 수 있다.

협약의 주요 의미 중 하나는 법 앞의 모두가 평등하다는 제12조의 요건이다. 국제적으로 이 요건에 따르면 개인의 '어떤 상태(예 장애를 가진 사람)'를 기반으로 권리를 제한하는 법은 차별적인 법으로 해석할 수 있다(Dawson, 2015).

대리 의사결정 및 지지적 의사결정

「정신건강복지법」 적용 대상인 정신질환자가 심신상실 상태로 의사결정이 어려울 시 전통적으로는 의료전문가(대개 의사)가 대신해 왔는데, 이를 대리의사결정이라고 한다. 성인이 심신상실로 자율적 의사결정 능력이 부족한 것으로 간주될 때 자주 사용되며(White, et al., 2018), 때로는 다른 법적 후견인이 할 수 있다. 대리 결정은 건강 문제로 대상자가 능력이 없더라도 항상 스스로 결정을 내려야 한다고 해석하는 장애인권리협약 제12조에 위배된다. 적절한 지원과 지지를 받으면 대상자가 자신의 선호도를 분명히 주장하고 결정을 내릴 수 있다고 지지적 의사결정이 중요하다고 주장하는 사람들은 말한다. 다른 사람이 대신 결정을 내리도록 하기 보다는 스스로 결정을 내리는 데 필요한 지원을 대상자에게 제공하는 것이다. 대상자를 지지하고 지원함으로써 스스로 의사결정하도록 돕는 것은 전문가가 대상자의 자율성을 존중해야 하는 윤리적 의무를 이행하는 것이며 대상자의 회복 촉진 가능성을 높이는 것이다.

대상자의 지지적 의사결정이 어려운 것은 이에 대한 치료자의 기술 부족과 이에 대한 법적 요구 부족 때문이다. 지지적 의사결정이 법적으로 의무화될 필요는 없지만 대리 의사결정이 아닌 지지적 의사결정이 이루어지도록 하는 법이 있다면 지지적 의사결정이 관례가 될 것이며, 지역사회 치료명령을 받은 대상자들이 경험하는 강압 문제를 해결할 수 있을 것이다. 현재의 「정신건강복지법」 안에서라도 정신간호사는 대상자를 무조건 보호하는 간호를 시행하기보다 대상자가 스스로 결정을 내리도록 지지적 의사결정을 도울 수 있어야 한다.

안전한 간호 업무에 위협적인 행동유형

정신간호사의 핵심 기술은 높은 수준의 디스트레스를 겪는 대상자를 이해하고 디스트레스의 의미를 해석하고, 의료시스템 탐색을 지원하고, 대상자의 디스트레스를 모니터링 및 관리하며, 대인관계에서 갈등을 관리하는 것이다(Stein-Parbury, 2016). 어떤 행동이 위협적인지 아닌지를 아는 것은 주관적이고 개별적일 수 있다. 이는 간호사의 기술이나 간호사가 속한 사회적 환경에 따라 달라질 수 있다. 문헌에 보고된 안전한 간호와 업무에 위협하는 일반적인 행동은 다음과 같다.

- 공격성(언어적 · 신체적 위협, 고함, 갈등, 불순응, 도주)
- 조종('분리' 또는 주의를 요구하거나 특별한 조건을 충족)
- 자해 및 자살 행동(독극물 섭취, 과다 복용)

이러한 행동은 상호 배타적으로 나타나는 것이 아니라 조합되거나 한꺼번에 발생할 수 있고, 자주 또는 드물게 발생할 수 있으며, 정신건강기관에서 진단받은 집단 전체에서 볼 수 있다. 정신간호사는 임상 실무과정에서 이러한 행동의 일부 또는 다양한 범위의 행동을 경험할 것이다. 이에 반응하기 위해서는 광범위한 간호기술이 필요하다. 따라서 이러한 행동이 발생하는 상황과 사회적 맥락을 이해해야 한다.

돌봄 업무에서의 안전 맥락 이해

돌봄 업무의 안전이라는 사회적 맥락에 대하여 이해하는 것은 안전에 선행하고 안전에 영향을 미치는 수많은 요소를 규명하는 데 필수적이다. 예를 들어, 치료자와 대상자는 안전한 업무환경이 왜 위협을 받는지에 대해서 치료자는 대상자 요인을 언급하고 대상자는 치료자 요인을 업급하는 것처럼 다르게 인식한다. 현실은 치료자, 대상자, 환경, 타 문화 및 사회적 요인을 포함하여 사회적으로 결정된 다양한 요인이 안전한 돌봄 업무 환경에 위협할 수 있는 촉진요인 역할을 한다는 것이다.

치료자 요인

안전한 돌봄과 업무 환경은 간호사로서 간호사의 행동이 대상자의 행동에 어떻게 영향을 미치는지 또는 간호사가 대상자를 어떻게 인식하는지에 대해 항상 의식하지는 않는다. 간호사의 지식, 기술, 태도 및 부수적인 행동은 간호사가 어떻게 돌봄을 전달하는가를 관리하고 완화 · 예방하는 중요한 측면이 된다.

대상자와의 치료적 관계를 발전시키는 것은 업무에서 안전을 유지하는 데 필수적이다. 이는 간호사에게 인간 중심의 방식; 인간으로서의 대상자에 대한 친근한 지식의 발전; 공손함과 존경을 나타냄; 걱정과 두려움, 좌절에 대해 적극적으로 경청; 공감하는 방식으로 반응하기; 행동 이면에 숨겨져 있는 의미 탐색(분노는 나를 향하지만 병원에 갇힌 상태로부터 유래하는 것 같다); 도움을 주고자 하는 진정한 열망과 같은 방식으로 대상자와 의도적으로 관계를 맺도록 요구한다. 효과적인 치료관계를 촉진할 수 없거나 이를 원하지 않는 간호사는 치료를 제공하는 데 어려움을 겪을 가능성이 높다.

치료적 관계의 발전은 말처럼 쉽지 않으며, 다양한 개인적 요인으로 인해 영향을 받는다. 예를 들어, 간호사는 치료에 참여하는 능력을 저하시키는 개인적인 문제가 있을 수 있다. 간호사 자신의 정신건강 및 성격 유형, 현재 간호사 생활의 스트레스 요인, 이전 경험(또는 경험 부족), 피로감과 질병 등이 있다.

이러한 요인 중 하나는 간호사가 관심이 없거나 단순히 대상자의 요구를 무시한다는 인식으로 이어질 수 있다. 또한 대상자와의 상호작용에서 참을성이 없고 통제적이며 권위적이거나 강압적인 간호사는 긍정적인 관계를 구축하고 치료에서 바람직한 결과를 달성할 가능성이 적다.

대상자 요인

정신질환 및 장애는 간호사가 제공하는 의료서비스에 참여하는 대상자의 능력에 영향을 미칠 수 있다. 정신장애; 적응장애; 기분, 불안과 성격장애; 기질적 장애; 약물 및 알코올 중독 또는 금단증상; 지적장애; 뇌손상; 소외되거나 낙인 찍힘; 외상 경험 또는 외상과 관련된 정신건강 돌봄의 경험이 포함된다.

정신질환으로 인해 경험하는 사고장애, 환각 및 망상 등의 증상들은 안전한 돌봄에 어려움을 줄 수 있다. 특히 대상자가 편집증, 의심, 두려움 또는 겁을 먹은 경우에 더욱 그렇다. 인지적으로 손상된 대상자는 불안, 혼란 및 지남력 상실을 보일 수 있다. 돌봄을 받는 데 위협이 되는 행동은 기분장애(조증)와 관련된 증가된 에너지, 탈 억제와 과민성과 연결되어 있고, 이러한 행동들은 돌봄 전달을 어렵하여 대상자가 좌절감, 무력감 또는 파국적 사고를 경험하게 한다. 이런경우 간호사는 대상자와 관계를 맺는 데 어려움을 겪을 수 있다. 전형적으로 우울장애에서 보이는 저하된 기분 대상자는 자기관리 및 기타 일상활동 참여가 어려울 수 있기 때문에 간호사로부터의 지속적인 격려가 필요하다. 자해 행동의 위험이 있는 대상자는 대화에 참여하려는 지속적인 노력과 함께 행동에 대한 면밀한 모니터링과 관찰이 필요할 수 있다. 성격의 취약성을 보이는 대상자는 특히 의료 문제나 요청이 무시되거나 잊혀질 때 거부 또는 굴욕에 대한 인식이 높아질 수 있다. 일부 대상자는 성격의 특징으로 충동이 잘 조절되지 않을 수 있는 반면, 자기애적 성격유형을 가진 대상자는 간호사의 시간에 대해 과도한 요구나 권리를 주장할 수 있다.

피로, 통증, 신체적 동반질환과 같은 요인은 대상자 삶의 질과 정신적·정서적 안녕에 영향을 미친다. 대상자가 자신의 돌봄계획에 참여하지 못하거나 논의에 참여하지 않으면 자신에게 무엇을 기대하는지 알지 못할 것이다. 정신건강 문제는 종종 삶의 측면에 대한 개인의 통제력에 부정적인 영향을 미친다. 따라서 파트너십, 포용 및 참여 과정은 대상자 요인 중 일부를 완화시키는 데 도움이 될 수 있다.

환경 요인

일반적으로 의료인은 대상자의 안녕에 환경이 미치는 영향을 인식하지 못하는 경우가 많다. 환경요인은 안전한 업무현장에 대해 맥락적으로 이해하는 부분이다. 그러나 물리적 환경을 정부가 운영하는 인프라, 정책, 그리고 절차와 같은 시스템 또는 운영 측면에서 분리시켜서 바라보아서는 안 된다. 치료에 대상자 참여를 제한하고, 치료과정을 강압적으로 진행할 경우 치료진은 과도한 업무부담과 간호과정의 긴장감으로 인해 좌절이나 곤경에 처할 수 있다.

간호사가 근무하는 환경은 간호사의 통제 밖에 있을 수 있다. 돌봄에 적합하지 않은 노후화된 시설, 유지보수, 개선 및 개조와 관련하여 자금이 부족, 시끄럽고 혼잡하고, 너무 덥거나 너무 춥고, 자연채광이 없고 사적인 공간이 부족한 구조는 좋지 않은 환경이다. 흥분하거나 동요하는 대상자를 과도하게 자극하지 않고 위축되거나 우울한 대상자를 과소평가하지 않도록 입원병동을 균형 있게 디자인할 필요가 있다. 인간 중심 디자인은 대상자와 전문인력 모두에게 더 나은 인지적, 동기 부여 및 정서적 프로세스로 이어질 수 있다. 감각 조정 또는 특정 장비 사용, 물리적·사회적 환경 수정은 대상자의 공격적인 감정적 표현을 줄이는 데 도움이 되는 것으로 나타났다.

문화적 요인

문화적 배경에 따라 다양하게 해석될 수 있는 행동과 의사소통 뉘앙스들이 있다. 한 문화에서는 위협적으로 보이는 행동이 다른 문화에서는 용인될 수 있다. 따라서 대상자의 행동을 문화적으로 인식할 필요가 있다는 것은 안전한 돌봄 및 업무의 맥락에서 간호사에게 중요하다. 간호사는 자신의 문화적 편견과 잠재적인 오해와 특정 문화집단에 대한 표현하고 있는 자신의 경향을 인식해야 한다. 문화적으로 일치하는 치료를 제공하는 것은 간호사가 누군가가 왜 그런식으로 행동하는지 이해하고, 행동이 악화되는 것을 방지하며, 확신을 갖고 행동에 접근할 수 있는 지식을 얻을 수 있다.

사회적 요인

정신질환은 미디어와 대중의 인식에 영향을 받는다. 우리나라의 미디어와 대중들은 정신질환자를 위태롭고, 위험하고, 다루기 어려운 도망자 또는 잠재적 범죄자로 분류했다. 이러한 부정적인 편견의 힘은 우리가 전문가로서 사람들과 관계를 맺는 방식에 영향을 미칠 수 있다. 사람들에게 편견이 있다면 결과적으로 그들은 그 편견대로 입장을 취할 수 있으며, 개인은 이러한 편견을 영속시키는 행동을 하게 된다. 정신건강분야 의료인은 사회에 광범위하게 존재하고 있는 정신질환에 대한 부정적인 편견 속에서 정신질환자와 치료적 관계를 맺을 때 어떤 단어를 사용해야 하는지, 대상자를 어떻게 치료에 동참시킬지를 염두에 두어야 한다.

돌봄 모델

본질적으로 문제기반적, 강압적, 제한적인 돌봄 문화는 부정적인 치료관계와 역동성을 유발할 수 있다. 문화 내에서 자신의 정체성과 실무를 인식하는 것은 최적의 돌봄 결과를 달성하는 데 필수적이다.

대상자 중심 프레임워크는 강점 기반 접근방식을 채택한다. 이러한 프레임워크에 의해 뒷받침되는 모델은 수동적인 돌봄 수혜자가 아니라 돌봄 제공의 모든 측면에서 파트너로서 대상자를 적극적으로 참여시키려고 한다. 따라서 의사결정을 공유하는 것과 대상자 주도의 의사결정은 목표, 계획, 치료 선택사항 및 후속 결과를 향상시킨다. '인간 중심' 또는 '환자 중심'으로 다양하게 알려진 이러한 모델은 '인간에 대한 존중, 자기결정에 대한 개인의 권리, 상호존중 및 이해의 가치에 의해 뒷받침되는' 것으로 제안된다.

대상자 중심의 돌봄 모델은 대상자 자신만이 실제 경험안 인생의 여정을 이해할 수 있다는 전제하에 작동한다. 따라서 그들은 돌봄에 대한 계획 및 논의의 주요 이해관계자이므로 전반적인 과정에서 적극적 참여하여 가치를 인정받고 권한을 부여받아야 한다. 강점 기반 접근방식을 탐구하는 연구에 따르면 이러한 접근방식은 삶의 질, 자신감, 자존감, 자기옹호 및 자기관리의 개선과 관련이 있었다. 강점 기반 접근방식이 강점, 능력 및 권한 부여에 초점을 맞추는 것은 놀랍지 않다. 이는 안녕을 충족시키는 데 도움이 되는 강점과 긍정적인 능력을 대체로 무시하는 기존의 문제 기반 치료 접근방식에서 전환한 것이다. 강점 기반 접근방식은 대상자에게 보다 목적 있는 참여를 하도록 하고, 의사 결정에 대한 통제력을 유지하도록 하여 자신의 치료과정이 보다 긍정적인 돌봄 경험이 되도록 한다.

다양한 대상자 중심 모델은 다음과 같다.

- 회복 모델(Recovery Model, 또는 회복 접근방식)은 대상자의 회복 가능성이 가장 중요하고, 개인적인 네트워크와 전문적인 관계에 의해 지지되는 접근방식을 채택한다. 회복 모델은 대상자에게 치료결과에 대한 희망을 심어주고, 긍정적인 자아, 치료여정에 대한 의미 및 권한부여함으로써 안전한 치료기반을 조성하며 사회와 통합을 이룰 수 있도록 한다.
- 조수 모델(Tidal Model)은 대상자가 경험하는 증상들이 주기적이고 반복적인 것에 초점을 맞춘다. 의료인은 이러한 대상자의 경험을 관리하도록 치료방향을 지시하는 것이 아니라 대상자의 자아와 지혜의 힘을 믿고, 대상자 자신이 회복에 있어서 스스로 참여할 수 있도록 권한을 부여한다.
- 해결 중심(단기) 치료(Solution-focused brief therapy)는 대상자가 현재와 미래에서 달성하고자 하는 것에 초점을 맞춘 목표 지향적인 정신치료적 파트너십이다. 과거 경험의 관련성이 무시되는 것은 아니지만 강조되거나 현재의 치료 초점이 되지는 않는다.
- 외상 기반 간호(Trauma-informed care)는 외상을 경험한 대상자만이 치유의 여정을 진정으로 이해할 수 있다는 원칙을 가지고 있다. 외상 생존자가 생존할 수 있도록 하는 고유한 기술, 속성

및 회복력은 강점 기반 프레임워크 내에서 강조되고 의료전문가의 지원을 받는다.

이러한 대상자 중심 프레임워크는 돌봄의 협력 모델로 채택되거나 대상자와의 대인관계를 위한 개별적인 철학적 프레임워크로 채택될 수 있다. 간호사는 의도적으로 대상자와 관계를 맺기 위해 원하는 결과를 달성할 수 있도록 자기관리를 촉진하는 활동에 스스로 참여해야 함을 명심해야 한다.

사례연구 5.1은 표현 되는 행동 너머의 것을 볼 수 있는 것의 중요성을 말하고 있다. 이 이야기에 나오는 대상자와 종사자들 사이의 상호작용, 간호사가 대상자의 주홍글씨를 어떻게 다루었는지, 간호사가 사회적 유대감이나 치료적 관계를 발전시키기 위해 환경에 있는 사물들을 어떻게 사용할 수 있었는지 주목해야 한다. 적응적이고 유연한 돌봄 프레임 워크는 대상자와의 인격적인 관계 형성을 통해 향상시킬 수 있다.

안전한 간호업무 환경 조성을 위한 준비

전문적인 경계

간호사는 전문실무지침을 준수해야 한다. 전문가

사례연구 5.1

동료로서 나는 희망, 자기결정, 선택을 발전시키고, 자신의 개인적인 회복 여정에서 생생하게 정신적 고통을 경험하는 대상자를 지지하는 것과 내적으로 신뢰관계를 발전시키는 데 있어 다른 사람들과의 연결을 지지하는 것을 매우 중요하게 생각한 다. 어떤 사람은 이것을 상호성과 호혜성으로서 동료관계의 본질이라고 말한다. 이렇게 말했지만 개인의 개인적 회복 여정을 지원하는 관계를 형성하는 것이 다른 치료진에게만 요구되는 것이라고 생각하지 않는다. 사실, 나는 개인적인 경험을 통해 대상자의 회복이 치료적 관계에서 시작되고 풀리는 놀라운 과정을 목격한 증인이다.

A는 제도권에서 접근하기 어려우며 또한 자신의 치료에 참여하기 어렵다고 분류된 대상자였다. 정신과의사가 '망상적'이라고 진단한 사람으로, 자신만의 세계를 잃은 대상자이다. A는 실제로 주변의 모든 사람에게 큰 소리로 욕설을 퍼붓고 교제하기가 어려웠다. 폭력적인 언어표현을 사용하고 있었고, 이러한 대상자에게 어떻게 돌봄을 제공해야 할지 모르는 종사자들 중 누구도 이 사람과 관계 맺기를 원하지 않았다. 그러나 한 간호사는 다른 차원에서 이 사람과 관계를 맺고 간호를 수행하고 있었다. 나는 그 간호사에게 어떻게 이러한 치료적 관계를 구축할 수 있었는지, 어떻게 이 사람과 의사소통하고 일할 수 있었는지 물었다. 흥미롭게도 간호사는 대상자가 자신의 머리를 빗어 주는 것을 좋아했으며 간호사가 대상자의 머리를 빗어 줄 때 대상자가 '우리'라는 느낌을 받는다는 것을 알게 되었다고 이야기 했다. 이후 두 사람은 이전에는 하지 못했던 이야기를 할 수 있게 됐다. 마찬가지로 간호사는 대상자의 팔을 가볍게 두드려도 유사한 효과가 있음을 발견하였고 대상자의 미래에 대한 희망과 꿈, 입원기간 동안 어떤 치료법이 효과가 있었고 어떤 치료법이 효과가 없었는지 등의 의미 있는 대화를 할 수 있었다.

주변 동료들은 이 긍정적인 동맹을 운이라 여겼을 수 있다. 그러나 실제로는 이 간호사는 먼저 대상자 개인을 알아가고 그 다음 치료관계를 사용하여 대상자를 자신의 치료에 적극적으로 참여시키기 위해 양질의 시간을 보냈다. 개인이 회복 여정에 참여할 수 있도록 지원하면서 대상자의 가치와 의미를 탐구하기 위해 주의 깊게 경청하는 데 시간이 걸렸다. 간호사와 함께 A의 간호과정을 디브리핑해 봄으로써 간호사가 이러한 방식으로 간호함으로써 얼마나 많은 것을 얻었는지, 그리고 그것이 치료적 관계를 발전시키는 것에 우선시 되어야 한다는 것을 발견하였다. 상호 이해와 존중이 있는 대상자와의 팀워크는 다른 모든 대상자들이 기다리고 있는 돌봄이다. 이 간호사와의 경험에서 우리는 그것을 찾은 것이다.

의 경계란 전문가의 힘과 대상자의 취약성 사이의 공간으로 생각할 수 있다. 이 공간은 대상자에게 유익한 결과를 보장하기 위해 관찰되고 유지되어야 한다. **표 5.1**은 사회적 관계와 전문적 관계의 몇 가지 차이점을 간략하게 보여준다.

그렇다면 안전하고 효율적인 실무자(practioner)가 되기 위해 전문적 관계에서 어떤 일이 발생하는가?

간호사에게 기대하는 것은 대상자의 건강상태를 개선하는 데 사용할 수 있는 전문적인 지식, 기술 및 태도이다. 빈약한 전문적인 관계를 서술하는 요인으로는 냉소주의, 판단적 태도, 개인적인 친밀감, 잘난 척, 의존성 발달, 편애, 한 사람을 다른 사람과 겨루기(분리), 최소한의 보살핌, 방치 또는 처벌이 있다.

간호사는 개방성, 협력, 존중, 신뢰에 기초한 창의적인 안전, 대상자와의 치료적 관계를 강조할 필요가 있다.

간호사의 자기돌봄

간호사가 치료적으로 대상자와 관계를 맺기 위해서는 자신의 정서적 · 정신적 안녕을 인식하고 돌보아야 한다는 사실은 놀라운 일이 아니다. 일반적으로 스트레스가 많은 간호의 특징은 잘 알려져 있으며, 안전한 업무환경을 조성하려고 할 때 더욱 두드러질 수 있다.

급성기 일반 병동 환경에서는 일반적으로 간호가 간호사에게 정신적 · 정서적 결과를 초래할 수 있음을 강조했다. 예를 들어, 페리 등(Perry, et al., 2015)의 일반 간호사 382명에 대한 연구에서 14%(n = 53)가 일반적인 정신장애(스트레스, 불안, 우울증)의 병력이 있다고 보고했음을 강조했다. 같은 연구에서 잠재적으로 정신건강 관련 문제를 나타내는 증상의 유병률이 높았으며, 248명(65.1%)이 두통, 심한 피로, 불안, 수면 문제 및 우울증과 같은 증상을 최근 12개월 이내에 자주 경험했다고 보고했다.

표 5.1 사회적 관계와 전문적 관계의 차이점

사회적 관계	전문적 관계
개방기간	돌봄기간으로 제한
개인 선택	제한된 선택
양 당사자의 요구사항 고려	소비자의 요구가 지배적
다목적	돌봄이 1차 목적
동정	공감
털어놓기	비밀
개인적인 한계에 관대함	전문적인 관용
일관성 없는	일관된
판단적	비판단적
비구조화	구조화
개인적인 책임	전문적인 책임
개인적인 경계	전문적인 경계

자신을 인식하고 자신의 활동과 행동을 평가하는 것은 대상자와 치료적 관계를 맺는 데 도움이 된다. 그러나 우리는 현대의 정신건강 간호 영역과 관련된 경쟁적인 요구인 스트레스와 감정노동을 종종 인식하지 못하기 때문에 치료적 관계를 맺는 것이 말처럼 쉽지 않을 수 있다. 일부 개인은 이러한 실무에 참여하기 위한 어떤 공식적인 조직을 요구하는 반면 어떤 개인은 자연스럽게 자기인식을 향상시키기 위해 성찰한다. 정신간호는 간호사 스스로 선택한 전문 분야이기 때문에 비판적 사고, 도전 및 성찰의 경향을 가지고 있는 것은 자연스러운 일이다. 실무에서의 업무 부담은 정신적 · 정서적 안녕; 업무 부담이 공유되고 적절하게 위임되는 곳에서 협력적으로 일하는 것; 자신의 한계(우리 모두 힘든 날이었다)에 대해 정직하고 명확해지는 것뿐만 아니라 전문적인 수행을 유지하는 것; 그리고 성찰적인 실무와 공식적이고 구조화된 임상 슈퍼비전(감독)에 참여하는 것으로 도움이 될 수 있다. 정신건강에서 임상 슈퍼비

전은 모든 전문가 집단, 특히 간호에서 보증하는 실무이다. 이 과정은 안전하고 효과적인 대상자 돌봄의 맥락에서 개인적으로 그리고 전문적인 발전에 중점을 둔다. 이 분야에 대한 연구가 부족하지만 그 효과와 이점에 대한 관심이 높아지고 있으며, 간호실무과 관련된 감정노동을 줄이는 핵심 기능으로 제안된다. 임상 슈퍼비전의 핵심은 성찰 및 구조화된 이야기 환경을 지원하고 경험 많은 간호사와 함께 보내는 임상활동에서 보호된 '타임아웃'의 기회이다. 성찰에는 간호사가 무엇을 하고 우리가 어떻게 행동하는지에 대한 계몽과정이 포함된다. 이 과정에서 간호사는 자신이 한 일, 그 일을 한 이유, 대상자, 동료 및 보다 광범위한 전문적이고 윤리적인 실무에 미치는 영향에 대해 숙고할 수 있다. 또한 간호사들이 자신들에게 일어난 감정에 대해 서로 이야기할 수 있는 역할을 한다. 우리가 이러한 감정에 대해 더 투명할수록 우리는 더 적응하고 자기인식을 갖게 된다.

간호사가 행동하는 방식

간호사는 대상자 행동에 대한 간호사 자신의 기대치를 인식해야 한다. 대상자가 자신의 행동을 완전하고 신속하게 바꿀 것이라는 높은 수준의 기대를 갖는 것은 우리에게 도움이 되지 않을 수 있다. 어떻게 대응하느냐에 따라 대상자가 이러한 행동을 변화시키는 데 도움이 되는 전략의 결과가 크게 달라질 수 있다. 도움이 되지 않는 간호반응으로는 대상자를 피하고 문제를 최소화하는 것이 있다. 이러한 회피반응은 대상자가 간호를 요구하거나, 간호사의 사무실 공간에 지속적으로 찾아오거나, 지역사회 환경에서 지속적으로 간호사에게 전화를 거는 대상자에게 보일 수 있다. 그러나 회피 접근방식은 대상자가 자신의 요구가 충족되지 않는다고 느껴 행동을 더 악화시키는 결과를 가져오기도 한다. 간호사가 일부 행동을 장려하고 싶지 않을 수도 있지만 이 경우에도 여전히 대상자를 참여시킬 필요가 있다. 대상자의 공격적 행동에 간호사가 화를 내거나 처벌을 가하는 방식으로 대응하는 것도 도움이 되지 않는다. 대상자에 대한 간호사 자신의 감정적 반응을 인식하는 것은 안전한 실무환경을 만드는 데 필수적인 부분이다.

자신의 감정을 관리하는 방법

어떤 관계에서든 자신의 감정과 행동을 이해하고 관리할 수 있어야 한다. '투쟁 또는 도피 반응'으로 알려진 우리의 자연스러운 반응은 사람들이 위협을 가하거나 화를 내거나 조종할 때 종종 유발되어 자신을 방어하기 위한 즉각적인 자연 반응으로 이어진다. 간호사는 '투쟁 또는 도피' 반응이 정상임을 알고 있어야 하며, 이를 예상해야 한다. 경험할 수 있는 신체적 징후는 다음과 같다.

- 증가된 맥박수와 혈압
- 얕고 빠른 호흡
- 근육 긴장
- 구강 건조
- 과도한 땀

또한 '투쟁 또는 도피' 반응 후에 나타날 수 있는 심리적 증상은 다양하다.

- 짜증과 조급함
- 잦은 반추, 걱정 및 불안
- 우울
- 슬프거나 속상한 느낌
- 집중력 저하, 기억력 감퇴
- 양가감정과 압도감, 또는 사소한 문제에도 대처할 수 없음

투쟁/도피 반응을 관리하는 데 자기관리 계획이 도움이 될 수 있다. 예를 들어, 호흡에 집중하거나 누군가와 관계를 맺기 전에 다섯까지 세는 것은 침착하고 신중한 태도로 반응하는 데 도움이 될 수 있다. 또한 내적인 대화는 도전적인 상황에 성공적으로 접근하기 위한 전략이다. 예를 들면 일이 잘 풀리지 않을 것이라는 부정적인 태도로 상황에 접근하면 이는 아마도 간호사의 행동과 결과에 영향을 미칠 것이다. 자신에게 말하고 있는 내용이나 생각하는 내용에 주의해야 한다. 최악의 생각 또는 파국적인 생각은 자신이 부정적인 방식으로 행동하게 만들 수 있다(예 '이 환자는 절대 변하지 않을 것이다' 또는 '이 환자를 더 이상 간호할 수 없다').

반대로, 어려운 상황에 대한 성공적인 해결을 협상할 수 있는 내부 대화를 하는 것은 기술과 자원을 활용하는 데 도움이 될 것이다. 또한 몇 분 동안 시간을 내어 자신의 행동에 대해 다음과 같이 생각해 볼 수도 있다. '여기서 내가 너무 화를 내는 건가?' 또는 '이 대상자와 다시 대화하기 전에 진정해야 하는가?' 또는 동료와 함께 자신의 감정을 전달하고 행동을 반성하는 것이 도움이 될 수 있다.

안전한 간호에 대상자를 참여시키기 위한 원칙

간호 업무에서 안전한 환경을 조성하는 데 몇 가지 일반 원칙을 이해하는 것이 중요하다.

언어적 상호작용

말을 하는 방법은 '무엇을 말하는가'보다 더 중요할 수 있다. 적절한 어조를 사용하고 말하는 속도, 말하는 양과 압력은 대상자를 참여시키는 방법에 영향을 미칠 수 있다. 말하는 '방법'을 조정해야 한다.

자신에게 '내가 충분히 크게 말하고 있는가?', '내가 너무 시끄럽고 위협적으로 들리는가?'라고 자문해 보아야 한다. 대상자와의 상호작용이 발생하면 어조를 미세하게 조정하여 접근방식을 확인하고 다시 검토해야 한다. 간호사의 말을 행동과 연결하면 대상자에게 간호사가 참여에 관심이 있다는 느낌을 줄 수 있고 치료적 라포를 유지하는 데 도움이 될 수 있다. 또한 말과 행동이 일치하지 않는 경우 대상자와 다른 사람들이 이를 신뢰할 수 없고 진정성이 없는 것으로 해석할 수 있다.

비언어적 상호작용

자신을 유지하거나 행동하는 방법인 비언어적 의사소통은 대상자를 참여시키는 데 중요한 측면이다.

신체 언어를 통해 우리는 지속적으로(때로는 무의식적으로) 비언어적 신호를 보내고 받는다. 보내는 비언어적 신호에 대한 인식은 특히 유용할 수 있다. 간호사의 말은 하나의 메시지를 전달할 수 있지만 간호사가 하는 움직임과 몸짓은 다른 메시지를 전달할 수 있으며, 잠재적으로 혼란, 오해 및 일련의 부정적인 감정을 유발할 수 있다. 다음은 비언어적으로 응답하는 몇 가지 방법이다.

- 말하는 동안, 자신이 어떻게 앉거나 서 있는지, 얼굴 표정, 손과 다리가 무엇을 하고 있는지 알아차리도록 노력해야 한다.
- 대상자가 자신과 간호사 사이의 거리를 결정할 수 있도록 허용한다. 이것은 대상자가 어느 정도 통제감을 느끼는 데 도움이 될 수 있다. 개인적인 공간이나 거리는 문화적 또는 개인적 뉘앙스에 따라 다를 수 있다.
- 허리 높이 또는 그 아래에서 손이 보이는 편안한 열린 자세를 유지하면 덜 위협적으로 보일

수 있다.

- 눈을 마주치는 방식이 도움이 될 수 있다. 간헐적으로 눈을 마주치고 오래 쳐다보는 것을 피하는 것이 도움이 된다.
- 상황에 따라 적절한 표정을 사용하는 것이 중요할 수 있다. 미소와 걱정스러운 표정 사이의 균형을 찾는다. 따뜻함과 수용의 표현이 도움이 될 수 있다. 위치, 움직임 및 제스처는 임상 상황에 따라 달라질 수 있음을 명심한다.

유연함

간호는 유연한 능력과 다양한 접근방식에 참여할 수 있는 능력이 필요하다. 대상자의 행동을 통제해야 한다고 생각하는 간호사는 대상자를 간호할 때 대상자가 자기 통제감을 유지하거나 재획득하도록 돕는 과정에서 조차 대상자를 통제하려는 유혹을 받을 수 있다. 이러한 현상이 일어나면 간호사에게 환자를 통제하려는 생각에 대한 재구조화가 요구된다. 이는 시간을 할애하여 다른 방식으로 타협을 시도하거나 대상자를 인내하고 공감하는 질적인 과정을 요구하는 것이다.

적극적인 경청

정신간호사는 대상자와 함께 하는 일상 업무의 대부분에서 적극적으로 경청하는 기술을 사용한다. 적극적인 경청은 간호사가 누군가의 필요에 주의를 기울이고 있음을 보여준다. 적극적으로 경청하는 행위는 공감하는 과정을 시작하고 간호사의 반응을 형성하는 데 더 많은 시간을 줄 수 있다. 조언을 하지 않고 동의없이 수용하는 입장을 취하면서 대상자가 무엇을 말하는지 성찰하는 것은 대상자가 보다 편안한 입장에서 자신의 행동을 성찰하도록 하는 것이다. 적극적인 경청은 공감의 존재를 보여주고 대상자가 자신의 감정을 인정하도록 도우면서 대상자가 부정적인 행동을 하지 않고 그에 대해 이야기할 수 있도록 한다.

공감

열린마음은 대상자의 문제들과 간호사의 우려들을 서로 정직하게 드러내는 것으로부터 발전할 수 있다. 공감하거나 대상자의 감정 속으로 들어가 그들을 이해하려고 하는 것은 대상자에게 간호사가 그들의 관심을 인정하고 그들과 연결하려고 노력하고 있다는 느낌을 준다. 다른 관점을 존중한다고 해서 그 관점에 동의하는 것은 아니다. 예를 들어, '오늘밤 당신이 가족을 방문하고 싶어한다는 것을 이해한다. 그리고 그렇게 하지 못하는 것에 대해 화가났다는 것을 알 수 있다.' 이 입장은 동의할 필요없이 누군가의 경험을 받아들일 수 있음을 보여준다.

주장

주장은 징벌적이거나 실제로 공격적으로 보이지 않도록 신중함이 필요한 기술이다. 주장이라는 것은 자신의 경험을 반영함과 동시에 다른 사람의 행동에 대한 기대치를 설정하는 것이다. 이 접근방식에는 명확한 한계 또는 경계를 설정하면서 높은 수준의 공감을 표시하는 것이 포함 된다. 다음은 비판단적이며 따라서 인본주의적인 방식으로 한계를 설정하고 감정이입을 보여주는 자기 주장적 진술의 예이다.

> '당신은 매우 큰 소리로 말하고 있지만, 내가 어떻게 당신을 도울 수 있는지 이해하기 어렵습니다.'
>
> '당신은 괴로워 하고 화난 것 같습니다. 당신이 준비되면 더 이야기할 수 있겠습니까?'

이러한 자기주장에 대한 진술을 '나는 당신이 이것을 하기를 원하지 않는다는 것을 알고 있다' 및 '당신이 노력하고 있어 감사하다'와 같은 진술을 결합하는 것도 도움이 될 수 있다. 논쟁, 상충되는 조언 및 장황한 설명을 피하는 것이 중요하다. 어떤 상황에서는 발생해야 할 일에 대해 단호하고 간결한 요청이 필요할 수도 있다.

> '방문객이 근무시간 이후에 머물기를 원하지만 불행히도 병원 정책 상 7시 30분 이후에는 가셔야 합니다.'
>
> '당신의 행동이 일부 사람들을 화나게 만들었기 때문에 잠시 이곳에 머물러 계셔야 합니다.'

처음에는 대상자가 동일한 행동을 계속할 수 있지만 기대치를 반복하면 메시지가 강화된다. 간호사의 태도가 공격적이지 않고 간호사의 반응이 일관적이라면, 이것은 문제가 되는 행동을 바꿀 수 있는 가장 좋은 기회를 제공한다. 만족스러운 결과를 인정하도록 명심한다. '고맙다'라고 말하고 겸손을 보이는 것은 간호사–대상자 관계에서 매우 강력한 도구이다.

공격성 간호에 있어 안전

간호사는 종종 자신이 보는 일부 행동을 설명하기 위해 '동요/불안'이라는 단어를 사용한다. 동요는 뭔가 잘못되었다는 신호이다. 극도로 비정상적인 상황에 대한 대상자의 반응일 수 있다. 공격성이나 공격적인 행동은 적대적이거나 해를 입히거나 파괴적인 것으로 인식되기도 하며, 좌절감으로 인해 발생할 수 있다. 때로는 공감하고 적극적으로 경청하려는 최선의 노력에도 불구하고 대상자는 좌절하고 동요한다. 분노가 간호사를 향할 수 있지만, 그것은 한 사람으로서 간호사를 향하지 않는다. 이 차이가 미미해 보이지만 그 의미는 클 수 있다. 행동을 개인화하는 것이 아니라 전문적인 시각을 통해 행동을 보면 객관적인 태도를 유지하는 데 도움이 된다. 누군가가 화를 내면 자신의 감정상태를 인식하지 못하는 경우가 많다. 정신간호의 필수적 대상자의 태도와 다른 사람과의 상호작용을 관찰하는 것이다. 조기중재가 필요할 수 있는 일부 생리학적 관찰은 다음과 같다.

- 얼굴이 붉어지거나 상기됨
- 이를 악물고, 긴장된 얼굴 표정
- 주먹을 꽉 쥐는 것과 같은 근육의 긴장도 증가
- 서성거리기 또는 이리저리 걷기 같은 증가된 운동 활동
- 길게 눈을 마주치거나 응시하는 행동

좌절하거나 동요하는 대상자는 의사소통을 거부하거나 심지어 간호사에게서 물러날 수 있다. 이러한 경우에 악화되는 생리학적으로 관찰되는 증상을 예방하고 중재하는 것이 필요할 수도 있다.

간호의 안전과 단계적 완화 기술

단계적 완화는 효과적인 의사소통 기술을 통한 문제해결을 목표로 하며, 간호사의 공감적이고 존중하며 협력적인 접근방식의 성공을 뒷받침한다. 이 접근방식은 행동 증가의 일반적인 징후를 이해하고 의사소통 기술을 사용하여 불안하고 감정적으로 흥분하거나 동요하는 개인을 의도적으로 참여시키는 능력을 포함한다. 상황 축소를 준비하는 데 도움이 될 수 있는 단계적 완화의 몇 가지 요소가 문헌에서 확인되었다. 이러한 단계적 완화의 주요 요소는 **표 5.2**에 요약되어 있다.

표 5.2 단계적 완화, 주제, 원칙, 속성 및 중재

주제 및 원칙	어떻게 할 수 있는가?	당신이 말할 수 있는 것
의사소통		
행동 악화 초기의 접촉 설정	여러 사람이 말할 때 혼란스럽고 비생산적일 수 있으므로 한 사람은 차분하고 신중한 방식으로 참여해야 한다. 그 사람의 이름과 자신의 단어를 사용하고 재치 있는 언어와 유머를 민감하게 사용한다(안전하다고 느끼는 경우에만).	'안녕 J. 제 이름은 A입니다. 고통스러워 보입니다. 내가 좀 봐도 되겠습니까?'
자극적이지 않은 참여	차분한 태도와 적절한 어조를 보여주고 적극적으로 참여한다(감정적이거나 대립적이지 않음). 응시를 피하기 위해 눈 접촉은 간헐적으로 한다. 자신의 신체언어에 대한 인식과 팔이 보이도록 개방적이고 위협적이지 않은 자세를 취한다(접히거나 등 뒤에 숨기지 않음). 유머는 적절할 때만 도움이 될 수 있다.	이런 말을 피한다: '진정하세요', '저한테 그런 식으로 말하지 마세요' 또는 '다른 사람을 화나게 하고 있어요' 권장하는 대화: '제가 무슨 일이 일어나고 있는지 이해할 수 있도록 앉아서 이야기해요.'
욕구와 감정 규명	폭력적인 행동은 무언가가 잘못되었거나 필요가 충족되지 않았다는 의사소통의 원시적인 형태이다. 이것의 외적 표현을 넘어서 어떻게 도울 수 있는지 질문한다.	'속상하신 거 이해해요. 앉아서 의논합시다' 또는 '우리가 당신을 도우러 왔습니다. 우리가 어떻게 하는 게 좋을까요?'
적극적인 경청	관심이 있다는 것을 신체적 언어와 언어적인 확인을 통해 전달하고 이해한 내용을 되풀이(의역)한다. 행동과 말을 일치시킨다. 침묵은 사람이 자신의 생각을 명확히 할 시간을 줄 수 있다.	'당신은 당신이 …을 원한다고 말했습니까?' 또는 '제가 …라고 말하는 것이 맞습니까?'
공감을 표현	언어적 및 비언어적 의사소통에서 공감을 나타낸다. 상대방의 감정/상황을 인정하면서 경청하고 이해(동정이 아님)를 제공한다.	'그것도 저를 실망시킬 것입니다' 또는 '이것이 당신에게 어떤 영향을 미치는지 알 수 있습니다'
간결함	감정적으로 각성된 상태에 있을 때 집중하는 능력이 손상된다. 전문용어나 의학용어는 피한다. 명확하고 천천히 말한다. 정보를 여러 번 반복해야 한다.	'앉아서 당신의 고통에 대해 의논합시다' 또는 '당신의 건강과 안전이 염려됩니다'
동의 또는 수락	관련이 있는 경우 우려사항을 확인하고 우려사항이 그 사람에게 고통스럽다는 사실을 받아들인다(동의하지 않을 수도 있음). 합의의 기회에 집중한다.	'이런 일이 일어나서 미안하다, 용납할 수 없다' 또는 '나도 이렇게 오래 기다리면 화가 날 것 같다'
선택과 낙관을 제공	선택을 제공하는 것은 적절한 경우 권한을 부여하고 도전적인 행동에서 수용 가능한 '아웃'을 제공하면서 내부 통제 감각을 활성화할 수 있다. 또한 음식/음료 또는 통증 완화와 같이 관련이 있는 경우 친절 행위로 인식되는 것을 제공한다. 정직하지 못하거나 지킬 수 없거나 다른 사람을 손상시키는 약속은 하지 않는다.	'물과 진통제를 드릴까요? 그런 다음에 의논할 수 있습니다.' 또는 '미안하지만 그렇게 할 수 없습니다. 내가 할 수 있는 일은 당신을 도와주는 것뿐…'
자기조절		
자기통제/평정 유지	두려워하는 것처럼 보이는 것은 누군가를 불안하게 만들거나 조작의 맥락에서 행동을 악화시킬 수 있다. 감정 조절, 자제력 및 자신감을 유지한다. 참여하기 전에 3까지 세면서 호흡에 집중한다. 성공적으로 협상하고 악화시키는 것을 막을 수 있는 긍정적인 내부 대화를 하는 것은 효과적인 자제 계획에 기여할 수 있다.	'나는 [사람의 이름]과 연결하여 성공적으로 상황을 완화시킬 수 있다고 확신합니다.' 또는 '모두가 안전하게 해결될 것입니다'라고 자신에게 말한다.
비판단적 접근	그 사람과 문제에 대한 감정을 분리한다. 그 사람에 대한 판단을 피하고 도전적인 행동을 개인화하지 않는다.	'당신일 것이라고 전혀 생각하지 않았어', 또는 '당신이 나에 대해 그렇게 생각했다니 유감이야' 또는 '당신에게 나쁜 인상을 주려던 것은 아니야'

표 5.2 단계적 완화, 주제, 원칙, 속성 및 중재(계속)

주제 및 원칙	어떻게 할 수 있는가?	당신이 말할 수 있는 것
자기조절		
자기성찰	사건 이후의 개인적인 성찰을 통해 무엇이 잘 되었는지 안 되었는지를 고려하고 이해할 수 있다. 이는 참여/개입 전략의 일관성 또는 수정을 가능하게 한다.	동료에게 '내가 어떻게 해야 했나요?' 또는 '내가 다르게 행동할 수 있었나요?'
사정		
중재하는 것이 안전한가?	중재와 관련된 위험을 평가한다. 악화되는 행동을 해결하려면 조기 중재가 항상 권장되지만, 안전하다면 참고 기다리거나 예방하는 것이 이익-손해 비율을 평가할 때 더 합리적일 수 있다 아무것도 하지 않거나 지원을 기다리면 어떻게 되는지 자문해 본다.	'잠시 시간을 내어 처리해 볼까요?' 또는 '내가 치료하기 전에 그 칼을 내려 놓아야 합니다.' 또는 '동료를 기다려도 될까요? 그는 당신의 고통을 도울 수 있는 무언가가 있습니다'
바로 지금	개인의 감정상태, 또는 모든 이들을 위한 안전과 관련된 상황은 즉각적으로 사정한다. 다른 측면의 사정과 중재는 기다릴수 있다.	'당신은 괴로워하는(또는 화난) 것처럼 보입니다. 그것에 대해 이야기할 수 있습니까?'
공격성 악화	서성거리기, 주먹 꽉 쥐기, 물건 발로 차기, 큰 목소리, 응시, 긴장된 표정, 자세를 취하거나 요청을 무시하는 것과 같은 알려진 폭력의 초기 경고신호를 관찰하고 인식한다.	'내가 당신의 일에 참석할 수 있도록 당신이 앉으셔야 합니다.'
행동		
위치 모방	대상자가 서 있으면 일어선다(개인 안전). 그들이 앉아 있다면 앉는다. 이는 단계적 완화를 성공적으로 수행하는 데 필요한 형평성을 반영한다.	'앉아도 될까요?' 또는 '같이 가도 될까요?'
자극을 줄이기; 안전한 공간 만들기	잠재적인 폭력성 또는 악역으로부터 자유롭기 위한 사적인 상호작용을 격려하고 환경적 자극을 감소시킨다. 상황에서 사람 또는 다른 사람을 제거하여 참여 및 중재를 위한 안전한 공간을 만든다.	'우리 저곳으로 가서 이야기해도 될까요?' 또는 '우리 앰뷸런스에 앉아서 … 참여할 수 있을까요?'
혼란	행동이 악화되는 상황에서 그 사람의 주의를 돌린다. 개인과 상호작용할 다른 사람을 데려오면 성공적이지 않은 단계적 완화의 역동이 바뀔 수 있다.	'당신이 안전하거나 어디로 가는지 알려주기 위해 전화를 걸고 싶은 사람이 있습니까?' 또는 '이 사람은 내 동료, J입니다. 당신의 고통을 위해 내가 무엇을 하는 동안 그녀가 당신 가까이에 있어도 될까요?
제한 설정	간호사가 어떤 일이 일어나길 원하는지, 그리고 간호사가 돕고 싶은지에 대해 대립적이지 않고 정중한 방식으로 분명히 한다. 안전하다면 행동 기대치에 대한 논의가 도움이 될 수 있다. 불편함을 느낀다면 인정한다. 겸손은 매우 강력한 도구이다!	'당신이 소리를 지르면 내가 어떻게 당신을 도울 수 있는지 이해하기 어렵습니다' 또는 '당신이 나를 위협하는 동안 당신의 요구에 부응할 수 없습니다'
치료적 처지	통증이나 혼란과 같은 행동 증가의 원인을 식별하고 완화하면 단계적 완화 전략과 필요한 치료를 신속하게 알릴 수 있다.	'고통에 도움이 될 만한 것을 알려주어도 될까요?' 또는 '마음을 가라앉히는 데 도움이 되는 약을 주어도 될까요?'
안전 유지		
상황인지	상황 인식은 자신이 어디에 있는지, 자신 주위에 누군가 또는 어떤 것이 위협이 되는지, 그리고 어떤 지원을 이용할 수 있는지와 관련하여 자신 주변에서 일어나고 있는 일을 인식하는 것이다. 방심하지 않는 것이 중요하다. 격리, 빠른 탈출 및 출구 경로, 잠재적인 무기, 위험 및 유발 요소의 제거 또는 조정 측면에서 환경에 대한 인식이 가장 중요하다.	'다른 곳에서 이야기할 수 있을까요?' 또는 '여기 앉아도 될까요?' 또는 '주사기를 내려 놓을 수 있다면 제가 참석하겠습니다.'

표 5.2 단계적 완화, 주제, 원칙, 속성 및 중재(계속)

주제 및 원칙	어떻게 할 수 있는가?	당신이 말할 수 있는 것
안전 유지		
상황 지원	동료들과의 의사소통은 필수적이다. 과도한 무력행사가 대상자의 행동을 악화시킬 수 있다는 점을 염두에 두고 필요한 경우 지원해 줄 수 있는지를 확인하는 것은 필요하다.	'아무도 곤경에 처하지 않았습니다. 경찰은 모두의 안전을 위해 여기 있습니다' 또는 '누군가에게 연락하여 예상보다 오래 걸릴 것임을 알려야 합니다'
조심스러운 접근	갑작스러운 움직임을 피하기 위해 조심스럽게 접근한다. 두려워하거나 혼란스러워하는 사람(위협적으로 보일 수 있음)과 너무 가까이 있는 것을 피하면서 가까운 거리에서 안전하다고 느낄 때까지 잠재적인 공격으로부터 보호할 수 있는 거리를 유지한다.	'제가 상처 좀 볼 수 있을까요?' '누군가가 당신의 안전을 염려해서 전화를 걸었습니다.'
개인공간 존중	두려워하거나 무관심한 것처럼 보이지 않도록 주의하면서 평소보다 더 많은 개인공간이 필요할 수 있음을 인정한다.	'저거 좀 봐주실래요?' 아니면 '가까이 안 오고 그냥 이야기를 나눌래요'
관련된 모든 사람에게 브리핑	보고는 관계의 치료적 측면을 유지하는 데 도움이 된다. 해결 방법에 관계없이 해결 후 고립감을 느끼지 않는 것이 중요하다.동료들과의 보고를 통해 심리적 응급처치를 할 수 있다. 방관자는 잠재적으로 외상적인 사건을 목격한 경우 보고를 요구할 수도 있다. 보고를 통해 미래의 위기에 유용할 수 있는 상황에서 배울 수 있다.	환자에게: '우리가 그렇게 해서 미안합니다. 당신이 원하지 않는다는 것을 압니다. 우리가 이것을 한 이유는 ...' 목격자에게: '그것은 목격하기가 매우 어려웠을 것입니다. 괜찮으세요? 집에 데려다 줄 사람에게 연락해도 될까요?' 동료에게: '어떻게 된 것 같나요? 다음에는 뭔가 다르게 해야 할까요?'

비판적 사고 과제 5.7

누군가가 공격적으로 소리를 지르거나, 위협하고, 당신의 주의를 요구할 때 당신의 감정적 반응은 어떨까? 기분이 어떨지 말로 설명할 수 있는가? 어떤 신체반응을 보일까? 어떤 생각을 하게 될까? 어떻게 하면 이 상황에서 안전하게 간호할 수 있을까?

'말하기(talking down)', '탈융합(de-fusion)' 또는 '확산(diffusion)'이라고도 알려진 단계적 완화는 악화된 행동을 위한 1차 중재이다. 일반 원칙은 제한을 최소화하고 양 당사자에게 상호 만족스러운 결과를 가능하게 하는 단기 정신사회적 중재를 사용하여 누군가를 자극적이지 않게 참여시키는 것이다.

• 단계적 완화의 주제, 원칙 및 속성

국제문헌에서 단계적 완화의 주요 구성요소로 다양한 기술, 영역, 주제 및 검증된 척도 항목이 확인되었다. 그러나 최근 의료환경의 단계적 완화에 대한 79건의 연구에서 단계적 완화의 명확성에 대한 우려를 해결하고자 개념 분석을 하였으며, 다음과 같은 이론적 정의를 제안하였다.

> **… 원인에 관계없이 환자의 공격성/동요를 진압하거나 감소시키고 치료자-환자 관계를 개선하는 동시에 또는 강제적이거나 제한을 최소화하는 것을 목적으로 하는 의사소통, 자기조절, 사정, 행동, 안전 유지로 구성된 전문인력(치료자)이 제공하는 요소들로 짜여진 집합 용어**
>
> Hallett & Dickens, 2017; p.16

이러한 정의는 단계적 완화 개념에 대한 가장 포괄적인 이해를 제공하고 단계적 완화 이론-실무의 해석적 측면을 탐색하는 기회를 제공한다. 성공적인 단계적 완화는 기술과 행동의 복잡한 집합과 상호작용으로 구성되며, 이는 도전적인 행동 및 폭력 노출을 해결하는 데 도움이 될 수 있으며, 진정 및 억제와 같은 더 제한적인 실무의 필요성을 방지할 수 있다.

격리와 강박

악화되는 것을 막으려는 시도가 실패하여 결과적으로 물리적 개입을 결정하는 경우가 있을 수 있다.

대상자의 신체 억제는 최후의 수단이며 이를 안전하게 촉진하도록 훈련된 의료 전문가만 수행해야 함을 강조해야 한다. 'Safe war ds (www.safewards.net)'와 같은 프로그램은 정신건강 시설의 사용 제한 및 격리를 최소화하기 위해 만들어졌다. 대체 전략이 있는지 항상 고려해야 하며 만약 그렇다면 이들을 충분히 적용하였는가? 또한 아무것도 하지 않으면 어떻게 되는가? 이러한 질문은 대상자의 최선의 이익을 위해 또는 자기 방어를 위한 근거로 합리적인 힘이 가해졌는지를 고려할 때 폭행 혐의와 관련하여 제기될 수 있다. 억제는 대상자와 치료자에게 심각한 부상 위험을 수반하며 경우에 따라 사망에 이르기까지 한다. 격리는 대상자와 치료자 모두에게 심각한 외상과 고통을 수반한다. 안전한 억제 및 격리 사용에 대한 몇 가지 지침 원칙은 **박스 5.3**에 요약되어 있다.

간호사의 이야기 5.3은 대상자 억제 및 격리 사용과 관련된 복잡성과 정서적, 심리적 문제를 보여준다. 정신건강 간호의 초기 시작을 반영한 경험 많은 정신간호사가 하는 이 이야기는 정신건강 전문 분야 내에서 인간 상호작용과 관련된 외상의 강력한 표현을 묘사한다.

고의적 자해 및 자살

고의적인 자해는 매우 어려운 문제이다. 자해 대상자는 상황적 위기에서 또는 외상에 대한 재경험과 관련하여 자해 행동을 하며, 고의적인 자해가 고통스러운 감정을 관리하는 수단이라고 설명한다.

박스 5.3 안전한 강박을 위한 원칙

1. 억제는 최후의 수단이다. 덜 강압적인 다른 중재가 성공하지 못하거나 부적절할 때 사용된다.
2. 환자의 자유에 대한 모든 제한과 그들의 권리, 존엄성 및 자존심에 대한 제한은 최소한으로 유지되어야 하며 환자가 자제력을 회복하는 즉시 중단되어야 한다.
3. 억제와 격리는 결코 처벌의 수단으로 사용되어서는 안 된다. 종사자들이 취하는 모든 행동은 최소한의 힘으로 대상자의 행동에 비례해 정당화되어야 한다.
4. 직원은 억제 또는 격리에 있어서 환자의 안전, 편안함 및 인도적 대우를 보장하기 위한 합리적인 간호와 기술을 사용해야 한다.
5. 상황을 완화하기 위한 모든 기회를 활용하여 대상자와의 의사소통 및 참여를 항상 유지하여야 한다.
6. 누군가를 억제할 때 통증을 유발하지 않아야 하며, 목, 복부, 흉부, 등 또는 관절에 직접적인 압력을 가하는 것도 피해야 한다.
7. 환자의 신체상태를 지속적으로 모니터링해야 하며, 특히 기도의 악화가 있는 경우 즉시 기록하고 관리해야 한다.
8. 모든 억제 삽화에는 안전을 유지하기 위해 억제 전반에 걸쳐 임명된 리더가 있어야 한다.
9. 안전한 곳에서 안면보호대(누운 자세)를 사용해야 한다. 환자와 종사자를 보호하는 가장 안전한 방법인 경우에만 얼굴을 아래로 향하게 하는 구속(기울임)을 사용해야 한다. 엎드린 자세 억제는 약물 투여 및/또는 환자를 안전한 환경으로 이동하는 데 필요 한 최소 시간 동안만 사용해야 한다.
10. 모든 상황에서 환자, 종사자 및 기타 관련자를 위한 격리 후 보고가 수행되어야 한다.

출처: Clinical Excellence Commission, 2015

간호사 이야기 5.3

나는 정신간호사로 20년 이상 일했다. 나는 두 가지 측면에서 정신건강에 관심을 갖게 되었다. 첫째, 연구가 거의 진행되지 않아 많은 발견이 기다리고 있는 '개척지'였다. 둘째, 무엇보다 '정신건강'을 모든 곳에서 볼 수 있었다. 치위생사로서의 이전 경험을 통해 나는 사람들이 경험하는 두려움과 불안에 대해 잘 알고 있었다. 나는 사람들이 안전하다고 느끼도록 만드는 데 인간의 상호작용이 얼마나 강력한지 알게 되었다. 정신간호사로서의 시작은 간호학과를 졸업하기 훨씬 전에 시작되었다.

나는 간호학을 공부하는 과정 중에 가장 인상깊었던 것은 옹호자로서의 간호사 개념이었다. 이에 대해 알면 알수록 정신건강 문제가 있는 사람을 가능한 한 적극적으로 옹호하기로 결심했다. 임상가로서, 그리고 나중에는 교육자이자 관리자로서 이것이 나의 가장 가치 있는 역할이었다.

효과적인 옹호자가 되려면 자신의 동기를 이해하고 '구조'를 통해 다른 사람의 힘을 키우려는 것과 힘을 빼는 것 사이의 미세한 균형에 주의를 기울이는 것이 중요하다. 누군가의 요구가 충족되고 있는지에 대한 지속적인 성찰이 핵심이다. 옹호는 다른 사람이 자신의 목표를 달성하는 데 도움이 되는 자원이 되어야 한다. 적극적인 옹호가 필요한 경우 요청에 따라 또는 다른 사람의 동의를 받아 이상적으로 활성화되어야 한다. 정신질환의 경험이 있는 사람들의 필요를 고려하는 것 외에도 정신간호는 자신의 필요에 대한 인식도 포함한다. 따라서 자기옹호와 동료옹호는 안전하고 지속 가능한 실천을 위한 토대를 제공한다.

옹호자가 되는 것이 항상 쉬운 것은 아니다. 신규 때의 일이다. 첫 번째 배정된 곳은 정신의학과 폐쇄병동이었다. 근무 둘째 날 인계 후 병동 라운딩을 할 때, 직원들이 병동 바닥에 덩치 큰 남성을 잡고 있는 것을 보았다. 그곳에 있던 다른 대상자들은 겁에 질린 표정이었다. 나는 '그의 발을 잡아라'라는 명령을 받기 전에 무슨 일이 일어나고 있는지 상황판단을 할 시간이 없었다. 다음 25분 동안 이 남성을 제지하고, 약물을 투여 하고, 궁극적으로 격리하는 데 관련된 팀의 일원이었다. 무슨 일이 일어났는지, 왜 우리가 이 일을 하고 있는지, 무엇을 해야 하는지 알 수 없었다. 대학 교육은 이러한 상황을 위한 교육이 없었다. 나는 충격을 받았고 속으로 괴로워했다.

얼마 지나지 않아 동료들은 일상적인 활동을 재개했고 이 사건에 대해 별다른 언급이 없었다. 동료들에게 일상적으로 보였던 일이 나를 완전히 당황하게 만들었다. 사생활이나 실습 중에도 다른 사람을 그들의 의지에 반해 바닥에 잡아두는 일을 준비할 기회는 없었다. 이러한 역할은 간호사이자 옹호자로서의 내 초기 정체성과 조화시키기가 어려웠다. 이 혼란은 오늘날까지 나에게 남아있다. 그러나 그것은 또한 '간호사란 무엇인가?', '간호사로서 나는 누구인가?'와 같은 질문에 대한 평생 동안의 성찰을 시작하도록 했다. 또한 간호사로서 격리와 강박을 삶의 '정상적인' 부분으로 보지 않겠다는 결심을 하게 만들었다. 결과적으로 나는 대상자와 동등하게 참여할 수 있는 역할로 이동했다. 가능하면 '여기서 일하는 방식'에 도전하려고 한다. 나에게 간호사가 된다는 것은 용감하고 자기 인식이 강하고 다른 사람들이 목소리를 낼 수 있는 플랫폼을 제공하는 것을 의미한다.

자해 행동은 외부 또는 내부 부상이 있다. 베기, 긁기, 태우기, 후비기, 머리 두드리기와 같은 외부 행동이 더 일반적이다. 그러나 임상실무에서 물건이나 물질을 삼키는 것과 같은 내부 행동도 나타날 수 있다. 누군가의 동기, 감정 상태 또는 자해 행동 유발요인을 이해하려는 노력이 반드시 필요하다. 충동성, 자신을 통제하려는 욕구 또는 자제하려는 노력에 대한 평가도 중요하다.

외상 경험

신체적 및 성적 외상 경험은 자해를 강력하게 예

측하고 뒷받침한다. 대상자는 일반적으로 자해를 신체적, 정서적 경험으로부터 분리된 상태 또는 분리의 느낌이라고 설명한다. 자해 대상자에게는 외상의 유형, 정서조절 장애, 해리, 불량한 공격성 조절 또는 불량한 충동조절을 포함하여 몇 가지 매개요인이 있을 수 있다. 고의적 자해와 자살시도를 혼돈하는 경우가 있다. 고의적인 자해는 죽을 의도가 거의 없기 때문에 확실한 자살 행동은 아니다. 그 행동은 자살을 시도하기보다는 불안이나 긴장에서 벗어나거나 괴로운 감정에서 벗어나기 위한 것일 수 있다.

복잡성은 자해 행동을 하는 사람이 자살할 수도 있다는 것이다. 자해 대상자의 자살 가능성을 평가하는 것은 많은 사람이 종종 우울한 기분으로 불쾌감을 느끼기 때문에 어렵다.

이 행동은 죽을 의도가 없거나 대상자가 수년 동안 이러한 유형의 행동을 했다면 자살이 위험이 더 높아진다.

중재

대상자 행동의 의미를 탐색하는 데 공감은 가장 좋은 출발점이다. 자해 행위 중 고통이 그 사람에게 의미하는 바를 이해하면 대상자와 치료적 관계를 맺는 데 도움이 될 수 있다. 눈앞에 있는 것(즉, 팔의 상처나 베인 상처)을 넘어서 행위의 의미와 중요성을 탐구하면 대상자를 치료에 참여시키는 데 도 움이 될 것이다. 자해 행동 중에 발생하는 사건, 생각, 감정, 촉발된 사건 및 기타 아이디어에 대한 세부 정보를 얻는 것은 대상자와 협력하려는 의지를 나타낸다.

간호사의 편협하거나 무시하는 접근은 종종 자해 행동의 증가를 유발한다. 그 이유는 그들을 뒷받침하는 정서적 고통이 인정되지 않았고 다루어지지 않았기 때문이다.

일반적인 간호 전략은 대상자가 자살 생각이 들 때 운동하거나 또는 주변의 부드러운 물건을 때리거나 던지고, 얼음조각을 이용하고, 고통받을 때 손목을 밴드로 문지르는 것 같은 이완과 주의 분산전략을 포함하는 고통관리 기술을 배우는 것이다. 대상자는 조기 경고 신호에 대해 배우고 잠재적으로 스트레스를 받거나 직면할 수 있는 어려운 상황에 대한 계획을 세울 수 있다. 대상자에게 이러한 경험을 단어, 그림 또는 이야기로 표현하도록 권장하면 대상자가 주변 세계와 어떻게 관련되어 있는지 이해하는 데 도움이 될 수 있다.

고의적인 자해는 복잡한 문제이며 치료 과정이 길어지고 예측할 수 없다. 일반적으로 정신요법이 가장 일반적인 치료법이며 변증법적 행동요법이 최근 이 영역에서 우세하다.

조종

조종(manipulation)은 일반적으로 누군가가 자신의 필요를 충족시키기 위해 하는 행동이다. 여기에는 다음과 같은 유형의 행동과 활동이 포함될 수 있다; 타인에 대해 권력과 통제를 유지하려는 시도; 한 직원하고만 업무를 하는 것(분리); 다른 사람들에게 죄책감과 수치심을 갖게 하는 것; 자신의 행동에 대한 책임을 다른 사람이 지게 하는 것; 다른 사람과의 상호작용에서 이점을 얻으려는 시도. 조종은 간호사와 대상자 모두 사용할 수 있다. '조종'이라는 단어 뒤에 숨겨진 의미는 부정적인데 이는 대상자는 나쁘다 또는 개인이 행동보다 어렵다는 것을 암시한다. 간호사로서 우리는 이러한 행동을 어떻게 분류하는지 신중할 필요가 있으며 그러한 분류의 의미를 신중하게 생각할 필요가 있다.

영향력 대 조종

일반적으로 간호사는 치료적 관계에서 권력을 쥐고 있다. 따라서 그 책임을 수행하는 방법을 알고 있어야 한다. 대상자–간호사 협력 및 긍정적인 결과는 조종보다는 영향력을 사용하면 달성할 가능성이 더 크다. 목표는 강요나 조종이 아닌 격려와 협상으로 이룰 수 있으며, 대상자가 의사결정에 참여하는 것은 누군가를 안전한 돌봄에 참여시킬 수 있는 최고의 기회를 제공할 것이다.

편향되지 않은 균형 잡힌 정보를 제공하고 간호사의 필요와 관심사뿐만 아니라 대상자의 요구와 관심사도 고려한다. 동료들과 이에 대해 소통하고 조종 행동을 규명한다. 의사소통과 일관성을 유지하는 것이 중요하다. 종합적인 문서화가 중요하며, 대상자와 관련된 직원 수를 최소화하는 것이 도움이 될 수 있다. 행동에 제한을 둘 때 명확하고 직접적이어야 한다. 제한 뿐만 아니라 긍정적인 행동에 대해서는 보상하고 칭찬한다. 공동돌봄(collaborative care) 계획은 대상자에게 기대하는 것과 대상자가 간호사에게 기대하는 것이 명확하게 전달되어야 한다. 서면계획에는 간호사가 할 일과 대상자가 할 일에 대한 간단한 설명이 포함될 수 있다. 계약을 증거로 삼기 위해 양 당사자가 서명을 할 수도 있지만 단순한 계약으로 간주되어서는 안 된다. 이는 다른 사람과의 협상된 계약이다.

비판적 사고 과제 5.8

대상자는 가장 좋아하는 한 직원을 설명하고, 다른 직원은 그가 만난 최악의 근로자로 설명하는 '분리' 행동을 보이고 있다.

1. 대상자에게 하고 싶은 말은 무엇인가?
2. 팀에게 하고 싶은 말은 무엇인가?
3. 대상자 및 임상팀과 어떻게 행동하겠는가?
4. 간호사로서의 안전계획은 무엇인가?

간호업무에서의 안전 위험요소 이해

최근 간호사 및 기타 전문가에게 부정적인 사건의 위험을 평가, 예측 및 관리해야 한다는 압박이 증가하고 있다. 드물지만, 세 간의 이목을 끄는 사건들과 그에 따르는 언론의 보도는 정신질환자에 대한 지역사회의 불안을 고조시키고 부적절하고 비효율적인 정신건강관리를 비난하는데 이는 불행한 일이다.

간호사들이 위험을 평가, 그 위험요소를 관리하기 위해 어떤 활동을 해야하는지 확인하여 부정적인 사건을 예방하는 데 전문가가 될 것으로 기대된다.

간호사가 사정해야 할 위험요인은 아래와 같지만 이에 국한되지는 않는다.

- 공격성과 폭력
- 자살 및 자해(추가 시도 및 사망 위험)
- 심한 자기방임(신체건강 악화, 전염병 위험)
- 성적 안전(성적으로 전염되는 감염, 폭행 및 외상의 위험)
- 착취/명성(명예에 해를 끼칠 위험, 재정적 손실)
- 화재안전(개인안전 및 소지품에 대한 위험)
- 도주(추가 피해 위험, 입원기간 연장)
- 약물 불순응(재발 위험)

위험은 정신건강 관리의 통합적 구성요소이다. 그러나 실무에서 위험평가와 관리 과정에서 어떻게 최선을 다할 것인가, 관리과정의 결과가 우리의 시간과 노력에 부합하는가에 대해 많은 논란과 논쟁이 남아 있다.

긍정적인 위험 감수

'긍정적인 위험 감수'는 대상자 자신의 회복 목표

또는 치료에 대한 선호를 존중하고, 이에 대응할 전문적인 준비를 말한다. 아직까지 긍정적인 위험감수는 실제로는 제대로 실현되지 않고 있으며 여전히 대상자와 전문가 사이의 권력 차이를 악화시키고 전문가가 '최종 결정권'을 갖도록 하는 경향이 있다.

회복 지향적인 간호는 대상자가 자신의 삶의 여정과 그와 관련된 위험에 자신의 소유권과 책임이 있다는 입장을 채택한다. 하향식 문화는 대상자 참여와 권한 부여를 위협한다. 현재 정신건강 실무는 여전히 대상자–의료진 간의 권력 차이와 강압적인 환경이 그대로라고 주장한다. 따라서 긍정적인 위험감수와 같은 철학적 프레임워크 및 실무를 통한 대상자 소유권 및 권한 부여를 수용하지 않는 문화는 대상자 권한 부여 및 희망 부족의 결과로 안전한 돌봄 및 현장에 대한 도전을 경험할 것이다.

결과적으로 긍정적인 위험 감수라는 개념이 의사 결정의 최전선에 등장했다. 긍정적인 위험 감수는 한 선택이 다른 선택보다 잠재적인 이익과 해악을 저울질하는 프레임워크 내에서 추론하는 과정을 거친다. 긍정적인 위험 감수는 위험이 무시되거나 최소화되는 부주의한 실무가 아니다. 오히려 상황과 그 잠재적 결과는 모든 행동 과정의 맥락에서 논리적이고 신중하게 고려된다.

위험에 대한 부정적인 초점은 방어적 실무로 이어질 수 있으며, 이는 법적 대응을 두려워하여 비용이 많이 드는 불필요한 중재와 관리로 이어질 수 있다. 대조적으로, 긍정적인 위험 감수는 위험을 일상생활과 건강관리의 일부로 받아들인다. 긍정적인 위험 감수의 예로는 이전에 너무 위험하다고 인식된 입원 환자의 동반자 없는 휴가; 심각한 부작용의 결과로 약물을 투여하지 않는 시도; 위기상황에서 응급실 방문 후 입원 회피; 또는 위기팀의 가정방문 등이 있다. 이는 모두 간호사로서 위험이 도처에 존재한다는 사실을 받아들이는 일상적인 긍정적 위험 감수의 예이다.

궁극적으로 우리는 성장과 권한 부여를 위해 위험을 감수하고 성공이나 실수를 통해 얻은 지식을 활용한다. 여러 장에서 논의된 바와 같이 대상자 참여, 파트너십 및 치료 공동계획은 위험을 긍정적으로 감수할 때 더 좋고 안전한 결과를 얻을 수 있다. 잘 지내는 능력은 기본적인 인권이며, 부정적 사건이 만연시키고 실패에 대한 두려움이 있는 실무, 정책, 법률과는 달리 간호사에 의해 옹호되고 지지되어야 한다.

지역사회 환경 – 안전 및 상황 인식

지역사회 환경에서 안전한 돌봄과 임상환경을 조성하는 일은 다양한 문제를 제기한다. 지역사회 환경은 동적일 수 있으며, 입원환경에 비해 제한된 정보와 자원으로 신속한 안전성 평가가 필요하다. 결과적으로 지역사회 간호사가 상황에 따라 위험과 안전을 인식하고 위험평가에 능숙해질 것으로 기대된다. 이렇게 하려면 다음이 필요하다.

- 위험요소 찾기
- 재치료 선택사항 및 출구 고려
- 상황에 신중하게 접근
- 자신이나 타인(소비자 및 가족)을 위험에 빠뜨리지 않도록 하기(예 폭력 사건에 개입)
- 잠재적인 무기 관찰
- 안전하게 평가 또는 치료하는 데 필요한 추가 자원 고려

표 5.3은 대상자가 지역사회 방문상황에 따라 고려해야 할 몇 가지 특정 안전 및 위험 완화요소를 요약한 것이다.

표 5.3 지역사회 방문의 상황 인식 및 안전

지역사회 방문 전	지역사회 방문 도착	사정/치료	다른 문제
• 위험은 역동적이고 위험도가 낮은 사람이나 상황은 언제든지 바뀔 수 있음을 인식한다. • 환자와 다른 사람들에 대해 가능한 한 많은 정보를 얻는다(해당하는 경우). • 위치에 대한 정보 얻기: 범죄율이 높은 지역에 있는가? 고립되었는가? 경찰에 대한 접근성이 감소했는가? 경찰 지원이 가능한가? 일부 주소는 '출입금지' 또는 '관심장소'로 표시될 수 있으며, 그런 경우 경찰 지원을 고려한다. • 실내(집)에 대한 특정 정보를 수집한다(해당하는 경우): 보안장치, 계단, 외부 조명, 은신처가 있는가? 건물이 현대적인가? 수리가 잘 되었는가?	• 출구를 향하여 차를 주차하고 차에 막히지 않도록 한다. • 잠재적으로 공격적인 동물이 있고 억제되지 않은 동물이 있는 경우 실내에 들어가려고 시도하지 않는다. • 승강기가 없는 건물에 들어갈 때 조명과 계단을 확인한다. • 위치나 건물 접근이 우려되는 경우 가족구성원을 만나서 간호사를 호위하도록 요청한다. • 필요한 경우 신속하게 떠날 수 있도록 출입문의 잠금장치를 항상 확인한다. • 문을 두드리거나 초인종을 울리기 전에 논쟁이나 예상치 못한 목소리 또는 상황을 불안전하게 만들 수 있는 모든 것에 귀를 기울인다(이것이 상황을 재평가하는 이유이다).	• 개인의 집에 들어갈 때 조심한다. • 전문적 본능이 무언가 잘못되었다고 말하면 즉시 탈출한다(잘못된 것이 무엇인지 알아낼 수 없더라도). • 총기나 무기가 보이면 즉시 대피한다(경찰에 신고해야 한다). • 모든 출구를 확인한다. • 깊은 의자는 급하게 자리에서 일어나기가 어려우므로 앉지 않는다(직립의자 요청). • 항상 고객과 문 사이에 앉지만 고객의 나가는 길을 막지 않는다. • 가방 바닥에서 열쇠를 찾는데 시간을 낭비하지 않도록 열쇠를 가까이에 둔다. • 필요한 것만 수용한다.	• 항상 정기적으로 본부에 보고한다 • 일어나지 않았지만 위험한 현재 공격성인 "위기일발"은 항상 보고한다. • 경찰 출동 등 제시간에 돌아오지 못하는 경우 직장에 정책과 대응책이 있는지 확인한다. • 기관에서 제공하는 모든 직장 폭력 예방 및 개인 안전 교육에 참석하였는지 확인한다.

출처: Lamont & Brunero, 2019

정신건강 환경의 위험 요약

위험 평가 및 관리는 정신건강 돌봄을 제공하는 것과 불가분의 관계가 있다. 정확한 예측은 불가능하지만 실무의 이러한 영역은 간호사가 만족하는 영역은 아니다. 입법자, 행정가, 의료전문가 및 더 넓은 지역사회에서 현실적인 기대와 전망에 대한 감각이 요구되는 것은 의심할 여지가 없다. 그러나 지속적인 논의에도 불구하고 도덕적 기대, 전문가, 지역사회 내에 남아 있는 것은 대상자의 요구와 잠재적인 위험을 규명하고 이를 완화시키기 위하여 대상자와 간호사가 함께 관리해야 한다는 것이다.

박스 5.4는 안전에 위험이 있는 업무에 대한 원칙을 요약하였다.

박스 5.4 안전의 위험이 있을 때의 간호원칙

- 위험은 일상적인 경험이다.
- 위험은 동적이고 다양한 상황에 따라 끊임없이 변화한다.
- 여러 정보 자원에 접근하여 위험평가를 강화한다.
- 정보 출처가 불완전할 수 있다.
- 일부 정보 출처는 정확하지 않을 수 있다.
- 위험 규명은 위험에 대해 조치를 취해야 할 책임이 있다. 즉, 위험 관리이다.
- 우수한 위험 관리의 필수 구성요소는 위험 감수이다.
- 의사결정은 긍정적인 협력을 통해 향상될 수 있다.
- 위험을 최소화할 수는 있지만 완전히 없앨 수는 없다.
- 조직은 비난하지 않는 문화를 장려하기 위해 합리적인 기대를 충족할 책임을 수행한다. 반면 부족한 실무를 허용하지 않는다.

출처: Morgan, 2004

단원 요약

정신간호가 다른 간호 분야와 다른 점은 때때로 자신이 살아가면서 돌봄이 필요하다는 것을 인지하지 못하는 대상자를 돌본다는 것이다.

정신간호는 「정신건강복지법」 및 전문윤리강령에서 제공하는 지침의 범위 내에서 정신질환의 분류, 진단, 치료 및 작업에서 발생하는 윤리적 문제를 다룬다. 또한 「정신건강복지법」에 따라 대상자의 동의 없이 이루어지는 치료가 정신간호사에게 윤리적 위배되는 문제를 생각해 보았다. 정신간호사는 대상자가 인간으로서의 고유한 권리를 가지기 때문에 개인정보 보호 등 법적인 틀 안에서 간호를 수행해야 한다. 유엔장애인권리협약은 현재 시행되고 있는 「정신건강복지법」의 관행에 대한 도전을 한다.

정신간호가 다른 간호 분야와 다른 점은 때때로 자신이 살아가면서 돌봄이 필요하다는 것을 인지하지 못하는 대상자를 돌본다는 것이다. 안전한 돌봄, 안전한 업무를 간호사는 업무에 대한 자신의 정서적 반응을 아는 것이 필요하며 위험한 상황이 간호사 자신으로 초래했다는 개인적인 생각을 하지 않도록 해준다. 간호사로서 자신이 직면했던 과거 행동을 바라보는 것과 누군가가 머물고 있는 사회적 맥락에서 더 큰 그림을 보고 뒤로 서 있을 수 있는 것은 그 사람의 내면을 볼 수 있게 해줄 것이다.

수업참여를 위한 연습

아래 네 가지 시나리오를 읽고 질문에 대한 적절한 답변을 해본다. 그룹으로 나누거나 개별적으로 토론 작업을 할 수 있다.

● **시나리오 1**

지역사회 치료 명령을 받은 33세 여성은 규칙적인 항정신병 약물 복용을 거부했지만 약물을 복용했을 때 증상이 완화되었다는 점에는 동의한다. 하지만 그녀는 약물 복용 결과 체중이 증가하는 것을 걱정하며 이런 부작용이 있음에도 불구하고 왜 약을 복용해야 하는지 이해가 안 된다고 말한다.

● **시나리오 2**

간암과 대장암 진단을 받은 혼자 사는 59세 남성은 신체적으로 상당히 고통스러운 상태에서 내원했다. 그는 항상 안락사를 생각해 왔으며, 이제 그 때가 되었다고 말한다. 그는 딸에게 짐을 지우고 싶지 않으며, 인간으로서 품위 있게 죽기를 원한다. 그는 자살을 계획했으며 모든 준비가 순조롭게 이루어지고 있다. 지금 신체적 고통이 너무 심해서 곧 자살을 할 생각이며 어서 고통이 끝나기 만을 바란다.

● **시나리오 3**

15세 소녀가 24개의 파라세타몰 정제를 섭취한 후 응급실에 왔다. 그녀는 11살 때부터 신경성 식욕부진증으로 고생해 왔으며 자신의 삶의 방향은 없다고 생각한다. 그녀는 강제치료 대상자로 지역에 있는 정신병동으로 이송되어 동의 없이 비위관 영양을 시행받았다. 하지만 입원 후 3주가 지났음에도 불구하고 여전히 자살 충동을 느끼고 있으며, 여전히 튜브 피딩을 하고 있다. 그녀는 더 이상 삶의 고통에 직면하기 힘들어 하며 혼자 있고 싶어 한다.

● **시나리오 4**

84세의 유명 배우가 더 이상 살고 싶지 않아 하며 6일 동안 식음을 전폐하고 있다. 그녀는 뇌출혈로 신체의 오른쪽이 마비되었다. 그녀는 자신이 젊고 아름다운 사람으로 기억되기를 원한다. 그녀는 자신의 나이가 이제는 꽉 찼기 때문에 더 이상 장래에 희망이 없다고 생각하고 이제 인생을 마치기를 원한다.

질문

1. 위의 네 가지 시나리오를 고려하여:
   - 누가 죽음에 대한 합리적인 선택을 하고 있는가?
   - 각 사례에서 의료 전문가로서 우리의 책임은 무엇인가?
   - 의료전문가는 사람들이 죽기를 원할 때 막을 권리가 있는가?
2. 정신건강서비스의 현대적 발전과 그것이 지역 사회에서 정신질환자들을 간호하고 치료하는 방법에 어떤 영향을 미치는지에 대해 논의한다.
3. 정신건강문제가 있거나 정신질환이 있는 대상자에 대한 최근 몇가지 임상경험에 대해 생각해 보고 다음 질문에 대한 답을 그룹 또는 동료와 함께 토론한다.
   - 학생이 직접 관여했거나 관찰한 행동 통제 업무를 구분해 보고 참여했다면 소감은 무엇인가?
   - 좀 더 제한을 적게 하는 방법이 있는가?
   - 정신질환자들을 어떻게 그리고 어디에서 돌봐야 하는지에 대한 자신의 신념은 무엇인가?
   - 정신질환자를 격리하거나 통제하여 자신이나 다른 사람들을 위험으로부터 보호할 수 있도록 하는 권한이 법에 있는가?

수업참여를 위한 연습

안전 위험 가능성을 나타내는 모든 역사적 정보를 기술하시오(예 위험행동/위협/사고의 과거력).

안전 위험 가능성에 기여하는 건강 관련 요인들을 기술하시오(예 정신건강 증상, 성격적 요소, 신체장애, 물질 남용 등) .

위험에 영향을 미칠 수 있는 환경적 안전요소들을 기술하시오(예 공식적이고 전문적인 환경에서의 소란, 알코올/약물의 접근성, 타인으로부터 거절, 무기의 접근성 등).

위험 관련 행동에 관여하려는 '계획된 의도'를 암시하는 근거가 현재 있는가?

특별한 의료진 배치가 필요한 안전 위험요소가 있는가(등 여성에 대한 위험, 남성으로부터 위협받았거나, 2명의 근로자가 필요한가)?

이 계획을 지원하기 위한 자원으로서, 서비스 및 대상자로부터 확인할 수 있는 강점과 기회는 무엇인가?

이 계획을 수행하는 데 숨겨진 장애는 무엇인가?

특별하게 확인된 위험을 진술하시오.

현재의 위험

무엇을 통해서(행동/인지/정서)

어떠한 맥락(상황)에서

조기중재가 필요한 징후

상기의 상황에 대한 중재

이 계획을 대상자와 논의했는가?

이 계획을 다학제팀과 논의했는가?

검토 빈도

추가적인 조언(만일 중단했다면, 특별한 이유):

● 유용한 웹사이트

Australian Commission on Quality and Safety in Health Care: https://www.safetyandquality.gov.au/.

Australian Health Practitioner Regulatory Agency: https://www.ahpra.gov.au/.

Australian Human Rights Commission: https://www.humanrights.gov.au/.

Australian Nursing and Midwifery Accreditation Council: https://www.anmac.org.au/.

Community Law (New Zealand): http://communitylaw.org.nz.

End Seclusion Now (Facebook group): https://www.facebook.com/End-Seclusion-Now-653392888041998/.

Involuntary commitment and treatment (ICT) criteria in Australian and New Zealand Mental Health Acts: https://www.ranzcp.org/files/resources/college_statements/mental-health-legislation-tables/mental-health-acts-comparative-tables-all.aspx.

Mental Health Coordinating Council (New South Wales) - online Manual of legal and human rights related to the mental health system: http://mhrm.mhcc.org.au/home.

Mental Health eSimulation. http://www.inkysmudge.com.au/eSimulation/mhl.html

MindFreedom - ethics and mental health page: https://mindfreedom.org/.

Nursing and Midwifery Board of Australia: https://www.nursingmidwiferyboard.gov.au/.

Nursing Council of New Zealand: https://www.nursingcouncil.org.nz/.

Office of Disability Issues (New Zealand): https://www.odi.govt.nz/.

Office of the Health and Disability Commissioner: https://www.hdc.org.nz/.

Office of the Public Advocate (South Australia) (click on 'Mental health treatment and your rights'): http://www.opa.sa.gov.au/.

Safewards. https://www.facebook.com/groups/safewards/and. http://www.safewards.net/

SICSAW - Safe in Care, Safe at Work. http://www.acmhn.org/

United Nations Convention on the Rights of Persons with Disabilities: https://www.un.org/development/desa/disabilities/.

Universal Human Rights Instruments: https://www.ohchr.org/EN/ProfessionalInterest/Pages/UniversalHumanRightsInstruments.aspx.

● 참고문헌

Affleck, W., Carmichael, V., Whitley, R. Men's mental health: social determinants and implications for services. Can. J. Psychiatry. 2018; 63(9):581 - 589.

Al-Maraira, O. A., Hayajneh, F. A. Use of restraint and seclusion in psychiatric settings: a literature review. J. Psychosoc. Nurs. Ment. Health Serv.. 2018; 57(4):32 - 39.

American Psychiatric Association (APA), 2013. Diagnostic and Procedural Manual of Mental Disorders, fifth ed., text rev. APA, Washington.

Askew, L., Fisher, P., Beazley, P., 2019. What are adult psychiatric inpatients' experience of seclusion: a systematic review of qualitative studies. J. Psychiatr. Ment. Health Nurs. 26 (7 - 8), 274 - 285.

Australian College of Mental Health Nurses, 2016. Seclusion and restraint position statement. http://www.acmhn.org/images/stories/FINAL_Seclusion_and_Restraint_Position_Statement_-_August_2016.pdf.

Australian Nursing and Midwifery Council, 2008. Code of Ethics for Nurses in Australia. ANMC, Canberra.

Barker, P. The Tidal Model: developing an empowering, person centred approach to recovery within psychiatric and mental health nursing. J. Psychiatr. Ment. Health Nurs.. 2001; 8(3):233 - 240.

Barker, P., Buchanan-Barker, P. The tidal model of mental health recovery and reclamation: application in acute care settings. Issues Ment. Health Nurs.. 2010; 31(3):171 - 180.

Beattie, J., Innes, K., Griffiths, D., et al. Healthcare providers' neurobiological response to workplace violence perpetrated by consumers: informing directions for staff well-being. Appl. Nurs. Res.. 2018; 43:42 - 48.

Beauchamp, T.L., Childress, J.F., 2019. Principles of Biomedical Ethics, eighth ed. Oxford University Press, New York.

Bee, P., Brooks, H., Fraser, C., et al. Professional perspectives on service user and carer involvement in mental health care planning: a qualitative study. Int. J. Nurs. Stud.. 2015; 52(12):1834 - 1845.

Bowers, L. Safewards: a new model of conflict and containment on psychiatric wards. J. Psychiatr. Ment. Health Nurs.. 2014; 21(6):499 - 508.

Bowers, L., James, K., Quirk, A., et al. Reducing conflict and containment rates on acute psychiatric wards: the Safewards cluster randomised controlled trial. Int. J. Nurs. Stud.. 2015; 52(9):1412 - 1422.

Bowers, L., Van Der Merwe, M., Nijman, H., et al., 2010. The practice of seclusion and time-out on English acute psychiatric wards: the City-128 Study. Arch. Psychiatr. Nurs. 24 (4), 275 - 286.

Brophy, L. M., Roper, C. E., Hamilton, B. E., et al. Consumers and their supporters' perspectives on poor practice and the use of seclusion and restraint in mental health settings: results from Australian focus groups. Int. J. Ment. Health Syst.. 2016; 10(1):6.

Brophy, L.M., Kokanović, R., Flore, J., et al., 2019. Community treatment orders and supported decision making. Front. Psychiatry 10, 414.

Brown, J., 2016. The changing purpose of mental health law: from medicalism to legalism to new legalism. Int. J. Law Psychiatry 47, 1-9.

Brunero, S., Ramjan, L. M., Salamonson, Y., et al. A constructivist grounded theory of generalist health professionals and their mental health work. Int. J. Ment. Health Nurs.. 2018; 27(6):1816-1825.

Callaghan, S., Ryan, C.J., 2012. Rising to the human rights challenge in compulsory treatment: new approaches to mental health law in Australia. Aust. N. Z. J. Psychiatry 46 (7), 611-620.

Chesterman, J., 2018. Adult guardianship and its alternatives in Australia. In: Spivakovsky, C., Seear, K., Carter, A. (Eds.), Critical Perspectives on Coercive Interventions: Law, Medicine and Society. Routledge, New York, p. 180.

Cheung, G., Clugston, A., Croucher, M., et al., 2015. Performance of three cognitive screening tools in a sample of older New Zealanders. Int. Psychogeriatr. 27 (06), 981-989.

Cleary, M., Horsfall, J., 2014. Electroconvulsive therapy: issues for mental health nurses to consider. Issues Ment. Health Nurs. 35 (1), 73-76.

Clinical Excellence Commission, Principles for Safe Management of Disturbed and/or Aggressive Behaviour and the Use of Restraint. Ministry of Health, Sydney, 2015. Retrieved from: http://www0.health.nsw.gov.au/policies/pd/2015/pdf/PD2015_004.pdf

Cusack, E., Killoury, F., Nugent, L. The professional psychiatric/mental health nurse: skills, competencies and supports required to adopt recovery-orientated policy in practice. J. Psychiatr. Ment. Health Nurs.. 2017; 24(2-3):93-104.

Cusack, P., Cusack, F. P., McAndrew, S., et al. An integrative review exploring the physical and psychological harm inherent in using restraint in mental health inpatient settings. Int. J. Ment. Health Nurs.. 2018; 27(3):1162-1176.

Cutcliffe, J. R., Sloan, G. Competences for clinical supervision in psychiatric/mental health nursing. In: 69Santos J.C., Cutcliffe J.R., eds. European Psychiatric/Mental Health Nursing in the 21st Century. Cham, Switzerland: Springer; 2018:123-139.

Davidson, G., Brophy, L., Campbell, J., et al., 2016. An international comparison of legal frameworks for supported and substitute decision-making in mental health services. Int. J. Law Psychiatry 44, 30-40.

Dawson, J., 2015. A realistic approach to assessing mental health laws' compliance with the UNCRPD. Int. J. Law Psychiatry 40, 70-79.

Dawson, J., Gledhill, K., 2013. The complex meaning of 'mental disorder'. In: Dawson, J., Gledhill, K. (Eds.), New Zealand's Mental Health Act in Practice. Victoria University Press, Wellington, pp. 29-45.

Dickens, G. L., Hallett, N., Lamont, E. Interventions to improve mental health nurses' skills, attitudes, and knowledge related to people with a diagnosis of borderline personality disorder: systematic review. Int. J. Nurs. Stud.. 2016; 56:114-127.

Douglas, T., Pugh, J., Singh, I., et al. Risk assessment tools in criminal justice and forensic psychiatry: the need for better data. Eur. Psychiatry. 2017; 42:134-137.

Edward, K. L., Hercelinskyj, G., Giandinoto, J. A. Emotional labour in mental health nursing: an integrative systematic review. Int. J. Ment. Health Nurs.. 2017; 26(3):215-225.

Fazel, S., Singh, J. P., Doll, H., et al, Use of risk assessment instruments to predict violence and antisocial behaviour in 73 samples involving 24 827 people: systematic review and meta-analysis. BMJ 2012; 345. doi:10.1136/bmj.e4692

Flaskeraud, J., 2010. DSM proposed changes, part I. Criticisms and influences on changes. Issues Ment. Health Nurs. 31 (10), 686-688.

Fletcher, J., Spittal, M., Brophy, L., et al. Outcomes of the Victorian Safewards trial in 13 wards: impact on seclusion rates and fidelity measurement. Int. J. Ment. Health Nurs.. 2017; 26(5):461-471.

Galon, P., Wineman, N.M., 2011. Quasi-experimental comparison of coercive interventions on client outcomes in individuals with severe and persistent mental illness. Arch. Psychiatr. Nurs. 25 (6), 404-418.

Gerace, A., Oster, C., O'Kane, D., et al. Empathic processes during nurse-consumer conflict situations in psychiatric inpatient units: a qualitative study. Int. J. Ment. Health Nurs.. 2018; 27(1):92-105.

Gooding, P., 2013. Supported decision-making: a rights-based disability concept and its implications for mental health law. Psychiatr. Psychol. Law 20 (3), 431-451.

Gordon, S., O'Brien, A., 2014. New Zealand's mental health legislation needs reform to avoid discrimination. N. Z. Med. J. 127 (1403), 55.

Griffith, R., Tengnah, C., 2013. Maintaining professional boundaries: keep your distance. Br. J. Community Nurs. 18 (1), 43-46.

Griffiths, C., O'Neill-Kerr, A., 2019. Patients', carers' and the public's perspectives on electroconvulsive therapy. Front. Psychiatry 10, 304.

Hallett, N., Dickens, G. L. De-escalation of aggressive behaviour in healthcare settings: concept analysis. Int. J. Nurs. Stud.. 2017; 75:10-20.

Henderson, C., Swanson, J.W., Szmukler, G., et al., 2008. A typology of advance statements in mental health care. Psychiatr. Serv. 59 (1), 63-71.

Higgins, A., Doyle, L., Downes, C., et al. There is more to risk and safety planning than dramatic risks: mental health nurses' risk assessment and safety-management practice. Int. J. Ment. Health Nurs.. 2016; 25(2):159-170.

Holland, K. Cultural Awareness in Nursing and Health Care: An Introductory Text. New York: Routledge; 2017.

Holmes, J., Adshead, G., 2009. Ethical aspects of the psychotherapies. In: Bloch, S., Green, S. (Eds.), Psychiatric Ethics, fourth ed. Oxford University Press, Oxford, pp. 367-384.

Hui, A. Mental health workers' experiences of using coercive measures: 'You can't tell people who don't understand'. In: Völlm B., Nedopil N., eds. The Use of Coercive Measures in Forensic Psychiatric Care: Legal, Ethical and Practical Challenges. Cham, Switzerland: Springer; 2016:241-253.

Hurducas, C. C., Singh, J. P., de Ruiter, C., et al, Violence risk assessment tools: a systematic review of surveys. Int. J. Forensic Ment. Health 13 3 2014:181-192. doi:10.1080/14999013.2014.942923

Illich, I., 2001. Limits to Medicine. Medical Nemesis: The Expropriation of Health. Marian Boyers, London.

International Council of Nurses (ICN), 2012. The ICN Code of Ethics for Nurses. ICN, Geneva.

Iozzino, L., Ferrari, C., Large, M., et al, Prevalence and risk factors of violence by psychiatric acute inpatients: a systematic review and meta-analysis. PLoS ONE 10 6 2015 e0128536

Isobel, S., Delgado, C. Safe and collaborative communication skills: a step towards mental health nurses implementing trauma informed care. Arch. Psychiatr. Nurs.. 2018; 32(2):291-296.

Kennedy, H., Roper, C., Randall, R., et al. Consumer recommendations for enhancing the Safewards model and interventions. Int. J. Ment. Health Nurs.. 2019; 28(2):616-626.

Kokanović, R., Brophy, L., McSherry, B., et al., 2018. Supported decision-making from the perspectives of mental health service users, family members supporting them and mental health practitioners. Aust. N. Z. J. Psychiatry 52 (9), 826-833.

Lamont, S., Brunero, S. 'eSimulation' Part 1: development of an interactive multimedia mental health education program for generalist nurses. Collegian. 2013; 20(4):239-247.

Lamont, S., Brunero, S. 'eSimulation' Part 2: evaluation of an interactive multimedia mental health education program for generalist nurses. Collegian. 2014; 21(1):3-9.

Lamont, S., Brunero, S. Managing challenging behaviour and workplace violence. In: Hains D., ed. Mental Health for Paramedics. Sydney: Elsevier, 2019.

Lamont, S., Brunero, S., Sharma, S. Application and implications of Mental Health Act 2007 (NSW) certificate use in acute generalist settings. Aust. Health Rev.. 2015; 40(2):219-224.

Larue, C., Dumais, A., Boyer, R., et al., 2013. The experience of seclusion and restraint in psychiatric settings: perspectives of patients. Issues Ment. Health Nurs. 34 (5), 317-324.

Lavelle, M., Stewart, D., James, K., et al. Predictors of effective de-escalation in acute inpatient psychiatric settings. J. Clin. Nurs.. 2016; 25(15-16):2180-2188.

Lenagh-Glue, J., O'Brien, A., Dawson, J., et al., 2018. A MAP to mental health: the process of creating a collaborative advance preferences instrument. N. Z. Med. J. 131 (1486), 18-26.

Lenagh-Glue, J., Potiki, J., O'Brien, A.J., et al., 2020. The content of mental health advance preference statements (MAPS): a qualitative assessment of completed advance directives in the Southern District Health Board. Int. J. Law Psychiatry doi.org/10.1016/j.ijlp.2019.101537.

Light, E., Kerridge, I., Ryan, C., et al., 2012a. Community treatment orders in Australia: rates and patterns of use. Australas. Psychiatry 20 (6), 478-482.

Light, E., Kerrige, I., Ryan, C., et al., 2012b. Out of sight, out of mind: making involuntary community treatment visible in the mental health system. Med. J. Aust. 196 (9), 591-593.

Llor-Esteban, B., Sánchez-Muñoz, M., Ruiz-Hernández, J. A., et al. User violence towards nursing professionals in mental health services and emergency units. Eur. J. Psychol. Appl. Leg. Context. 2017; 9(1):33-40.

Maguire, T., Daffern, M., Martin, T., 2014. Exploring nurses' and patients' perspectives of limit setting in a forensic mental health setting. Int. J. Ment. Health Nurs. 23 (2), 153-160.

Mandarelli, G., Carabellese, F., Parmigiani, G., et al., 2018. Treatment decision-making capacity in non-consensual psychiatric treatment: a multicentre study. Epidemiol. Psychiatr. Sci. 27 (5), 492-499.

Massabki, I., Abi-Jaoude, E., 2020. Selective serotonin reuptake inhibitor 'discontinuation syndrome' or withdrawal. Br. J. Psychiatry 1-4.

Mayers, P., Keet, N., Winker, G., et al., 2010. Mental health service users' perceptions and experiences of sedation, seclusion and restraint. Int. J. Soc. Psychiatry 56 (1), 60-73.

McAllister, S., McCrae, N. The therapeutic role of mental health nurses in psychiatric intensive care: a mixed-methods investigation in an inner-city mental health service. J. Psychiatr. Ment. Health Nurs.. 2017; 24(7):491-502.

McAllister, S., Robert, G., Tsianakas, V., et al. Conceptualising nurse-patient therapeutic engagement on acute mental health wards: an integrative review. Int. J. Nurs. Stud.. 2019; 93:106-118.

McCormack, B., Manley, K., Titchen, A. Practice Development in Nursing and Healthcare. Oxford: John Wiley & Sons; 2013.

McKenna, B.G., O'Brien, A.J., 2013. Mental health nursing and the Mental Health Act. In: Dawson, J., Gledhill, K. (Eds.), New Zealand's Mental Health Act in Practice. Victoria University Press, Wellington, pp. 198-212.

McKenna, B.G., O'Brien, A.J., O'Shea, M., 2011. Improving the ability of mental health nurses to give second opinion in judicial reviews: an evaluation study. J. Psychiatr. Ment. Health Nurs. 18 (6), 550-557.

McMillan, J., Lawn, S., Delany-Crowe, T., 2019. Trust and community treatment orders. Front. Psychiatry 10, 349.

Mezzina, R., Rosen, A., Amering, M., et al. The practice of freedom: human rights and the global mental health agenda. In: Javed A., Fountoulakis K.N., eds. Advances in Psychiatry. Cham: Springer International Publishing; 2019:483-515.

Ministry of Health, 2010. Seclusion Under the Mental Health (Compulsory Assessment and Treatment) Act 1992. Ministry of Health, Wellington.

Ministry of Health, 2019. Every Life Matters - He Tapu te Oranga o ia Tangata: Suicide Prevention Strategy 2019-2029 and Suicide Prevention Action Plan 2019-2024 for Aotearoa New Zealand. Ministry of Health, Wellington.

Ministry of Health, 2020. Guideline to the Mental Health (Compulsory Assessment and Treatment) Act (1992). Ministry of Health, Wellington.

Moncrieff, J., 2013. The Bitterest Pills: The Troubling Story of Antipsychotic Drugs. Palgrave Macmillan, Basingstoke.

Morgan, S. Positive risk-taking: an idea whose time has come. Health Care Risk Report. 2004; 10:18-19.

National Mental Health Consumer and Carer Forum 2011. Privacy, confidentiality and information sharing - consumers, carers and clinicians. National Mental Health Consumer and Carer Forum. West Deakin, ACT. Retrieved from: nmhccf.org.au/sites/default/files/docs/nmhccf_pc_ps_brochure.pdf.

New Zealand Nurses Organisation (NZNO), 1995. Code of Ethics. NZNO, Auckland.

Nursing and Midwifery Board of Australia, 2008. Code of Ethics for Nurses in Australia. NMBA, Canberra.

Nursing and Midwifery Board of Australia, 2016. Registered Nurse Standards for Practice for Nurses in Australia. NMBA, Canberra.

Nursing Council of New Zealand, 2012. Code of Conduct for Nurses. NCNZ, Wellington.

O'Brien, A., 2014. Community treatment orders in New Zealand: regional variability and international comparisons. Australas. Psychiatry 22 (4), 352-356.

O'Brien, A., Kar, A., 2006. The role of second health professionals under New Zealand mental health legislation. J. Psychiatr. Ment. Health Nurs. 13 (3), 356-363.

Ouliaris, C., Kealy-Bateman, W., 2017. Psychiatric advance directives in Australian mental-health legislation. Australas. Psychiatry 25 (6), 574-577.

Perry, L., Lamont, S., Brunero, S., et al. The mental health of nurses in acute teaching hospital settings: a cross-sectional survey. BMC Nurs.. 2015; 14(1):15.

Pinel, P., 1806. A Treatise on Insanity. Strand, Messers Cadell & Davies.

Price, O., Baker, J., Bee, P., et al. Patient perspectives on barriers and enablers to the use and effectiveness of de-escalation techniques for the management of violence and aggression in mental health settings. J. Adv. Nurs.. 2018; 74(3):614-625.

Raeburn, T., Liston, C., Hickmott, J., et al., 2018. Life of Martha Entwistle: Australia's first convict mental health nurse. Int. J. Ment. Health Nurs. 27 (1), 455-463.

Renwick, L., Stewart, D., Richardson, M., et al. Aggression on inpatient units: clinical characteristics and consequences. Int. J. Ment. Health Nurs.. 2016; 25(4):308-318.

Ritter, S., Platt, L. M. What's new in treating inpatients with personality disorders?: dialectical behavior therapy and old-fashioned, good communication. J. Psychosoc. Nurs. Ment. Health Serv.. 2016; 54(1):38-45.

Rugkåsa, J., Dawson, J., Burns, T., 2014. CTOs: what is the state of the evidence? Soc. Psychiatry Psychiatr. Epidemiol. 49 (12), 1861-1871.

Salomon, C., Hamilton, B., 2014. Antipsychotic discontinuation syndromes: a narrative review of the evidence and its integration into Australian mental health nursing textbooks. Int. J. Ment. Health Nurs. 23 (1), 69-78.

SavaŞan, A., Çam, O. The effect of the psychiatric nursing approach based on the tidal model on coping 70and self-esteem in people with alcohol dependency: a randomized trial. Arch. Psychiatr. Nurs.. 2017; 31(3):274-281.

Scholten, M., Gather, J., 2018. Adverse consequences of article

12 of the UN Convention on the Rights of Persons with Disabilities for persons with mental disabilities and an alternative way forward. J. Med. Ethics 44 (4), 226 – 233.

Scull, A., 2015. Madness in Civilization. A Cultural History of Insanity From the Bible to Freud, From the Madhouse to Modern Medicine. Princeton University Press, New Jersey.

Sellman, D., 2017. Virtue ethics and nursing practice. In: Scott, A.P. (Ed.), Key Concepts and Issues in Nursing Ethics. Springer, Cham, pp. 43 – 54.

Shields, L.S., Pathare, S., Van Der Ham, A.J., et al., 2014. A review of barriers to using psychiatric advance directives in clinical practice. Adm. Policy Ment. Health 41 (6), 753 – 766.

SICSAW. Ensuring Safety in Care and Safety for Staff in Australian Mental Health Services. Canberra. http://www.acmhn.org/, 2019.

Slemon, A., Jenkins, E., Bungay, V., Safety in psychiatric inpatient care: the impact of risk management culture on mental health nursing practice. Nurs. Inq. 24 4 2017 e12199. doi:10.1111/nin.12199

Smith, M. J., Bouch, J., Bradstreet, S., et al. Health services, suicide, and self-harm: patient distress and system anxiety. Lancet Psychiatry. 2015; 2(3):275 – 280.

Smith, M., Vogler, J., Zarrouf, F., et al., 2009. Electroconvulsive therapy: the struggles in the decision-making process and the aftermath of treatment. Issues Ment. Health Nurs. 30 (9), 554 – 559.

Smith, S., Macduff, C. A thematic analysis of the experience of UK mental health nurses who have trained in Solution Focused Brief Therapy. J. Psychiatr. Ment. Health Nurs.. 2017; 24(2 – 3):105 – 113.

Staunton, P., Chiarella, M. Law for Nurses and Midwives. Sydney: Elsevier; 2013.

Stein, D.J., van Niekerk, A.A., 2015. Ethics of psycho pharmacology. In: Sadler, J.Z., Van Staden, W.C.W., Fulford, K.W.M. (Eds.), International Perspectives in Philosophy and Psychiatry. The Oxford Handbook of Psychiatric Ethics. Oxford University Press, Oxford, pp. 1175 – 1190.

Stein-Parbury, J. Patient & Person Interpersonal Skills in Nursing, sixth ed. Sydney: Elsevier; 2016.

Szmukler, G., 2019. 'Capacity', 'best interests', 'will and preferences' and the UN Convention on the Rights of Persons with Disabilities. World Psychiatry 18 (1), 34 – 41.

Szmukler, G., Bach, M. Mental health disabilities and human rights protections. Glob. Ment. Health (Camb). 2015; 2:1 – 9.

Szmukler, G., Daw, R., Callard, F., 2014. Mental health law and the UN Convention on the Rights of Persons with Disabilities. Int. J. Law Psychiatry 37 (3), 245 – 252.

Te Pou o te Whakaaro Nui, 2015. Towards Restraint-Free Mental Health Practice. Supporting the Reduction and Prevention of Personal Restraint in Mental Health Inpatient Settings. Te Pou o te Whakaaro Nui, Auckland.

Thom, K., Lenagh-Glue, J., O'Brien, A.J., et al., 2019. Service user, whānau and peer support workers' perceptions of advance directives for mental health. Int. J. Ment. Health Nurs. 28 (6), 1296 – 1305.

Thom, K.A., O'Brien, A.J., McKenna, B.G., et al., 2009. Judging nursing practice: implications of habeas corpus rulings for mental health nurses in New Zealand. Psychiatr. Psychol. Law 15 (1), 31 – 39.

Toms, G., Williams, L., Rycroft-Malone, J., et al. The development and theoretical application of an implementation framework for dialectical behaviour therapy: a critical literature review. Borderline Personal. Disord. Emot. Dysregul.. 2019; 6(1):2.

United Nations General Assembly. Principles for the protection of persons with mental illness and for the improvement of mental health care. Retrieved from: http://www.un.org/documents/ga/res/46/a46r119.htm, 1991.

United Nations. Convention on the Rights of Persons with Disabilities. Retrieved from: http://www.un.org/disabilities/convention/conventionfull.shtml, 2006.

United Nations. The Universal Declaration of Human Rights. Retrieved from: http://www.un.org/en/documents/udhr/, 1948.

Valente, S. M. Managing professional and nurse – patient relationship boundaries in mental health. J. Psychosoc. Nurs. Ment. Health Serv.. 2017; 55(1):45 – 51.

West, M., Melvin, G., McNamara, F., et al. An evaluation of the use and efficacy of a sensory room within an adolescent psychiatric inpatient unit. Aust. Occup. Ther. J.. 2017; 64(3):253 – 263.

White, B., Then, S.N., Willmott, L., 2018. Adults Who Lack Capacity: Substitute Decision-Making. Health Law in Australia, third ed. Thomson Reuters, Pyrmont, New South Wales, pp. 207 – 270.

World Health Organization, 2019. Strategies to End Seclusion and Restraint: WHO Quality Rights Specialized Training: Course Slides. World Health Organization, Geneva. https://apps.who.int/iris/handle/10665/329747.

Zachar, P., Stoyanov, D.S., Aragona, M., et al. (Eds.), 2014. Alternative Perspectives on Psychiatric Validation: DSM, IDC, RDoC and Beyond. Oxford University Press, Oxford.

CHAPTER 6

정신건강 분야에서 가족과 협력하기

Working with Families in Mental Health

주요 내용

- 한 사람의 정신질환과 고통은 가족구성원 전체에게 영향을 미친다.
- 대상자의 개인적 회복을 지원하는 것은 그 가족구성원 또한 회복 중임을 인식하는 것이다.
- 간호사는 회복 과정에서 가족과 협력하고 가족을 지원함으로써 세대 간 정신질환을 예방하고 가족의 안녕과 간호 결과를 개선하는 데 중요한 역할을 한다.
- 정신건강에서 가족 중심 실무는 가족체계 확인, 정보 및 지원 제공, 가족역량 강화와 가족회복 탄력성 구축, 가족회복 지원을 위한 구체적 전략 및 중재 제공이 포함된다.

주요 용어

- 가족 중심 실무(family–focused practice)
- 가족회복(family recovery)
- 가족회복 탄력성(family resilience)
- 강점 기반 접근(strengths–based approach)
- 관계회복(relational recovery)
- 돌봄제공자(carer)
- 세대 간 정신질환(intergenerational mental illness)
- 알로스태시스(allostasis): 실제적이거나 인지된 환경 및 심리적 스트레스 요인에 대해 인체가 내적, 생리적 평형 상태를 유지하는 과정
- 원가족(family of origin): 출산으로 이루어진 가족 또는 선택된 유대에 의해 이루어진 가족(family of procreation or choice)

학습 목표

이 단원을 통해 다음을 수행할 수 있다.

- 정신건강 분야에서 가족과의 협력과 관련된 핵심 용어를 정의한다.
- 정신질환자 가족과 협력하는 강점 기반 접근을 설명한다.
- 정신건강 분야에서 가족과 협력할 때 주요한 가족 사정과 가족 중심 실무를 이해한다.
- 가족구성원이 정신질환을 앓고 있을 때 가족 및 관계회복 과정을 이해한다.
- 간호사가 예방 및 중재 전략을 통해 가족 안녕, 회복력 및 회복을 지원할 수 있는 방법을 확인한다.

서론

우리는 다른 사람, 특히 가족과 친구와의 관계 속에서 살고 있다. 개인이 정신질환과 같은 질병에 걸리면 질병, 회복 및 치료에 대한 경험은 필연적으로 가장 강하게 연결된 사람에게 영향을 미친다. 정신질환은 가족 전체에게 영향을 미친다. 이 장에서는 정신질환자의 관계가 이들의 안녕에 매우 중요함을 인식하고, 간호사가 대상자와 그가 사랑하는 가족의 요구를 포괄하여 효과적인 간호를 대상자에게 제공하는 방법에 중점을 둔다.

'가족'을 정의하기

이 장의 목적을 위해 '가족'의 개념과 '가족'에 포함되는 사람이 누구인지는 가족구성원에 의해 정의되는 것으로 한다. 즉 가족이 스스로 누가 '가족'인지를 정하는 것이다. 이 접근법은 어머니, 아버지, 자녀의 핵가족과 같은 '가족'에 대한 전통적인 관점 또는 혈연관계가 아닌 가족을 포함한 다양한 유형의 가족관계를 인정한다. 어떤 사람에게 '가족'은 가까운 친구나, 확대가족구성원을 포함하여 자신이 이룬 가족일 수 있다. 두 가지 넓은 유형의 가족이 있다. 첫 번째는 '원가족'이다. 이것은 자신이 태어난 가족을 말하며, 가족에는 정신질환이 있는 아동 또는 성인의 부모와 형제자매가 포함된다. 우리 모두는 원가족이 있다. 두 번째는 '출산가족' 또는 '선택가족'으로, 이 가족에는 성인이 되어 선택한 관계(예 로맨틱 파트너)가 포함된다. 출산가족에는 성인이 가진 모든 자녀가 포함된다. 이들은 생물학적일 수도 있고 아닐 수도 있다. 예를 들어 계부모의 경우이다. 많은 사람이 선택가족이나 출산가족이 있다. 원가족과 출산가족에는 조부모, 확대가족, 돌봄제공자 및 가족구성원이 '가족'으로 간주하는 다른 가족구성원이 포함된다.

정신건강 서비스와 문헌에서 정신질환이 있는 사람의 가족은 일반적으로 돌봄제공자라고 불린다. '가족'과 '돌봄제공자'라는 용어는 같은 의미로 사용되기도 한다. '돌봄제공자'라는 용어는 많은 가족구성원이 사랑하는 사람에게 비공식적 또는 비전문적 무급 돌봄을 제공하는 중요한 역할임을 의미한다. 그러나 모든 가족구성원이 돌봄제공자 역할을 하거나 자신을 돌봄제공자로 여기거나 돌봄제공자로 인식되기를 원하는 것은 아니며, 모든 돌봄제공자가 가족구성원인 것도 아니다. 따라서 이 장에서는 주로 '가족구성원' 또는 '가족 돌봄제공자'라는 용어를 사용하고, 많은 가족구성원이 사랑하는 사람을 위해 제공하는 실용적이고 정서적인 돌봄에 대해 논의한다.

왜 가족과 협력해야 하는가? 강점 기반 접근 소개

지난 수십 년 동안 탈시설화로 인해 정신질환이 있는 사람의 돌봄이 정신병원에서 지역사회로 점점 더 많이 이동했다. 서비스 제공에 대한 이러한 변화는 지역사회에서 가족 및 돌봄제공자와 함께 생활하는 대상자 수를 증가시켰다. 이제 가족구성원이 중요한 비공식적인 돌봄을 제공한다. 이러한 가족의 비공식적인 돌봄이 없으면 대상자의 부정적 치료결과와 삶의 질 저하의 위험이 커진다. 개인의 질병은 개인뿐만 아니라 그를 사랑하는 사람에게도 영향을 미치므로 정신질환은 다른 어떤 것보다도 먼저 가족 및 더 넓은 지역사회 맥락에서 이해되어야만 한다.

정신질환이 있는 가족구성원을 위해 가족이 제공하는 높은 수준의 돌봄은 그들이 돌봄 역할에 대한 정보와 지원에 대한 요구가 증가했음을 의미한다. 가족이 대상자 돌봄의 중추적인 역할을 함에도 불구

역사적 일화 6.1: 가족은 항상 중요했다

가족은 고대부터 정신건강 관리의 핵심이었다. 고대 그리스의 철학자 플라톤(기원전 427년경)은 '사람이 정신이상이 된다면 그는 일반적으로 도시에 있지 않을 것이지만 그의 가족이 그를 지켜줄 것'이라고 썼다. 그 당시 정신질환 관리는 가족의 몫이었고 현대에도 세계 여러 곳에서 그렇게 유지되고 있다. 영국 법은 1300년대에 에드워드 1세(Edward I) 통치기간 동안 정신질환자 돌봄의 책임을 가족에서 정부로 이전하기 시작했다. 그는 '왕은 정신질환자의 땅을 관리하고 낭비나 파괴 없이 이익을 취해야 한다'고 지시했다. 왕이 정신질환자의 재산을 관리할 것을 주장했지만 가족은 여전히 보살핌과 양육을 제공해야 했다.

자세히 알아보기: Kleisiaris, C. F., Sfakianakis, C., Papathanasiou, I. V., 2014. Health care practices in ancient Greece: the Hippocratic ideal. Journal of Medical Ethics and History of Medicine, 7: 6

하고 가족 돌봄제공자는 사랑하는 사람의 정신질환에 대한 정보를 얻는 데 어려움이 있음을 지속적으로 보고했다. 가족 돌봄제공자는 간호사를 비롯한 정신건강 전문가가 자신의 요구를 인식하지 못하거나 대상자의 요구를 충족시키는 데 몰두하는 경우가 많다고 말한다. 가족 돌봄제공자는 의료인이 비판단적 태도로 그들의 말을 경청하고, 그들의 우려를 존중하며, 그들의 필요를 인식하고, 그들의 강점을 인정하며, 가족구성원이나 사랑하는 사람을 돌보는 것에 관한 결정을 내릴 때 그들을 포함할 필요가 있다고 한다.

가족의 변화하는 요구에 맞추어, 서비스 제공의 일부 영역에서 가족에게 제공되는 돌봄의 초점이 이전의 결핍 접근방식에서 강점 기반 접근방식으로 그 패러다임이 전환되었다. 건강관리에 대한 결핍 접근방식은 무엇이 잘못되었거나 부족한지에 초점을 맞춘다. 그러나 강점 기반 접근방식은 가족 내에서 잘 작동하고 더 향상될 수 있는 것에 초점을 맞춘다. 강점 기반은 가족의 긍정적인 속성과 자원을 인식하는 데 열려 있는 것을 말한다. 강점 기반 접근방식은 가족이 직면한 어려움에만 계속 초점을 맞추는 것보다 가족이 가진 강점을 고려하고 가족구성원을 위한 긍정적인 성장과 발전을 더욱 촉진시키는 것이 더 건설적임을 인정한다. 중요한 것은 이 접근방식이 대상자와 가족의 문제를 무시하는 것이 아니라 가족이 자신의 문제를 해결하는 데 도움을 주고 강화할 수 있는 능력과 자원에 초점을 둔다는 것이다. 강점 기반 접근방식은 이 장 전체에서 대상자 및 그 가족/보호자와 의사소통하고 협력하기 위한 틀로 사용된다.

이 접근방식은 우리가 대상자와 협력할 때 가족의 요구와 그들이 살고 있는 맥락을 사정해야 함을 의미한다. 또한 가족 및 관계회복(recovery)과 가족회복탄력성(resilience)을 개발하고 유지하는 것은 가족과 협력할 때 가능하다.

강점 기반 접근은 대상자의 가족이 가지고 있는 문제와 도전이 다음과 같은 이해의 틀 내에서 해결된다는 원칙을 가지고 있다.

- 가족은 강점과 한계가 있으며, 회복탄력성이 있다.
- 대상자뿐만 아니라 가족도 정신질환 후 회복 과정을 거친다.
- 정신건강 전문가로서 간호사는 대상자와 가족이 생활에서 겪는 어려움에 대한 다양한 반응에 주의를 기울일 필요가 있다.

강점 기반 접근방식은 문제가 존재하는 동안 가족

이 자신의 상황을 가장 잘 판단할 수 있으며, 자신의 해결책과 대처방법을 찾기 위해 의료전문가의 지원을 받을 수 있음을 인정한다. 강점 기반 접근방식은 가족의 강점, 역량 및 가족이 직면한 특정 문제를 처리하는 데 필요한 자원에 중점을 두고 가족과 함께 일하는 간호사를 돕는다. 따라서 강점 기반 접근을 사용하면 개인이나 가족의 결핍을 '수정'하려는 아이디어에서 벗어나 기존 보호요인과 능력을 인식하는 방향으로 이동한다. 이 접근방식은 자신의 상황에 대한 해결책을 찾고 관리하는 데 있어 더 나은 기술을 개발하도록 장려한다. 이것은 간호사가 가족을 의료인이 제공하는 서비스의 수동적 수혜자가 아니라 자신을 돌보는 능동적 행위자 및 의사결정자로 보도록 권장한다. 이 장을 통해, 개인이 정신질환이 있을 때 가족이 직면할 수 있는 잠재적인 문제를 식별하고, 어려운 시기에 있는 가족을 지원하기 위해 활용할 수 있는 가족이 가진 강점을 염두에 두는 것이 중요하다.

정신질환이 있을 때 가족이 직면할 수 있는 잠재적인 문제

가족은 질병기간 동안 대상자를 지원하는 주요 원천이 될 수 있다. 많은 가족의 경우 급성 또는 지속적인 질병을 통해 사랑하는 사람을 지원하는 데 도움이 되는 지원 및 대처의 기존 메커니즘이 있다. 그러나 가족은 구성원의 경험에 영향을 받으며 가족구성원이 정신질환을 앓고 있는 경우 여러 가지 어려움에 직면할 수 있다. 예를 들어, 정신질환자의 가족은 대상자에게 상당한 양의 일상적인 돌봄을 제공할 수 있다. 호주 통계청(Australian Bureau of Statistics, 2016)은 가족구성원이 제공하는 비공식적인 돌봄의 수준을 설명했다. 설문조사에 따르면 거의 270만 명의 무급 돌봄제공자가 가족구성원을 돌보고 있는데, 이는 인구의 11.6%에 해당하며, 돌봄제공자의 3분의 1 이상이 자신도 장애를 가지고 생활하고 있는 것으로 나타났다.

이러한 돌봄제공자 역할의 결과로 가족구성원은 시간이 지남에 따라 더 큰 신체적 · 정신적 건강문제의 위험을 경험할 수 있다. 정신질환이 있는 노부모를 돌보는 연구에서 매캔 등(McCann, et al., 2015)은 돌봄 경험이 가족구성원의 신체적 건강에 부정적인 영향을 미치며, 신체적 질병에 더 취약해지고 회복하는 데 더 오랜 시간이 걸린다고 보고했다. 가족 간 돌봄의 경험은 '돌봄 부담'이라는 개념과 연결되어 있다. '부담' 또는 과부하는 신체적 · 정서적 · 사회적 · 재정적으로 영향을 미치고, 계속 일할지 여부, 직업 결정 및 아이를 더 가질지 여부 같은 중요한 삶의 선택에 여러 방식으로 영향을 미친다. 이러한 '부담'에도 불구하고 많은 가족은 돌봄에서 자신의 역할을 중요하게 여기고 사랑하는 사람을 지속적으로 지원하기 위해 최선을 다한다. '부담'의 정도는 각 가족과 구성원에 따라 다르게 느끼며 시간이 지남에 따라 변할 수 있다. 대부분 시간 동안 가족을 돌보는 비공식 돌봄제공자(informal carer)가 의료제공에 상당한 기여를 하지만, 정작 헌신적으로 돌봄을 제공하는 돌봄제공자에게 비용을 부담시킨다. 돌봄제공의 영향은 주돌봄제공자뿐만 아니라 가족 전체가 경험한다.

리처드슨 등(Richardson, et al., 2013)은 가족구성원이 가족의 증상을 관리하고 보건의료시스템을 접하는 것뿐만 아니라 재정적 어려움, 관계 문제, 사회적 고립, 타인의 낙인 찍는 태도, 변화된 일상, 좌절과 피로를 경험할 수 있다고 설명한다. 돌봄은 다른 사람들과 어울리고 취미생활과 운동 같은 자기관리에 사용할 수 있는 시간을 현저히 줄일 수 있다. 많은 가족 돌봄제공자는 다른 가족구성원을 포함하여

간호사 이야기 6.1

간호사로서 나는 항상 가족과 함께 일했다. 모두 사람들은 가족이 있고 나는 항상 사람 사이의 연결 관계의 중요성을 알고 있다고 생각한다. 현재 나는 성인 정신건강서비스 내에서 가족과 함께 일하면서 가족에 대한 인식을 높이고 누군가가 아플 때 가족을 지원한다. 한 사람이 정신병에 걸리면 파급효과가 있어 그들에게만 영향을 미치는 것이 아니라 주변 사람에게까지 영향을 미치고 이걸 모두가 느낀다.

가족은 아기의 모빌과 같다. 정신질환은 가족 내에서 많은 불안을 유발할 수 있다. 모빌의 일부가 흔들리면 전체가 흔들린다. 모빌은 어떤 변화, 역할의 변화, 이사 또는 질병에도 흔들릴 수 있다. 가족의 정신질환으로 인해 모빌이 심하게 흔들릴 수 있으며, 우리는 종종 가족과 함께 평온함과 균형을 되찾기 위해 노력한다. 정신질환이 발생하면 가족은 슬픔, 죄책감 또는 두려움을 느낄 수 있다. 아직도 많은 낙인과 수치심이 있다. 일부 가족은 매우 도움이 될 수 있으며 자신에게 적합한 패턴을 찾는다. 때로는 정신질환이 온 가족을 지배할 수 있으며 사람들은 자신을 돌보는 것을 잊어버린다. 나는 비행기에서 다른 사람을 돕기 전에 먼저 자신의 산소마스크를 착용해야 한다는 것을 사람들에게 상기시킨다. 때때로 사람들은 자신에게 그렇게 해야 한다는 것을 알지 못한다.

어떤 사람은 가족이 참여하는 것을 원하지 않거나 가족과 단절되거나 멀리 떨어져 살 수 있다. 정신질환은 가족 내 긴장과 관계 내 갈등을 유발할 수 있다. 때로는 긴장이 이미 가족 내에 있었지만 모든 것이 그 병에 걸린 사람의 탓이 된다. 어느 가정에서나 질병은 스트레스 요인이다. 정신간호사가 정신질환 대상자를 가족과 함께 보거나 대상자의 가정에서 볼 때 그들의 환경과 가족 역동 등을 포함하여 대상자와 가족에 대해 훨씬 더 많이 알게 된다. 환경, 가족 역동 등은 우리가 의원이나 병원에서 대상자를 볼 때는 알 수 없는 것들이다. 사람들은 가족 옆에 있을 때 다를 수 있다.

정신간호사로서 누군가의 집에 가면 간호사는 항상 손님이고 그들의 삶과 공간을 존중해야 한다. 나는 호기심을 갖고 사람들에게 가족에 대해 물어보고 시간을 내어 가족이 어떤 도움을 원하는지 듣고 이야기하려고 노력한다. 나는 친절과 공감을 보여 신뢰를 구축한다. 나는 또한 무엇이 가족에게 기쁨과 만족을 주는지 묻고 내가 관찰한 그들의 장점을 말한다. 때때로 그들은 자신의 강점을 볼 수 없다. 보통 가족이 사랑을 표현하는 데 어려움이 있더라도 가족 간에는 많은 사랑이 있다. 정신건강에서 우리는 너무 많은 다른 가족을 볼 수 있으며 '평범한' 가족은 없다. 모든 가족은 다르고 모든 가족은 어려움을 겪는다. 우리는 상황이 지금보다 나아질 것이라는 희망을 가족에게 제공해야 한다. 시간이 좀 걸릴 수 있지만 그들은 나아질 것이다. 때때로 가족은 갇힌 느낌을 받거나 상황이 영원히 변하지 않을 것 같은 느낌을 받는다. 가족은 서비스 및 임상의의 판단에 매우 민감하다. 우리는 이것을 잘 알고 강점에 집중하고 그들이 앞으로 나아갈 길을 찾도록 도와야 한다. 사람들의 일상을 알 수 있다는 것은 특권이다.

다른 사람들로부터 고립된 느낌을 받는다고 보고하고, 우려사항을 논의할 수 있는 다른 사람 없이 홀로 남겨진다. 매캔 등(McCann, et al., 2015)은 돌봄 스트레스는 다른 가족구성원이 돌봄에 대해 비판적일 때 가족관계에 부정적 영향을 미침을 보고했다. 가족구성원은 사랑하는 사람에 대한 충성심이 있어 돌봄과 관련된 자신의 문제를 논의하는 것에 대해 죄책감을 느낄 수 있다. 그러나 동시에 그들은 지원에 접근할 기회의 부족 및 다른 사람들이 자신이 돌봄 역할을 계속하기 꺼리는 것으로 오해할까 봐 두려워할 수 있다. 간호사는 이러한 문제를 이해하고 가족구성원이 걱정을 공유하도록 돕는 것은 물론, 아픈 가족구성원에 대한 그들의 강점과 헌신을 인정하는 것이 중요하다.

부모가 정신질환을 앓고 있는 아동 및 가족

정신질환이 가족에 미치는 영향을 고려할 때 아동과 청소년이 간과될 수 있다. 정신질환이 있는 가정의 아동과 청소년은 종종 부모를 포함하여 성인 대상자에게 보살핌을 제공해야 한다. 일반적으로 보살핌이 필요한 사람은 성인 자녀가 돌보는 노인이다. 그러나 성인 정신건강서비스를 이용하는 대상자의 12~45%는 18세 미만의 자녀를 두고 있다. 이러한 아동 중 일부는 부모나 형제자매에게 신체적 · 정서적 보살핌을 제공해야 한다. 그들의 돌봄 역할은 정신질환이 있는 부모의 많은 성인 자녀가 그러하듯 성인이 될 때까지 계속될 수 있다. 직접적인 보살핌을 제공하지 않더라도 아동과 청소년은 정신질환이 가족에게 미치는 다양한 영향을 경험할 수 있다. 일부 아동 및 청소년의 경우 부모 또는 가족의 정신질환은 가족 경험의 일부이지만, 현재 상황에 대한 충분한 설명과 다른 가족구성원이나 의료전문가의 지원과 같은 기타 보호요소가 있는 경우 그 영향은 최소화된다.

아동과 청소년에 대한 영향 요인은 부모나 가족구성원의 질병삽화 발생이나 질병의 중증도, 만성질환의 영향, 기타 장애(예 약물 남용), 정신질환 진단을 받은 당시 아동의 나이이다. 아동과 청소년은 부모의 행동변화뿐만 아니라 정서적 요구를 채워줄 수 있는 다른 가족구성원이 부족할 수 있다. 부모가 정신질환을 앓고 있는 가정의 아동은 정신적 · 정서적 문제가 발생할 위험이 더 높을 수 있고, 이는 다른 성인으로부터의 지지가 가능한지, 학교생활 참여 및 입원 중 분리 경험 등과 관련이 있다. 아동과 청소년은 가족구성원 질병의 직접적인 결과로 일생 동안 사회적 · 심리적 · 실제적 어려움을 겪지만 가족 내 아동과 성인의 경험은 다양할 수 있다는 점에 유의해야 한다.

정신질환이 있는 아동 또는 청소년을 돌보는 부모

정신질환이 있는 아동이나 청소년을 돌보는 부모도 어려움을 겪을 수 있다. 많은 부모가 자녀의 미래에 대해 걱정하고 죄책감이나 두려움을 경험한다. 또한 많은 사람이 수많은 상실을 경험한다. 리처드슨 등(Richardson, et al., 2013)의 연구에서 부모는 자녀의 잃어버린 기대, 미래에 대한 불확실성, 재정적 안정성의 상실, 사회 및 직업 기회의 상실을 경험하는 것으로 보고했다. 부모는 정신질환 진단과 관련된 분노, 실망, 절망, 슬픔, 충격, 걱정 및 부정과 같은 경험과 양육자 역할에서 직면한 많은 어려움을 보고했다. 실제로 부모는 자녀를 돌보는 일과 돌보는 데 소요되는 시간의 증가로 인해 수입과 사회적 연결성을 잃을 수 있다.

낙인과 가족

정신질환과 관련된 어린이, 부모, 성인 및 가족의 어려움은 자신의 경험 및 사회적 영향과 관련이 있기도 하지만 많은 사람은 정신질환을 가진 가족이 있는 것과 관련된 낙인을 경험하기도 한다. 여기에는 다른 사람의 편견이나 차별이 포함된다. 이런 형태의 낙인을 '가족 낙인'이라고 한다. 예를 들어, 아동이나 청소년의 정신질환을 빈곤한 양육 탓으로 돌리거나 가족이 약물을 복용하도록 돕지 않은 것에 대해 가족을 탓하는 것이 포함될 수 있다. 낙인은 가족구성원이 가족의 질병을 받아들이는 것을 더 어렵게 만들 수 있으며 경우에 따라 가족구성원의 질병이나 행동에 대해 느끼는 수치심과 관련된 죄책감을 경험할 수도 있다. 이것은 가족구성원이 정신질환을 가진 사람에 대한 부정적인 사회적 견해를 뒷받침하는 '자기 낙인'으로 이해될 수 있다.

정신질환이 있는 사람의 가족은 매일 차별과 낙인을 받고 있다고 보고한다. 이 낙인은 지역사회, 확대 가족구성원 또는 의료전문가로부터 올 수 있다. 결과적으로 가족은 더 넓은 사회적 상황에서 위축될 수 있다. 정신질환 진단을 받은 사람의 가족구성원이 경험한 낙인에 대한 한 연구는 상황에 대해 공개하는 것이 돌봄제공자가 낙인을 관리하고 가족의 지원을 가능하게 하며 사회적 고립을 줄이는 데 도움되는 전략임을 발견했다. 그러나 이 연구는 또한 다양한 문화적 배경을 가진 가족이 가족구성원의 정신질환에 대해 비밀로 할 가능성이 높기 때문에 낙인의 영향에 더 취약할 수 있음을 밝혔다.

문제 해결 및 강점 구축 - 가족회복 탄력성

가족이 정신질환을 앓고 있을 때 가족구성원이 많은 어려움에 직면할 수 있다는 것은 분명하지만, 많은 가족이 이러한 문제를 효과적으로 해결할 수 있는 강점을 개발한다는 증거도 있다. 이러한 도전이나 역경을 극복하는 것은 알로스태시스와 회복탄력성을 통해 이해할 수 있다.

스트레스와 알로스태시스

앞서 설명한 바와 같이, 특히 가족이 다른 사람들로부터 적절한 지원을 받지 못하는 경우 정신질환이 있는 가정에서 생활하는 것은 많은 가족구성원에게 어려운 일이 될 수 있다. '알로스태시스'의 개념은 어린 시절이나 성인기의 스트레스가 사람에게 어떤 영향을 미칠 수 있는지 이해하는 데 유용하다. 가족구성원, 특히 아동은 시간이 지남에 따라 정서적 · 신체적 건강과 안녕에 부정적인 영향을 미칠 수 있는 다양한 스트레스 요인이나 외상적 사건을 경험할 수 있다. 이러한 스트레스 요인에는 가족의 갈등이나 공격성, 양육 부족, 정서적 · 신체적 · 성적 학대나 방치 등이 있으며, 정신질환이 가족구성원에게 미치는 영향도 포함될 수 있다.

알로스태시스(allostasis)는 개인의 생리적 시스템이 정신사회적 · 환경적 또는 신체적 스트레스 요인에 적응하는 과정을 나타낸다. 면역체계와 스트레스 반응(시상하부-뇌하수체-부신 축)은 알로스태시스의 두 가지 주요 매개체이다. '알로스태시스 과부하'는 성공적이지 못한 적응의 장기적 결과와 스트레스에 대한 반복적인 신체적 반응으로 인한 누적된 물리적 손상을 의미한다. 시간이 지남에 따라 누적되는 스트레스는 개인의 건강에 부정적 영향을 주어 질병을 유발한다.

레페티 등(Repetti, et al., 2011)은 스트레스나 외상에 대한 반복적인 단기 반응과 이것의 장기적 영향 사이의 상호 연결을 설명하기 위해 맞물린 톱니바퀴의 비유를 사용한다. 가족환경에서 가장 작은 톱니바퀴는 스트레스가 많은 사건을 나타내는 것으로 볼 수 있으며, 이에 대한 아동의 즉각적인 반응은 중간 톱니바퀴의 한 바퀴 회전으로, 장기적 건강 결과는 가장 큰 톱니바퀴의 한 바퀴로 표시될 수 있다(그림 6.1).

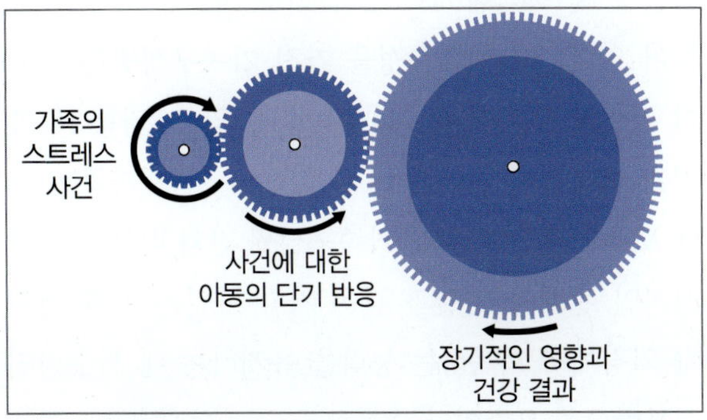

그림 6.1 반복되는 단기 반응과 장기적인 결과 사이의 연결을 설명하는 은유로서의 톱니바퀴

출처: Repetti, et al., 2011

회복탄력성

회복탄력성은 다양하게 정의되어 왔지만 이 맥락에서는 구체적으로 위험이나 도전에 대한 개인이나 가족의 적응 과정이다. 회복탄력성은 스트레스나 역경에 긍정적으로 적응하고 보호요인을 포함한 내부 및 외부 자원을 사용하여 안녕을 유지하거나 회복할 수 있는 것과 관련된 역동적인 과정이다. 이러한 방식으로 회복탄력성은 항상성 또는 긍정적인 적응을 나타내는 것으로 이해될 수 있다. 정신질환과 같은 어려운 상황에 처한 어린이와 가족의 회복탄력성을 증진하면 개인과 가족 전체의 신체적·정신적 건강 결과를 개선하고 가족의 회복을 지원할 수 있다.

가족회복 탄력성은 가족체계 내의 여러 개인의 안녕과 그들 사이의 관계, 그리고 그들의 회복탄력성을 지원하는 주요 가족 과정을 나타내기 때문에 개인 회복탄력성과 구별된다. **박스 6.1**은 가족회복 탄력성의 주요 과정을 보여준다. 가족회복 탄력성의 관점에서 가족은 근본적인 강점과 자원, 성장 잠재력이 있는 단위이다. 정신질환을 앓고 있는 가족에서 회복탄력성은 스트레스와 고통 사이의 균형을 유지하고 가족구성원의 힘과 낙관주의를 유지하는 것과 관련이 있는 것으로 밝혀졌다.

정신질환자 가족의 회복탄력성을 촉진시키는 개인적 요인으로는 강인성, 희망과 수용, 자기효능감, 일관성 및 숙달감(mastery) 그리고 자원이 풍부한 것 등이 있다. 이러한 특성을 가진 가족구성원은 그들이 직면한 문제에 더 잘 대처할 수 있다. 가족 내 개인은 회복탄력성을 가질 수 있으며 이는 가족 단위에 도움이 될 수 있다. 가족구성원 간의 따뜻하고 긍정적인 관계와 연결과 같은 기타 자원은 가족 단위가 역경에서 회복하는 능력을 유지하는 데 필수적인 회복탄력성 요소이다.

박스 6.1 가족회복 탄력성을 지원하는 주요 과정

- 가족 간의 정신질환에 대한 의사 소통 및 토론
- 가족 식사, 가족 휴가 또는 여가행사와 같은 의식과 일상 유지
- 가족 간의 유대감과 긍정적인 관계

출처: Power, et al., 2015

가족 및 관계회복

정신질환의 맥락에서 회복탄력성과 회복은 상호 연관되어 있는 것으로 이해될 수 있다. 회복탄력성은 역경을 극복하고 강점을 구축하는 과정이며, 회복은 정신질환과 같은 도전에 직면하여 변화를 거치는 과정이다. 회복은 제2장에서 자세히 설명되었다.

정신건강서비스에서 대상자의 개인적 회복을 지원하는 치료가 점점 더 강조되고 있다. 개인의 회복은 '자신의 태도, 가치, 감정, 목표, 기술, 역할을 변화시키는 매우 개인적이고 독특한 과정'이다. 그것은 '정신적' 질병으로 인한 한계에도 불구하고 만족스럽고 희망적이며 기여하는 삶을 사는 방법이다. 여기에는 대상자가 자신의 회복에 대해 정의하고 책임을 진다는 개념이 내포되어 있다. 개인 회복에서 정신질환이 있는 사람은 여러 과정을 거치는 것으로 이해될 수 있다. 여기에는 다른 사람과의 연결성 구축, 미래에 대한 희망과 낙관성, 긍정적인 정체성 개발, 삶의 의미 찾기, 권한 부여(empowerment) 등이 있다.

정신건강서비스 제공에서 개별 대상자의 회복에 대한 이해와 관심이 증가하고 있지만 대상자 가족구성원의 회복 과정에 대한 인식은 매우 낮다. 그러나 정신질환자가 회복할 수 있는 것처럼 가족도 회복할 수 있다. 이러한 과정은 정신질환자의 개인적 회복 과정과 겹치며, 회복은 가족 과정으로 이해될 수 있다. 가족회복은 가족구성원 모두의 강점을 활용하고, 삶의 사건과 트라우마의 영향에 대한 이해를 바

탕으로 이루어지며, 가족과 가족의 목표, 요구에 의해 추진된다.

스파니올(Spaniol, 2010)은 가족회복 과정의 4단계를 밝혔다. 그림 6.2는 이 가족회복 과정의 시각적 틀을 보여준다.

1. 충격, 발견, 부정: 개인의 급성 정신질환은 가족에게 충격을 줄 수 있다. 그들이 대상자에게서 관찰할 수 있는 변화는 이해하기 어려울 수 있다. 가족구성원은 이러한 사실을 말하지 않을 수 있고 질병이 심각하다고 생각하지 않을 수 있다. 부정은 질병의 초기 단계 내내 지속될 수 있다.
2. 인식과 수용: 가족구성원은 점차적으로 가족구성원이 정신질환을 앓고 있다는 인식을 갖게 된다. 이때는 의료전문가가 그것을 치료하는 방법을 알고 있다는 희망의 느낌과 함께 죄책감, 당혹감 또는 자책감이나 질병에 대한 책임감이 동반될 수 있다. 수용 과정의 일부로 가족구성원은 이전에 가족구성원과 함께 원했던 삶에 대해 상실감을 느낄 수 있다. 그러나 슬픔을 통해 시간이 지남에 따라 그들은 이 상실을 받아들일 수 있다. 가족구성원은 자신, 관계 및 삶에 대한 인식의 변화를 통해 변화될 수 있다.
3. 대처: 처음에는 가족구성원에게 적절한 지식이나 기술이 없으므로 정신질환의 어려움을 겪을 수 있다. 나중에 가족구성원은 계속해서 자신의 가족을 부양할 수 있는 방법을 확인하는 방법을 배운다. 대처가 슬픔을 대신하기 시작한다. 가족구성원은 가족 내 대상자가 받고 있는 보살핌에 의문을 제기할 때 더 주장적이거나 화를 낼 수 있고, 추가 지원을 요청할 수도 있다. 시간이 지남에 따라 가족의 지식, 자신감, 대처 기술이 나아지고, 가족에게 정신건강 전문가가 필요하지만 그들이 자신들의 대처능력의 전부는 아닌 것으로 인식한다.
4. 개인적 · 정치적 옹호: 회복 과정에서 가족구성원은 서서히 자신에 대해 새로운 인식을 갖게 된다. 여기에는 더 강한 자신감과 개인적인 옹호가 포함될 수 있다. 그들은 자책감을 버리고 보다 협력적인 전문가와 함께 일하는 새로운 역할과 방법에 초점을 맞춘다. 일부 가족구성원의 경우 정치적 옹호와 정신보건체계에 영향을 미치고 변화시키는 일이 더 중요해진다.

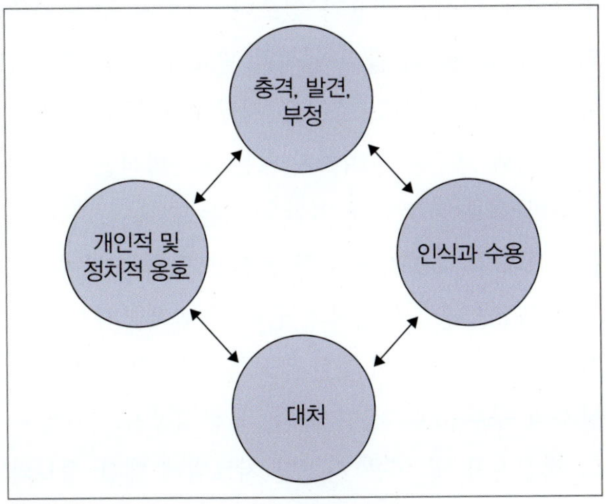

그림 6.2 가족회복 과정
출처: Spaniol, 2010

와이더와 블랜드(Wyder & Bland, 2014)는 가족을 지원하고 회복의 여정에 참여하는 가족의 과업에 개인 회복 틀을 적용함으로써 개인과 가족 회복 사이의 상호관계를 이해하는 데 기여했다(표 6.1). 그들은 정신질환에서 가족의 회복이 단순히 돌보는 역할에 국한되지 않고 능동적이고 다차원적인 과정이라고 결론지었다.

가족회복에 대한 보다 최근의 대안적인 이해는 관계의 회복이다. 이 접근법은 가족이 사람들의 삶에서 중요한 관계라고 생각한다. 관계회복은 사람들이

표 6.1 회복 중인 가족을 위한 작업

1. 희망 유지하기	개인으로서 자신과 자신의 꿈과 열망에 대한 희망을 유지하는 것, 희망을 간직하는 것은 복잡하다. 가족은 사랑하는 사람에 대한 희망을 품어야 할 수도 있다. 스스로 희망을 유지할 수 있는 방법을 찾을 때 그들은 자신의 충만한 삶을 영위하면서 돌보는 책임을 계속할 수 있다.
2. 재연결하기	정신질환은 가족과 친구를 포함하는 긴밀한 관계의 복잡한 네트워크 내에서 발생한다. 재연결은 다른 사람과의 관계 및 지원을 유지하거나 재구축하는 것, 동료 지원 및 지원 그룹의 일원이 되는 것, 지역사회의 일원이 되는 것이 포함된다.
3. 2차 트라우마 극복하기	가족은 2차 외상을 경험하고 정신질환과 관련된 외상, 고립 및 낙인을 경험할 수 있다. 여기에는 삶을 통제할 수 없다는 무력감, 치료시스템에 의해 학대받는 느낌, 죄책감, 사랑하는 사람이 트라우마를 입었을 때 트라우마를 느끼고, 만성적인 슬픔과 상실을 경험하는 것 등이 포함될 수 있다.
4. 돌봄제공자에서 가족으로의 여정	가족은 종종 돌봄제공자 역할로 정의된다. 가족의 여정도 회복의 필수적인 부분이다. 가족이 사랑하는 사람과 상호지지하는 역할을 수행하기 위해 돌보는 역할을 내려놓을 수 있을 때 궁극적으로 가족뿐만 아니라 사랑하는 사람의 회복도 가능하다.

출처: Wyder & Bland, 2014

상호의존적이며, 그들의 삶은 그들이 살고 있는 사회적 맥락과 분리될 수 없으며, 회복은 관계의 맥락에서 일어난다는 것을 강조한다. 따라서 가족관계는 개인 회복의 핵심으로 이해될 수 있으며, 정신질환 회복의 모든 측면에 영향을 미친다. 이러한 관점에서 회복은 대상자 가족과의 관계와 분리될 수 없다. 간호사가 회복이 관계에 기반한다는 것을 이해하는 것은 간호실무에 중요하다. 이는 정신질환으로부터의 회복을 지원하기 위해 우리는 그들의 가족을 포용하고 가족 관계 및 연결을 지원해야 함을 의미한다.

비판적 사고 과제 6.1

개인회복 과정과 회복 중인 가족을 위한 과제를 생각해 본다. 그들 사이의 유사점과 차이점은 무엇인가? 간호사는 회복 과정에서 개인과 가족을 어떻게 지원할 수 있는가?

표 6.1에 요약된 회복 중인 가족을 위한 각 과업에 대해 간호사가 이러한 작업을 수행하는 가족을 지원할 수 있는 방법을 생각해 본다. 간호사가 각 가족 과제에서 가족을 지원하는 데 사용할 수 있는 전략을 적어도 하나 이상 찾아본다.

가족과 함께 하기: 가족 중심 실무

앞서 언급한 바와 같이, 많은 정신건강서비스는 정신질환자의 치료를 하며 주로 개별 대상자를 돌보고 그들의 증상을 관리하는 것에 초점을 두고 있다. 가족을 고려할 경우, 가족을 대상자, 가족의 질병 경험, 회복을 위한 중요한 맥락과 얽혀 있는 것으로 보는 관점이 아니라 회복 과정에서 가족이 대상자를 어떻게 돕고 지원할 수 있는가 하는 시각에서 보는 경우가 많다. 가족은 가족구성원의 돌봄에 관한 결정에 참여해야 한다. 서비스 제공에 있어 가족을 더 중요하게 인식할 필요가 있으며, 그렇지 않은 가족의 치료결과를 더 많이 인식할 필요가 있다. 개인에게만 초점을 맞추고 그들을 사랑하고 돌보는 가족의 관점과 요구를 고려하지 않는 접근방식은 정신질환자의 회복에 중요한 역할을 하는 가족이 빠진 접근방식이다. 대상자를 위한 돌봄 모델에서 서비스는 기밀유지에 대한 대상자의 권리, 돌봄제공자가 대상자의 질병 및 치료에 대한 정보를 갖는 것에 대한 대상자의 구두 또는 서면 동의, 돌봄제공자가 대상자의 정신질환 및 이용 가능한 치료법에 대한 정보와 같은 주요 정보를 가족에게 제공해야 한다. 물론 어떤 가족은 대상자를 돌보는 것을 원하지 않을 때도 있다는 사실을 인정하고 존중해야 한다.

국제적 관점에서 대상자 및 가족과 협력한 모범사례에는 돌봄제공자를 공감하는 것에 바탕을 둔 간호와 의사소통, 대상자, 가족 및 임상의와의 협력, 대상자 및 가족구성원의 재정적, 사회적, 주거 측면에 관심을 가지는 것을 포함한다. 아동을 포함하여 가족을 참여시키는 것은 호주와 뉴질랜드의 성인 정신건강서비스에 권장되는 실무 표준이다. 명확한 정신건강서비스 실무기준은 정신건강서비스에 가족 참여도를 높이며, 가족구성원의 돌봄계획에 가족이 적극적으로 참여하게 하고, 임상가와 가족 간의 소통을 향상시킬 수 있다.

정신건강에서 가족 중심 실무는 '가족 전체'의 관점을 취하고 정신질환을 앓는 가족구성원과 그들에게 '주요한 다른 사람' 간의 관계를 확인한다. 가족 중심 실무는 가족구성원/보호자의 건강과 안녕, 돌봄의 역할을 가족 돌봄계획에 체계적으로 통합하는 것이다. 모든 가족을 돌보는 데 있어 가족 중심 실무는 세대 간 정신질환이 가족구성원(아동 포함)에 미치는 영향을 다루고 가족 회복과 회복탄력성을 지원하는 예방적 중재의 한 형태일 수 있다.

다음과 같은 "가족중심 실무를 위한 네가지 원칙"을 뒷받침한다.

당사자 이야기 6.1

내 딸은 거의 20년 동안 정신병을 앓고 있다. 우리는 다양한 서비스를 받아 왔고 항상 딸의 돌봄에 깊이 관여했다. 너무 어렵고 힘들지만 그녀는 내 딸이고 나는 그녀를 사랑한다. 서비스 경험은 매우 다양하다. 사람들은 딸이 정신과 병동에 있다는 것이 어떤 것인지, 그리고 그 기분이 어떤 것인지 상상조차 할 수 없다. 나는 딸이 병원에 있을 때에는 매일 병원을 방문한다. 나는 몇 년 전 입원실에서 정말 멋진 경험을 했다. 딸아이가 많이 아팠을 때였다. 딸이 입원했을 때는 매우 늦은 밤이었다. 정말 친절한 간호사가 우리를 잘 맞아주고 늦은 시간에도 서두르지 않고 딸이 편안하게 지낼 수 있게 해 주었고, 나중에 내가 집에 간 후에도 딸이 잘 있는지 알려 주기 위해 내게 전화도 했다. 이렇게 전화까지 해 주는 후속 조치는 이례적인 일이다. 그녀는 입원하는 내내 우리를 정말로 돌봐주었다. 그녀는 마치 우리의 수호천사 같았다. 그것은 나와 딸의 경험을 바꿨다. 내 딸이 무시당한다는 느낌을 받지 않았다.

내 딸과 간호사는 딸의 회복 과정에서 실제로 영향을 줄 수 있다. 병동에서는 작성해야 할 서류가 많다. 하지만 때때로 간호사가 보이질 않아 사무실에 숨어 있는 것처럼 느껴진다. 그래서 때때로 간호사가 우리 가족, 심지어 내 딸과 함께 하지 않는 것처럼 느껴졌다. 사람들이 내 딸을 대하는 방식은 나에게 영향을 미친다. 간호사가 나와 정보를 공유하고 딸이 어떻게 지내고 있는지 말해 주고 심지어 내 상태를 확인하기 위해 나에게 직접 말을 걸어 줄 때 정말 좋다. 그런 때는 딸이 제대로 간호받고 있다는 느낌이 들어 집에 가는 발걸음이 가볍고 마음이 놓인다.

다른 사람보다 더 나은 직원은 항상 있을 것이고, 당신은 누가 더 나은 사람인지 쉽게 알 수 있다. 나는 정말 깐깐한 부모 중 하나가 되었다. 하지만 어떤 면에서 간호사인 당신도 그래야 한다. 그렇게 하는 것이 내 딸이 제대로 된 치료를 받을 수 있는 유일한 길이다. 나는 딸을 알고, 딸이 몸이 좋지 않을 때를 알기 때문에 자주 전화를 한다. 딸이 먹는 약과 그 효과에 대해 알지만 때로 간호사들은 내 말을 귀담아듣지 않는다. 간호사들은 자신이 전문가라고 생각하지만, 나는 딸을 평생 동안 돌보아 왔다. 많은 부모와 돌봄제공자는 환자에 대해 많은 것을 알고 있지만, 우리의 의견은 자주 무시된다. 전에 나는 전화로 내 딸이 안 좋아지고 있다고 말했으나, 병원은 내 말을 듣지 않았고, 딸의 상태는 나빠졌고, 우리는 집에서 사태를 관리해야 했다. 내가 원하는 것은 정말 단순하다. 정신건강전문가들이 가족인 우리의 전문성을 경청하고 배려하고 존중해 주기를 바랄 뿐이다.

수업참여를 위한 연습

당사자 이야기 6.1을 읽고 답해 본다.

1. 이 가족의 장점은 무엇이라고 생각하는가?
2. 스파니올(Spaniol, 2010)의 가족 회복틀을 사용하여, 이 이야기에서 가족 회복 과정의 관련 부분을 찾으시오.
3. 이 가족의 회복을 지원하는 데 효과적인 것과 비효과적인 정신건강서비스 전달요소는 무엇인가?
4. 모든 가족구성원의 가족 회복을 위한 더 큰 지원을 제공하기 위해 정신건강서비스 제공을 어떻게 변경하거나 개선할 수 있는가?

- 대상자(어린이 또는 성인)의 가족은 회복에 중요한 역할을 한다.
- 대상자와 그 가족 모두 자신의 요구사항을 해결하고 충족할 수 있도록 권한을 부여받을 수 있다.
- 가족을 통해 대상자를 지원하는 것이 가능한다.
- 임상의와 대상자, 임상의와 가족, 대상자와 가족 간의 관계를 통해 대상자를 지원하는 것은 '가족 전체' 돌봄 접근방식을 가능하게 하는 핵심이다.

가족 중심 실무의 범위

많은 간호사가 가족과 협력할 때 아동의 요구, 자녀양육, 가족에 대한 전문 지식이 부족함을 느끼기도 한다. 가족을 지원하는 데 중요한 다양한 실무가 있지만 간호사가 이 모든 것을 가족에게 제공하는 것이 항상 가능하거나 필요한 것은 아니다. 가족 중심 실무는 기본전략에서 가족 치료를 포함한 보다 고급 또는 집중적 접근으로 이동하는 연속선상에 있는 것으로 이해될 수 있다.

포스터 등(Foster, et al., 2012)은 출산으로 이루어진 가족과 협력할 때의 최소 수준 실무를 다음과 같이 권장한다.

- 대상자가 서비스를 받기 시작할 때 대상자의 자녀 유무(관련된 경우) 확인하기
- 부양자녀의 수, 연령, 건강상태 및 거주지 확인하기
- 서로 접촉을 유지해야 하는 대상자와 아동의 요구를 지원하기
- 대상자, 아동 및 가족구성원에게 양육 정보를 포함한 관련 정신건강 정보 및 자원을 제공하기
- 필요시 자녀와 가족구성원을 가족복지사 또는 서비스에 소개하기(그림 6.3).

간호사 및 기타 의료 전문가가 모든 가족구성원의 요구를 해결하기 위해 참여할 수 있는 다양한 실무가 있다. 가족 중심 실무에 관한 해외문헌을 체계적으로 검토한 결과, 혈통 또는 출산가족과 협력할 때

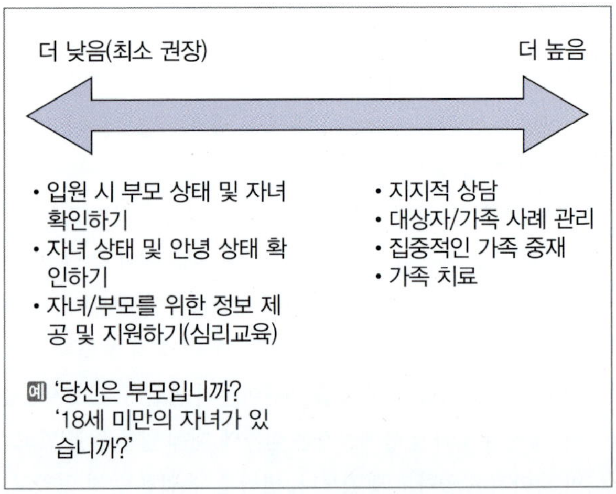

그림 6.3 가족 중심 실무의 연속선
출처: Foster, et al., 2012

간호사 이야기 6.2

모든 사람은 가족을 통해 태어났으며 많은 사람이 가족 내에서 자녀 양육을 포함한 많은 역할을 담당한다. 이러한 역할은 가족의 필수적인 부분을 형성한다. 성인 정신건강서비스에서 이러한 가족의 역할과 정신건강 및 회복 사이의 관계를 인식하려는 노력이 증가하고 있다. 부모가 정신질환을 앓고 있는 경우, 자녀는 자신의 세계를 이해하는 데 필요한 정보나 지원을 제공받지 못하는 경우가 많으며, 일반적으로 치료계획에 포함되지 않는다. 정신건강서비스에서 가족 중심 실무를 옹호하는 것은 힘든 일이지만 아동 및 가족과 함께 일할 수 있는 기회는 나에게 끝없는 영감과 계속할 동기를 제공했다. 많은 정신건강서비스가 나와 같이 가족을 돌봄에 포함시키는 것을 개선하기 위한 전담자가 있다. 내 역할의 큰 부분은 시스템 수준에서 아동과 가족에 대한 인식을 제고하고 개인에게 제공하는 치료에서 가족과 협력하는 방법에 대해 임상가를 교육하는 것이다. 그 역할에는 정신질환이 있는 부모를 위한 육아 프로그램 운영, 어린이 활동 프로그램 조직, 지원그룹 운영 및 특히 정신질환의 영향을 받는 가족을 위한 놀이그룹 운영뿐만 아니라 많은 아동, 부모와 가족에게 제공되는 많은 대화, 가족 모임 및 지원이 포함된다.

내 역할은 매일 다르다. 무슨 일이 일어날지, 어떤 프로젝트가 시작될지 또는 무슨 의뢰가 들어올지 전혀 알지 못한다. 대부분의 의뢰는 정신건강 임상의로부터 오지만 학교, 가족, 아동 및 기타 서비스에서도 조언이나 자원을 구하기도 한다. 가족을 위한 정신질환에 관한 좋은 자료와 책이 점점 늘어나고 있지만 그 어느 것도 자신의 경험을 탐색하고 질문을 하는 사람과의 대화를 대체하지 못한다. 정신질환에 대한 대화는 가정방문 중이나 병원 또는 보건소에서 부모, 아동, 청소년 및 가족과 할 수 있다. 부모는 종종 자신의 양육에 관한 대화에 참여하기를 꺼려하거나 자녀와 자신의 질병에 대해 전문적인 대화를 나누는 것을 거부할 수 있다. 따라서 가능하다면 모든 가족구성원을 토론에 포함시키고 라포를 형성하는 데 많은 시간과 생각을 할애해야 한다. 모든 부모는 자신의 양육 역할에 대해 걱정하고 양육 지원의 혜택을 받을 수 있지만 정신질환은 가족구성원 모두에게 스트레스가 될 수 있는 또 다른 문제이다.

내 직업에서 똑같은 날은 없다. 어느 날 십 대와 함께 정신질환이 무엇인지, 정신질환이 부모에게 어떤 영향을 미치는지 토론하고 친구에게 어떻게 말해야 하는지 또는 그들도 걸릴 것인지에 대한 질문에 답하는 자신을 발견할 수 있다. 다음 날은 정신건강의학과 병동의 가족회의에서 부모를 옹호하거나 가정방문에서 복잡한 가족 역동을 탐색하는 일을 할 수 있다. 어떤 날에는 아동과 함께 색칠하고 아동이 걱정하는 이유에 대해 이야기하거나 아동 또는 가족을 지원하는 방법에 대해 학교 또는 기타 기관과 이야기하는 자신을 발견할 수 있다. 정신건강 임상가가 치료계획 내에서 모든 가족구성원의 요구사항을 해결하도록 지원하는 데 많은 시간이 소요된다.

부모와의 대화는 질병으로 인해 부모로서 할 수 없는 일, 자녀가 아플 때 알아차렸다고 생각하는 것, 정신질환을 자녀에게 설명할 수 있는 방법, 자녀가 안전하다고 느끼기 위해 필요한 사항에 초점을 맞출 수 있다. 일반적으로 부모는 자신이 나쁜 부모로 판단되거나 더 폭넓은 자녀 양육 지원에 참여하는 것이 어렵다는 것을 알게 될까 봐 걱정한다. 아동과의 대화는 그들의 나이와 상황과 맥락에 적절해야 한다. 때때로 아동은 많은 정보를 원하고 스트레스 요인, 지원 및 걱정에 초점을 맞출 수 있다. 대화에는 필요한 경우 자녀가 누구와 이야기할 수 있는지, 부모의 질병에 대해 얼마나 이해하고 있는지, 미래에 대한 확신이 포함될 수 있다. 자녀는 종종 부모의 질병이 자신의 잘못이라고 생각한다. 또한 분리 또는 입원 기간에 대한 계획을 세우고 진실되고 간단한 설명을 제공하는 것이 중요하다. 자녀와 부모 모두 뇌에 대한 자세한 논의와 치료 및 예후를 포함하여 정신질환에 대해 알려져 있고 이해되는 사항에 대해 개방적이다.

아동은 우리가 생각하는 것보다 더 많은 것을 알아차리며 그들의 질문은 매우 신랄하고 도전적일 수 있다. 나는 일반적으로 정직하고 사려 깊은 답변을 하려고 노력하고 내가 모르는 것을 인정한다. 아동도 이를 잘 받아들일 수 있기 때문에 걱정거리에 대해 이야기하기 시작하면 그리 큰 문제가 되지 않는 경우가 많다. 어색한 대화는 전혀 시도하지 않는 것보다 항상 낫다. 다른 간호사에게 아동 및 가족과 대화하는 것에 대한 교육은 자신의 두려움을 기꺼이 제쳐 두고 우울증, 정신병 또는 자살과 같은 성인이 불편함을 느끼는 주제에 대해 까다로운 대화를 나누는 것이 얼마나 중요한 일인지 깨닫는 걸 보면서 보람을 느낄 수 있다. 가족의 삶에 개입하고 정신질환을 모든 구성원에게 영향을 미치고 영향을 받는 더 넓은 구조의 일부로 보는 특권이 있다.

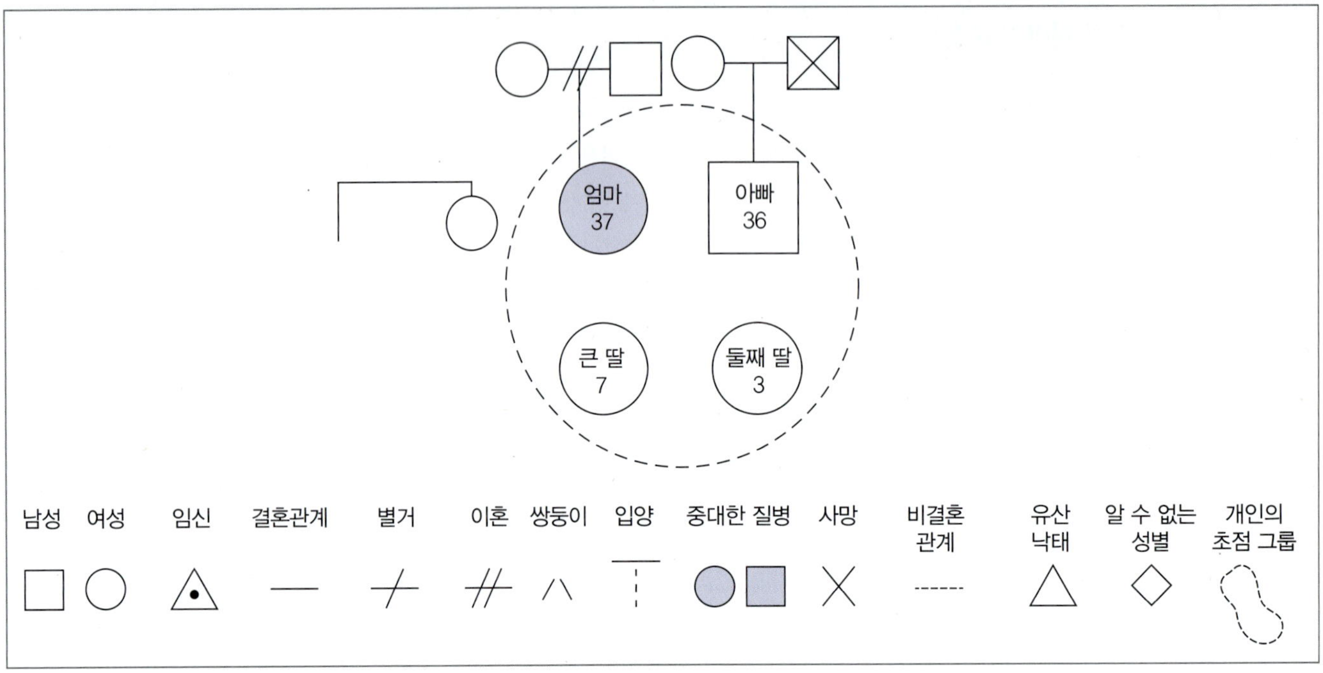

그림 6.4 사례연구 6.1의 가계도

출처: Sophie Isobel

여섯 가지 핵심 실무가 확인되었다(표 6.2). **박스 6.2**는 서비스를 받는 가족을 위한 평가 영역을 간략하게 설명한다. 가족 사정 과정의 일부로 가족구조와 주요 관계를 보여주는 가계도(시각적 표시)를 그리는 것이 일반적이다. 가계도의 예는 **그림 6.4**를 참조한다. 가계도는 가족과 세대에 걸친 패턴을 그림으로 표현한 것이다. 가계도는 모든 가족구성원을 포함하여 그린다. 오래 지속되는 관계, 깨어진 관계, 혼외 자녀와 적법한 자녀, 혼합 및 핵가족 관계가 모두 같은 페이지에 묘사되어 가족의 정서적 과정을 임상가와 가족 모두에게 보여준다.

박스 6.2 대상자에게 정신건강서비스를 시작할 때 가족 사정의 주요 영역

- 대상자가 누구와 함께 살고 있는지, 가족구성원이나 사랑하는 사람이 있다면 누가 정서적 또는 실질적인 지원을 제공하는지 확인
- 부모 상태 및 부양 자녀(18세 미만)의 유무를 확인하고 기록하기
- 만약 대상자가 미성년 자녀의 부모인 경우 어린 자녀를 누가 어떻게 돌볼 것인지에 대해 질문하기
- 가족구조(원가족 및 출산으로 출산으로 이루어진 가족/선택 가족)* 및 주요 가족관계의 특성(예 부모, 형제자매, 파트너, 자녀 및 대상자에 의해 확인된 기타 주요 가족구성원) 확인하기
- 최근 또는 장기간에 걸친 가족 관련 스트레스 요인 식별하기(예 가족의 질병 또는 사망, 물질 남용, 가정폭력, 이혼/관계 파탄, 실업 및 재정적 스트레스, 이사, 전학, 주택 부족)
- 대상자 및 가족의 강점(강력한 가족관계/지원 및 지역사회 지원을 포함한 자원) 및 취약성 또는 도움이 필요한 영역(스트레스 요인, 현재 질병) 확인하기

**사례연구 6.1의 가계도에서 가족구조의 예는 그림 6.4를 참조한다.*

표 6.2 가족 중심 실무

핵심 실무	실무의 예
1. 가족구성원 및 가족 기능 사정	서비스를 받을 때까지의 가족관계에 대한 질문부터 양육능력 및 가족 상황 사정, 가족구성원의 질병이 다른 가족구성원에 미치는 영향, 가족구성원의 정신건강 이해 수준에 대한 질문까지 다양하다.
2. 정신건강교육	가족구성원의 정신건강 이해력 향상을 목표로 정신질환 및 치료(약물 포함)에 대한 정보 제공 및 교육, 비공식 토론 및 서면 또는 온라인 자원 제공에서 근거 기반 가족 중재에 이르기까지 다양하다.
3. 가족 돌봄 계획 및 목표 설정	가족과 위기계획을 포함한 협력적 치료계획, 가족구성원이 대상자의 회복과 자신 및 다른 가족구성원의 안녕과 관련하여 목표를 설정하도록 지원한다.
4. 가족과 서비스 간의 연락	서비스와 가족 사이에서 가족을 대신하여 연락한다. 가족이 더 나은 결과를 달성하기 위한 서비스로 연결해 주거나 연결하도록 장려한다.
5. 도구적(instrumental, I), 정서적(emotional, E) 및 사회적(social, S) 지원	가족에게 다른 서비스를 소개하고 실질적인 지원을 조직한다(I). 가족에게 공감과 긍휼함을 보인다(E). 가족에게 권한을 부여하고 다른 사람(S)과의 사회적 연결 및 네트워크를 확장하도록 권장한다.
6. 가족과 서비스 간의 조정된 돌봄 시스템	가족구성원, 임상의 및 기타 서비스와의 협력 및 파트너십을 포함하는 조정된 돌봄시스템, 일반적으로 가족과 서비스 제공자 간의 파트너십을 동기화된 방식으로 개발하는 것을 포함하여 가족을 위한 포괄적인(wraparound care) 돌봄이 포함된다. 서비스 조정을 포함하는 일반적인 접근방식에서 특정 치료 모델을 사용하는 정의된 유형의 서비스(예 아이돌봄서비스; wraparound care)에 이르기까지 다양하다.

출처: Foster, et al., 2016

가족치료

가족치료는 가족 중심 실무의 연속선에서 상급 또는 집중 가족 접근방식으로 간주된다. 가족치료는 1950년대에 조현병의 원인이 가족이라는 믿음에서 발전했다. 특히 가족 내 특정 의사소통 방식이 질병을 일으키는 원인이 된다고 믿었다(편향적이고 분열적인 가족). 또 다른 믿음은 어머니의 의사소통 방식에 중점을 두었다. 이른바 조현병을 일으키는 어머니(역사적 일화 6.2)이다. 이러한 주장은 오랫동안 거부되었지만 가족치료로 알려진 일련의 중재가 탄생했다. 가족치료는 무의식적인 것에서부터(심리치료) '대인관계 과정, 즉 가족구성원이 서로 상호작용하는 방법'에 치료의 초점을 맞추었다.

가족치료는 한 사람에게 문제가 있을 때 일반적으로 온 가족이 관련된다는 근본적인 전제에 기반을 둔 치료 접근방식이다. 가족 상호작용이 문제를 일으키거나 이미 문제가 있는 내담자의 문제를 연장시키거나 내담자의 문제나 행동이 가족의 다른 구성원에게 영향을 미칠 수 있다. 가족치료사는 전체 가족 시스템에 변화를 일으키는 것을 목표로 한다. 가족치료는 일반적으로 여러 가족구성원을 포함하나, 매번 같은 가족구성원이 아닐 수도 있고, 치료에 한 명의 가족구성원이 포함될 수도 있다.

치료가 한 개인만을 포함하더라도 그 영향은 더 많은 가족이 경험하게 될 것이다. 이것은 가족 기능의 개선 또는 증상 완화를 통해 입증될 수 있다. 치료를 받는 가족은 치료를 받지 않은 가족에 비해 개선될 가능성이 훨씬 더 높다. 문제가 개인 내부에 있다고 믿는 일부 치료사와 달리 가족 치료사는 '우리

역사적 일화 6.2: 가족들이 비난을 받았습니까?

과거에는 가족이 정신장애를 일으키는 원인으로 자주 비난을 받았다. 미국의 정신과 의사인 프리다 프롬-라이히만(Frieda Fromm-Reichmann)은 1948년에 소위 '조현병을 유발하는 어머니'를 정의하기까지 했다. 이러한 유형의 어머니는 감정적으로 차갑고 거부하고 감정적으로 혼란스러운 것으로 묘사되었다. 완벽주의자, 지배적이며 감수성이 부족하고, 엄격하게 도덕적이지만 유혹적이며, 자신이 통제할 수 있도록 아이를 의존하게끔 키우며 과잉보호한다. 이러한 유형의 부모는 이론적으로 아이를 모순된 기준과 기대, 즉 '이중구속'으로 혼동시켜 아이가 사회의 요구에 어리둥절해하며 현실을 해독하지 못하고 현실에 대처하는 방법을 알지 못하게 한다. 오스트레일리아 정신과 의사 고든 파커(Gordon Parker)는 1982년에 조현병을 유발하는 어머니 연구를 검토한 결과 그러한 사람들이 존재하기는 하지만 그들이 조현병 발병에 책임이 없다고 결론지었다.

자세히 알아보기: Johnston, J., 2013. The ghost of the schizophrenogenic mother. AMA Journal of Ethics 15(9): 801–5

삶의 지배적인 힘은 외부, 즉 가족의 내부에 있다'고 믿는다. 치료는 가족과 가족이 조직되는 방식에 중점을 둔다. 궁극적으로 이것은 각 가족구성원의 삶에 어떤 식으로든 영향을 미친다. 즉, 전체 시스템이 영향을 받는다(예 **사례연구 6.1**).

카(Carr, 2014)는 가족치료가 문제 행동을 보이는 어린이를 치료하는 데 효과적이라고 보고했다. 아동은 가족의 영향을 강하게 받으며 그 영향력 안에 머물러야 하기 때문이다. 결혼 문제, 가족 불화 및 가족의 주요 이행기에 생기는 어려움도 가족치료를 받을 수 있다. 가족치료는 도박 문제와 섭식장애를 치료하고 법을 어기는 젊은이의 행동을 바꾸는 데 매우 유용한 것으로 밝혀졌다. 가족치료사의 역할은 가족 내에서 발생하는 역동을 이해하고 가족구성원이 서로 상호작용하는 방식을 재고하도록 돕는 것이다. 그런 다음 치료사는 가족구성원이 변화하도록 동기를 부여한다.

가족치료에서는 가족구성원 간 관계의 기능장애를 문제로 본다. 따라서 관계가 가족치료의 관심이 된다. 때때로 '문제'로 확인된 사람은 가족을 하나로 유지하기 위해 문제 행동을 하기도 한다. 예를 들어, 부모가 싸움을 시작할 때 잘못된 행동을 하는 아이를 생각해 보도록 한다. 자신의 잘못된 행동을 통해 부모는 일시적으로 갈등을 멈추고 더 이상의 부부싸움을 하지 않게 된다. 그런 다음 부모는 자녀의 문제 행동을 관리하기 위해 서로 협력한다. 결국 문제는 아이가 아니라 부부관계에 있다.

일반경은 가족치료에 유용한 도구이다. 치료사가 가족과 함께 방에 있는 동안 치료팀의 다른 구성원은 가족치료 모습을 거울 뒤에서 방해하지 않고 관찰한다. 이것은 관찰자가 치료사나 가족이 있는 치료실에 전화를 걸어 즉각적인 피드백이나 지시를 할 수 있다. 관찰자는 치료사가 보지 못하는 것[(의사소통 유형, 몸 언어(body language)]을 볼 수 있으므로, 치료사가 보지 못한 내용을 치료 중에 전달할 수 있다.

비판적 사고 과제 6.2

사례연구 6.1과 관련하여:

1. 부모, 아동 및 가족 전체에 대해 확인할 수 있는 위험요소 또는 도전과제는 무엇인가?
2. 가족은 어떤 강점이나 자원을 가지고 있는가?
3. 정신건강 임상가는 가족의 회복탄력성을 어떻게 지원할 수 있는가?

사례연구 6.1

두 딸이 있는 부부가 있다. 딸들은 각각 7세와 3세이다. 그들은 6년 전 동유럽에서 호주로 이주해 왔으며 호주에는 다른 가족이 없다. 아내의 부모는 이혼했고 남편의 아버지는 3년 전에 사망했다. 아내는 둘째 딸이 태어난 후 산후정신증 진단을 받고 정신건강의학과 병동에 입원한 적이 있으며 최근 추가 정신병 삽화로 인해 2주 동안 입원했다. 그녀는 그 후 사립병원으로 옮겨졌고 퇴원 후 그녀의 일반의(GP)가 추적관찰 중이다.

남편은 가족을 부양하기 위해 풀타임으로 일한다. 큰 딸은 초등학교 1학년이고 둘째 딸은 아빠와 함께 집에 있다. 자녀들은 병원에 있는 엄마를 방문하지 않았다. 남편은 아이들에게 엄마가 아파서 휴식이 필요하다고 설명했다. 아내는 3년 전 첫 발병 이후 직장에 복직하지 않았다. 그녀는 호주에 친구와 가족이 거의 없는 등 사회적 지지가 매우 부족하다 .

남편은 아내가 큰 딸을 학교에 보내지 않고 집에 데리고 있는 것을 걱정하여 지역사회 정신건강팀에 전화를 걸었다. 그는 아내가 항정신병 약물 복용을 중단했다고 생각하지만 그녀는 일반의(GP)의 진료를 거부한다. 아내는 도움이 필요하지 않다고 말했고 남편이 정신건강팀에 전화할 계획이라고 말했을 때 화를 냈다.

최근 재정적 부담으로 인해 남편은 추가근무를 하게 되었고 그들은 말다툼을 하게 되었다. 그는 자녀들이 보살핌을 잘 받고 있지만 큰 딸은 엄마가 입원한 이후로 침대에서 울다가 잠든다고 설명한다.

● **간호계획:**

- 가족, 아내, 어린이 및 환경을 사정하기 위해 정신건강팀과 공동 가정방문; 가족 역동, 강점, 어려움, 자녀 관찰 및 부모-자녀 상호작용, 집 상태 및 아내의 정신상태를 포함하여 사정하기
- 최근 스트레스 요인이 부모와 자녀에게 미치는 영향을 사정하기
- 부모와 자녀의 양육문제에 대해 부모에게 이야기하기
- 아내의 입원이 자녀들에게 미치는 영향에 대해 이야기하기. 딸이 요구할 수 있는 설명, 지원 및 확신; 자녀들이 경험할 수 있는 두려움; 그리고 엄마의 입원으로 인한 분리의 영향과 엄마의 정신질환
- 아내의 약물과 그것이 그녀의 양육에 미치는 영향(예 졸음)에 대해 부부와 함께 논의하기
- 아이들에게 엄마의 병과 그 영향에 대해 이야기하기. 이것은 엄마의 잘못이 아니며 엄마가 예기치 않게 다시 떠나지 않을 것이라는 확신과 같은 주요 메시지를 포함하기
- 엄마의 추가적인 입원으로 인한 분리 삽화를 관리하기 위해 자녀와 부모를 위한 안전계획 개발을 고려하기
- 지역 놀이그룹 또는 유치원, 사회그룹, 교사, 가족지원조직, 친구를 포함하여 가족의 모든 구성원을 위한 사회적 및 지역사회 지원을 확인하기
- 아내를 지역그룹 또는 지역서비스와 같은 자녀 양육 지원에 연결하기
- 부모 및 자녀와 함께 학교 교육의 중요성에 대해 토론하기
- 학교와 이야기하고 가족을 지원하기 위한 계획을 개발하기(부모는 학교와 이야기하기를 꺼릴 수 있지만 학교는 아이들에게 엄청난 지원이 될 수 있다. 부모 동의 없이 학교에 정보를 제공할 수 있지만 부모가 학교에 참여하도록 지원하고 딸을 위한 모든 잠재적 지원이 더 바람직한 선택이 될 것이다)
- 약물 및 지속적인 후속조치를 위해 아내의 일반의(GP)와 연락하는 것에 대해 아내와 이야기하기
- 다른 가족의 강점과 필요사항을 파악하고 부부와 함께 협력 치료계획을 개발하기

단원 요약

이 장에서는 가족이 정신질환을 앓고 있을 때 가족구성원이 직면하는 문제와 회복 과정을 통해 가족을 지원하고 가족의 회복탄력성을 구축하는 데 간호사가 할 수 있는 역할에 중점을 두었다. 사랑하는 사람이 정신질환을 앓고 있을 때 가족구성원의 필요와 어려움을 이해하면 정신간호사가 보다 적절한 지원을 제공할 수 있다. 여기에는 정신질환, 그 원인 및 치료에 대한 적절한 정보의 필요성, 자신의 신체적 · 정신적 건강에 대한 잠재적인 부정적인 영향, 낙인의 위험, 경제적 어려움, 사회적 고립 및 관계 문제가 포함된다. 가족의 강점과 자원을 구축하고 가족관계를 지원하는 데 초점을 맞추는 것은 세대 간 정신질환을 예방하고 가족이 관계를 회복할 수 있도록 회복탄력성과 안녕을 증진시키는 데 도움이 될 것이다.

● 유용한 웹사이트

Carers Australia. www.carersaustralia.com.au

Carers New Zealand. http://carers.net.nz/

Emerging Minds – training, programs and resources for health professionals, children and their families. https://emergingminds.com.au/our-work/

Mental Illness Fellowship of Australia (MIFA). https://www.mifa.org.au/en/

Mind Australia – information and advocacy for mental health carers. https://www.mindaustralia.org.au/

Supporting Families in Mental Illness NZ. https://supportingfamilies.org.nz/

정신장애와 인권 파도손 https://www.wave-hands.org/

한국조현병회복협회(심지회) http://smj.or.kr/?ckattempt=1

● 참고문헌

Anthony, W. A. Recovery from mental illness: the guiding vision of the mental health service system in the 1990s. Psychiatr. Rehabil. J.. 1993; 16(4):11–23.

Australian Bureau of Statistics. Disability, Ageing and Carers, Australia: Summary of Findings, 2015. Available: https://www.abs.gov.au/ausstats/abs@.nsf/mf/4430.0, 2016.

Carr, A. The evidence base for family therapy and systemic interventions for child-focused problems. J. Fam. Ther.. 2014; 36:107–157.

Corrigan, P. W., Druss, B. G., Perlick, D. A. The impact of mental illness stigma on seeking and participating in mental health care. Psychol. Sci. Public Interest. 2014; 15(2):37–70.

Dakof, G. A., Henderson, C. E., Rowe, C. L., et al. A randomized clinical trial of family therapy in juvenile drug court. J. Fam. Psychol.. 2015; 29(2):232–241.

Digiacomo, M., Delaney, P., Abbott, P. A., et al. 'Doing the hard yards': carer and provider focus group perspectives of accessing Aboriginal childhood disability services. BMC Health Serv. Res. 2013; . doi:10.1186/1472-6963-13-326

Foster, K. 'I wanted to learn how to heal my heart': family carer experiences of receiving an emotional support service in the Well Ways program. Int. J. Ment. Health Nurs.. 2011; 20(1):56–62.

Foster, K. 'You'd think this roller coaster was never going to stop': the experience of being the adult child of a parent with serious mental illness. J. Clin. Nurs.. 2010; 19:3143–3151.

Foster, K., Maybery, D., Reupert, A., et al. Family focused practice in mental health care: an integrative review. Child Youth Serv.. 2016; 37(2):129–155.

Foster, K., O'Brien, L., Korhonen, T. Developing resilient children and families where parents have mental illness: a family-focused approach. Int. J. Ment. Health Nurs.. 2012; 21(1):3–11.

Foster, K., Robinson, T. Educating for emotional resilience in adolescence. In: Hurley J., Linsley P., Van der Zwan R., eds. Emotions in Education Settings. London: Primrose Publishing; 2014:56–70.

Foster, K. P., Hills, D., Foster, K. N. Addressing the support needs of families during the acute hospitalization of a parent with mental illness: a narrative literature review. Int. J. Ment. Health Nurs.. 2018; 27:470–482.

Gelin, Z., Fuso, S., Hendrick, S., et al. The effects of a multiple family therapy on adolescents with eating disorders: an outcome study. Fam. Process. 2015; 54(1):160–172.

Goldenberg, I., Goldenberg, H. Family Therapy: An Overview, fifth ed. New York: Wadsworth Publishing Company; 2000.

Goodyear, M., Hill, T. L., Allchin, B., et al. Standards of practice for the adult mental health workforce: meeting the needs of families where a parent has a mental illness. Int. J. Ment. Health Nurs.. 2015; 24(2):169–180.

Johnston, J. The ghost of the schizophrenogenic mother. Virtual Mentor. 2013; 15(9):801–805.

Kadis, L. B., McClendon, R. Concise Guide to Marital and Family Therapy. Washington, DC: American Psychiatric Press; 1998.

Kenny, C., Sarma, K. M., Egan, J. An interpretive phenomenological account of the experiences of family carers of the elderly. Ir. J. Psychol.. 2012; 33:199–214.

Kleisiaris, C. F., Sfakianakis, C., Papathanasiou, I. V. Health care practices in ancient Greece: the Hippocratic ideal. J. Med. Ethics Hist. Med.. 7(6), 2014.

Leamy, M., Bird, V., Le Boutillier, C., et al. Conceptual framework for personal recovery in mental health: systematic review and narrative synthesis. Br. J. Psychiatry. 2011; 199:445–452.

Logan, J. G., Barksdale, D. J. Allostasis and allostatic load: expanding the discourse on stress and cardiovascular disease. J. Clin. Nurs.. 2008; 17:201–208.

Maybery, D., Reupert, A. E. The number of parents who are patients attending adult psychiatric services. Curr. Opin. Psychiatry. 2018; 31:358–362.

McCann, T. V., Bamberg, J., McCann, F. Family carers' experience of caring for an older parent with severe and persistent mental illness. Int. J. Ment. Health. 2015; 24:203–212.

McCann, T. V., Lubman, D. I., Clark, E. Responding to stigma: first time caregivers of young people with first-episode psychosis. Psychiatr. Serv.. 2011; 62:548–550.

Mladenovic, I., Lazetic, G., Lecic-Tosevski, D., et al. Treatment of pathological gambling: integrative systemic model. Psychiatr. Danub.. 2015; 27(1):107–111.

Murphy, G., Peters, K., Jackson, D. A dynamic cycle of familial mental illness. Issues Ment. Health Nurs.. 2014; 35:948–953.

Nichols, M. P., Schwartz, R. C. Family Therapy: Concepts and Methods, fifth ed. Boston: Allyn & Bacon; 2001.

Nicholson, J., Wolf, T., Wilder, C., et al. Creating options for family recovery: a providers' guide to promoting parental mental health. Available: www.employmentoptions.org, 2014.

Power, J., Goodyear, M., Maybery, D., et al, Family resilience in families where a parent has mental illness. J. Soc. Work. 2015; . doi:10.1177/1468017314568081

Price-Robertson, R., Obradovic, A., Morgan, B. Relational recovery: beyond individualism in the recovery approach. Adv. Ment. Health. 2017; 15(2):108–120.

Repetti, R. L., Robles, T. F., Reynolds, B. Allostatic processes in the family. Dev. Psychopathol.. 2011; 23:921–938.

Reupert, A. E., Mayberry, D. J., Kowalenko, N. M. Children whose parents have a mental illness: prevalence, need and treatment. Med. J. Aust.. 2012; 1(1):7–9.

Richardson, M., Cobham, V., McDermott, B., et al. Youth mental illness and the family: parents' loss and grief. J. Child Fam. Stud.. 2013; 22:719–736.

Rowe, J. Great expectations: a systematic review of the literature on the role of family carers in severe mental illness, and their relationships and engagement with professionals. J. Psychiatr. Ment. Health Nurs.. 2012; 19:70–82.

Spaniol, L. The pain and the possibility: the family recovery process. Community Ment. Health J.. 2010; 46:482–485.

van der Sanden, L. M., Pryor, J. B., Stutterheim, S. E., et al. Stigma by association and family burden among family members of people with mental illness: the mediating role of coping. Soc. Psychiatry Psychiatr. Epidemiol.. 2016; 51(9):1233–1245.

Von Kardorff, E., Soltaninejad, A., Kamali, M., et al. Family caregiver burden in mental illnesses: the case of affective disorders and schizophrenia – a qualitative exploratory study. Nord. J. Psychiatry. 2016; 70(4):248–254.

Wallcraft, J., Amering, M., Freidin, J., et al. Partnerships for better mental health worldwide: WPA recommendations on best practices in working with service users and family carers. World Psychiatry. 2011; 10:229–236.

Walsh, F. Strengthening Family Resilience, second ed. New York: Guildford Press; 2006.

Wyder, M., Bland, R. The recovery framework as a way of understanding families' responses to mental illness: balancing different needs and recovery journeys. Aust. Soc. Work. 2014; 67(2):179–196.

Zauszniewski, J. A., Bekhet, A. K., Suresky, J. Indicators of resilience in family members of adults with serious mental illness. Psychiatr. Clin. North Am.. 2015; 38(1):131–146.

CHAPTER 7

전문적 자기돌봄

Professional Self-Care

주요 내용

- 자기인식과 전인적인 자기돌봄은 정신간호사가 대상자와 보호자에게 진심 어린 공감간호를 제공하고 동료와 효과적인 업무관계를 유지하며 정신건강 간호실무의 요구를 파악하고 보람 있는 경력을 유지하는 데 필수적이다.
- 전인적인 자기돌봄에는 신체적 · 심리적 · 사회적 · 영적 전략이 포함된다.
- 평생학습과 지속적인 전문성 개발은 끊임없이 변화하는 의료 분야에서 기술과 지식을 유지하는 데 필수적이다.
- 임상, 교육, 관리 또는 연구 등 정신간호사에게는 다양한 직업 기회가 있다.

주요 용어

- 소진(burnout)
- 임상 슈퍼비전(clinical supervision)
- 공감피로(compassion fatigue)
- 감정노동(emotional labour)
- 전인적인 자기돌봄(holistic self-care)
- 전문성 개발(professional development)
- 회복탄력성(resilience)
- 직장 내 스트레스(workplace stress)

학습 목표

이 단원을 통해 다음을 수행할 수 있다.

- 정신건강간호와 관련된 문제, 직장 스트레스 요인 및 건강위험을 이해한다.
- 자기인식과 전인적인 자기돌봄이 정신건강간호에서 삶의 질을 유지하는 데 어떻게 도움이 되는지 이해한다.
- 정신건강간호 분야에서 지속 가능한 경력의 토대를 마련하기 위해 간호사 자신의 자기돌봄 및 건강 유지 전략을 검토한다.
- 특히 임상 슈퍼비전의 역할을 함에 있어 다양한 전문성 개발전략의 필요성을 인식한다.
- 정신건강간호 내에서 전문성 개발 및 경력 선택을 위한 전략을 고려한다.

서론

정신간호사를 포함한 모든 간호사는 건강과 삶의 질을 유지하고, 대상자와 보호자에게 진심 어린 공감간호를 제공하며, 동료와 효과적인 업무관계를 유지하면서 정신건강 간호실무를 수행할 수 있어야 한다. 이러한 전인적인 자기돌봄에는 자신의 건강을 희생하지 않고 간호를 지속할 수 있도록 치료적 자아를 유지하기 위한 신체적 · 심리적 · 사회적 · 영적 전략이 포함된다.

이 장의 초점은 간호, 특히 간호사로서 정신간호의 보상과 요구의 맥락에서 자신을 돌보는 것의 중요성에 있다. 지속적인 학습 및 전문성 개발은 경력 및 업무 만족도의 필수요소로 포함된다. 또한 이 장에서는 정신 분야에 진출할 계획인 간호사를 위한 다양한 경력 선택에 대한 정보를 제공한다.

치료적 자기이용

치료적 관계는 정신건강간호의 중심 활동이며 다른 모든 간호중재의 기반이 된다. 치료적 관계에 적극적으로 참여하려면 정신간호사의 인지, 감정 및 행동에 대해 살펴보아야 한다. 이것은 다른 사람과의 인간관계를 구축하면서 성격, 배경 및 생활 기술, 대인관계 기술 및 전문지식을 의도적이고 의식적으로 활용하면서 가능해진다. 이런 치료적 관계는 필요시 대상자의 고통을 완화하고 궁극적으로는 치유와 회복을 지원하도록 돕는다.

대상자와 정신간호사의 치료적 관계에서 전문적 경계를 유지하는 것은 간호사의 책임이 된다. 간호사-대상자 관계 내에서 전문적인 경계를 유지하는 것은 치료에 필수적이며 절대 과소평가하지 말아야 한다. 특히 대상자와 긴밀히 협력할 때, 경계를 유지함에 있어 정신간호사는 자기관찰과 자기인식을 통해 감정상태를 조절해야 한다. 정신간호사가 의도적으로 자신을 이용하여 치료적이고 안전한 대상자와의 관계를 발전시키려면 자기인식이 필수적이다.

자기인식

자기는 인간의 심리와 행동을 이해하려는 측면에서 많은 관심을 받은 복잡한 개념이다. 우리는 자신에게 주의를 기울이는 성찰을 통해, 자신을 인식하면서 다른 사람과 구별해 나간다. 자기는 인간으로서의 고유성이며 세상을 살고 경험하는 방식을 주관하는 속성이다. 우리가 세상을 바라보는 관점은 언제나 우리 자신의 것이다. 이에 진정한 객관성은 있을 수 없지만, 세계 또는 세상에 대한 우리의 주관적인 견해에 영향을 미치는 것에 대한 인식을 통해 그것이 우리의 생각에 어떤 영향을 미치는지 확인할 수 있다.

자기인식(self-awareness)은 세계에 대한 우리의 주관적인 견해가 환경에 의해 어떻게 영향을 받는지, 그것이 우리가 대상자 및 보호자와 관계를 맺는 방식에 어떻게 영향을 미치는지 이해하는 것이다. 간호사는 문화적 · 사회적 및 가족 배경에서 발생하는 신념체계와 가치를 인식해야 한다. 모든 사람은 다른 사람의 행동을 보는 방식에 영향을 미치는 편견을 가지고 있어 어떤 간호사는 이해할 수 있는 행동을 다른 간호사는 이해하지 못할 수도 있다.

정신건강 실무에는 다양한 배경을 가진 사람의 말을 듣고, 반응하고, 공감할 수 있는 능력이 필요하다. 검증되지 않은 신념체계는 대상자와의 치료적 관계를 발전시키는 데 장애가 될 수 있다. 간호사의 자기인식이 부족하면 대상자의 고통과 행동에 도움이 되지 않는 방식으로 반응할 수 있다. 예를 들어, 간호사가 대상자에게 가장 좋은 것이라고 믿는 것을 강압적으로 사용하게 할 수 있다. 간호사가 지나치게 염려하여 대상자가 선택하는 것을 거부하거나 자신의 불안으로부터 보호하려는 시도로 조언을 제시하는 것도 자기인식의 부족에서 비롯될 수 있다. 또는 간호사가 특정 대상자의 고통을 참을 수 없어 접촉을 피하거나 고통에 반응하지 않을 수도 있다.

간호사가 다른 사람을 이해하고 관계를 맺는 방식을 배우고 향상시킬 수 있는 것은 자기성찰과 경험의 검토 과정을 통해서이다. 회복탄력성(resilience)의 증가는 자기인식 또는 '자아전문가'가 되고 자신의 개인적인 경험, 기술, 지식, 강점 및 한계에 대한 명확한 이해와 관련이 있다.

성찰

자기인식의 핵심 구성요소는 성찰하는 능력이다. 성찰(reflection)은 실무에 대한 비판적인 검토를 통해 배우고 앞으로의 실무를 긍정적으로 이끈다. 또한, 이론과 실무를 통합하고 실무에서 지식을 창출하는 데 도움이 된다. 성찰에 대한 연구에 따르면 반성적 실천에 참여하는 간호사는 의사결정에 대한 자기인식과 자신감이 증가했다고 보고한다. 성찰은 경험을 통한 학습을 지원하고 이론과 실무의 통합을 가능하게 하므로 자율적이고 책임 있는 실무에 필수적이다.

간호사가 돕는 자로서의 역할에 대해 숙고하는 것이 특히 중요하다. 호킨스와 쇼헷(Hawkins and Shohet, 2012)은 누군가를 돕는 직업에 막 들어선 사람이 현 직업과 역할을 하게 된 복잡한 동기를 정직하게 성찰하는 것이 필수적이라고 주장한다. 이를 위해 그들은 '그림자(shadow)' 동기뿐만 아니라 '긍정적(positive)' 동기를 고려할 것을 제안한다. '그림자' 동기는 다른 사람을 도우면서 우리 자신의 필요를 충족시키는 방법을 의미한다. 예를 들어, 문제를 해결하거나 고통을 줄일 때 강한 만족감을 느낀다. 또는 다른 사람을 도울 때 자신이 유용하거나 가치 있다고 느낀다. 이러한 동기가 잘못된 것은 아니지만, 자신이 인지하지 못하는 경우 대상자와 관계를 맺는 방식뿐 아니라 자기돌봄 능력에도 영향을 미칠 수 있다. 전문적 자기의 측면을 탐색하는 것은 어려울 수 있지만 간호사가 기능적 돌봄자로서의 능력을 유지하기 위해 필수적이다. 임상 슈퍼비전은 이러한 탐색이 안전하고 신뢰할 수 있는 관계에서 수행될 수 있도록 한다.

자기인식은 자기연민(self-compassion)과 함께 이루어져야 한다. 자기연민은 고통, 나약함, 지혜를 포함한 자신의 보편적 인간성을 받아들이는 것이다. 이는 마음챙김, 배려, 비판단적인 방식의 자기 친절에 관한 것이다. 자기연민은 다른 사람에게 공감과 연민을 나타낼 수 있는 필수요소이다. 자신의 인간성, 연약함, 강점을 받아들이는 것은 다른 사람과 살아가면서 그들 자신의 인간다움으로 함께할 수 있는 능력을 향상시킨다. 또한 자기인식은 직장에서 어려운 상황을 경험할 때 자신을 지지해 주기도 한다.

전문직 과제

의료인으로 일하는 것이 어려울 수 있다는 것은 잘 알려져 있다. 보건 분야에서 근무하고 있는 간호사의 건강이 일반적으로 좋지 않으며, 많은 간호사가 건강검진을 포기하거나 받지 못한다고 한다. 간호사의 스트레스 수준과 우울증 및 불안 비율이 높고, 약물남용은 일반 인구와 동일하거나 더 높다. 비만, 당뇨병, 근골격계 질환, 관절염 및 요통 또한 흔하다. 남성 간호사의 자살률은 비간호계열의 직종보다 높으며, 여성 간호사의 자살률은 일반 여성 인구보다 훨씬 높다. 공감피로와 소진도 많이 발생한다.

간호사의 건강과 관련된 복잡한 요소 중 열악한 일부를 설명하고자 한다.

직장 내 스트레스

스트레스는 주어진 요구에 대응하기 위해 필요한 자원을 초과한다고 느낄 때 발생한다. 사람이 스트레스를 받으면 균형감각이 흐트러진다. 생리학적으로 스트레스 반응은 신체 내에서 활성화된다. 스트레스 반응은 심박수, 혈압 및 위장관의 변화 등 다양한 생리적 변화를 일으키는 물질이 혈액으로 방출된다. 장기간의 스트레스는 해로울 수 있으며 신체적 · 정신적 건강에 부정적인 영향을 미칠 수 있다. 확인되지 않은 스트레스는 만성화되어 소진을 초래할 수 있으므로 자신의 스트레스를 모니터링하고 관리하는 방법을 배우는 것이 중요하다. 스트레스는 종종 부정적인 경험으로 생각되지만, 이 장의 뒷부분에서 볼 수 있듯이 스트레스는 긍정적인 영향을 미칠 수 있다.

정신건강간호의 직장 내 스트레스(workplace stress) 요인은 주로 의료시스템의 조직적 맥락 내에서 대상자, 보호자 및 동료와의 대인관계에서 발생한다. 간호업무의 특성상 건강위기로 삶의 변화를 경험하는 극한에 있는 사람과 높은 수준의 긴밀한 접촉을 하게 된다. 간호사는 인간 본성의 최고와 최악, 그리고 그 사이의 모든 것과 마주한다. 급성 또는 만성 정신질환자는 복잡하고 장기적인 요구사항으로 인해 의료기관을 정기적 또는 비정기적으로 방문한다. 이런 일부 정신질환의 장기적이고 주기적 특성은 정신간호사와 대상자 간의 치료관계가 장기간 지속될 수 있음을 의미한다. 또한 정신건강의 연속성의 개념을 고려할 때, 대상자가 가진 증상의 심각 수준에 따라 중재의 정도가 달라질 수 있다.

정신간호는 극심한 스트레스를 받는 상황에서 장시간 근무하거나 교대근무로 인해 악화될 수 있다. 대상자의 비자발적 입원치료는 정신간호사에게 윤리적 쟁점과 정신건강 관리에서 법적 측면의 복잡성을 더욱 가중시킨다.

최근 호주의 연구에서 정신간호사가 거론한 직장 내 스트레스는 다음과 같다.

1. 조직 정책의 부적절함, 직원 배치 및 작업환경, 관리 지원의 부족, 중대한 사건에 대한 조직의 대응, 대상자에 대한 업무과다 및 관리를 포함한 조직적 스트레스 요인
2. 대상자 및 보호자의 요구, 공격적이거나 대립적인 행동 및 간호 상호작용을 다루는 측면에서 대상자/보호자 문제
3. 대상자 삶의 질을 관리하면서 간호 역할을 수행하고 진료 표준을 유지하는 데 있어 진료 관련 문제와 같은 역할 문제
4. 부정적인 동료 상호작용, 미흡한 의사소통, 갈등, 공격적인 행동 및 부정적인 팀 문화와 같은 동료 관련 스트레스 요인

이러한 스트레스 요인은 간호사가 근무기간 내 경험하게 될 가능성이 높다. 다음은 감정노동, 공감피로, 소진 및 외상에 대한 노출과 같은 심리적 스트레스의 일부 특정 형태와 간호사에 대한 잠재적 영향에 대해 설명한다.

• 감정노동

감정노동(emotional labour)의 개념은 승무원과 관련하여 처음 개발되었으며, 본질적으로 작업환경의 기대에 부응하기 위해 감정을 관리하는 것을 의미한다. 이는 상대방(예 대상자)에게 보살핌을 받고 있다는 느낌을 줄 수 있도록 서비스 제공자에게 업무와 관계없는 감정을 억제하거나 변형하도록 요구되는

것이다. 정서와 감정 표현은 얼굴과 몸짓언어를 통해 관리된다. 우리가 사회화 되면서 개인적 · 직업적 감정 규범에 따라 상황에 따라 감정을 관리하면서 살아간다.

혹실드(Hochschild, 1983)는 감정관리를 위한 전략을 '표면 연기'와 '심층 연기'로 설명했다. 표면 연기는 자신이 느끼는 감정을 적극적으로 억제하거나 적절하다고 간주되는 감정을 진정으로 경험하지 않지만 만들어 내는 것이다. 심층 연기는 그 경험을 하고 있지 않음에도 상황에 적합한 감정을 불러일으키고 진정으로 느끼는 것을 포함한다.

감정노동은 간호사에게 직장 스트레스의 한 형태로 간주되며 간호담론의 일부이다. 테오도시우스(Theodosius, 2008)는 간호업무에서 세 가지 유형의 감정노동을 제시했다.

- 치료적: 간호사와 대상자 간의 상호작용에서 발생
- 도구적: 대상자/돌봄제공자의 불편함을 줄이기 위해 실무를 수행하는 능력에 대한 간호사의 자신감 수준에서 발생
- 조직적: 동료와의 대인관계에서 발생

정신건강간호 업무 시 경험할 수 있는 감정노동의 측면은 다음과 같다.

- 연민을 느끼고 표현
- 상대방의 감정(특히 불안과 고통)을 관리함과 동시에 자신의 감정을 관리
- 강렬하고 다양한 감정을 유발하는 대상자 상호작용에 참여
- 증상이 심각한 대상자로 인해 간호사의 상당한 노력이 필요한 상호작용
- 높은 수준의 스트레스와 대상자 치료결과에 대한 강한 책임감을 인식
- 위기상황 관리, 치료 순응도 촉진, 치료관계 내에서 권력구조 탐색
- 윤리적 딜레마 또는 간호사의 신체적 또는 심리적 안전에 대한 위협과 같은 상황에서 간호사의 직업적 정체성(전문성)과 개인적 정체성(진실성) 간의 충돌
- 자기비난
- 기대되는 것에 부담을 느끼거나 준비가 되어 있지 않음
- 대인관계의 어려움 및 다른 동료와의 갈등

역설적이게도 간호업무에서의 감정노동도 만족의 측면이 될 수 있다. 간호의 감정노동은 '정서적 간호'와 '선물'로 묘사되어 왔다. 이는 간호사가 공감을 나타내면서 자신을 치료도구로 사용하고, 상호작용 시 정서적으로 대인관계의 어려움을 적절하게 처리하면서 만족을 느끼는 부분이 간호의 원칙이 되기도 하기 때문이다. 이 견해는 심층 연기와 자연스럽게 느끼는 감정의 표현이 근무자에게 긍정적인 영향을 미친다는 '감정노동의 긍정적인 면'이 있다는 내용과 일치한다. 근무자의 건강과 삶의 질에 부정적인 영향을 미치는 것은 표면 연기이다. 관련된 정서적 불편함과 '진정한 자아(authentic self)'의 상실은 스트레스, 정서적 소진 및 탈진을 초래할 수 있다.

이를 이해하기 위해 정신건강간호에는 보상의 일부이며 동시에 힘든 감정작업이 필요하다. 내 자신의 삶을 변화시키거나 생명을 위협하는 경험 동안 여러 사람과 함께하고 대상자의 취약성과 회복탄력성을 옹호하는 것은 때때로 쉽지는 않지만 소중하고 보람 있는 일일 수 있다. 자신의 업무와 감정노동의 대부분이 심층 연기 수준에서 진정으로 대상자, 보호자 및 업무에 대한 감정을 경험한다는 것을 인식하도록 노력하는 것이 필요하다. 이것은 간호사 스스로에게 에너지를 제공하고 잠재적으로 표면 연기

및 기타 직장 스트레스 요인의 부정적인 영향으로부터 스스로를 보호할 수 있다.

간호사는 감정노동과 관련된 직업을 선택하고 이를 관리하는 데 도움이 되는 활동을 수행할 책임이 있다. 그러나 이러한 책임은 간호사에게만 있는 것이 아니다. 조직은 또한 직원의 피해를 최소화하고 직원에 대한 감정노동의 해로운 영향을 완화하는 윤리적이고 건강한 업무환경 조성에 기여해야 한다.

● 공감피로

공감피로(compassion fatigue)의 개념은 1992년 보건의 담론에 등장했으며, 처음에는 보호자의 특정 형태의 소진으로 간주되었다가 90년 이후, 이 개념이 진화하여 이제는 다른 사람의 고통에 노출되는 누적효과의 결과로 개인화되고 점진적인 과정으로 간주되고 있다. 간호사가 공감피로가 높은 경우, 삶의 성실성에 대해 위협을 느끼게 된다. 공감피로는 타인(대상자, 보호자, 동료 및 조직)을 돌보는 능력을 상실시키고, 자신과 가족을 돌볼 수 없는 상태로 이어진다. 또한 공감피로가 해결되지 않으면 무관심, 타인의 고통에 대한 관심 부족, 도덕적 고통 및 소진으로 이어질 수 있다.

공감피로와 소진은 다른 심리적 과정에서 발생할 수 있는 관련 개념이다. 공감피로는 고통받는 사람들의 고통이 자신에게 흡수되는 과정과 관련이 있는 반면, 소진은 직장 스트레스 요인의 누적효과, 특히 기대와 성취 사이의 불균형과 더 광범위하게 관련될 가능성이 더 크다.

● 소진

소진(burnout)에 대한 연구는 1970년대에 시작되었으며 간병 직업에 종사하는 사람이 위험에 처한 것으로 확인되었다. 실제 소진으로 알고 있는 현상은 처음에 관심이 대상이 되지 않았지만 최근 문헌에서는 소진에 대한 연구가 활발히 이루어지고 있으며 간호조직에서는 계속해서 이를 우려하고 있다. 현재 소진은 『국제질병분류 편람(WHO, 2018)』의 '건강상태 또는 의료서비스와의 접촉에 영향을 미치는 요인' 장의 직업적 현상으로 포함되어 있다.

소진은 만성적이고 직업적 대인 스트레스 요인에 대한 반응이며 세 가지 주요 차원이 있다.

- 압도적인 육체적 · 정서적 피로와 고갈, 에너지가 부족하고 회복되지 않은 상황에서 일의 요구에 지나치게 노출
- 냉소와 분리감, 부정적이거나 거칠거나 무관심한 반응, 이상주의 상실 및 최소한의 일만 하는 느낌
- 무능감과 성취감 부족, 자신감, 능력, 자기효능감 및 자존감 저하, 직업 선택에 대한 후회 및 생산성 감소

소진과 스트레스(stress)라는 단어는 흔히 함께 사용되는데, 이는 스트레스를 소진의 전조로 보기 때문이다. 그러나 스트레스는 삶의 한 가지 특징이며 적절하게 관리되면 소진으로 이어지지 않는다. 긍정적인 면을 가지고 있는 스트레스와 달리(예 새로운 기술을 배우는 것과 같은 긍정적인 변화를 일으키는 촉매가 될 수 있음) 소진은 그것을 경험하는 사람이나 주변 사람에게 긍정적인 측면이 없다.

소진은 업무 능력 및 대인관계 능력 저하, 신체건강 및 정신건강 악화로 인해 우울증, 약물남용 및 자살 충동과 같은 심각한 문제로 이어질 수 있다. 업무 역할에 대한 성취와 동일시가 상실되고, 일은 기쁨도 만족도 없는 부담이 되어, 그 결과 직장을 그만두고 싶은 욕구만 생긴다.

불행하고 괴로울 때 출근하는 것보다 더 나쁜 것은 없다. 짜증나고 우울하고 지친 상태로 동료와 일

하는 것은 모든 사람의 스트레스를 가중시킨다. 우리가 바라는 따뜻함, 배려, 공감, 존중이 아니라 냉담하고 냉정한 방식의 간호는 자신과 대상자 모두에게 고통을 주는 행위가 될 것이다.

소진으로 인한 간호의 질 저하는 조직에 상당한 부정적인 비용을 초래한다. 이는 대상자 만족도 감소, 대상자 사망률 증가 및 오류 증가로 나타났다. 소진은 개인의 실수나 예방해야 하는 간호사 개인의 책임이 아니라는 점에 유의하는 것이 중요하다. 의료종사자 사이에서 소진의 비율이 높다는 점을 감안할 때, 소진은 조직 및 시스템 문제로 간주하는 것이 더 정확하다. 따라서 조직은 스트레스와 소진을 예방하기 위한 간호사의 신체적 · 정신적 건강을 지원하고 간호사를 지원하는 정책을 마련하여 제공할 책임이 있다. 스트레스와 소진은 조직 전체, 팀 내, 개별 수준에서 고려되어야 한다.

● 트라우마 노출

정신간호사는 직장에서 외상 사건에 노출될 가능성이 매우 높다. 외상 사건은 일반적으로 예상치 못한 사건으로 심각한 부상, 사망 또는 성폭력의 위협이나 실제적인 폭력을 수반할 수 있다. 개인은 외상 사건을 다르게 식별하고 이에 반응하지만 일반적으로 일어나는 신체적 · 정서적 · 인지적 · 행동적 · 사회적 반응이 있다. 충격, 불신, 압도, 사건 이전에 알던 세계에 대한 상실감은 흔한 일이다. 대부분의 사람은 동료, 가족 및 친구의 도움으로 첫 1~2주 이내에 회복되지만 일부 사람에게는 트라우마가 장기적인 영향을 미칠 수 있다. 즉각적이고 실제적인 정서 지원은 사건의 고통을 완화하는 데 큰 도움이 된다.

정신간호사는 또한 외상을 겪은 대상자를 돌보는 과정에서 트라우마에 노출되어 '대리외상(vicarious traumatisation)'의 위험에 처하게 된다. 대리외상은 트라우마 경험이 있는 사람과 관계를 맺고 그들의 이야기를 듣고 트라우마 경험이 미치는 부정적 영향을 보면서 발생하는 변화이다. 간호사는 과각성 및 침습적인 이미지와 생각으로 트라우마 이야기를 다시 경험하기 시작할 수 있다. 그들은 우울한 기분, 불안을 경험하면서 트라우마 상황에 대한 노출을 피할 수도 있다.

반대로 트라우마에 노출된 결과 긍정적인 효과와 개인적 성장이 발생할 수도 있다. '외상 후 성장(post-traumatic growth)'이라고 부르는 이 성장은 자신의 삶에 대한 더 큰 감사, 타인과의 관계 개선 및 영성의 증가로 경험된다. 트라우마가 압도적이지 않고, 지원이 가능하며, 트라우마에 노출된 사람이 그것을 극복하는 자기효능감, 성찰, 핵심 신념을 변경하고 경험의 의미를 만드는 능력이 있는 경우 트라우마 이후의 성장이 가능하다. 우리의 회복탄력성을 볼 때 도전적이거나 외상적인 경험에서 새로운 의미를 만드는 능력도 중요하다.

스트레스, 감정노동, 공감피로, 소진 및 트라우마 노출(exposure to trauma)과 같은 문제가 간호사에게 존재하지만 간호사의 건강과 삶의 질에 미치는 영향을 성공적으로 완화할 수 있는 많은 접근 방식이 있다. 정신간호사는 건강과 삶의 질을 지원하는 기술과 전략을 배우고 개발할 수 있다. 또한 정신간호사는 조직 내 · 외부에서 건강과 삶의 질을 유지하도록 지원하는 다양한 서비스를 이용할 수 있다.

전인적 자기돌봄

정신건강간호의 도전과 잠재적인 스트레스 요인을 감안할 때, 간호사가 대상자에게 제공하는 것과 동일한 간호를 간호사 자신에게 확장하는 것이 중요하다. 앞서 언급했듯이, 도움이 되는 역할을 하도록 만드는 것에 대한 인식과 이해를 개발하는 것이 중요하다. 그렇게 하지 않으면 간호사는 강박적으로 도움의 덫에 빠질 수 있으며, 그 결과 자신이나 타인을 위해 아무것도 남기지 않은 채 '자신을 포기'하게 될 수 있다. 자기돌봄은 간호사가 스트레스와 어려움을 완화하고 건강과 삶의 질을 유지하는 데 필수적이다. 또한 자기돌봄은 공감간호를 제공하는 데 필수적이며 '간호사의 역할에 내재된 전문적인 요구'로 포함되어야 한다.

자기돌봄 프로그램을 유지하는 것은 특히 교대근무자에게 어려운 일이 될 수 있다. 바쁨, 자기돌봄에 대한 계획 부족 및 우선순위 지정 부족, 자신을 최우선으로 하는 것과 관련된 낙인, 자기돌봄을 지원하지 않는 근무환경, 직장과 가정 간의 부적절한 경계, 자기비판 및 낮은 자기가치 등 또한 문제가 될 수 있다.

이러한 문제는 자기돌봄에 대한 헌신과 믿음을 가짐으로써 해결할 수 있다. 자기돌봄은 직장의 스트레스 요인에 대처하고 관리하는 기술을 개발하는 것 이상이다. 자기돌봄은 의식적으로 우선순위가 지정되고 의도적으로 실행되며 개인화되고 지속적이어야 한다. 자기돌봄 전략과 행동은 직장 안팎에서 이루어져야 하며, 일과 삶의 균형, 적절한 수면, 휴식과 운동, 건강한 식단, 일반적인 건강 유지가 필요하다.

일-생활 균형

지역사회는 점점 더 직장생활과 개인생활 간의 균형 유지에 대한 중요성을 인식하고 있으며, 간호의 경우 이는 회복탄력성 증가와 관련이 있다. 사회의

간호사 이야기 7.1

나는 가끔 내가 간호사가 되기로 결심한 지 40년이 지났다는 것이 믿기지 않을 때가 있다. 나에게 간호는 도전적이고 때로는 돌파해야 하는 여정이었다. 나는 정신간호사로 오랫동안 아동 및 청소년 분야를 포함하여 여러 다른 임상환경에서 일했다.

회복탄력성과 정신건강간호에 대한 열정을 유지하며 어떻게 이 일을 오랫동안 지속해 왔는지 생각해 보면 정말 중요한 몇 가지 요소를 확인할 수 있다. 나는 친절하고, 지지적이며, 관대하고 매우 긍정적인 팀 구성원이라고 할 수 있다. 내가 속한 간호팀 내에서 우리는 정기적이고 의도적으로 서로의 장점을 축하했다. 수년에 걸쳐 나는 재구성, 탈개인화 및 파국적이 아닌 방식의 사고 과정을 사용하는 능력을 개발하고 강화했다. 이러한 기술을 통해 나는 때때로 심각한 어려움(우리 모두가 때때로 겪는 일)에 직면할 때 파괴적이거나 극복할 수 없는 장애물이 아니라 협상해야 할 도전으로 볼 수 있도록 내 생각에 도전할 수 있었다.

또 다른 중요한 요소는 간호실무의 필수 구성요소가 된 슈퍼비전이다. 슈퍼바이저는 내 간호에 대한 훌륭한 지도와 지원을 제공했으며 정신간호사회 및 정신간호학회와 같은 조직에 더 많이 참여하도록 격려했다. 이것은 직업적 정체성과 자존감에 긍정적인 영향을 주었다.

직장 외부에 돌봐 주고 지지해 주는 파트너가 있다. 기꺼이 내 이야기를 들어 주고 때로는 일에 대한 걱정을 덜어야 할 때 상황을 완전히 이해할 필요 없이 단순히 '나와 함께 있어 주기'만 하는 파트너이다. 그리고 꽤 많은 친구와 지인이 있고, 소수의 정말 친한 친구가 있다. 이들 모두는 스포츠, 댄스, 라이브 음악, 영화, 연극 등 우리 모두가 즐기는 일을 하면서 나와 함께 시간을 보낼 준비가 되어 있다. 또는 그냥 저녁을 먹고 '단순히' 놀기도 했다. 이러한 시간은 즐겁게 일하고 잠시 일을 완전히 잊을 수 있다는 것과 지치지 않는 데 정말 중요한 요소이다.

현재 나는 누가 나에게 직업이 어떻냐고 물어보거나 신규 간호사와 시간을 보낼 때 지금 간호사로 일하는 것이 더 즐겁다고 말할 수 있어 자랑스럽다.

한 부분으로서 간호사는 가족, 지역사회, 환경, 그리고 우리 삶에 의미가 되는 것을 희생하면서 일, 돈, 소유에 집중하는 직업과의 정면승부를 경험하게 된다. 이는 많은 간호사로 하여금 다른 일을 선택하도록 한다. 일과 삶의 균형은 교대근무를 통해 여가시간을 보내는 데 어려움을 겪는 간호사와 조산사에게 특히 중요하다.

> 일과 삶이 균형을 이룬다는 것은 삶의 여러 측면이 조화를 이루고 있음을 의미하며, 각 영역에서 얻은 혜택이 다른 영역을 지원하고 강화할 수 있다. 일과 삶의 통합은 많은 사람이 일과 개인의 삶을 성공적으로 혼합하는 방법을 배우는 새로운 개념이다.
>
> Health Direct, 2018

간호사와 의사를 대상으로 한 연구에서 참가자들은 개인생활과 직장생활의 조화를 찾는 것이 효과적인 자기돌봄 전략이라고 설명했다. 그들은 계속해서 직장과 가정 사이의 경계를 만드는 접근방식이 중요하다고 했으며 출퇴근이 업무의 연속성이 아닌 출퇴근 자체가 일과에서 긴장을 풀 수 있는 기회가 되도록 하라고 이야기했다. 집에서 목욕을 하는 것은 직장 스트레스를 씻어 내는 행위라고 은유적으로 설명하기도 했다.

수면, 휴식, 운동 및 식사

편안하고 회복력 있는 수면은 몸과 마음 모두를 위한 중요한 자기관리 전략이다. 수면은 건강과 활력에 필수적이며 스트레스가 많은 상황에 더 침착하게 접근하는 데 도움이 된다. 간호사는 수면위생을 대상자에게 가르치면서도 스스로 자주 실천하지 않는다. 수면위생의 몇 가지 주요 원칙은 생체리듬을 준수하고 수면환경을 개선하고 취침 시간에 전자기기(예 전화 및 컴퓨터)를 제한하고, 약물/알코올, 각성제(예 커피), 자극적인 활동 및 잠자기 전 과식을 피하는 것이다. 물론, 야간근무를 하고 바쁜 교대근무 중에서도 식사를 챙겨야 하니 교대근무자가 생체리듬을 준수하는 것은 어려운 일이다. 그러나 교대근무가 건강에 부정적인 영향을 미치므로 교대근무자는 더욱 수면습관, 식단 및 운동에 주의를 기울여야 한다. 모든 식품군, 특히 과일과 채소의 적절한 섭취, 비만 예방, 충분한 운동 유지(특히 간호업무에 활동량이 적은 경우)는 간호사가 주의를 기울여야 하는 핵심 영역이다.

심리적 전략

• 의미 만들기

일과 삶에 의미를 찾는 것도 간호사의 일에 대한 에너지와 열정을 뒷받침할 수 있다. 파크(Park, 2010)는 삶의 경험에서 의미를 만드는 것이 생존의 핵심이며, 역경에 대한 인간의 반응을 이해하는 데 중요하다고 말했다.

스트레스가 많은 사건, 고통, 죽음을 이해하려는 인지 과정은 간호사에게 중요한 과정이다. 업무에서 의미를 찾고 간호를 수행하는 이유 및 실제 차이를 만드는지 평가하는 방법은 숙고해야 할 중요한 영역이다. 만들어진 의미가 적응행동으로 이어질 때 우리가 하는 일에서 지원하는 인지시스템이 개발된다. 불리한 상황을 의미 있는 것으로 재구성하는 능력, 어려운 상황을 맥락이나 구조에 배치하고 긍정적으로 만드는 측면에서 주어진 상황이나 행동을 식별함으로써 힘든 상황을 이해하는 능력은 적응행동으로 이어지는 의미의 예가 된다. 적응행동으로 이끄는 의미 만들기(meaning making)는 우리가 기대를 관리하고, 타인의 고통을 참아내며 일에 대한 열정을 유지하는 데 도움이 되며, 또한 회복탄력성의 핵심 부분이 된다.

● 자기연민

앞서 언급했듯이 자기연민(self-compassion)을 갖는 것은 자기인식의 중요한 부분이다. 자기연민은 자기친절, 마음챙김, 그리고 우리의 보편적 인간성과 지혜를 인식하는 것이다. 자기연민을 나타내면 자기돌봄, 타인과의 관계 및 연민 표현, 자율적이며 더 단단한 자기감(sense of self)을 개발하는 능력이 향상된다.

● 영적 돌봄

일부 간호사의 경우 문화적 · 종교적 차원을 포함하는 지속적인 신념체계를 유지하는 것이 실무를 지원하고 자기돌봄의 일부를 형성하기도 한다. 영성은 종교적 실천뿐만 아니라 '우리에게 살고 사랑하고 견디려는 의지를 주는 우리의 생명력'을 의미한다. 정신적으로 힘든 대상자를 만나는 것은 과로하거나 지친 간호사에게 자주 있는 일이다. 간호사 스스로 생명력에 활력을 불어넣는 데 주의를 기울이면서 영적으로 성장하는 경험을 포함하는 일과 삶의 균형을 유지하는 것이 중요하다. 심신 수련과 자연 속에 있는 것은 우리 생명력의 효과적인 활력소가 될 수 있다. 어떤 사람은 "음식은 몸을 양육하지만 정원 가꾸기는 우리의 영혼을 양육한다."고 말하기도 했다. 정원 가꾸기가 모든 사람의 일이 아니지만, 밖으로 나가 빛과 하늘, 자연의 경이로움을 보는 것은 모두에게 활력을 주는 효과가 있다.

심신 수련

직장에서 간호사가 직면하는 문제에 인지적으로 초점을 맞추고 대상자, 보호자 및 동료에게 대응하고 중재하는 방법을 지속적으로 평가하고 고려한다. 간호사의 존재는 업무에 밀려 금새 잊혀지고 간호업무를 전달하는 매개체로 취급된다. 간호사가 자신을 대상으로 취급하는 위험은 건강관리에 대한 환원주의적 접근으로 인해 악화된다. 마음과 몸이 다른 실체라는 생각이 수 세기 동안 서구의 사고를 지배했다는 것은 이상한 일이다. 이는 몸과 마음을 불가분의 전제로 이해하는 오랜 역사를 가진 동양 철학과 대조된다.

마음과 몸을 하나로 하는 다양한 행위가 간호사와 기타 건강전문가에 의해 직장 스트레스 관리 및 건강증진에 유용한 것으로 보고되었다. 마음챙김, 요가, 명상, 기공, 태극권과 같은 심신수련은 동양 문화에서 유래했으며 수백 년의 역사를 가지고 있다. 이러한 행위는 모든 사람을 참여시키고 삶의 감각을 향상시키는 정신집중과 결합된 부드러운 움직임, 특정 자세 및 호흡이 포함된다. 이러한 행위들은 우리의 생리적 · 심리적 스트레스 반응을 줄이는 효과를 가지고 있기도 하다.

> 명상은 피로를 녹이고 노화 과정을 가속화하는 누적된 스트레스를 해소하는, 깊은 이완 상태로 우리를 데려가는 단순하지만 강력한 도구이다. 명상하는 동안 호흡이 느려지고 혈압과 심장박동수가 감소하며 스트레스 호르몬 수치가 떨어진다. 명상은 마음을 진정시키고 마음이 고요한 자각상태에 있을 때 몸도 이완된다. 연구에 따르면 규칙적으로 명상을 하는 사람들은 고혈압, 심장병, 불면증, 불안 및 기타 스트레스 관련 질병이 덜 발병한다.
>
> Chopra, 2019

마사지는 이완을 강화하고 때로는 통증을 완화하기 위해 연조직을 문지르거나 조작하는 행위이다.

존 카밧진(Jon Kabat-Zinn, 2019)은 고대 동양 의학

박스 7.1 마음챙김 손씻기(mindful handwashing)

손씻기는 건강관리의 필수적인 부분이며 효과를 보기 위해서는 충분한 시간 동안 손을 씻어야 한다. 맥너마라(McNamara, 2016)는 다음과 같이 제안한다.

> *... 어쨌든 손위생을 하루에 수십 번 할 예정이라면 대상자를 위해서만 하지 말고 자신을 위해서도 하십시오. 우리는 냉철하고 냉담한 파충류 임상전문가가 아니라 감정노동을 하는 따뜻한 피가 흐르는 교육받은 포유류입니다. 다른 사람을 안전하게 계속 돌보려면 우리 자신을 돌봐야 합니다.*

그러므로 손을 주의 깊게 씻으면서 머리와 손에서 더러움을 제거하는 것이 어떻겠는가? 다음은 몇 가지 정보이다.

1. 의도적으로 세면대 쪽으로 다가가 휴식을 취하고 있음을 상기한다.
2. 물이 흐르도록 한다.
3. 양손으로 흐르는 물을 느껴본다. 물의 온도를 확인하고 그 느낌을 천천히 느낀다.
4. 비누를 사용한다. 비누를 사용함으로써 마찰 없는 느낌에 주목한다.
5. 청소를 한다고 생각하며 손씻기를 시작한다. 물건을 씻는 것에 대해 생각한다. 자신이 제거한 모든 것이 배수구를 따라 흐르도록 하고 흘러가게 놔 둔다.
6. 회복, 치유로 넘어간다. 탄력적으로 건강하게 손을 문지른다. 자신을 지탱해 주는 물질이 피부에 스며들도록 한다.
7. 호흡을 확인한다. 느리고 깊을수록 좋다. 호흡이나 뇌가 너무 빨리 달리면 속도를 줄이고 마지막 두 단계를 반복한다.
8. 서두를 필요가 없다. 천천히 주변을 살펴본다. 감염통제 관련 누군가가 나를 지켜보고 있다.
9. 웃어 보인다.
10. 두 손을 씻을 때라고 생각하면서 천천히 호흡한다.
11. 다시 천천히 숨을 내쉬면서 '이제 양손을 완전히 말려야 할 때'라고 생각한다.
12. 수건으로 닦고 휴지통에 버린다.
13. 천천히 숨을 들이쉰다. 다시 일할 시간이다.

깨끗한 손은 생명을 구하고, 맑은 뇌/맑은 정신은 생명도 구한다!

출처: McNamara, P., 2016

의 마음챙김을 서양사회에 도입한 것으로 알려져 있다. 이에 따라 신체적 · 정신적 건강상의 이점을 발견한 마음챙김에 대한 연구가 급증했다. 마음챙김 손 씻기를 통해 마음챙김을 일상업무에 통합할 수 있다(**박스 7.1**).

회복탄력성

이 장에서 논의한 바와 같이 의료 분야에서 일하는 것은 매우 보람 있지만 어려운 점도 많다. 회복탄력성(resilience)은 역경에 긍정적으로 적응하고 스트레스가 많은 상황이나 어려운 사건 후에 삶의 질을 회복하는 과정이다. 회복탄력성은 간호업무 시 경험 가능한 부정적 측면을 완화함으로써 간호사의 개선된 삶의 질과 관련된다. 소진과 마찬가지로 회복탄력성은 개인과 환경 간의 상호작용으로 구성될 수 있다. 회복탄력성에 대한 이러한 관점은 삶의 질을 유지하기 위해 환경에서 자원을 찾는 개인의 능력뿐만 아니라 문화적으로 의미 있는 방식으로 자원을 제공하는 환경(가족, 지역사회 및 직장)의 능력을 포함한다. 회복탄력성에 대해 간호사 개인 뿐만 아니라 조직에서도 책임을 가지고 균형을 제공하는 것이 고려되어야 한다.

회복탄력성은 간호사 자신의 자원과 기술, 즉 생

각, 감정 및 힘든 상황에 대한 반응을 관리하는 것과 관련된다. 감성지능은 정신간호사가 이를 수행하도록 지원하며 개인회복탄력성의 한 측면으로 개념화되었다. 감성지능은 다른 사람의 감정을 인식하고, 자신의 감정을 경험 및 인식하며, 생각과 감정을 연결하여 사고를 돕고, 감정을 관리하는 능력이다. 감정을 반영하고 조절하는 능력은 감성지능의 핵심일 뿐만 아니라 회복탄력성이 제 역할을 하는 정신간호사가 되기 위한 중요한 측면이다. 감정을 이해하고 관리하는 것은 정신간호사가 고통받는 대상자 및 보호자와 효과적으로 일할 수 있는 데 필수적이다. 간호사의 성찰, 자기인식, 감정 조절, 사회적 인식 및 숙련된 관계 조정기술은 치료적 도구로 사용된다. 자기인식과 강한 자아감은 정신간호사가 의사소통 및 경험의 어려움과 복잡성을 다루는 데 있어 회복탄력성을 개발하도록 지원한다.

회복탄력성은 간호사가 다른 사람과 직장에서 받는 정서적 · 실무적 지원을 사용하는 것과도 관련이 있다. 대학은 학생의 감성지능 개발에 관심을 기울이고 있으며 고용주는 직원의 회복탄력성 구축을 목표로 하는 프로그램을 제공하기 시작했다. 역경과 스트레스를 관리하는 기술 강화를 통해 회복탄력성을 개발할 수 있다. 한 간호사가 경력기간 동안 어떻게 회복탄력성을 유지했는지에 대한 예는 **간호사 이야기 7.2**를 참조한다.

정신건강간호 관련 '성인 회복탄력성 증진 프로그램'은 정신간호사의 건강과 삶의 질에 긍정적인 영향을 미치고 있다. 이 프로그램은 간호사의 강점을 활용하여 '스트레스에 직면한 자기 및 감정 조절'을 촉진하기 위해 인지, 감정, 행동 및 대인관계 개념을 통합한다. 이 연구에서 간호사는 회복탄력성을 다음과 같이 설명했다.

> … 당신이 역경을 통해 성장하고 배우고 이겨내는 것. 그것은 당신이 어떤 것에 의해 영향을 받을 수 없다는 것을 의미하는 것이 아니라, 시간이 지나면 그것을 긍정적으로 사용하거나, 자신을 향상시키거나, 계속하면서 어떤 방식으로든 당신의 행위를 개선한다는 것을 의미합니다.
>
> Foster, et al., 2018

일반적 건강관리

간호사는 자신의 건강 요구를 무시할 수 있다. 건강한 식단 유지, 적절한 수면, 휴식 및 이완, 음주 조절, 운동 및 건강 유지는 모두 건강관리의 중요한 측면이다. 자궁경부암검진(Pap smears), 유방 및 전립샘검사와 같은 적절한 건강검진 프로그램에 참여하고 의사의 진료를 받는 것은 건강을 유지하는 방법이 된다. 많은 조직에서 직원 진료소 및 예방접종 프로그램과 같은 건강 프로그램을 직원이 쉽게 이용할 수 있도록 제공하고 있다.

정신건강 문제에 대한 도움을 요청하는 것은 간호사에게 특히 어려울 수 있다. 조직은 직원과 직계가족의 정서적 · 정신적 · 심리적 삶의 질을 지원하기 위해 직원에게 심리서비스를 제공하는 경우가 많다. 서비스에는 일반적으로 자가관리에 대한 교육서비스나 회복탄력성 또는 마음챙김 훈련과 같은 특정 프로그램이 포함될 수 있다. 또한 직원이 불안한 경험이나 충격적인 사건 후에 평정심을 회복할 수 있도록 도울 수 있다.

조직에서 제공하는 서비스를 이용하든 지역사회 기반 서비스를 이용하든, 자신의 건강을 돌보는 것은 전문적인 업무를 지속하기 위한 최상의 상태를 유지하는 데 필수적이다.

간호사 이야기 7.2

N은 응급입원 병동에서 일하는 임상실무 2년차 간호사이다. 그녀는 대상자 중 우울증 진단을 받고 자해하는 젊은 여성에게 화가 난다며 슈퍼바이저에게 이야기한다. N은 이전 며칠 동안 대상자와 상당한 시간을 보냈고 그녀와 좋은 관계를 발전시켰다고 느꼈다. 어젯밤에 그녀가 집에 돌아간 후, 대상자는 면도날로 팔을 그었고, 오늘 그녀는 공격적이며 간호사를 '속인' 것을 기뻐하는 것처럼 보이기까지 했다. N은 다른 동료의 말을 통해 자신이 '속았다'는 생각이 강해져 있어 이제 이 대상자를 어떻게 간호해야 할지 혼란스럽다고 말한다.

슈퍼바이저는 N에게 무슨 일이 있었는지 자세히 이야기해 달라고 요청한다. 그런 다음 그녀는 자신에게 사건 전후에 대상자에 대한 자신의 감정과 생각을 말하도록 요청했다. 슈퍼바이저는 주의 깊게 공감하며 사건에 대한 추가 탐색과 이에 대한 N의 감정표현을 격려했다. 이때 N은 죄책감을 느꼈다는 사실을 인정하고 사건을 도발할 말이나 행동을 했을 수도 있다고 걱정했다. 그들은 함께 대상자가 어떻게 느꼈을지, 그리고 어떤 자해 유발요인이 존재했을지 생각했다. 그런 다음 그들은 N이 대상자와의 관계를 발전시키는 데 중요하다고 생각한 것을 다시 되짚어 보았다. 슈퍼바이저는 N이 자해 관련 행동에 대한 이해를 높이는 데 도움되는 독서를 제안했다. 그들은 함께 이 대상자에 대한 간호중재의 목표가 무엇인지 식별했다. 이후 N은 대상자가 전날 밤에 어떻게 느껴서 자해사건을 일으켰는지에 대해 대상자와 이야기하기로 결심했다.

평생학습 및 전문성 개발

자기돌봄 외에도 정신간호사는 경력 전반에 걸쳐 지식과 실력을 유지하고 개발하기 위해 전문개발 및 평생학습(Lifelong learning and professional development)에 참여해야 한다. 의료는 끊임없이 변화하는 세상의 한 부분이다. 현대사회는 질병의 원인을 이해하고 예방하는 기술과 치료법의 발전이 빠르게 성장하고 있다. 건강전문가로서 간호업무를 유능하게 수행하려면 지식과 기술을 지속적으로 배우고 개발하려는 의지가 필요하다. 이는 보다 나은 임상전문가로 성장할 수 있게 해준다.

성장 마인드셋

성취의 중요한 예측변수는 학습자가 '성장 마인드셋(a growth mindset)'을 가질 때이다. 이것은 지능이 개발될 수 있다는 믿음을 갖고 있으며 고정되어 있지 않음을 의미한다. 캐롤 드웩(Carol Dweck, 2015)은 자신의 재능과 능력이 노력, 좋은 전략 및 다른 사람의 의견을 통해 개발될 수 있다고 믿는 사람이 성장 마인드셋을 가지고 있다고 말한다. 그녀의 연구는 성장 마인드셋을 가진 사람이 고정 마인드셋(즉, 자신의 재능이 타고난 것이라고 믿는 사람)을 가진 사람보다 더 많은 것을 성취한다는 것을 보여주었다. 이는 성장 마인드셋을 가진 사람이 똑똑해 보이는 것에 대해 덜 걱정하고 학습에 더 많은 에너지를 쏟기 때문이라고 말한다. 성장 마인드셋을 갖는다는 것은 단순히 학습에 노력을 기울이는 것이 아니라 학습 및 기술 개발에 대한 다양한 접근방식을 갖는 것을 의미한다. 예를 들어, 학습 과정에서 막힌 경우 새로운 전략을 시도하거나 도움을 줄 다른 사람을 찾는다. 노력에 대한 칭찬을 구하고 막힌 채로 남아 있는 대신, 도움을 요청하고 시도한 것과 다음에 시도할 수 있는 것에 대해 논의한다. 대학원 과정에서 학습에 대한 열정을 유지하는 데 도움이 되는 다양한 지원을 받을 수 있다.

조기지원 프로그램

조기지원 프로그램(early graduate programs)은 대학에서 학업을 마치고 일반적으로 입사 첫 해 동안 전문간호실무를 수행해야 하는 간호사를 지원하는 프로그램이다. 이 프로그램은 신규간호사가 기술과 지식을 통합하고 실제로 독립성을 개발할 수 있도록 지원하는 것을 목표로 한다. 프로그램에는 일반적으로 다음이 포함된다.

- 오리엔테이션
- 지정된 직원(예 코디네이터, 임상교육자 및 지원 인력)
- 평균 6~10일 학습
- 2~3회 부서순환
- 프로그램 시작(보통 첫 주) 및 각 순환 시작(보통 1~2일) 시 추가간호사로서 근무
- 매뉴얼
- 진행 상황 및 성과 검토(일반적으로 분기별로 개최)
- 교대근무에 대한 단계별 소개

조기지원 프로그램은 간호사의 직업 만족도와 직장에 남고 싶은 의향에 긍정적인 영향을 미친다. 부서전환(임상 로테이션)에 대해서는 엇갈린 견해가 있다. '신규간호사가 (학생처럼) 여전히 부서전환이 필요하다는 생각을 강화시킨다'라는 견해와 '부서전환이 신규간호사에게 더 넓은 범위의 임상실무를 경험하도록 한다'는 의견이다. 조기지원 프로그램에서 경험을 극대화할 수 있는 전략은 다음과 같다.

- 오리엔테이션을 최대한 활용한다.
- 팀의 일원이 되기 위해 노력한다.
- 팀 지원 및 슈퍼비전을 확인하고 활용한다.
- 업무에 참여한다.
- 전문적인 지원 네트워크를 구축한다.

전문성 개발

조기지원 프로그램 외에도 경력을 쌓는 동안 다양한 전문 개발 자원을 사용할 수 있는 기회가 있다.

현장실무 학습

간호사는 학부 과정에서 이미 현장실무를 경험했다. 전문역량 개발 지원은 조기지원 프로그램의 일부로 구성되지만 특히 새로운 팀에 합류하거나 새로운 역할 또는 전문 분야로 전환할 때 경력 전반에 걸쳐 제공될 수도 있다.

임상교육(clinical teaching)은 경험이 많은 숙련된 간호사가 직장에서 경험이 적은 간호사와 전문지식을 공유하는 것이다.

임상촉진(clinical facilitation)은 실무역량을 제고하기 위한 접근방식의 일부이며, 직장 내 긍정적인 문화적 변화에 영향을 미치기 위해 팀 및 개인과 협력하는 데 중점을 둔다. 정신간호사는 특정 기술과 지식을 개발하는 데 도움이 되는 귀중한 자원이 될 수 있다.

단짝 제도(buddying)는 학생뿐만 아니라 새로운 작업환경에서 시작하는 직원에게 사용되기도 한다. 친구/멘토는 일반적으로 새 팀 구성원을 지원하고 직장에 참여시킬 수 있는 숙련되고 효과적인 팀 구성원이자 자원이 되어 준다.

프리셉터십(preceptorship)은 일반적으로 특정 임상 환경에서 상당한 경험을 갖고 전문적인 프리셉터 교육 프로그램을 이수한 간호사인 프리셉터와 프리셉티의 공식화된 관계이다. 프리셉터십의 목표는 새로운 역할과 책임에 대한 간호사의 오리엔테이션과 통합을 지원하는 것이다.

구조화된 성찰적 실천 관계

졸업 후에는 동료집단과 함께 업무와 역할에 대해 생각해 볼 수 있는 다른 공식적인 관계가 있다. 복잡

한 의료시스템 내에서 생명을 위협하거나 삶을 변화시키는 건강문제에 직면한 사람을 돌보는 강도 높은 감정노동은 간호사에게 당혹스러운 문제가 될 수 있다. 자기인식 개발에서 성찰의 중요성은 앞서 설명한 바 있다. 실천에 대한 성찰을 지원하기 위해 마련된 포럼에 참여하는 것은 정신간호사가 이러한 당혹스러운 도전의 의미를 찾을 수 있도록 해준다.

성찰을 통해 슈퍼비전을 받는 사람(슈퍼바이지)은 실무와 간호 수행 전에 성찰하는 데 더 능숙해지도록 한다. 이것은 슈퍼바이지가 그 순간에 다른 사람(동료, 보호자 등)에게 어떻게 반응할지 선택하는 능력을 증가시킨다. 이것은 반응성과 충동성의 위험을 감소시켜 도움이 되는 의사소통의 기능을 높이고 간호사의 감정 소모를 줄이며 간호사가 자각을 높이면서 실무에 참여할 수 있는 능력을 증가시킨다.

임상 슈퍼비전(clinical supervision)은 현장실습과 달리 전문성 개발 기회이자 이를 실무에 반영할 수 있는 효과적인 포럼이다. 임상 슈퍼비전은 슈퍼바이저와 한 명 이상의 슈퍼바이지 사이에 공식적으로 구조화된 전문적 합의를 의미한다. 슈퍼바이지가 가지고 온 업무에 대한 이슈에 비판적 성찰을 제공하기 위해 정기 회의를 진행한다. 이는 윤리적 · 법적 관례를 준수하는 범위에서 기밀관계가 된다. 임상 슈퍼비전은 직장 내 복잡한 인간 및 윤리적 문제에 대한 인식과 이해를 높임으로써 슈퍼바이지의 성찰적 실천 및 전문 기술 개발을 촉진한다.

임상 슈퍼비전에서 논의된 자료는 슈퍼바이지의 업무와 관련이 있다. 여기에는 임상치료, 치료적 관계 및 간호사와 대상자 간의 상호작용이 포함된다. 임상 슈퍼비전은 또한 간호사가 자신의 업무에 대한 주관적인 경험을 반영할 수 있는 기회를 제공할 수 있다. 공감, 수용, 돌봄 및 정직한 성찰에 대한 간호사의 능력을 개발하기 위해 슈퍼바이저는 슈퍼바이지와의 관계에서 이러한 능력을 모델링할 수 있어야 한다. 임상 슈퍼비전은 일대일 또는 집단으로 진행할 수 있다. 두 환경 모두에서 간호사가 자신의 임상 경험을 공유할 수 있는 안전하고 비밀이 보장되며 비난받지 않는 환경을 구축하는 것이 가장 중요하다.

멘토링(mentoring)은 경험이 많고 지식이 풍부한 전문가(멘토)를 경험이 부족한 전문가(멘티)가 선택하여 전문성을 키우는 관계이다. 멘토는 일반적으로 개인

역사적 일화 7.1: 임상 슈퍼비전의 기원

간호사를 위한 임상 슈퍼비전의 기원은 플로렌스 나이팅게일(Florence Nightingale)로 거슬러 올라갈 수 있다. 나이팅게일은 어린 시절 우울증을 겪은 경험이 있으며, 이는 특권층의 양육의 결과로 인한 심한 권태와 관련이 있다. 우울증에서 벗어나 다른 사람을 돌보는 일에 관심을 갖게 된 나이팅게일은 독일 카이저베르트에 있는 루터교 공동체에서 간호사로 훈련을 받은 후 영국으로 돌아와 상류층 여성을 위한 병원을 운영하면서 경험을 쌓았다. 1854년 영국의 장관 시드니 허버트(Sidney Herbert)는 그녀를 부유한 사교계의 일원으로 만났으며 크림 전쟁(1853~1856) 동안 군대의 수석 간호사로 나이팅게일을 선발했다. 전쟁 중에 나이팅게일은 위생에 관한 영향력 있는 연구로 명성을 얻었고, 임상실습에서 간호사를 지도하는 책임 간호사의 개념을 도입했으며, 모든 등급의 간호사를 대상으로 자주 회의를 마련하여 민주적인 과정을 통해 대상자와 직원의 복지를 위한 아이디어를 모았다.

자세히 알아보기: Russell, L., 1990 Clinical supervision: history 23. Nightingale to now: nurse education in Australia. Churchill Livingstone, Sydney

적인 자질과 업적을 바탕으로 선택된다. 유능한 멘토는 멘티의 전문성을 키우기 위해 시간, 노력, 지식, 전문성을 투자한다. 멘토링은 예를 들어 간호사에서 전담간호사로 전환하는 등 상급역할로 전환할 때 특히 유용하다. 멘토는 단기 또는 평생, 공식 또는 비공식으로 역할을 수행할 수 있다.

코칭(coaching)은 특정 지식과 기술 개발, 특히 상급실무에 사용할 수 있는 전문적인 관계이다. 코칭 관계는 일반적으로 임상 슈퍼비전이나 멘토링보다 짧은 기간 동안 진행되며 협력적인 교육, 훈련 또는 개발 프로세스가 포함된다.

동료 평가(peer review)는 의학에서 더 일반적이지만 간호사도 활용할 수 있다. 여기에는 일반적으로 집단 내에서 동료와 함께 우리 자신의 작업을 의도적으로 관찰, 평가 및 토론함으로써 실무를 모니터링하고 개선하는 것이다.

• 지속적인 교육 및 훈련

조직 내 · 외부에 수많은 교육 및 훈련의 기회가 있다. 필수교육(예 임상실무에서 공격성 관리, 손씻기 및 응급처치) 외에도 다양한 지식 및 기술 개발 기회가 있으므로 이를 최대한 활용한다. 또한 대학원 교육과정에 대해서도 고려할 수 있다. 간호사의 노력을 지원하기 위해 조직 내 · 외부 장학금에 대한 지원사항을 탐색해 본다.

전문적 지지 및 조직

이 장 전체에서 강조된 바와 같이 긍정적이고 발전적인 전문적 관계를 구축하는 것은 간호사의 업무 만족도와 회복탄력성과 관련이 있다. 전문직 집단에 가입하는 것은 매우 효과적인 방법이다. 예를 들어, 국내의 정신간호사회는 활동하는 정신간호사를 위한 전문기관이다. 전문조직을 통해 얻을 수 있는 전문 지식 외에도 많은 간호사는 경력 전반에 걸쳐 전문기관에 참여함으로써 동료와 오랫동안 경력을 쌓을 수 있다.

만족스러운 경력 유지

근무 동안 간호사의 업무 만족도에 기여하는 많은 요소가 있으며 일부는 이미 설명하였다. 간호사는 하루 중 많은 시간을 병원에서 보내므로 이를 즐기는 것이 중요하다. 또한, 근무 만족도는 회복탄력성 증가와 연관되어 있으며 소진을 완화한다. 어디서 일하고 누구와 일할 것인지 선택하는 것이 중요하다. 롤 모델, 멘토 및 슈퍼바이저로 원하는 사람을 신중하게 고려해야 한다. 다른 사람이 어떻게 일하는지 지켜보고 그들의 방법에 대해 질문한다. 직업 표준과 작업환경에 대해 선택하고 경력 전반에 걸쳐 많은 전환이 있을 것이므로 이런 시기에 스스로 선택을 통해 지원하는 것도 도움이 된다.

경력 전환

삶은 인간이 새로운 역할로 옮겨가는 전환과 단계로 가득하다. 중 · 고등학교를 마치고 대학에 진학하거나 학생 역할에서 간호사 역할로 전환될 때 겪었던 복잡한 감정을 기억할 수 있다. 경력 전환(career transitions)은 많은 기회를 촉발한다는 점에서 흥미로울 수 있지만, 동시에 취약성과 불확실성이 있을 수 있다. 새로운 역할을 맡는 것은 낡은 방식을 버리고 새로운 방식을 개발해야 한다는 점에서 손실과 이익이 있다. 우리는 오래된 기술을 적용하면서도 새로운 기술을 배워야 하며 새로운 역할 정체성과 자아상을 구축해야 한다. 경력전환에 따른 불편함은 불가피하고 성장을 하기 위해서 필요하다.

학생이 졸업하고 간호사가 되는 과정에서 불안, 우울 및 스트레스와 함께 의심, 부적절함 등을 동반할 수 있으며, 이러한 현상을 '전환충격(transition shock)'이라고 한다.

졸업생은 모든 것을 알고 있어야 할 것 같고 스스로 간호사의 책임을 완수할 수 있는 능력이 의심스럽다고 믿고 있다고 보고했다. 이러한 의심을 '가면증후군(imposter syndrome)'이라고 하며, 여기에는 부적절함, 불안, 자신감 부족, 좌절감, 우울감이 있다. 아울러 직업에 대한 소속감과 업무에 대한 감각에 의문을 제기하는 경향이 있다.

다행히도 전환충격과 가면증후군은 일시적이며 이전에 언급했듯이 전환 단계 동안의 불편함은 성장과 발달의 필수 부분이다. 대부분의 간호사에게 물어보면, 그토록 불확실하고 흥분되는 동시에 느끼는 불편함과 때로는 즐거움을 회상하면서 어려운 전환에 대한 많은 이야기를 들려줄 수 있을 것이다. 직업으로서 간호의 아름다움은 우리가 일하는 곳과 함께 일하는 사람에 대한 선택의 폭이 너무 많기 때문에 이러한 전환이 많이 있을 수 있다는 것을 받아들이는 것에서 시작한다.

근무환경

안전하고 건강한 근무환경(work environments)은 점점 더 중요하게 인식되고 있다. 긍정적인 문화를 가진 직장은 간호사, 대상자 및 보호자를 만족시킬 가능성이 더 크다. 안전하고 건강한 조직환경의 주요 특성은 다음과 같다.

- '말하기' 및 '질문하기'의 기회가 있는 개방적이고 효과적이며 존중하는 민주적인 의사소통
- 자원, 전문성 개발 및 직원 지원 프로그램을 이용할 수 있는 직원의 삶의 질 지원
- 가치와 전문적인 표준이 내재된 강력한 리더십
- 실무 감사, 공개 등 책임 문화를 통해 양질의 진료를 약속

● 관리 프로세스

조직이 명확하고 효과적인 관리 프로세스(management processes)를 갖는 것이 중요하다. 이러한 프로세스는 조직적으로 주도되며 조직의 목표, 표준, 절차 및 지침이 유지되고 서비스 결과가 달성되고 있는지 확인하는 것을 목표로 한다. 여기에는 관리감독, 징계절차, 성과 검토, 전문성 개발계획 및 운영팀 회의가 포함된다. 긍정적인 문화를 가진 조직은 이러한 프로세스가 일관되고 존중된다.

관리감독은 일반적으로 업무의 질과 양을 모두 검토하고 지시 및 평가를 포함할 수 있는 간호사의 팀 관리자가 수행한다. 선임직원은 운영팀 회의에서 만날 수 있는 팀 관리자와 개별회의를 가질 수 있다. 이러한 회의는 정기적이어야 하며 팀 기능을 검토하고 팀 문제를 해결하기 위한 포럼이 된다.

성과 검토는 관리감독의 일환으로 간호사의 업무성과를 평가하고 다음 기간의 목표를 설정하는 것이다. 공개적이고 정중한 성과 평가에 접근하는 것은 기술과 경력 개발에 매우 중요할 수 있다.

또한 간호사는 교육자, 동료, 프리셉터, 멘토 및 슈퍼바이저를 통해 수행에 대한 피드백을 받는다. 그들과 상호작용하여 정직하고 관심 어린 방식으로 성공과 실패를 탐구해 본다. 모든 동료가 이러한 방식으로 참여할 수 있는 것은 아니므로 가능한 동료를 찾아본다. 모호하거나 일반적인 경우 다른 사람의 피드백을 명확히 하고, 개선할 수 있는 구체적인 예를 요청하며, 성공을 통해 배운 것을 사용하여 더 도전적이라고 생각하는 문제를 해결할 수 있도록 한다.

● 임상관리 프로세스

체계적인 임상관리 프로세스(clinical management

processes)는 간호사를 지원하며 긍정적인 업무문화의 특징이다. 인계, 사례 검토, 사례 발표 및 특정 대상자에 대한 검토회의와 같은 프로세스는 간호사에게 임상실무를 검토하고 간호에 대한 직 · 간접적인 피드백을 받아볼 수 기회를 제공하는 임상관리 프로세스의 예이다.

직업-사람 적합성

소진에 대한 연구의 핵심 결과는 근무자와 근무환경 간의 부적합 또는 불일치이다. 이 장에서는 소진의 위험을 줄이기 위해 간호사가 사용할 수 있는 다양한 전략을 제공했다. 마슬라흐(Maslach, 2017)는 소진의 위험을 줄이기 위해 올바른 '직업–사람 적합성(job – person fit)'을 얻는 것이 중요하다고 강조했다. 연구는 직업이 얼마나 적합한지 고려할 때 다음 영역을 중요하게 식별해야 한다고 말한다.

- **업무량**: 관리 가능하고 지속 가능한가?
- **통제**: 업무 문제를 논의할 때 경청하고 이해받고 있다고 느끼는가? 자신의 업무와 관련된 의사결정에 영향을 미칠 수 있다고 생각하는가?
- **보상**: 기여한 바에 대해 가치와 인정을 받고 있다고 느끼는가?
- **커뮤니티**: 직장 내 관계가 지원적이고 안전한가? 갈등이 해결되는가?
- **공정성**: 의사결정에 대한 접근방식이 공정하고 공평한가?
- **가치**: 직장의 가치가 자신의 직업적 · 개인적 가치와 일치하는가?

마슬라흐는 긍정적으로 업무와 삶의 질을 촉진하는 여섯 가지 '적합'을 '일과 삶의 영역 모델'로 제시하고 있다. (a) 지속 가능한 업무량; (b) 선택과 통제; (c) 인정 및 보상; (d) 지지적인 직장 공동체; (e) 공정성, 존중 및 사회 정의; (f) 명확한 가치와 의미 있는 업무

임상실무 환경

근무환경의 질을 의식적으로 고려하는 것 외에도 자신에게 맞는 실무환경을 선택한다. 정신간호사는 다양한 서비스 제공 모델을 활용하는 모든 연령대의 다양한 대상자와 다양한 환경에서 일할 수 있다. 다양한 실무환경에서 경험을 쌓으면 간호에 깊이와 폭이 추가된다(**표 7.1**). 간호사는 세계 어느 곳에서나 취직할 수 있다. 간호사는 세계를 여행하고 선진국과 개발 도상국에서 일할 수 있는데, 이로 인해 얻은 경험과 통찰력은 경력과 삶의 질을 향상시킨다.

전문성 개발

퍼트리샤 베너(Patricia Benner, 1984)의 획기적인 연구는 전문직에서 간호 전문지식 발전에 대한 이해를 제공했다. 그 책에서 초보자, 진전된 초보자, 적임자, 숙련자 및 전문가 실무의 단계를 통해 간호개발의 수많은 예를 제공한다. 실무경험이 적거나 없는 간호사가 일련의 단계와 규칙을 따라 실습하고 경험함에 따라 간호실무에 대한 전문지식이 향상되고 이에 더욱 유연한 간호를 수행할 수 있는 방법을 보여준다.

전문 정신건강 간호실무는 정신건강간호의 특성과 영향을 조사한 연구에서 입증되었다. 산탄젤로 등(Santangelo, et al., 2018)의 연구에서 정신간호사는 대상자와 의미 있는 회복지향적 관계를 개발하기 위해 다양한 경험을 활용했으며, 극단적이고 일상적인 순간 모두에서 대상자와 함께할 능력과 의지를 보여주었다. 정신간호사는 대상자의 건강상태 위험성을 파악하고 지속적인 관찰을 통해 해야 할 일과 언제

표 7.1 실무환경

세팅	설명
정신과 입원 병동	• 대상자에게 24시간 간호를 제공하는 간호팀의 일부 • 대상자 및 다학제팀과 긴밀히 협력 • 더 많은 지원 및 전문성 개발의 기회
일반 입원 병동 및 응급실	• 대상자 및 보호자와 직접 협력 • 병원 직원과 협력 • 직원과 협력하여 자신을 돌보는 대상자의 정신건강 요구사항을 인식하고 이에 주의를 기울이는 능력 향상 • 정신건강 관련 프로젝트, 교육, 정책 개발 및 연구에서 조직과 협력
지역사회 주거 시설	• 대상자의 일상적인 기능에 중점을 두고 대상자가 회복기술을 개발할 수 있도록 지원
지역사회	• 돌봄 조정, 위기 및 집중적 또는 조기중재를 포함하여 커뮤니티 서비스에서 사용할 수 있는 다양한 선택 제공 • 대상자가 참석하는 클리닉 기반 가능 • 대상자가 거주하는 환경에서의 지원 가능
1차 보건시설	• 조기중재 기회 • 일차 의료기관 및 지역사회 의료서비스와 협력 • 직원과 협력하여 지역사회 정신건강 요구사항을 인식하고 이에 관심을 기울이는 능력 향상 • 대상자에 대한 평가 및 상담 제공
모자보건	• 임산부, 산모 및 그 가족과 긴밀히 협력 • 조산사 및 기타 의료전문가와의 협력 • 모자병동 또는 지역사회 기반 모자보건서비스를 받는 경우 같은 대상자일 수 있음
알코올 및 기타 중독 치료서비스	• 해독에서 재활서비스에 이르기까지 치료의 연속성에 따라 입원 대상자 및 지역사회 환경이 될 수 있음
법정신건강	• 구치소, 법원, 구금전환서비스, 교도소 및 전문 법정신건강서비스를 포함한 다양한 환경
학교 및 고등교육 기관	• 공립 또는 사립, 중등 또는 고등 교육환경에서 작업 • 평가 및 상담서비스 제공 • 학생 및 학교 커뮤니티의 건강과 삶의 질 문제 해결 • 교사 및 기타 직원과의 협력
망명 신청자 및 난민 관련	• 난민 및 망명 신청자와 협력 • 역내 및 역외 이민 구금센터, 석방/재정착 지원 및 외상서비스를 포함한 다양한 환경
e-정신건강	• 웹 기반 교육 및 치료 프로그램 개발 기회 • 인터넷을 통해 평가 및 상담 제공

할 필요가 있는지를 판단할 수 있다고 하였다.

• 상급실무(advanced practice)

앞서 논의한 바와 같이, 경력 전환은 필연적으로 불편함을 유발한다. 한 영역에 능숙해지면 다른 영역으로 이동 시 초심자처럼 느껴질 수 있다. 처음으로 전문간호의 역할에 발을 들여놓는 것도 이러한 전환 중 하나이다.

전문간호의 개념은 경력 개발을 추구하는 간호사가 임상 간호의 측면을 유지하면서 연구, 교육 및 리더십의 측면을 포함하는 것이다. 전문간호는 '간호라는 고유한 지식체계에 확고히 기반을 두고 있다. 전문간호사는 석사 수준까지 준비가 되어 있어야 하며 간호 및 기타 관련 이론을 활용하고 현재 연구를 비판적으로 분석하고 간호중재에 대한 확실한 이해와 근거를 제공할 수 있어야 한다. 그들의 임상적 추론, 문제해결 기술, 판단 및 의사결정은 체계적으로 숙련되어 있다. 전문간호는 실무의 수준이지 역할이 아니다. 전문간호는 실무영역 내에서 개인에게 고유하다는 것이 인정된다.

전문간호 역할의 성장은 의료에 대한 간호 기여를 극대화하고 건강결과 개선을 목표로 하는 간호의 글로벌 발전의 일부가 된다.

정신건강전문간호사는 다양한 위치에서 여러 가지 전문적인 역할을 수행할 수 있다. 예를 들어, 개인 또는 집단 심리상담을 제공하는 개인 상담이 가능하고 개업을 하는 경우 법적 범위의 진료범위 내에서 간호를 할 수 있다. 또한, 개인 차원으로 자문, 슈퍼비전 및 교육을 수행할 수 있다.

관리

관리직은 정신간호사에게 인기 있는 선택이다. 간호부서 관리자는 부서의 문화와 정서적 분위기 및 대상자 관리(management)의 질을 확립하고 유지하는 데 중요하다. 간호사 단위 관리자 역할이 다양성과 복잡성 면에서 발전했을 뿐만 아니라 의료조직에서 관리자 역할에 대한 더 많은 기회가 있다. 관리자는 조직 내부 및 외부의 다양한 직원 및 집단과 협력할 기회가 있다. 임상서비스 관리자로서 임상 및 관리 리더십을 입증하는 것이 중요하다. 전문성 개발 프로그램과 고등교육기관을 통해 경영 분야에서 지속적인 정규교육을 받을 수 있는 기회가 있다. 또한 멘토링, 코칭 및 임상 슈퍼비전은 이 진로를 선택하는 경우 간호사에게 귀중한 지원이 된다.

교육

교육(education) 분야로의 이동은 또 다른 잠재적인 경력 개발 경로이다. 다른 사람을 교육하는 데 관심이 있다면 간호사 동료가 될 기회를 찾고 간호사를 선택하도록 이끌 수 있다. 많은 프로그램을 통해 좋은 프리셉터가 되는 방법을 배운다. 간호술을 최신 상태로 유지하고 임상리더십 능력을 개발한다. 의료기관 내에서 임상영역 또는 전문성 개발프로그램에서 정식교육에 참여할 기회가 있을 것이다. 교육업무를 이해하고 간호술을 개발하기 위해 노력할 때 멘토와 슈퍼바이저를 활용한다.

대학 및 교육 제공자를 포함하여 학문 분야 내에서의 기회를 고려할 수 있다. 임상에서 일하는 정신간호사가 학생과 함께 임상교육자로서 역할을 하며 학생의 의견을 들을 수도 있다. 학생이 기관에 배치되어 있을 때 해당 대학의 교직원과 연락하며 기회를 포착할 수도 있다.

연구

연구(research) 수행은 학계의 영역으로 간주되기도 하지만 연구에 참여하고 임상 실무를 유지하는 것이 가능하다. 실무환경에서 기회가 발생하면 참여를 고려하여 관심이 있는 분야인지 찾아본다. 연구를 시작하는 가장 좋은 방법은 어떤 연구자가 간호실무 관점을 요청할 때 참여자로 그 역할을 하는 것이다. 전문지식체계의 연구에 대해 배울 뿐만 아니라 정신간호사는 연구책임자, 공동연구자 또는 연구보조로 연구팀의 일원이 될 수 있다. 정신간호사는 대학원에서 연구 석사 또는 박사를 통해 임상적으로 중요한 문제에 대한 연구를 수행할 수 있다. 연구결과로 인해 변화를 가져왔다는 피드백을 동료로부터 받을 때 굉장한 보람을 느낄 수 있다.

간호사 이야기 7.3

나는 최소 40년 이상 간호사로 일해 왔다. 그리고 대부분의 나이든 사람처럼 '내가 간호사로 일을 시작한 젊은 시절이 엊그제처럼 느껴진다'라고 말한다. 나는 항상 사람들과 일하는 것에 관심이 있었고 여행도 하고 싶었다. 간호는 나에게 이러한 일을 둘 다 가능하게 해주었다.

간호는 나에게 인간을 이해할 수 있는 기회를 주었다. 나는 내가 돌보는 사람에게서 그들의 회복탄력성과 취약성의 양극성을 보았다. 또한 나는 고통과 죽음이라는 절대적인 신비를 경험했다. 극한의 상황에서 사람들과 함께 한다는 것은 특권이었지만 어려움이 없었던 것은 아니다. 중환자실 간호사로 일하던 초창기에는 거의 탈진 수준에 가까웠다. 고맙게도 직원상담을 받을 수 있어서 완전히 무너지는 것을 막을 수 있었다. 나는 내가 시스템과 그 결점에 화를 내며 많은 에너지를 사용하고 있다는 것을 깨달았다. 또한 내가 싸워야 할 이유와 취해야 할 직업에 대한 선택권이 있다는 것을 배웠다. 이것들은 중요한 교훈이 되었고 직장생활의 대부분을 공중보건체계에서 보내는 데 도움이 되었다.

나는 처음 정신건강 치료를 받았을 때 정신간호사가 되고 싶다는 것을 알았다. 오래된 정신병원에 갇힌 여성 병동에 직면했을 때 압도적인 감정을 극복했다. 첫날 점심시간에 내가 언젠가 정신과 간호사 훈련을 할 것이라는 것을 알게 되었다. 나는 드디어 내 둥지를 찾았다는 것을 알았고 종합병원에서 상담지원간호사가 되었을 때 정말 열정을 다해 일할 수 있었다. 특히 임상과 교육 업무를 병행하고 질적 향상에 기여하고 연구에 참여하는 것을 좋아했다.

사람들(대상자, 지인 및 직원)과 함께 일할 때의 어려움은 항상 존재한다. 나는 종종 일을 어떻게 하고 있느냐는 질문을 받았고 의심할 여지 없이 건강간호에서 내 생존의 핵심 요소는 훌륭한 슈퍼비전이라고 이야기한다. 나는 계속해서 여행을 즐기고 학회나 포럼 참석을 통해 여행과 일을 결합할 기회를 얻었다. 또한, 서핑, 예술, 창작활동, 그리고 (물론 가족과 친구를 포함하여) 직장 밖에서 내 관심사를 유지했다. 나는 자전거로 출퇴근(마음 챙김 연습 포함)을 했고, 학업 및 전문성 개발 프로그램과 개인적 성장을 통해 평생학습에 참여했다. 간호사협회는 항상 내 지원시스템의 일부를 형성했으며 같은 생각을 가진 동료와 시간을 보내는 것은 항상 활력을 준다. 나의 이러한 경험담이 누군가의 간호경력을 최대한 활용하는 몇 가지 아이디어가 되기를 바란다. 또한 나는 새로 시작하는 간호사가 나만큼 간호를 사랑하기를 바란다.

비판적 사고 과제 7.1

자신의 성격과 독특한 특성에 대해 생각해 본다.

- 이러한 특성이 업무에 어떻게 도움이 되는가?
- 이러한 특성이 업무의 취약성을 어떻게 증가시킬 수 있는가?
- 직장 내 · 외부에서 지원을 살펴본다.
- 무엇이 자신에게 활력을 주는가?
- 무엇이 자신을 진정시키는가?
- 자신이 대처하고 있다고 느끼지 않는다면 누구 또는 무엇을 찾겠는가?
- 간호를 하는 동안 자신을 지지하기 위해 이러한 통찰력을 어떻게 사용할 수 있는가?

● 유용한 웹사이트

Australian Clinical Supervision Association. http://clinicalsupervision.org.au/

Australian College of Mental Health Nurses. http://www.anzcmhn.org/

Centre for Post-traumatic Mental Health. https://www.phoenixaustralia.org/recovery/fact-sheets-and-booklets/

Health Direct. https://www.healthdirect.gov.au/

New Zealand Ministry of Health. https://www.health.govt.nz/

Nurse and Midwife Support Program. https://www.nmsupport.org.au/

Nursing Health and Midwifery Program. http://www.nmhp.org.au/

Te Ao Mramatanga New Zealand College of Mental Health Nursing. https://www.nzcmhn.org.nz/

Te Pou o te Whakaaro Nui. https://www.tepou.co.nz/

단원 요약

이 장에서는 삶의 질을 유지하고, 대상자와 보호자에게 공감 어린 간호를 제공하며, 동료와 효과적인 업무관계를 유지하고, 정신건강 간호실무의 요구를 관리하며, 보람된 경력을 개발하는 것에 대해 알아보았다. 정신건강간호는 고유함과 직장 스트레스가 있지만 값지고 보람 있는 직업이다. 이 장에서는 이와 관련된 정보를 제공하고 감정노동, 대리 외상 및 스트레스 요인에 대한 긍정적인 적응 과정인 회복탄력성과 같은 개념을 소개했다. 간호사 개인, 조직 및 정신건강간호조직은 모두 간호사의 전문적인 자기 돌봄 및 개발을 지원하는 역할을 한다. 간호업무의 영향을 이해하고 인력의 건강 및 스트레스 관리를 해결하기 위한 전략을 개발하는 것은 지식체계를 발전시키는 고무적인 일이다. 정신건강간호를 위한 지원시스템은 지속적으로 발전하고 있다. 간호실무는 다양한 사람과 지역사회와 함께 다양한 환경에서 일할 수 있는 기회를 제공한다. 또한 평생학습과 지속적인 전문성 개발의 과정이기도 하다. 이 장의 정보를 숙고하면 실무 초기에 건강한 자기돌봄 및 전문성 개발 실천을 수립하는 데 도움이 될 것이며, 이는 간호업무를 진행하는 데 도움이 될 것이다.

수업참여를 위한 연습

자기 인식을 개발하는 효과적인 방법은 질문을 사용하는 것이다. 몇 가지 중요한 문제에 대한 인식을 높이려면 다음 질문을 스스로에게 하고 집단이나 다른 구성원과 답변에 대해 토론해 본다.

1. 나는 삶의 틀로써 어떤 가치를 중요하게 생각하는가? 이러한 가치는 어디에서 오는가? 그것들은 이 세상에서 인간이 된다는 것이 무엇인지에 대한 내 이해를 어떻게 알려주는가?
2. 원가족은 내가 세상을 보는 방식에 어떤 영향을 미쳤는가? 우리 가족은 어떤 가치를 중요하게 여기는가? 나는 가정생활에서 무엇을 중요하게 생각하는가?
3. 간호사를 선택한 이유는 무엇인가? 이것이 여전히 유효한가? 아니면 시간이 지나면서 생각이 바뀌었는가?
4. 정신적 디스트레스를 받거나 정신질환이 있는 사람들에 대한 내 보편적인 사회적 태도는 무엇인가? 정신적 디스트레스를 받거나 정신 질환이 있는 사람들에 대한 내 믿음은 무엇인가?
5. 정신질환을 앓고 있는 사람들에 대한 내 감정은 무엇인가?

● 참고문헌

Australian College of Midwives, Australian College of Nursing & Australian College of Mental Health Nurses. Position statement: Clinical supervision for nurses and midwives [Online]. Available: http://www.acmhn.org/publications/position-statements 2019. (Accessed 16 May 2019).

Benner, P. From Novice to Expert. Menlo Park: Addison-Wesley Publishing Company; 1984.

Benuto, L., Singer, J., Cummings, C., et al. The Vicarious Trauma Scale: confirmatory factor analysis and psychometric properties with a sample of victim advocates. Health Soc. Care Community. 2018; 26:564-571.

Bolton, S. C. Who cares? Offering emotion work as a 'gift' in the nursing labour process. J. Adv. Nurs.. 2000; 32:580-586.

Bonamer, J., Aquino-Russell, C. Self-care strategies for professional development: transcendental meditation reduces compassion fatigue and improves resilience for nurses. J. Nurses Prof. Dev.. 2019; 35:93-97.

Borradaile, K. Self care guide [Online]. Available: http://www.nmhp.org.au/documents/Self-Care-Guide.pdf 2016. (Accessed 26 May 2019).

Bridges, W. Transitions: Making Sense of Life's Changes. London: Hachette; 2004.

Bridges, W., Bridges, S. Managing Transitions: Making the Most of Change, fourth ed. London & Boston: Nicholas Brearly Publishing; 2017.

Brown, S., Whichello, R., Price, S. The impact of resiliency on nurse burnout: an integrative literature review. Medsurg Nurs.. 2018; 27(6):349-378.

Bulman, C., Lathlean, J., Gobbi, M. The process of teaching and learning about reflection: research insights from professional nurse education. Stud. Higher Educ.. 2014; 39:1219-1236.

Buus, N., Cassedy, P., Gonge, H. Developing a manual for strengthening mental health nurses' clinical supervision. Issues Ment. Health Nurs.. 2013; 34:344-349.

Caldwell, L., Grobbel, C. C. The importance of reflective practice in nursing. Int. J. Caring Sci.. 2013; 6:319-326.

Chernomas, W. M., Shapiro, C. Stress, depression, and anxiety among undergraduate nursing students. Int. J. Nurs. Educ. Scholarsh.. 2013; 10:255-266.

Chiang, Y. M., Chang, Y. Stress, depression, and intention to leave among nurses in different medical units: implications for healthcare management/nursing practice. Health Policy (New York). 2012; 108:149-157.

Chopra, D. 7 mind-body practices to transform your relationship with stress [Online]. Available: https://chopra.com/articles/7-mind-body-practices-to-transform-your-relationship-with-stress 2019. (Accessed 25 May 2019).

Christensen, M., Aubeeluck, A., Fergusson, D., et al. Do student nurses experience Imposter Phenomenon? An international comparison of Final Year Undergraduate Nursing Students readiness for registration. J. Adv. Nurs.. 2016; 72:2784-2793.

Christie, C., Bidwell, S., Copeland, A., et al. Self-care of Canterbury general practitioners, nurse practitioners, practice nurses and community pharmacists. J. Prim. Health Care. 2017; 9:286-291.

Cipriano, P. F. Mitigating the risks of emotional labor. Am Nurse. 2015; 47(3):3.

Claro, S., Paunesku, D., Dweck, C. S. Growth mindset tempers the effects of poverty on academic achievement. Proc. Natl. Acad. Sci. U.S.A.. 2016; 113:8664-8668.

Cosden, M., Sanford, A., Koch, L. M., et al. Vicarious trauma and vicarious posttraumatic growth among substance abuse treatment providers. Subst. Abus.. 2016; 37:619-624.

Craigie, M., Slatyer, S., Hegney, D., et al. A pilot evaluation of a mindful self-care and resiliency (MSCR) intervention for nurses. Mindfulness. 2016; 7:764-774.

Cross, L. A. Compassion fatigue in palliative care nursing: a concept analysis. J. Hosp. Palliat. Nurs.. 2019; 21:21-28.

Delgado, C., Upton, D., Ranse, K., et al. Nurses' resilience and the emotional labour of nursing work: an integrative review of empirical literature. Int. J. Nurs. Stud.. 2017; 70:71-88.

Drew, B. L. The evolution of the role of the psychiatric mental health advanced practice registered nurse in the United States. Arch. Psychiatr. Nurs.. 2014; 28:298-300.

Duchscher, J. E.B. Transition shock: the initial stage of role adaptation for newly graduated registered nurses. J. Adv. Nurs.. 2009; 65:1103-1113.

Dweck, C. Carol Dweck revisits the growth mindset. Education Week. 2015; 35:20-24.

Edward, K. L., Hercelinskyj, G., Giandinoto, J. A. Emotional labour in mental health nursing: an integrative systematic review. Int. J. Ment. Health Nurs.. 2017; 26:215-225.

Ennis, G., Happell, B., Reid-Searl, K. Enabling professional development in mental health nursing: the role of clinical leadership. J. Psychiatr. Ment. Health Nurs.. 2015; 22:616-622.

Ennis, G., Happell, B., Reid-Searl, K. Intentional modelling:

a process for clinical leadership development in mental health nursing. Issues Ment. Health Nurs.. 2016; 37:353 – 359.

Erkayiran, O., Demirkiran, F. The impact of improving emotional intelligence skills training on nursing students' interpersonal relationship styles: a quasi-experimental study. Int. J. Caring Sci.. 2018; 11:1901 – 1912.

Fedele, R. Mentoring matters. Aust. Nurs. Midwifery J.. 2019; 26:11 – 12.

Foster, K., Cuzzillo, C., Furness, T. Strengthening mental health nurses' resilience through a workplace resilience programme: a qualitative inquiry. J. Psychiatr. Ment. Health Nurs.. 2018; 25:338 – 348.

Foster, K., Roche, M., Delgado, C., et al. Resilience and mental health nursing: an integrative review of international literature. Int. J. Ment. Health Nurs.. 2019; 28:71 – 85.

Foster, K., Roche, M., Giandinoto, J. A., et al. Workplace stressors, psychological well-being, resilience, and caring behaviours of mental health nurses: a descriptive correlational study. Int. J. Ment. Health Nurs.. 2019; 29(1):56 – 68.

Foster, K., Shochet, I., Wurfl, A., et al. On PAR: a feasibility study of the Promoting Adult Resilience programme with mental health nurses. Int. J. Ment. Health Nurs.. 2018; 27:1470 – 1480.

Freshwater, D. Reflective practice: the state of the art. In: Freshwater D., Taylor B., Sherwood G., eds. International Textbook of Reflective Practice in Nursing. Oxford, UK: Wiley-Blackwell, 2008.

Galbraith, N. D., Brown, K. E., Clifton, E. A survey of student nurses' attitudes toward help seeking for stress. Nurs. Forum. 2014; 171 – 181.

Gardner, A., McCutcheon, H. A constructivist grounded theory study of mental health clinicians' boundary maintenance. Aust. Nurs. Midwifery J.. 2015; 23:30 – 33.

Gunasekara, I., Pentland, T., Rodgers, T., et al. What makes an excellent mental health nurse? A pragmatic inquiry initiated and conducted by people with lived experience of service use. Int. J. Ment. Health Nurs.. 2014; 23:101 – 109.

Hart, B. Identify barriers to best practice. Lamp. 2017; 74:18 – 19.

Hawkins, P., Shohet, R. Supervision in the Helping Professions. Maidenhead, UK: Open University Press; 2012.

Health Direct. Work-life balance [Online]. Health Direct. Available: https://www.healthdirect.gov.au/work-life-balance 2018. (Accessed 25 May 2019).

Health Education and Training Institute. The Superguide: A Supervision Continuum for Nurses and Midwives. Sydney: Health Education and Training Institute; 2013.

Healy, M., Howe, V. Study of Victorian Early Graduate Programs for Nurses and Midwives: Final Research Report. Hawthorn: TNS Social Research; 2012.

Hochschild, A. R. The Managed Heart: Commercialization of Human Feeling. Berkeley: University of California Press; 1983.

Humphrey, R. H., Ashforth, B. E., Diefendorff, J. M. The bright side of emotional labor. J. Organ. Behav.. 2015; 36:749 – 769.

Hunsaker, S., Chen, H. C., Maughan, D., et al. Factors that influence the development of compassion fatigue, 104burnout, and compassion satisfaction in emergency department nurses. J. Nurs. Scholarsh.. 2015; 47:186 – 194.

Hussein, R., Everett, B., Hu, W., et al. Predictors of new graduate nurses' satisfaction with their transitional support programme. J. Nurs. Manag.. 2016; 24:319 – 326.

Jackson, D., Firtko, A., Edenborough, M. Personal resilience as a strategy for surviving and thriving in the face of workplace adversity: a literature review. J. Adv. Nurs.. 2007; 60:1 – 9.

Johnson, C. S., Smith, C. M. Preparing nursing professional development practitioners in their leadership role: management and leadership skills. J. Nurses Prof. Dev.. 2018; 34:99 – 100.

Johnson, J., Hall, L. H., Berzins, K., et al. Mental healthcare staff well-being and burnout: a narrative review of trends, causes, implications, and recommendations for future interventions. Int. J. Ment. Health Nurs.. 2018; 27:20 – 32.

Joinson, C. Coping with compassion fatigue. Nursing. 1992; 22:116 – 121.

Kabat-Zinn, J. Guided mindfulness meditation practices with Jon Kabat-Zinn [Online]. Available: https://www.mindfulnesscds.com/ 2019. (Accessed 26 May 2019).

Kelly, E. L., Fenwick, K., Brekke, J. S., et al. Well-being and safety among inpatient psychiatric staff: the impact of conflict, assault, and stress reactivity. Adm. Policy. Ment. Health. 2016; 43:703 – 716.

Kenny, P., Reeve, R., Hall, J. Satisfaction with nursing education, job satisfaction, and work intentions of new graduate nurses. Nurse Educ. Today. 2016; 36:230 – 235.

La Trobe University. Nurses and lawyers' heavy drinking study [Online]. Available: https://www.latrobe.edu.au/news/articles/2019/release/nurses-and-lawyers-heavy-drinking-study 2019. (Accessed 12 July 2019).

Laker, C., Cella, M., Callard, F., et al. Why is change a challenge in acute mental health wards? A cross-sectional investigation of the relationships between burnout, occupational status and nurses' perceptions of barriers to change. Int. J.

Ment. Health Nurs.. 2019; 28:190 – 198.

Larter, A. Nurses need healing. Nurs. Rev.. 2014; 3:4.

Leary M.R., Price Tangney J., eds. Handbook of Self and Identity. New York: Guilford Press, 2012.

Leyva–Vela, B., Henarejos–Alarcón, S., Llorente–Cantarero, F. J., et al. Psychosocial and physiological risks of shift work in nurses: a cross–sectional study. Cent. Eur. J. Public Health. 2018; 26:183 – 189.

Lim, J., Bogossian, F., Ahern, K. Stress and coping in Australian nurses: a systematic review. Int. Nurs. Rev.. 2010; 57:22 – 31.

Lloyd, J. A hospital is the place to heal a ravaged body, but what about a wounded spirit? Aust. Nurs. Midwifery J.. 2019; 26:23.

Malinowski, P. Flourishing through meditation and mindfulness. In: David S.A., Boniwell I., Conley Ayers A., eds. Oxford Library of Psychology. The Oxford Handbook of Happiness. New York: Oxford University Press, 2013.

Marie, M., Hannigan, B., Jones, A. Resilience of nurses who work in community mental health workplaces in Palestine. Int. J. Ment. Health Nurs.. 2017; 26:344 – 354.

Maslach, C. Finding solutions to the problem of burnout. Consult. Psychol. J. Pract. Res.. 2017; 69:143 – 152.

Maslach, C., Leiter, M. P. New insights into burnout and health care: strategies for improving civility and alleviating burnout. Med. Teach.. 2017; 39:160 – 163.

Masters, G. N., Towards a Growth Mindset in Assessment. ACER (Australian Council for Educational Research) Occasional Essays, 2013. 1 – 5.

Mayer, J. D., Salovey, P., Caruso, D. R. Emotional intelligence: theory, findings, and implications. Psychol. Inq.. 2004; 15:197 – 215.

McCann, C., Beddoe, L., McCormick, K., et al. Resilience in the health professions: a review of recent literature. Int. J. Wellbeing. 3(1), 2013.

McNamara, P. Hand hygiene and mindful moments [Online]. Available: https://meta4rn.com/2016/11/26/hygiene/ 2016. (Accessed 25 May 2019).

Mealer, M., Conrad, D., Evans, J., et al. Feasibility and acceptability of a resilience training program for intensive care unit nurses. Am. J. Crit. Care. 2014; 23:e97 – e105.

Mi, Y. Factors affecting turnover intention for new graduate nurses in three transition periods for job and work environment satisfaction. J. Contin. Educ. Nurs.. 2016; 47:120 – 131.

Mills, J. Examining self–care, self–compassion and compassion for others: a cross–sectional survey of palliative care nurses and doctors. Int. J. Palliat. Nurs.. 2018; 24:4 – 11.

Mills, J., Wand, T., Fraser, J. A. On self–compassion and self–care in nursing: selfish or essential for compassionate care? Int. J. Nurs. Stud.. 2015; 52:791 – 793.

Mills, J., Wand, T., Fraser, J. A. Exploring the meaning and practice of self–care among palliative care nurses and doctors: a qualitative study. BMC Palliat. Care. 2018; 17:1 – 12.

Milner, A. J., Maheen, H., Bismark, M. M., et al. Suicide by health professionals: a retrospective mortality study in Australia 2001 – 2012. Med. J. Aust.. 2016; 205:260 – 265.

Monroe, T., Kenaga, H. Don't ask don't tell: substance abuse and addiction among nurses. J. Clin. Nurs.. 2011; 20:504 – 509.

Mooney, M. Facing registration: the expectations and the unexpected. Nurse Educ. Today. 2007; 27:840 – 847.

Muir–Cochrane, E., O'Kane, D., Oster, C. Fear and blame in mental health nurses' accounts of restrictive practices: implications for the elimination of seclusion and restraint. Int. J. Ment. Health Nurs.. 2018; 27:1511 – 1521.

New Zealand Nurses Organisation. NZNO practice position statement advanced nursing practice. Available: https://www.nzno.org.nz/, 2011.

Nursing and Midwifery Board of Australia, 2016. Fact sheet: Advanced nursing practice and specialty areas within nursing.

Park, C. L. Making sense of the meaning literature: an integrative review of meaning making and its effects on adjustment to stressful life events. Psychol. Bull.. 2010; 136:257.

Parsa–Yekta, Z., Abdolrahimi, M. Concept analysis of emotional intelligence in nursing. Nurs. Pract. Today. 2016; 3:158 – 163.

Perry, L., Xu, X., Gallagher, R., et al. Lifestyle health behaviors of nurses and midwives: the 'fit for the future' study. Int. J. Environ. Res. Public Health. 2018; 15:945.

Phoenix Australia, What is trauma? [Online]. Centre for Posttraumatic Mental Health, University of Melbourne, 2019. Available: http://phoenixaustralia.org/recovery/fact–sheets–and–booklets/. (Accessed 7 July 2019).

Pinel, E., Bosson, J. Turning our attention to stigma: an objective self–awareness analysis of stigma and its consequences. Basic Appl. Soc. Psych.. 2013; 35:55 – 63.

Prosser, S. J., Metzger, M., Gulbransen, K. Don't just survive, thrive: understanding how acute psychiatric nurses develop resilience. Arch. Psychiatr. Nurs.. 2017; 31:171 – 176.

Reyes, D. Self–compassion: a concept analysis. J. Holist. Nurs.. 2012; 30:81 – 89.

Ross, A., Yang, L., Wehrlen, L., et al. Nurses and health–promoting self–care: do we practice what we preach? J. Nurs.

Manag.. 2019; 27:599 – 608.

Russell, L. Clinical Supervision: History 23. Nightingale to Now: Nurse Education in Australia. Sydney: Churchill Livingstone; 1990.

Sabery, M., Tafreshi, M. Z., Hosseini, M., et al. Compassion fatigue in clinical nurses: an evolutionary concept analysis. J. Nurs. Midwifery. 2018; 27:7 – 14.

Safe Work Australia. Australian Work Health and Safety Strategy 2012 – 2022: Healthy, Safe and Productive Working Lives. Canberra: Safe Work Australia; 2018.

Safe Work Australia. Australian Work Health and Safety Strategy 2012 – 2022. Canberra: Australian Government; 2012.

Salzmann–Erikson, M. Moral mindfulness: the ethical concerns of healthcare professionals working in a psychiatric intensive care unit. Int. J. Ment. Health Nurs.. 2018; 27(6):1851 – 1860.

Santangelo, P., Procter, N., Fassett, D. Mental health nursing: daring to be different, special and leading recovery–focused care? Int. J. Ment. Health Nurs.. 2018; 27:258 – 266.

Santangelo, P., Procter, N., Fassett, D. Seeking and defining the 'special' in specialist mental health nursing: a theoretical construct. Int. J. Ment. Health Nurs.. 2018; 27:267 – 275.

Schluter, P., Turner, C., Huntington, A., et al. Work/life balance and health: the nurses and midwives e–cohort study. Int. Nurs. Rev.. 2011; 58:28 – 36.

Schueler, S. K. Nurses tending to spiritual self–care through medical therapeutic yoga. Beginnings. 2017; 37:22 – 23.

Siren, A., Gehrs, M. Engaging nurses in future management careers: perspectives on leadership and management competency development through an internship initiative. Nurs. Leadersh.. 2018; 31:36 – 49.

Smith, P., Pearson, P. H., Ross, F. Emotions at work: what is the link to patient and staff safety? Implications for nurse managers in the NHS. J. Nurs. Manag.. 2009; 17:230 – 237.

Sorenson, C., Bolick, B., Wright, K., et al. An evolutionary concept analysis of compassion fatigue. J. Nurs. Scholarsh.. 2017; 49:557 – 563.

Sweet, L., Bass, J., Sidebotham, M., et al. Developing reflective capacities in midwifery students: enhancing learning through reflective writing. Women Birth. 2019; 32:119 – 126.

Te Pou O Te Whakaaro Nui. Te Tirohanga a te Manu 'A Bird's Perspective': Professional Supervision Guide for Nursing Leaders and Managers. Auckland: Te Pou o te Whakaaro Nui; 2017.

Te Pou O Te Whakaaro Nui. Te Tirohanga a te Manu 'A Bird's Perspective': Professional Supervision Guide for Nursing Supervisees. Auckland: Te Pou o te Whakaaro Nui; 2017.

Te Pou O Te Whakaaro Nui. Te Tirohanga a te Manu 'A Bird's Perspective': Professional Supervision Guide for Supervisors. Auckland: Te Pou o te Whakaaro Nui; 2017.

Theodosius, C. Emotional Labour in Health Care: The Unmanaged Heart of Nursing. London & New York: Routledge; 2008.

Torquati, L., Kolbe–Alexander, T., Pavey, T., et al. Changing diet and physical activity in nurses: a pilot study and process evaluation highlighting challenges in workplace health promotion. J. Nutr. Educ. Behav.. 2018; 50:1015 – 1025.

Ungar, M. Resilience across cultures. Br. J. Soc. Work. 2008; 38:218 – 235.

Waldrop, J., Derouin, A. The coaching experience of advanced practice nurses in a national leadership program. J. Contin. Educ. Nurs.. 2019; 50:170 – 175.

Walker, A., Campbell, K. Work readiness of graduate nurses and the impact on job satisfaction, work engagement and intention to remain. Nurse Educ. Today. 2013; 33:1490 – 1495.

Wiklund Gustin, L., Wagner, L. The butterfly effect of caring: clinical nursing teachers' understanding of self–compassion as a source to compassionate care. Scand. J. Caring Sci.. 2013; 27:175 – 183.

Wilson, D. R., Brooks, E. J. Sleep and immune function: nurse self–care and teaching sleep hygiene. Beginnings. 2018; 38:6 – 23.

World Health Organization. International Classification of Diseases – revision for mortality and morbidity statistics (11th revision). Available https://www.who.int/classifications/icd/en/ 2018. (Accessed 17 January 2020).

Zhang, Y. Y., Han, W. L., Qin, W., et al. Extent of compassion satisfaction, compassion fatigue and burnout in nursing: a meta–analysis. J. Nurs. Manag.. 2018; 26:810 – 819.

Zugai, J. S., Stein–Parbury, J., Roche, M. The nature of the therapeutic alliance between nurses and consumers with anorexia nervosa in the inpatient setting: a mixed–methods study. J. Clin. Nurs.. 2018; 27(1 – 2):416 – 426.

CHAPTER 8

정신건강 사정

Mental health assessment

주요 내용

- 사정은 간호과정의 첫 번째 단계이며, 치료의 각 삽화 동안 계속된다.
- 정신건강 간호사정의 목적은 환자가 겪고 있는 정신건강 문제와 간호사가 도울 수 있는 일을 이해하는 것이다.
- 종합사정은 신체적 · 정신적 건강을 포함하여 개인 삶의 여러 영역에 대한 정보 수집을 포함한다.
- 정신건강 간호사정에는 간호관찰 및 제3자의 정보 외에도 대화식 및 구조화된 면담이 모두 포함될 수 있다.
- 사례 공식화는 대상자와 함께 대상자의 현재 문제에 대한 다양한 영향에 대한 요약, 그리고 대상자와 간호사가 이러한 문제를 해결하기 위해 노력할 수 있는 방법을 개발하는 과정이다.

주요 용어

- 감별진단(differential diagnosis)
- 강점사정(strengths assessment)
- 면담(interviewing)
- 문서(documentation)
- 문화사정(cultural assessment)
- 분류(triage)
- 사례 공식화(case formulation)
- 사정(assessment)
- 선별(screening)
- 신체사정(physical assessment)
- 영적 사정(spiritual assessment)
- 위험사정(risk assessment)
- 이야기(narrative)
- 정신상태사정(mental state assessment)
- 진단(diagnosis)
- 표준화된 사정(standardised assessment)
- DSM-5
- ICD-11

학습 목표

이 단원을 통해 다음을 수행할 수 있다.

- 정신건강 간호사정의 목적과 과정을 이해한다.
- 임상실습에서 포괄적인 정신건강 간호사정 모델을 활용한다.
- 종합 정신건강 간호사정 내에서 신체건강사정의 위치에 대해 논의한다.
- 정신상태사정을 수행하고 문서화한다.
- 사정과 의사결정 간의 관계에 대해 논의한다.

서론

사정은 정신간호사의 중요하고 기본적인 기술 중 하나이다. 사정을 통해 우리는 대상자를 이해하고, 간호계획을 수립하며 다학제팀의 의사결정에 기여한다. 사정은 또한 정신건강 간호의 효과와 수용 가능성에 대해서도 알려준다. 사정은 현재 및 과거의 정신건강 문제, 가족 및 사회력, 알코올 및 기타 약물 사용, 신체건강, 정신건강에 대한 문화적 · 영적 영향을 포함하여 대상자 삶의 여러 측면을 포괄한다. 사정은 대상자 삶의 문제와 이러한 문제에 대응하기 위해 대상자가 이용할 수 있는 강점과 능력에 중점을 둔다. 대상자의 회복이 진행됨에 따라 사정은 간호사와 대상자 사이의 이해 발전, 치료에 대한 새로운 문제, 대상자의 새로운 대처 기술 및 전략 개발을 반영한다.

사정은 간호사가 대상자의 병력과 기능에 대한 중요한 정보를 수집하는 구조화된 과정과 대상자가 받고 있는 치료와 간호, 문제의 본질에 대한 이해를 간호사와 대상자가 검토하는 탐색적 과정으로 설명된다. 사정의 목표는 항상 간호의 기초를 제공하는 공유된 이해를 명확히 하는 것 중 하나이다. 또한 이 장에서는 현재 사정 모델과 병력 청취, 정신상태사정, 표준화된 사정도구 사용, 임상 공식화 및 진단과 같은 정신건강 간호사정의 다양한 기술을 소개한다. 가능한 한 이 장은 제시된 문제를 기록하는 것부터 치료계획을 공식화하는 것까지 정신과 사정의 표준 과정을 따르도록 구성되어 있다.

비판적 사고 과제 8.1

사정이 간호실무의 기본으로 간주되는 이유는 무엇인가? 간호중재의 기초로서 사정기술을 개발하는 것이 왜 중요한가?

사정

사정은 간호과정의 첫 번째 단계이며 대상자가 정신건강 간호에 참여하는 동안 계속 진행된다. 초기 사정은 대상자가 처음 정신간호와 연결되어 도움을 구하는 문제, 강점 및 자원, 정신건강서비스가 이러한 문제를 돕기 위해 무엇을 할 수 있는지에 대한 이해 공유를 목표로 한다. 간호사와 대상자가 관계를 발전시키고 초기 문제가 해결됨에 따라 치료목표에 대한 공유된 이해가 바뀔 것이다. 지속적인 사정은 목표를 검토하고, 문제와 강점을 재정의하고, 대상자의 회복을 돕기 위한 새로운 전략을 개발하는 데 도움이 된다.

사정은 정신건강 간호의 기본이며, 제공되는 간호의 근거를 제공한다. 간호사는 정신건강 관리 분야에서 가장 큰 단일 전문가 집단이며 간호전달체계에 상당한 기여를 할 수 있도록 간호연속체 전반에 걸쳐 좋은 위치에 있다. 간호사정은 치료의 각 삽화와 퇴원 및 입원과 같은 주요 전환지점 등 다양한 환경에서 수행된다. 사정은 진단 및 치료계획에 큰 영향을 미친다. 정신건강 간호사정은 간호사와 다학제팀의 다른 구성원이 제공하는 치료에 대한 결정에 추가된다. 따라서 간호사정은 독립적인 활동인 동시에 치료팀과 상호의존적이다.

정신건강 간호사정의 잠재적인 강점에도 불구하고 이것이 실제로 무엇을 수반하는지에 대한 명확성은 부족하다. 이 부분에 관해 연구된 바가 부족하다. 간호사는 차 한 잔을 만드는 것과 같은 '단순한 사회활동' 과정에서 사정 정보를 수집하기도 한다. 그러나 간호사는 정신건강 간호사정 모델을 명확히 하는 데 어려움을 겪으며 현재 모델이 인간중심돌봄에 대한 간호의 역할을 항상 반영하는 것은 아니다. 간호사는 대상자를 사정할 때 간호의 절충적 특성, 자신의 직관 및 '암묵적, 경험적 사정 모델'에 의존한다.

정신건강 간호사정을 구성하는 요소에 대한 명확한 설명과 시연이 없기 때문에 이 필수활동이 다른 팀 구성원의 사정보다 중요하지 않고 덜 신뢰할 수 있는 것으로 간주되어 왔다. 이 장은 이러한 불명확하고 복잡한 사정에 대한 명확한 방법을 제공하고 정신건강 간호사정을 위한 틀과 사정의 주요 작업에 대한 설명을 제공한다.

종합적인 사정을 잘 수행하기 위해서는 인정된 간호사정 틀을 사용하여 현재 문제, 강점, 건강 병력 및 위험을 식별하고 치료목표를 공식화하는 것이 중

간호사 이야기 8.1

다음은 지역사회 정신건강 복지시설 중 중독관리통합지원센터에서의 사례대상자 사정 과정과 사례중재 시 정신간호사의 역할에 관해서 기술하였다.

사례관리자가 가져야 할 중요한 태도 중 하나는 센터에 오는 대상자를 문제자로 보지 않고 인간으로서 존중하는 것이다. 처음 대면할 때 사례관리자의 태도는 이후 대상자와의 사례중재 시 치료적 관계 형성에 기초가 된다. 초기상담 때 대상자가 생각하는 주호소가 무엇인지부터 이야기한다. 그와 함께 음주와 관련된 과거력(특히 금단증상의 경우 대상자가 모르는 경우가 많아서 구체적인 증상을 알려주는 것이 좋다), 중독문제로 인해 발생한 일상생활 문제 등에 관해 이야기한다. 음주 문제에 대한 선별도구인 AUDIT-K를 활용해 지난 1년간의 자신의 음주습관에 대한 객관적인 평가결과를 설명하고 음주습관을 개선하는 데 도움이 될 수 있는 단기중재(SBIRT-AC) 상담을 제안한다. 이때 대상자가 추후상담이나 단기중재를 거부할 수 있다. 이럴 때 알코올 관련 정보를 제공하고 도움이 필요할 때 언제든지 센터에 오도록 안내하여 센터에서 상담이 긍정적인 경험으로 인지될 수 있도록 한다. 초기상담 시 대상자의 연락처, 주소 등 기본적 인적사항은 상담 과정에서 자 · 타해의 위기상황이 발생할 때 보호자 연락, 경찰 및 소방의 협조 요청 시 중요한 정보가 되므로 필수적으로 확보하는 것이 좋다.

대상자가 센터의 지속적인 사례중재서비스 제공에 동의할 경우 대상자를 등록하고, 초기사정을 한다. 발달력, 병력, 주요 중독문제, 단중독경험, 가족력, 재발 증후, 정신상태검사(MSE), 치료력, 복용약물 정보, 심리 · 사회적 기능/자원, 강점, 직업력, 주거지, 신체질환, 위험(자살시도력 및 자살의도, 폭력 등) 등 정보 수집을 한다. 수집된 정보는 대상자의 욕구에 따른 개별화된 서비스계획(ISP)을 수립하고 사례계획을 세울 때 기초자료가 된다. 정보는 대상자를 통해서 주로 얻게 되지만, 가족을 통한 정보로 대상자와 가족 간의 역동을 파악하는 것도 필요하다. 특히 중독 문제의 경우 가족질환이라고 할 만큼 가족에 미치는 영향이 크므로 대상자와 가족에 대한 사례중재 시 중요한 정보가 된다. 그리고 대상자의 중독 문제에 대한 재발 경고신호(행동, 생각, 감정 변화) 파악은 중요하다. 대상자마다 다양한 재발신호가 있어 미리 파악한다면 사례관리자가 사전에 인지하여 중재하거나 재발에 대처하는 방법에 대해 대상자와 함께 계획을 세우고 실천해 볼 수 있다. 또한 대상자의 자살시도력, 현재 자살사고, 과거 폭력성 등에 대한 위험요소는 재발 및 위기상황 시 대상자와 가족, 주민, 사례관리자의 안전 확보에 중요한 정보이다. 사례관리자는 사례계획을 세울 때 대상자의 욕구, 가족의 욕구, 사례관리자의 욕구가 같을 수 있지만 다를 수도 있다는 점을 알아야 한다. 그러므로 사례관리자는 대상자와의 합의를 통해 구체적이고 단계적으로 계획을 세우고 대상자가 실천할 수 있도록 도와주는 조력자 역할을 한다.

지역사회에서 사례서비스 제공 시 다양한 기관과의 자원(의료, 주거, 직업 등) 연계는 필수적이다. 그러나 여러 유관기관과 연계된 경우 기관마다 사례중재의 방향이 다를 수 있고 중독에 대해 잘 알지 못하면 대상자에게 같은 상황에 대해 다른 메시지를 주게 되어 혼란스럽게 만들 수 있다. 따라서 사례관리자는 사례회의, 간담회 등을 통해 기관 담당자와 사례중재 방향의 일원화를 위해 노력해야 한다. 그리고 사례관리자는 사례중재 과정에서 대상자에 대한 역전이, 응급상황, 유관기관과의 마찰 등 혼자서 해결하기 어려운 상황에 부딪칠 수 있다. 이럴 때 센터 내의 동료, 선임자 또는 중간관리자, 기관장으로부터 수시로 슈퍼비전을 받는 것은 소진되지 않고 지속해서 사례관리자로 근무하는 데 큰 도움이 된다.

요하다. 견고한 종합 사정의 완료는 복잡한 기술의 상호작용이 필요하며 궁극적으로 진단 및 치료계획으로 이어진다. **박스 8.1**은 정신건강 간호사정의 과정(threads), 즉각 임상전문가와 함께 하는 과정을 설명한다. 새로운 졸업생을 위한 제안은 사정의 각 과정에서 역량개발에 집중하는 것이다. 과정은 상호의존적이지만 각각 고유한 기술도 있다. 개별 과정에 초점을 맞추면 기술 습득을 위한 투명한 경로가 제공된다.

간호사 이야기 8.1에서는 지역사회 정신건강 간호에서 사정이 어떻게 작동하는지 이야기하고 있다.

전문적인 표준 및 정신건강 간호사정

사정은 임상기술의 집합일 뿐만 아니라 정신간호사의 의무이기도 하다. 모든 간호사는 종합적인 사정을 수행할 수 있어야 하며 이러한 핵심 기술은 간호실무 기준에 반영된다. 정신건강 사정 및 진단은 보건복지부에서 면허를 주는 정신간호사의 표준 역량 중 하나이다. 종합 간호사정에는 정신적 · 육체적 · 영적 · 정서적 · 사회적 · 문화적 요구를 포함하여 대상자의 모든 측면을 고려해야 한다. 다른 사람에게 발견사항을 명확히 설명하는 기술과 함께 전문적인 표준은 정신건강 간호사정에 기여한다.

박스 8.1 정신건강 간호사정

사정은 몇 가지 주요 과정으로 구성된다.

- 프로세스: 치료관계, 관찰, 사정도구 및 비공식/공식 방법을 포함하여 정보가 수집되는 방식
- 내용: 제시된 문제 정의, 정신건강 병력, 정신상태, 신체건강 검토 및 약물 사용과 같은 정보 수집
- 해석: 상기 내용에 귀속되는 의미로서 대상자, 간호사, 진료팀이 공동으로 이해하고 치료계획을 알려주는 의미(간호학 및 기타 이론은 해석의 과정에서 간호사를 돕는다)
- 의사소통: 사정의 명료화 – 공식화, 사정 정보 공유, 인계시 사정 프레젠테이션, 다학제팀 회의 및 임상 검토, 문서화(사정 결과에 대한 서면 기록)

정신건강 간호사정에 대한 내러티브적이고 서술적인 접근

정신건강 간호사정은 공식적 및 준공식적 도구와 광범위한 대인관계 과정에서 진행된다. 임상서비스에서 제공하는 사정 템플릿과 같은 간호사정 도구는 많은 양의 세부정보를 수집해야 하기 때문에 사정의 대부분을 차지하는 것처럼 보일 수 있다. 또한 서비스를 제공하기 전 간호사가 위험 수준을 설정하는 데 사용되는 위험사정양식을 작성한다. 기분 사정척도, 위험척도, 증상척도 및 인지기능 측정과 같은 표준화된 사정도구는 대상자와 함께 그들의 경험의 의미를 탐색하기보다 '체크박스'를 채워 넣는 것이기

역사적 일화 8.1: 고대에서부터 시작된 사정

정신건강 사정의 가장 초기에 알려진 방법 중 하나는 로마의 정치가이자 변호사인 키케로(Cicero; B.C. 63년경)에 의해 개발되었다. 그는 다음 정보를 수집하기 위해 면담 일정을 고안했다[(1) 노멘(씨족/부족, 지역); (2) 본성(성별, 국적, 가족 상태, 연령, 체격); (3) 양식(교육, 습관/생활 양식); (4) 운명(부자/빈자, 자유인/노예, 사회 계급); (5) 체형(외관); (6) 애정(열정, 감정, 기질); (7) 전공(관심사); (8) 계획 (동기부여); (9) 사실(작업 이력); (10) 사건(중요한 삶의 사건); (11) 연설(담론의 형식과 내용)]. 정신건강 사정을 위해 유사한 면담 일정을 사용하였으며, 이는 로마 제국 전역에 퍼졌다.

자세히 알아보기: King H. (Ed.), 2004. Health in antiquity. Routledge, New York

때문에 사정이 충분하지 않을 수 있다.

정신건강 간호사정은 두 가지 주요 작업으로 구성된다고 볼 수 있다. 사정 정보수집 및 해석(표준 도구 및 템플릿을 사용하여 사정할 수 있음); 그리고 각 대상자와 그들의 현재 상황에서의 관점에 대한 이해를 발전시킨다. 사정은 개인의 이야기에 초점을 맞춘 대화식 면담에서 대상자가 작성하거나 치료진이 사정한 도구를 완성하는 것까지 다양한 방법을 이용할 수 있다. 숙련된 정신간호사는 어떤 사정에서도 업무를 수행할 수 있고 특정 정보를 찾는 것보다 서술적인 접근방식과 내러티브 탐구의 탐색적 접근방식을 상황에 따라 선택할 수 있다. 두 접근방식 모두 포괄적인 사정을 위해 중요하며 각 대상자와 완전한 이해를 제공하고 치료관계를 발전시키는 데 함께 기여한다.

정신건강 간호사정 방법

정신건강 간호사정은 구조화 및 대화식 면담, 표준화된 사정도구, 일지, 직접 관찰, 친구 및 가족을 포함한 제3자의 정보 및 임상기록을 포함한 다양한 방법을 사용한다. 이 모든 방법의 목적은 대상자에 대한 이해를 높이고 정신건강 문제를 해결하는 것이다. 이 섹션에서는 면담, 암기를 돕는 두문자어(mnemonics), 표준화된 사정도구, 일지, 직접 관찰 및 제3자 정보의 사정 방법을 설명한다.

비판적 사고 과제 8.2

자신이 알고 있는 간호사정 방법은 무엇인가? 정신건강 임상환경에서 어떻게 사용할 수 있는가?

면담

사정 면담은 간호사가 대상자에 대한 정보를 이끌어 내고 간호사가 대상자의 문제를 이해하도록 도우며 치료계획을 개발하는 등 구체적인 목표를 가진 반 구조화된 대화라고 할 수 있다. 구조화된 사정 면담은 제시하는 문제, 정신건강 문제의 역사 및 사회 역사와 같은 논리적인 일련의 주제로 설명하는 것이 가능하지만 실제로 사정 면담은 규정된 과정을 거의 따르지 않는다. 면담은 정신건강 간호의 핵심 기술이며 다양한 간호기술이 필요하다. 면담은 상황과 대상자의 요구에 따라 짧거나 길어질 수 있다. 면담은 공식적이거나 비공식적일 수도 있으며, 실제로는 공식적 접근과 비공식적 접근의 조합이 필요할 수 있다. 간호사는 면담 접근방식에 있어 유연해야 하며 면담이 진행됨에 따라 계획된 접근방식을 변경할 준비가 되어 있어야 한다. 때때로 면담을 중단해야 할 수도 있다. 예를 들어 면담이 대상자에게 너무 고통스러운 것으로 판명되거나 대상자가 면담 과정에 집중할 수 없는 경우이다. 면담기술을 개발할 때 간호사는 다학제팀의 다른 동료가 면담을 수행하고 외상, 정체성, 자해에 대한 사고 및 자해 위험 등 복잡한 문제를 관리하는 것을 관찰할 기회를 가져야 한다.

면담 및 치료적 의사소통

면담은 간호중재의 한 형태로 간주되어야 하며, 따라서 정신건강 간호실습에 내재된 동참, 공감, 경청, 성찰, 재진술 및 반영의 대인기술이 필요하다. 면담에서 간호사는 민감한 개인정보를 알게 되므로 대상자를 존중하는 태도와 대상자의 말에 진정한 관심을 가지고 면담하는 것이 중요하다. 간호사는 다른 약속이나 의무로 인해 주의가 분산되지 않고 대상자가 걱정을 표현하는 것에 반응해야 한다. 모든 치료적 관계에서와 마찬가지로, 라포는 면담을 수행하는 데 필수적이다. 간호사는 면담의 초기 부분을 라포 형성에 사용하고, 면담이 진행됨에 따라 그 라포를 유지해야 한다. 문화적 또는 언어적 차이의 모든 문제는 치료적 상호작용에서와 마찬가지로 인정되어야 한다. 면담기술은 치료적 의사소통의 원칙을 기반으로 한다. 면담에 사용할 수 있는 몇 가지 질문과 응답은 **표 8.1**에 설명하였다.

면담장소

면담은 다양한 장소에서 이루어지며 간호사는 환경에 맞게 면담기술을 조정할 수 있어야 한다. 이러한 환경에는 1차 보건실, 지역사회 진료소, 대상자 가정, 응급실, 입원병동, 종합병원병동, 법원, 교도소 및 경찰서 등이 있다. 면담을 계획할 때 간호사는 대상자와 자신의 안전, 사생활 보호, 적절한 좌석(특히 여러 가족구성원이 참여하는 경우) 및 면담공간의 가용성을 고려해야 한다. 일반병동이나 대상자의 집과 같은 일부 환경에서는 사생활 보호에 어려움이 있을 수 있으며, 가능하면 대상자의 침대 공간과 분리된 공간을 찾아야 한다. 이상적인 공간은 다른 근무공간과 가깝고 적절한 공간과 사생활 보호를 제공하는 별도의 방이다.

• 면담 진행 시 안전

면담을 할 때 간호사는 대상자와 자신의 안전을 염두에 두어야 한다. 면담은 의료인 앞에서 취약하다고 느낄 수 있는 대상자에게 도전적인 경험이 될 수 있다. 성별, 민족 및 연령 차이도 대상자의 취약성에 영향을 미칠 수 있다. 가족이나 친구가 면담에 참석할 수 있지만 그들이 지지해 주는 부분은 면담 과정에 잠재적으로 방해가 될 수 있다. 또한 대상자는 가족이나 친구가 참석하는 것에 동의해야 하고, 이에 대한 비밀보장이 보장되어야 의무감이나 강요 없이 자신의 선호를 표현할 수 있다.

안전과 관련해 고려해야 할 또 다른 사항은 대상자의 정신상태이다. 면담이 시작되기 전에 간호사는

표 8.1 사정 면담을 위한 질문과 답변

대상자 진술	간호사 응답	논평
어디서부터 시작해야 할지 모르겠어요.	오늘 병원에 들어오게 된 계기에 대해 이야기해 볼까요?	면담을 시작할 때 대상자는 자신이 직면한 문제에 압도될 수 있다. 구체적인 질문이나 진술은 대화를 시작하는 데 도움이 될 수 있다.
우울증으로 의사를 찾았지만 나아지지 않았어요.	우울증에 대해 자세히 말씀해 주시겠습니까? 얼마나 안 좋은 상태인가요?	간호사는 '우울증'이라는 용어를 사용하여 자신이 듣고 있으며 문제의 중요성을 인식하고 있음을 전달한다.
목소리는 항상 거기에 있고 그들은 저를 혼자 두지 않아요.	많이 힘드시겠어요. 목소리에 대해 자세히 알려주세요. 그들은 어떤 말을 하나요?	간호사의 응답은 대상자의 경험을 확인하고 목소리에 대한 대화를 장려하도록 설계되었다.
저는 너무 희망이 없다고 느껴요. 저는 아무것도 제대로 할 수 없는 것 같아요.	아무것도 제대로 되지 않을 때 기분이 매우 나쁠 수 있어요.	이 반응은 대상자의 감정 상태와 그들의 고통을 인식해야 할 필요성에 초점을 맞춘다.
저는 때때로 모든 것이 끝났으면 좋겠다고 생각해요.	더 이상 살고 싶지 않다는 말인가요?	대상자는 자살충동에 대해 간접적으로 이야기할 수 있다. 직접적인 질문은 대상자가 자살사고를 인정하는 데 도움이 될 수 있으며 의도, 사용 가능한 수단 등을 포함하여 이러한 사고에 대한 추가 탐색을 할 수 있다.

대상자의 고통 수준, 간호사의 질문을 참을 수 있는 능력 및 면담에 참여할 의지를 어느 정도 알 수 있으므로 면담하는 의료진을 돕고 발생할 수 있는 모든 어려움에 대응하기 위해 의료진이 한 명 더 참석하는 것이 좋다. 면담을 진행하면서 간호사는 지속적으로 대상자의 정신상태를 사정하고 대상자가 너무 괴로워하면 조치를 취해야 한다. 간호사가 대상자의 태도나 행동(예 편집증적 사고 또는 간호사를 향한 분노)에 의해 위협을 느낀다면 면담을 중지할 수도 있다. 간호사는 항상 다른 팀원에게 면접장소와 예상 소요시간을 알려야 한다. 이를 통해 동료는 대상자와 간호사의 위치를 파악하고 추가 지원이 필요한 경우 지원할 수 있다.

● 면담 과정 관리

간호사와 대상자가 면담의 목적과 목표, 이용 가능한 시간 및 가능한 면담 결과에 대한 명확한 아이디어가 있으면 면담을 보다 쉽게 할 수 있다. 면담 결과는 식별된 문제, 심각성 및 지지 자원에 따라 달라지기 때문에 초기에 입원이 필요한지 여부를 결정하기보다는 현재 문제를 명확히 하고 미래 치료를 계획하는 것과 같은 일반적인 용어로 결과가 기술되어야 한다. 간호사는 항상 면담에 대한 계획을 가지고 있어야 하고 그 목적에 대해 명확해야 하지만 면담은 비공식적으로 시작해야 한다. 간호사는 면담의 목적을 간략하게 설명하고 대상자가 현재 우려하는 사항에 대해 개방적인 질문을 할 수 있는 기회를 제공해야 한다. 여기에는 개인정보보호 또는 기밀유지, 수집된 정보와 면담으로 무엇을 할지와 같은 면담에 대한 대상자의 우려사항에 대한 논의가 포함될 수 있다. 거기에서 면담은 대상자가 표현한 문제에 초점을 맞추거나 현재 문제를 이해하기 위한 더 넓은 맥락을 제공할 배경에 대한 토론으로 시작할 수 있다.

면담의 정확한 순서를 규정하는 것은 불가능하다. 이는 그 당시 대상자의 필요에 따라 크게 좌우될 것이다. 면담은 일반적인 질문으로 시작하여 관계가 발전하고 대상자의 우려가 명확해짐에 따라 보다 구체적인 질문으로 진행해야 한다. 이런 식으로 민감한 사정영역이 면담에 자연스럽게 포함될 수 있고 사생활이 덜 침해되는 것처럼 보일 것이다. 일부 대상자는 자신의 우려사항을 자유롭게 논의할 수 있으며 문제를 한 번에 하나씩 관리할 수 있는 구조를 제공할 수도 있다. 어떤 사람은 앞으로 해야 할 특정 질문에 대해 더 많은 대화가 필요할 수 있다. 면담의 흐름은 대상자의 반응에 의해 결정될 수 있지만, 간호사는 면담의 목적을 달성할 필요성을 인식해야 한다. 목적의식 없이 대화내용을 따라가는 구조화되지 않은 면담은 대상자에게 거의 쓸모가 없다. 이는 문제를 명확히 하거나 적절한 치료계획을 결정하는 데 도움이 되지 않는다.

면담이 진행됨에 따라 간호사는 대상자의 언어적 · 비언어적 반응과 질문영역에 따른 반응의 변화에 주의를 기울여야 한다. 눈맞춤을 잘하고 열린 자세로 말하던 대상자가 고통스러운 사건에 대해 논의할 때, 눈맞춤을 피하고 닫힌 자세로 바뀐다면 간호사는 그 문제로 대상자가 얼마나 힘들어하는지 알 수 있게 된다. 간호사는 면담을 '순조롭게' 유지하고 사정 과정에 도움이 되지 않는 질문을 피할 책임이 있다. 면담이 초점을 잃을 때 면담이 주요 문제로 돌아올 수 있도록 부드럽게 전환해야 하는 경우가 있다. 친구나 가족구성원이 있는 경우 간호사는 때로는 발언을 장려하고 때로는 면담 시보다 적절한 시점까지 발언을 제한하도록 요청한다. 면담은 대상자로부터 민감한 문제를 이끌어 내도록 설계되었으며, 간호사가 이러한 문제를 인정하고 대상자의 경험을 검증하는 것이 중요하다. 숙련된 면담자는 중요한 문제를 논의할 기회를 제공하지만 모든 중요한 측면을 다룰 수 있도록 면담을 진행한다.

• 면담 과정에서 발생할 수 있는 문제 관리

가능한 한 최고의 계획을 세우고 라포를 발전시키기 위해 최선을 다 하더라도 면담이 '수렁에 빠질' 수 있다. 간호사와 대상자가 대인관계에 대한 긴장이 있거나, 대상자가 질문에 대답하는 데 어려움을 겪거나 특정 주제에 대해 논의하기를 꺼릴 수 있다. 면담 과정에서 문제가 발생하는 데에는 여러 가지 이유가 있을 수 있으며, 간호사는 문제의 원인이 대상자라고 가정해서는 안 된다. 문제는 연령 또는 문화적 · 민족적 차이, 간호사의 태도 또는 비언어적 행동뿐만 아니라 소음, 제한된 시간 및 불쾌한 환경과 같은 요인으로 인해 발생할 수 있다. 모든 치료적 상호작용에서와 마찬가지로 면담 과정의 어려움을 인정하고 과정의 일부로 논의해야 한다. 면담 진행을 돕는 방법으로는 주제를 나중으로 미루고, 다양한 방식으로 질문하며, 대상자가 특정 주제에 대해 불편함을 느끼는 이유를 탐색하고, 일부 문제는 논의하기 어렵다는 것을 인정하는 것 등이 있다. 사정의 일부 영역을 나중으로 미뤄야 할 수도 있다. 또한 성적 취향 같은 민감한 영역은 간호사와 대상자 모두에게 어려울 수 있으며 관계가 더 발전할 때까지 보류해야 할 수도 있다. 이는 면담시간에 인식될 수 있어서 대상자가 이러한 주제를 설명할 수 없다는 느낌을 받게 된다. 마지막으로 대상자가 너무 괴로워하여 면담을 계속할 수 없는 경우에는 이를 인식하고 추후 추가 사정을 위한 계획을 세우고 면담을 종료한다.

• 요약 및 결론

면담이 끝나면 간호사는 문제에 대한 공유된 이해, 제시된 문제에 대한 설명, 가능한 중재 및 추가 치료에 대한 논의를 시작해야 한다. 여기에는 간호사가 요약을 제공하거나 대상자에게 요약을 제공하도록 요청할 수 있다. 면담의 이 단계는 해결되지 않은 문제를 인식하고 대상자의 강점과 지지를 치료계획에 참여시킬 수 있는 기회이다.

간호사는 면담에 할당된 시간이 거의 다 되었음을 표시하여 대상자가 이전에 논의되지 않은 문제를 말할 수 있도록 해야 한다. 친구나 가족도 이 단계에서 마지막 질문을 하도록 기회를 줄 수 있다. 간호사가 사정 정보, 추가 관리 등에 대해 대상자가 하고 싶은 질문이 있는지 묻는 것이 도움이 될 수 있다. 요약은 대상자의 우려사항을 추가로 검증할 수 있는 기회를 제공할 수 있다.

간호사는 면담 후 최선의 조치에 대해 확신이 없으면 공동 면담자와 이를 공개적으로 논의하고 그 토론에 대상자를 포함시켜야 한다. 불확실성을 인정하는 것이 간호사나 임상서비스에 대한 신뢰를 약화시키지 않으며 간호사가 사정 및 향후 계획에 대해 다른 관점을 공유할 수 있는 기회가 될 수 있다.

면담이 끝나면 간호사와 대상자 사이에 차이가 있을 수 있는 부분뿐만 아니라 합의된 내용을 확인하는 것이 중요하다. 면담은 추가 관리 및 연락처 확인 측면에서 다음 단계에 대해 논의하는 것으로 종료되어야 한다.

사정 면담은 대상자와 그들이 도움을 구하는 문제에 대한 광범위한 이해를 확립하기 위해 고안되었지만 간호사가 사용할 수 있는 유일한 사정도구는 아니다. 최고의 면담이라도 제한된 범위의 정보만 제공하므로 면담은 다른 정보 출처로 보완해야 한다.

암기하는 방법

'첫 글자를 따서 외우는 방법(두문자어)'은 간호사가 특정 질문을 하거나 특정 사정영역을 고려하도록 유도하는 기억보조장치이다. 두문자어는 사정을 수행할 때 필수 질문을 기억할 수 있도록 돕는 표준화되지 않은 '구조화된 사정도구'이다.

다음과 같은 예를 들 수 있다.

- OLDCART: 통증을 사정하는 데 사용
  Onset(발병)
  Location(위치)
  Duration(기간)
  Characteristics(특성)
  Aggravating factors(악화요인)
  Radiation(통증이 퍼지는 곳)
  Time(시간)

- HEADSS: 청소년 서비스에서 사용. HEADSS 사정형식에는 다양한 변형이 있으며, HEADSS는 자신의 상황에 맞게 조정할 수 있음
  Home(가정)
  Education(교육)
  Activities(활동)
  Drug and alcohol use(약물 및 알코올 사용)
  Sexuality(성)
  Suicide(자살)

- SAD PERSONS: 자살 가능성을 사정할 수 있음. SAD PERSONS의 채점시스템은 미래의 자해를 예측하는 데 타당하지 않기 때문에 이 두문자어는 사정도구가 아니라 기억을 위한 보조도구로만 사용해야 함
  Sex(성별)
  Age(연령)
  Depression(우울증)
  Prior suicidality(자살 과거력)
  Ethanol (alcohol) abuse(알코올 남용)
  Rational thinking(합리적 사고)
  Support systems(지원 시스템)
  Organized support system(조직적 지원 시스템)
  No significant other(유의미한 지인이 없음)
  Sickness(질병)

두문자어는 임상가에게 중요한 질문영역을 상기시키지만 점수로 이어지지는 않는다. 표준화되지 않았기 때문에 임상가에 따라 다르게 사용될 수 있다.

유용하다고 사고한 사정영역의 목록을 만들고, 각 영역에 이름을 할당하고, 첫 글자가 쉽게 기억할 수 있는 용어를 형성하도록 이름을 배열하여 자신만의 사정 두문자어를 만들 수 있다. 두문자어 사용으로 인한 중요한 사정결과는 추가 사정을 위한 영역을 식별한다.

표준화된 사정도구

정신건강 간호사정의 일부 영역에서 표준화된 도구는 기분, 인지기능, 위험 또는 알코올 문제와 같은 심리적 · 사회적 기능의 일부 측면을 정량적으로 측정하는 데 사용된다. 우드와 굽타(Wood and Gupta, 2017)는 몇 가지 유용한 사정척도에 대한 개요를 제공했다. 사용 가능한 많은 도구 중에서 간호사가 사용하는 도구의 수는 적지만 사용 가능한 도구의 범위와 임상실습에 대한 적용을 알고 있는 것이 도움이 된다. 간호사가 업무에 통합할 수 있는 일반적으로 사용되는 표준화된 사정목록이 **표 8.2**에 나와 있다. 표에 나열된 모든 도구는 간호사가 임상실습에서 사용할 수 있지만 각각의 경우 도구의 안정적인 관리를 보장하기 위해 교육이 필요하다. 교육은 공식적인 직원 개발 세션에서 또는 감독된 임상실습의 일부로 수행될 수 있다. 일부 도구는 저작권이 있어서 연구도구를 사용하기 전에 승인을 받아야 한다.

표 8.2 표준화된 사정도구

시험	목적	설명
인지기능		
간이 정신상태검사(Mini-Mental State Examination) (Folstein, et al., 1975)	인지장애 측정	심한 인지장애를 나타내는 절단점 점수를 제공하는 11개 항목 검사
Addenbrooke의 인지검사 - 개정판 (Addenbrooke's Cognitive Examination -Revised) (So et al., 2018).	인지장애 측정	인지장애의 중증도에 대한 컷오프 점수를 제공하는 26개 항목 검사; ACE-R은 MMSE의 11개 항목을 통합한다.
섬망 선별도구(Confusion Assessment Method) (Inouye, et al., 1990)	섬망 선별	섬망을 감지하는 11개 항목 도구; CAM은 인지기능의 네 가지 다른 영역을 측정한다.
물질 사용		
알코올중독검사(Alcohol Use Disorder Inventory Test) (Babor, et al., 2001)	알코올 문제 측정	임상가 또는 대상자가 점수를 매기는 형식으로 제공되는 10개 항목 검사. AUDIT는 네 가지 수준의 임상중재에 대한 컷오프 점수를 제공한다.
분위기		
Beck 우울척도(Beck Depression Inventory) (McPherson, et al., 2010)	임상적으로 유의한 우울증 선별	우울증 심각도 수준에 대한 컷오프 점수와 함께 우울한 기분 경험에 대한 21개 항목의 자가보고서; 하위척도를 사용하여 자살 가능성을 사정할 수 있다.
노인우울척도(Geriatric Depression Scale short form) (Burke, et al., 1991)	노인에서 임상적으로 유의한 우울증에 대한 선별	다양한 수준의 우울증 중증도를 나타내는 3개의 절단점 점수가 있는 15개 항목의 임상가가 관리하는 도구
약물 부작용		
한국판 리버풀 항정신병약물 부작용 평가척도 (Liverpool University Neuroleptic Side Effect Rating Scale) (Day, et al., 1995)	항정신병 약물의 부작용 확인	5점 리커트 척도에서 약물 부작용 영역을 사정하는 51개 항목의 의사 또는 대상자가 보고하는 도구. 약물 부작용의 일곱 가지 다른 영역에 대한 점수를 제공한다.
폭력의 위험		
과거 임상위험 관리척도(Historical Clinical Risk Management Scale) (Jaber, et al., 2015)	폭력 위험사정	과거, 현재 임상 및 미래 위험요소를 결합한 20개 항목의 의사가 사정하는 도구
비특이적 정신건강 문제		
일반건강척도(General Health Questionnaire) (Tseliou, et al., 2018)	1차 진료 집단에서 정신질환 발병 위험 감지	임상가가 12개 항목을 채점하는 사정도구로, 정신질환 유무에 대한 절단점 점수를 제공

비판적 사고 과제 8.3

표 8.2에 포함된 표준화된 사정도구 목록을 읽고 이것이 다루는 심리적 · 사회적 기능 영역을 생각한다. 이러한 도구 중 하나가 포괄적인 간호사정을 수행하는 데 어떻게 도움이 되는가?

표준화는 신뢰성과 유효성을 보장하기 위한 수단의 통계적 사정을 의미한다. 표준화된 도구는 치료진에게 정신건강의 문제영역을 찾고 추가 사정의 필요성을 알리는 선별도구로 간주될 수 있다. 표준화된 도구를 사용할 때 중요한 고려사항은 완전한 사정으로 간주하지 않아야 한다는 것이다. 이는 포괄적인 사정을 대체하지 않는다. 대신 기능의 한 측면을 측정하는 균일한 수단을 제공함으로써 임상사정을 강화한다. 대부분의 도구에는 절단점이 있다. 즉, 중증도 수준, 치료 필요성 또는 추가 사정 필요성을 나타내는 점수이다. 표준화된 도구는 여러 방식으로 사정에 기여한다. 예를 들어 기분이나 인지기능에 대한 벤치마크와 미래의 동일한 기능영역을 비교할 수 있는 기반을 제공한다. 시간 경과에 따른 점수 비교를 통해 치료자는 측정된 영역의 개선 또는 악화를 결정할 수 있다. 이는 약물 또는 기타 중재에 대한 반응을 사정하거나 대상자의 문제가 악화되어 치료계획을 검토할 필요가 있는지 여부를 판단하는 데 매우 유용할 수 있다. 표준화된 측정을 통해 치료자는 각각 동일한 기준을 사용하여 심각도 수준을 추정한다는 사실을 알고 문제의 정도에 대해 의사소통할 수 있다. 또 다른 이점은 치료자에게 사정에서 물어야 할 질문을 상기시켜 준다는 것이다. 예를 들어, 알코올중독검사(AUDIT)는 알코올 사용에 대한 10가지 특정 질문을 한다. 이 도구가 없으면 임상가는 면담 과정에서 10개의 질문을 모두 기억하지 못할 수 있다.

도구는 치료자 또는 대상자가 점수를 매길 수 있도록 되어 있다. 자가 보고도구를 통해 대상자는 말로 표현하기 힘든 다양한 경험을 간호사에게 보고할 수 있다. 예를 들어, 매우 우울한 사람은 자신의 우울한 기분을 말로 표현하기 어려울 수 있지만 체크만 하면 되는 사정 양식을 통해 우울한 기분을 보고할 수 있다. 표준화된 도구를 사용하는 경우 대상자와 도구에 대해 논의하고 발견사항을 사용하여 중요한 문제를 해결하기 위한 협력수단을 개발할 기회를 잡아야 한다. 임상 문제가 개선됨에 따라 표준화된 도구에서 측정된 변화는 대상자에게 개선에 대한 확신을 줄 수 있다. 참고로, 표준화된 도구가 사용되는 조건을 고려하는 것이 중요하다. 대상자는 자신이 사정받는다고 느끼면 불안하고, 그들에게 뭔가 문제가 있다는 것을 보여주기 위해 도구가 사용될 것이라고 느낄 수 있다. 사정도구 작성에 대한 불안은 결과에 부정적인 영향을 미치므로 간호사가 도구를 사용하기 위한 최적의 조건을 만들고 연령, 문해 수준, 감각 결손, 통증 및 불편함 및 도구 사용에 대한 설명과 같은 요인을 고려하는 것이 중요하다.

일지

일지는 대상자가 개인적으로 사용하거나 임상가와 협력하여 보관하는 중요한 경험의 기록이다. 감정, 사고, 활동 수준, 대인관계, 음식 섭취 또는 기타 자기관찰을 기록할 수 있다. 일지를 사정의 일부로 사용하려는 경우 대상자에게 목적을 설명하고 기록할 내용을 명확히 하여 일지가 치료에 어떻게 기여할 것인지 논의해야 한다. 일지는 정확하게 기억하지 못할 수 있는 정보를 담고 있기 때문에 대상자에 대한 이해를 높이는 데 도움이 될 수 있다. 또한 환자를 돌보는 일에 적극적으로 참여함으로써 도움을 준다. 사정에 기여하는 것 외에도 일지는 중요한 기능영역에 대한 대상자의 자기인식을 높이는 데 도움이 되기 때문에 치료적 중재이다.

직접 관찰

정신건강 관리에 관련된 모든 전문가 중에서 간호사는 대상자와 가장 직접적으로 접촉하는 사람이다. 입원환경에서는 침상관리, 식사 및 사회활동 등을 함께 한다. 다른 형태는 약물 제공, 교육과 같은 치료활동, 병원 외박 요청과 같은 문제에 대한 논의이다. 지역사회 환경에서 간호사는 가정, 지역사회 진료소 또는 대상자의 직장에서 대상자를 만날 수 있다. 대상자와의 모든 만남은 정신상태, 신체건강, 사회화 패턴, 약물의 부작용 및 기타 영역을 직접 관찰할 수 있는 기회이다. 직접 관찰은 대상자의 자기보고, 다른 치료진의 관찰, 친구나 가족과 같은 제3자의 관찰과 함께 비교할 수 있다. 간호사는 다른 임상가와 임상기록에서 많은 정보를 얻을 수 있지만 대상자를 보고 대화하고 상호작용하는 것을 대체할 수는 없다. 직접 관찰로 얻은 정보는 다른 출처에서 보여주는 그림이나 과거에 이해한 것과 매우 다르게 보일 수 있다.

제3자의 정보

대상자로부터 직접 얻은 정보 외에도 간호사는 친구 및 가족구성원, 기타 임상서비스 및 임상기록으로부터 얻은 추가 정보를 사용한다. 가족구성원으로부터 정보를 얻을 때 기밀유지와 가족구성원 간의 충돌 가능성을 염두에 두어야 한다. 일부 대상자는 가족의 참여를 환영하지만 가족이 참여하지 않는 것을 선호하는 사람도 있다. 간호사는 협력적 접근방식을 사용하여 가족구성원이 간호에 참여할 수 있는 잠재적인 기여도와 가족이 사랑하는 사람을 지원하는 데 중요한 역할이 어떤 것인지 탐색할 수 있다. 가족은 사랑하는 사람을 돌보는 데 독특한 관점을 가지고 있으며, 정신건강전문가에게 대상자를 가장 잘 아는 사람은 자신임을 상기시키기도 한다. 정신건강 간호사정 방법에 대한 위의 설명에서 대상자를 한 사람으로 이해하는 데 기여하는 정보는 다양한 출처에서 나온다는 점에 유의해야 한다. 여기에는 대상자, 간호사의 주관적이고 객관적인 관찰, 면담, 사정척도의 정보, 그리고 다양한 사람 및 임상기록의 정보가 포함된다. 하나의 정보 출처만으로는 충분하지 않으며 다양한 출처의 일부 정보는 충돌하는 것처럼 보일 수 있다. 정신건강 간호사정의 기술은 대상자를 한 사람으로 묘사하고, 대상자가 도움을 구하는 문제에 대한 이해를 공유하며, 간호사와 다학제팀이 식별한 문제를 도울 수 있는 계획을 세우는 데 있다. **간호사 이야기 8.2**는 간호사정의 범위와 목적이 어떻게 확장될 수 있는지 보여준다.

종합 사정 과정

이 섹션에서는 포괄적인 사정 과정의 단계를 설명한다. 대부분의 서비스에는 초기 사정을 위한 양식이 있으며 위험사정을 위한 추가양식이 있을 수 있다. 이러한 양식의 내용은 서비스마다 다르므로 자체 서비스에 사용되는 모델과 보다 일반적인 사정 문제에 대해 잘 알고 있어야 한다. 포괄적인 정신건강 사정에는 대상자 및 기타 출처로부터 광범위한 정보를 수집하는 것이 포함된다.

식별 정보

식별 정보는 포괄적인 사정의 첫 번째 부분이며, 여기에는 이름, 나이, 성별, 직업, 민족, 주로 지지해 주는 사람, 생활 상황, 주소 및 연락처를 포함한 대상자에 대한 주요 인구통계학적 정보가 포함된다. 이러한 세부사항 중 일부는 이전에 기록되어 있겠지만 간호사는 그 정보가 정확한지 확인해야 한다.

현재 문제

현재 문제는 정신건강 관리를 위해 내원하게 된 문제를 말한다. 현재 문제는 항상 건강전문가의 관점이 아닌 대상자의 관점에서 표현되어야 한다. 예를 들어, 대상자는 처음 봤을 때 매우 우울해 보일 수 있지만, 그들이 제시하는 문제는 '절망적이다. 나는 더 이상 살아 갈 수 없다'라고 표현될 수 있다. 정

간호사 이야기 8.2

1981년 정신건강 간호 수련생으로서 사정을 해보았을 때를 생각하면, 처음에는 나는 단면적이거나 2차원적으로 사정을 했다. 당시에는 사정이 정보 수집을 위해 행해지는 것처럼 보였다. 대상자는 사정을 받는 수신자 입장이었고, 그들(또는 그들을 알고 있는 다른 사람)은 일련의 질문과 관찰을 통해 정보를 제공했다. 간호는 사정과 연결되어 있지만 전체 과정 내에서 개별적이고 후속적인 단계였다.

나는 내담자가 덜 친숙하고 때로는 알려지지 않은 그의 정신 통로를 탐색할 수 있게 해줄 때 사정이 활기차고 3차원적이 된다는 것을 발견했다. 그럴 때 발견의 기회가 생기고, 카타르시스를 느끼며, 긍정적인 변화의 기회가 생겼다. 이러한 의미에서 사정은 그 자체로 치료가 된다. 사용 가능한 다양한 표준화된 사정도구와 마찬가지로 좋은 질문은 치료에 도움이 된다. 종합적인 틀을 염두에 두고 사정에 접근하는 것도 유용하다. 그러나 우리는 이러한 도구에 의해 제한되지 않아야 한다. 사정 면담 시 마음을 열고 대상자의 이야기를 듣고 신호를 포착하고 부드럽게 안내해야 한다.

심한 두통, 왼쪽 편마비, 감각이상으로 종합병원에 입원한 40대 남성 C씨의 사례를 보자. 의학적 원인이 없다는 결과를 얻은 후, 나는 정신건강 간호사로서 이 환자 증상의 미스터리를 풀어 달라는 요청을 받았다. C씨는 정말 열심히 일했고, 금욕주의자였으며, 역경에 맞서 싸워 왔다. 그는 감정표현을 거의 해본 적이 없었다. 최근 돈을 잃고 해고당하였으며 살 곳이 없어지고 재정적 어려움을 겪은 것이 가장 힘든 스트레스였다. 개인정보가 보호되고 비판단적인 환경에서 C씨는 안전함을 느끼고 대화를 하면서 자신의 이야기에서 변증법적인 면을 확인했다. 그는 자신의 정서이해에 대한 무지와 힘들어도 감정을 표현하면 안 된다는 규칙에 갇혔다는 것을 발견했다. 그는 그럴 필요가 없다는 것을 깨달았다. 감정의 언어를 배우는 데 초점을 맞춘 추가 상담을 3~4회 받고 C씨는 그런 식의 과거 행동방식에서 벗어났다. 그는 또한 정서적 고통을 받아들이고 처리하는 데 도움이 되는 새로운 도구를 개발하기 위한 도움을 받아 감정을 신체적으로 표현하는 데서 해방될 수 있었다.

C씨는 이제 신경학적 증상에서 벗어나 자신이 겪었던 많은 스트레스 요인을 성공적으로 극복하고 있다. 따라서 사정과 중재는 협력적으로 함께 기능하며 상호교환 가능한 속성도 있다. 치료로서의 사정은 정신간호사가 전달할 수 있는 가장 만족스러운 중재 중 하나이다.

신건강 관리가 필요하다는 데 동의하지 않는 대상자의 경우, 그들은 '나는 아무 문제가 없다'와 같이 말할 수 있다.

• 현재력

현재력은 사정으로 이어지는 사건, 즉 발병, 기간, 경과 및 심각성과 관련된다. 다시 한번 말하지만, 치료자가 보는 것뿐만 아니라 대상자가 경험한 대로 과거력을 이해하려고 노력하는 것이 중요하다. 문제가 발생한 이유는 다양하며 긍정적인 사건과 부정적인 사건이 모두 정신건강 문제를 유발할 수 있기 때문에 문제의 원인은 긍정적(예 복권 당첨) 또는 부정적(예 실직)일 수 있다. 촉발요인으로서 최근 유발요인에 초점을 맞추는 것도 중요하다. 예를 들어, 현재 문제의 맥락은 오랜 관계의 불화일 수 있지만 현재 문제의 원인은 최근 배우자와 헤어졌기 때문일 수 있다. 현재력을 기록할 때 사건의 시간적 순서에 주의해야 한다. 대상자는 사건을 연대순이 아닌 의미의 순서대로 연관시킬 수 있으며, 사건의 의미와 중요성이 매우 중요하지만 사건의 순서도 제시된 문제가 어떻게 발전했는지 이해하는 데 중요하다. 현재력을 탐색하려면 기분장애, 불안, 정신병 또는 인지장애와 같은 가장 흔한 정신질환의 증상에 대해서도 검토해야 한다. 일부 증상은 명백하지만 명백하지 않은 증상은 질문을 통해 파악해야 한다. 비정상적인 인식(unusual perceptions)과 같은 일부 증상에 대해서는 증상 여부를 직접 질문해야 한다. 중요한 요인은 임상적 요인(기분, 사고, 인식)에 국한되지 않고 관계, 관심 및 활동의 변화와 같은 개인적 요인도 포함된다. 간호사는 대상자의 자조 및 지지체계가 얼마나 효과적인지 고려해야 한다. 대상자는 이전에 배운 스트레스 관리 및 고통을 견디는 방법을 사용했을 수 있으며, 친구 및 가족구성원의 지지를 요청했을 수 있다. 기타 질문에는 처방된 약물의 사용 증가, 처방되지 않은 약물의 사용 및 알코올 또는 기타 약물의 사용이 포함될 수 있다.

정신 관련 건강력

정신 관련 건강력을 위해 수집된 정보는 대상자의 이전 정신건강 문제와 관련이 있다. 대상자의 정신건강 관련하여 경험에 대해 묻는 것이 중요하며, 이 정보는 시간순으로 기록되어야 한다. 대부분의 사람은 인생의 어느 시점에서 다양한 사람으로부터 도움을 구했을 것이다. 이 정보는 대상자의 걱정이 무엇인지 알아내고 걱정의 본질 및 내구력(longevity)을 이해하는 데 도움이 되기 때문에 중요하다. 어떤 사람은 정신건강과 관련된 증상에 대한 도움을 약사 또는 건강식품점에 요청할 수 있다. 일부는 자연요법사, 척추교정사 또는 마사지 치료사를, 다른 사람은 일반의, 교회 목사 또는 학교 또는 대학 상담사를 방문했을 수 있다. 어떤 사람에게는 도움의 주요 원천이 가족, 확대가족 또는 그들 자신의 문화를 이해하는 조언자가 될 것이다. 이 모든 정보는 가치가 있으며 대상자를 이해하는 데 도움을 준다. 대상자가 어떤 치료법을 시도했고 그 결과가 어떠했는지 묻는 것이 중요하다. 대상자가 심리치료를 받았거나 항우울제와 같은 약물을 처방받은 경우도 함께 기록해야 한다. 과거 치료를 탐색하는 유용한 방법은 대상자에게 치료가 도움이 되었는지 여부, 치료를 받은 기간, 중단한 이유(해당되는 경우)를 묻는 것이다. 병원 입원 및 지역사회 정신건강서비스를 받은 경험도 사정 부분에서 문서화되어야 한다. 대상자가 이전에 입원했거나 지역사회 보호를 받은 적이 있는 경우 법적 문제를 기록해야 한다. 자해 또는 자살의 이력, 다른 사람에 대한 폭력의 이력, 가정폭력이나 다

역사적 일화 8.2: 프로이트와 정신분석

20세기의 가장 영향력 있는 패러다임 중 하나는 오스트리아의 신경학자 지그문트 프로이트(Sigmund Freud, 1856~1939)가 개발한 정신분석학이었다. 정신분석은 발달적 관점에서 정신건강을 사정하려는 최초의 시도 중 하나였다. 프로이트는 그의 내담자 중 몇몇이 외상을 경험했다는 것을 알게 되었지만, 외상이 고통과 정신질환의 원인이 될 수 있다는 사고는 거부했다. 대신 프로이트는 사람의 정신건강이 무의식적인 동기부여의 영향을 크게 받는다고 제안했다. 이 전제는 모든 행동에 의미가 있으므로 이해될 수 있음을 시사한다. 정신분석에 따르면 인간의 성격은 이드(id), 자아(ego), 초자아(superego)의 세 부분으로 구성된다. 이러한 구성요소는 5세 때까지 성격 내에서 발달하며, 종종 내적 혼란을 포함하여 불안을 유발한다. 그에 대한 반응으로 심리적 방어 기제는 정신건강 문제를 일으킬 수 있는 불안을 처리하기 위해 형성된 성격에 의해 무의식적으로 생성된다.

자세히 알아보기: Westen, D., 1998. The scientific legacy of Sigmund Freud: toward a psychodynamically informed psychological science. Psychological Bulletin 124(3): 333

른 사람의 폭행에 대한 노출과 같은 피해 이력을 포함하여 위험영역을 조사해야 한다.

물질 사용이력

모든 물질이 정신건강에 영향을 미치기 때문에 종합적인 약물 사용기록에 대한 확인은 필수적이다. 약물 사용의 일부 문제는 과거 정신건강 경험과 관련하여 논의되었을 수 있으며, 이러한 영역은 더 자세히 조사되어야 한다(제11장 참조). 정신질환과 약물 남용이 공존하는 비율은 매우 높으며, 약물 남용은 정신질환으로부터의 회복을 어렵게 만든다. 어떤 경우에는 약물 사용이 정신질환을 촉발하거나 정신질환을 지속시키는 요인이 될 수 있다. 물질 사용기록을 작성할 때 대상자가 사용한 특정 물질의 이름을 기록해야 한다. 대상자는 불법약물 사용에 대한 정보가 경찰에 전달될 것을 우려할 수 있으므로 상담자는 해당 정보가 의료목적이므로 기밀로 유지될 것이라는 확신을 주어야 한다. 물질 사용을 탐색할 때 대상자에게 사용 수준에 대한 특정 정보를 요청해야 한다. 예를 들어, '나는 술을 많이 마시지 않는다'라는 문장은 사람마다 의미가 다를 수 있다. 알코올이나 기타 약물 소비의 수준과 패턴을 알기 위해 명확하게 질문한다. 이 사정에 도움이 되는 유용한 선별도구가 많다. 대상자에게 AUDIT와 같은 간단한 설문지를 작성하도록 요청할 수 있다. 약물 사용 사정은 동기강화 상담(동기면담)과 같은 모델을 사용하여 변화 준비를 탐색하고 약물중독 치료기관에 의뢰하는 것이 도움이 될 수 있는지 논의할 기회를 제공한다.

비판적 사고 과제 8.4

정신건강 사정 시에는 성적 취향, 약물 사용 및 외상 경험에 대한 질문과 같이 일반적으로 사적인 것으로 간주되는 삶의 영역에 대해 대상자에게 질문해야 한다. 대상자와 함께 이러한 영역을 탐색하는 것이 얼마나 편안한가? 간호사가 매우 개인적인 질문을 하는 것에 대한 불편함을 극복할 수 있는 것이 왜 중요한가? 매우 개인적인 질문을 할 때 어떤 위험이 있으며, 이러한 위험을 어떻게 관리할 수 있는가?

가족력

가족의 정신건강 병력, 특히 부모, 조부모, 형제자매, 숙모, 삼촌, 사촌과 같은 가까운 친척에 대해 묻는 것이 중요하다. 여기에는 두 가지 이유가 있다. 첫째, 주요 정신건강 상태 중 일부는 가족 패턴이 있는 것으로 알려져 있다(예 조현병, 양극성 장애 및 우울증). 이러한 상태는 질환을 가진 가까운 친척이 있는 사람에게 더 흔하다. 둘째, 사람이 성장하고 생활하는 환경이 일반적으로 건강에 영향을 미치고, 특히 정신건강에 영향을 미친다. 성장하면서 우리 모두는 주변 사람의 삶의 방식, 행동, 대처방식을 본보기로 삼는다. 예를 들어, 오랫동안 침대에 누워 있는 우울한 부모가 있는 가정에서 아이는 세상을 대처하는 방식으로 이러한 행동을 따라할 수 있으며, 이는 정신건강 문제로 이어질 수 있다. 가족력에 대한 질문은 '가족 중에 이와 같은 문제가 있는 사람이 있는가?'와 같은 질문으로 시작할 수 있다. 대상자의 답변은 더 자세한 정보를 얻고 대상자의 과거 및 현재 가족구성원과의 관계를 이해하기 위해 탐색할 수 있다.

발달력 및 사회력

이 사정 영역은 대상자 삶의 단계가 성격, 대처방식 및 현재 문제에 미칠 수 있는 영향을 고려한다. 다양한 삶의 단계에서 이루어진 경험에 대한 이해는 종합 사정의 중요한 구성요소이다. 일부 사회적 스트레스 요인은 초기 삶의 경험과 관련되어 포괄적인 사정 프로세스의 다른 단계에서 논의되었을 수 있지만, 발달 역사는 연대순으로 접근할 수 있다. 사정 영역에는 영아기 및 유아기, 초기 가족 경험, 형제자매와의 과거 관계, 발달 이정표, 또래관계 및 우정, 학교 교육 경험, 학업성취 및 부모 및 보호자와의 관계가 포함된다. 삶의 단계별로 질문하다 보면 취업, 대학 또는 학업성취, 친밀한 관계 및 성에 대한 정보를 얻게 될 것이다. 성인의 대인관계는 중요하며, 특히 장기적인 관계 유지 및 아동과의 관계를 유지하는 데 어려움이 있는지 파악해야 한다. 노인의 경우 간호사는 은퇴, 사회적 활동, 대인관계 및 질병, 특히 이동하거나 사회적 기능을 제한하는 감각 결핍을 유발하는 질병에 대해 노년의 이정표를 논의해야 한다.

외상

외상은 정신질환 발병의 주요 원인이며, 정신질환이 있는 사람들 사이에서 흔한 경험이다. 외상 경험은 모든 임상 상호작용에서 나타날 수 있다. 많은 경우 외상에 대해 구체적으로 질문할 필요는 없지만 외상에 대해 개방적인 경우 공감할 준비가 되어 있어야 하며, 필요한 경우 추가 중재나 의뢰를 제공할 준비가 되어 있어야 한다. 대상자는 일반적으로 자신의 외상이 의료서비스에서 무시된다고 느끼므로 모든 공개는 추가탐색 기회와 함께 검증하여야 한다. 외상은 따돌림, 신체폭력, 성폭행, 친밀한 파트너 폭력, 방임, 전쟁이나 군사 분쟁과 같은 외상 사건에 대한 노출, 고문 또는 난민 경험을 포함하여 다양한 형태를 취할 수 있다. 외상은 지혜로우면서 민감하게 접근해야 한다. 치료자는 대상자가 현재 외상 경험에 대해 논의하는 것이 안전하지 않다고 느끼는 징후에 대해 경계해야 하며, 이러한 경우 더 적절한 시간까지 외상 탐색을 남겨두어야 한다. 대상자가 외상에 대해 추가 도움을 요청할 수 있는 방법을 대상자에게 설명하여야 한다.

문화적 문제

문화적 문제는 정신적 고통, 질병의 표현, 대상자의 정신건강 관리 참여에 큰 영향을 미칠 수 있다. 한국은 단일민족이지만 점차 국제결혼, 취업 등으로 거주 외국인이 증가하여 2022년에는 100만 명이 넘어섰으며, 주로 베트남, 중국, 우즈베키스탄, 캄보디아, 필리핀 순으로 다양한 인구를 보유하고 있다. 사정 시에는 대상자의 문화적 경험을 식별하고, 이러한 문제가 고통의 표현과 돌봄 및 치료에 어떻게 영향을 미칠 수 있는지 이해해야 한다. 치료자와 대상자 간의 문화적 차이는 사정의 장벽이 될 수 있으며, 치료자는 통역자나 문화적으로 도움을 줄 수 있는 담당자의 존재가 사정을 용이하게 하는 데 도움이 되는지 고려해야 한다. 또한 대상자의 문화적 요구를 식별하는 데 신중해야 하며, 각 대상자와 함께 이를 확인하고 확실하지 않은 경우 조언을 구해야 한다.

비판적 사고 과제 8.5

자신의 문화적 신념과 관행을 고려해야 한다. 정신건강 전문가와 이러한 믿음에 대해 논의하는 것이 얼마나 편한가? 대상자가 정신건강 간호의 일환으로 이러한 영역을 편안하게 논의하도록 어떻게 도울 수 있는가?

영성

문화와 마찬가지로 영성은 정신건강의 중요한 측면이며 모든 종합 사정에서 고려해야 한다. 영성은 조직화된 종교나 신앙공동체, 또는 비종교적 영적 신념에 소속되거나 동일시되는 것을 포함할 수 있다. 영적 신념은 대상자가 정신적 고통과 질병에 대

역사적 일화 8.3: 사정과 임상적 시선

18세기에 임상에는 의사가 환자의 증상과 질병 이야기를 듣는 것이 포함되었다. 병리학적 변화를 직접 관찰하기보다는 간접적인 증거를 바탕으로 진단하였다. 신기술의 도래와 병원의 주요 진료현장으로의 확산은 사정의 초점이 환자에서 질병으로 이동했음을 의미했다. 역사가 미셸 푸코(Michel Foucault)는 병리학에 대한 새로운 초점을 '임상적 시선'이라고 불렀다. 임상적 시선은 환자의 이야기를 덜 중요하게 만들었다. 왜냐하면 질병의 '진실'은 증상의 경험이 아니라 환자의 신체 내부, 병든 조직에 있기 때문이다. 정신의학은 임상적 시선에 대한 이러한 개념과 오랫동안 투쟁해 왔다. 정신질환에 대한 생물학적 이해를 제공하려는 많은 시도가 있었지만 사정에서의 임상실무는 여전히 환자의 삶과 문화의 맥락에서 환자의 이야기를 듣고 증상을 이해하는 데 의존한다. 정신의학은 진단을 뒷받침할 객관적인 현상(혈액검사, 진단검사)이 없기 때문에 다른 의학 분야와 다르다는 의견이 자주 나온다. 간호사는 인간으로서의 환자에게 먼저 초점을 맞춘다. 질병이 있는 경우에도 정신간호의 주요 초점이 아니다. 18세기에도 임상의 관찰은 질병을 이해하는 데 도움이 되지만 간호사정의 기초는 아니었다.

자세히 알아보기: Foucault, M., 1994. The birth of the clinic: an archaeology of medical perception. Vintage Books, New York

한 경험에 의미를 부여하도록 돕는 데 중요하다. 신앙공동체는 비공식 지원의 중요한 원천이기도 하다. 사정 시 영성에 대한 고려에는 대상자의 종교 발달 경험, 현재 종교 관행 및 개인 신념체계에 대한 참여가 포함될 수 있다. 어떤 대상자는 자신이 영적인 믿음이 없다고 말할 수 있으며, 이 표현 역시 존중하고 기록해야 한다.

법적 과거력

정신질환이 있는 사람이 경찰이나 법적 문제를 일으킬 가능성이 있는 것은 드문 일이 아니다. 법적 과거력은 질문 중에 자연스럽게 물어보거나 특정 사정 질문의 주제가 되어야 한다. 사정 면담 시 일반적인 질문의 하나로 대상자가 경찰에 연루된 이력이 없다는 것이 명확하면 더 이상 구체적인 질문이 필요하지 않다. 체포, 유죄 판결 및 선고와 같은 특정 사건에 주목하는 것 외에도 법적 문제와 관련된 사건에 대한 대상자의 현재 인식과 미납벌금이 있는지의 여부를 아는 것이 중요하다. 법적 과거력, 특히 폭력과 관련된 모든 사건을 문서화하고 위험사정을 해야 한다.

일반 건강력

대상자의 정신건강에 영향을 미칠 수 있는 건강 문제 및 의학적 동반질환을 확인하기 위한 대상자의 병력수집은 중요하다. 대상자의 병력수집은 사정 초기에 놓쳤을 수 있는 약물 사용에 대해 질문할 수 있는 좋은 기회이다. 건강력에는 어린 시절의 질병, 현재 또는 만성질환, 머리 부상 또는 의식상실의 병력, 알레르기가 포함되어야 한다. 병력에 대한 체계적인 접근은 중요한 발견을 놓치지 않는 데 도움이 될 것이다. 체계적인 질문은 간호사가 고려하지 않았을 수도 있는 건강 문제를 발견할 수 있다. 예를 들어, 통증은 특별히 질문하지 않는 한 알기 어렵고 개인의 안녕감(wellbeing)에 큰 영향을 미칠 수 있지만 자주 간과되는 문제이다. 건강기록을 작성하는 것은 개인의 정신건강에 직접적인 영향을 미치지 않을 수 있지만 주의가 필요할 수 있는 신체적 문제에 대해 토론할 수 있는 기회이기도 하다. 머리 손상과 전신 마취를 포함한 의식상실에 대해 묻는 것이 특히 중요하다. 이러한 정보를 발견하면 임상적 상황 묘사에 보태지고 팀이 과거 의료정보를 찾는 것이 치료계획과 관련이 있는지 여부를 결정하는 데 도움이 된다. 또한 머리의 컴퓨터단층촬영(CT) 영상이나 심리상태 측정과 같은 진단검사의 필요성을 나타낼 수도 있다. 심각한 정신질환자는 신체장애의 비율이 높으므로, 종합 사정의 이 부분은 규칙적인 운동, 금연, 심혈관검사 및 성건강검사 실시와 같은 중요한 건강 메시지를 강화할 수 있는 기회이다. 신체건강 문제에 대한 논의는 또한 대상자가 1차 진료에 등록되어 있고 정기적인 1차 진료를 받고 있는지 확인하는 데 도움이 될 수 있다.

신체건강사정

이 장에서 설명하는 다른 사정 영역과 마찬가지로 신체건강사정은 정신간호사의 핵심기술이다. 일부 연구에서 정신간호사는 신체건강을 사정할 준비가 잘 되어 있지 않거나 자신감이 없다고 보고했다(Gray & Brown, 2017; Wand, et al., 2018). 그러나 이러한 요구에 부응하기 위해 정신간호사 사이에서 신체건강 사정에 대한 관심이 증가하고 있다. 정신건강 대상자는 높은 비율의 신체장애와 기대수명 감소를 경험한다. 또한 정신건강 대상자는 대사증후군 위험이 높은 2세대 항정신병 약물을 자주 처방받는다. 클로자핀, 리튬 및 발프로산나트륨과 같은 기타 약물은 안전한 모니터링을 위해 신체건강사정 기술이 필요하다. 신체건강사정 기술은 또한 금연, 운동요법, 체중관리 및 식이요법과 같은 영역에서 건강증진 중재의 기초를 제공한다. 신체건강사정에는 대상자와 그 직계 가족의 건강기록(위 참조), 특히 심혈관질환 및 대사증후군 같은 정신건강 대상자에게 흔히 발생하는 건강문제가 포함되어야 한다. 신체건강사정에는 건강 문제 영역이 누락되지 않았는지 확인하기 위해 체계적으로 검토되어야 한다. 신체건강 검진을 위해 소개된 전신사정을 사용하여 체계적 사고와 질문을 할 수 있다

진단검사

진단검사는 포괄적인 사정의 일부이며 다음과 같은 여러 가지 목적이 있다. 현재 상태에서 신체질환의 역할을 이해하고 처방된 약물을 잘 투약하고 있는지, 조직 기능을 사정하고 처방된 약물이 조직 기능에 어떤 영향을 미치는지 사정하기 위함이다(예 벤조디아제핀의 반감기에 대한 간 기능의 영향). 처방된 약물(예 탄산리튬)의 잠재적 독성 혈중 농도를 확인하고 처방되지 않은 약물의 사용을 식별한다. 진단검사는 초기 사정에 사용되며, 처방된 약물의 영향(예 대사증후군)을 모니터링하는 데에도 사용된다. 간호사는 가장 많이 사용되는 진단검사에 익숙해야 하며, 대상자의 일반적인 건강상태와 특정 검사에 대해 허용되는 수치 범위에 대한 지식을 사용하여 검사 결과를 해석할 수 있어야 한다. 대부분의 결과는 정상 범위와 함께 보고된다.

기타 검사

진단검사 외에도 포괄적인 사정의 일부로 간주될 수 있는 다양한 조사가 있다. 예를 들어, 모든 대상자는 기본 심장기능을 사정하고 처방된 약물의 영향에 대한 취약성을 식별하기 위해 심전도(ECG)검사를 받아야 한다. 고려할 수 있는 다른 검사로는 병변 또는 기타 병리를 배제하기 위한 CT, 조직의 보다 상세한 영상을 위한 자기공명영상(MRI) 및 가능한 뇌기능 이상을 사정하기 위한 뇌파(EEG)검사가 있다. 대상자의 현재 증상에 따라 다양한 검사를 고려할 수 있다.

정신상태사정

이 장에서는 '정신상태사정'이라는 용어를 '정신상태검사'보다 우선하여 사용한다. 정신상태검사는 대상자의 정신상태에 대한 객관적인 사정을 의미하는 반면, 정신상태사정은 모든 종합평가의 일부이며, 단일 시점에서 대상자의 감정 및 인지 기능에 대한 설명을 제공한다. 특정 시점의 정신상태사정을 하는 것이 중요한데, 이는 미래 사정을 위한 비교 지점을 제공할 수 있기 때문이다. 사회적 기능, 과거력 및 위험요소와 같은 부분은 정신상태사정에서 제외된다. 정신상태사정의 많은 요소는 초기 사정 면담, 치료계획 검토 또는 회복 목표 논의와 같은 일상적인 간호 상호작용에 통합될 수 있다. 이러한 상호작용 동안 간호사는 대상자의 행동, 외모 및 기분을 관찰할 수 있고, 사고 내용을 잘 이해할 수 있다. 그러나 정신상태사정의 일부 요소는 간호사의 특정 질문이 필요하다. 예를 들어, 간호사는 대상자가 방향감각을 잃었거나 기억력에 문제가 있는지를 사정하기 위해 직접적인 질문을 해야 할 수도 있다.

정신상태사정에는 객관적인 관찰과 공감적 의사소통이 모두 필요하다. 외모와 행동은 객관적으로 관찰할 수 있지만, 대상자의 기분을 사정하기 위해 간호사는 친밀감을 형성하고 대상자의 감정세계에

박스 8.2 정신상태사정 문서

다음 사정은 응급실에서 처방된 약물의 과다복용 및 치료 후 사정한 여성의 정신상태를 기록한다.

행동과 외모

54세 여성, 인터뷰에 주의를 기울이고 있지만 약물 과다복용으로 약간 졸림. 실제 나이보다 더 늙어 보임. 청바지와 티셔츠를 입었고, 자신을 잘 꾸미고 잘 돌보는 것처럼 보임. 이상한 움직임이나 매너가 없음. 눈맞춤을 잘 유지. 때때로 눈물.

정동과 기분

슬픈 영향을 미침. 인터뷰에 대한 응답으로 간헐적으로 밝아짐. 기분은 객관적으로 우울. 그녀는 자신의 기분이 저하되어 있다고 설명하고 1에서 10까지의 척도에서 4로 사정함. 1이 가장 낮을 때, 짜증나지 않음.

사고와 언어

사고는 최근 사건에 초점을 맞추고 자신이 가족구성원의 지지를 잘 받지 못한다는 인식에 초점을 맞춤. 12개월 전에 끝난 과거 장기 관계의 주제로 돌아감. 포기에 대해 반추함. 현재 스트레스 요인과 관련하여 문제 해결에 집중하는 능력이 제한적임. 우울한 주제: 외로움, 도움을 받을 자격이 없음, 미래에 대한 자신감 부족. 사고하고 말하는 속도가 느림. 망상적인 사고가 표현되지 않음. 이상한 인식이 없음. 때때로 자살에 대한 사고가 있지만 자신은 이에 대해 행동하지 않을 것이라고 강조함. 구체적인 계획은 없음. 보호요소로 손주들과의 관계를 제공.

지각

정상적인 지각을 가지고 있으며 환각, 착각, 이인증, 비현실감 같은 증상들을 부인함.

지남력, 인지, 의식(sensorium)

날짜, 시간, 장소, 사람을 정확히 알고 있음. 역할이나 이름으로 직원을 정확하게 식별함. '일련의 7(100부터 7까지 빼기)'을 수행할 수 있음.

기억

단기기억과 장기기억 모두 손상되지 않음. 그녀는 지난 며칠과 더 예전의 사건을 기억함. 5분 후에 세 가지 물건을 기억할 수 있음.

병식과 판단

그녀의 기분이 현재 저하되어 있고 몇 주 동안 우울했음을 나타냄. 기분이 우울하고 자살충동이 증가할 때 알코올이 억제 역할을 한다는 것을 알고 있음. 정신건강서비스에 대한 의뢰를 수락하고 현재 항우울제를 검토해야 함. 술에 취하지 않으면 판단이 손상되지 않음.

들어갈 필요가 있다. 많은 상황적 변수가 정신상태에 영향을 미치며(예 낯선 환경, 불안 또는 고통), 이는 정신상태사정 결과를 해석할 때 고려할 수 있다.

정신상태사정을 기록하는 데 사용되는 구조화된 형식은 정신상태사정을 질문과 답변으로 구성하라는 말이 아니다. 실제로는 그 반대이다. 지지적인 치료 대화는 아마도 정신상태사정에 필요한 대부분의 정보를 제공할 것이다. 추가정보는 필요한 경우 직접 질문을 통해 이끌어낼 수 있지만 이러한 정보는 대상자와의 상호작용에서 자연스럽게 흘러야 한다. 인지기능의 표준화된 측정은 정신상태사정을 보강하는 데 사용할 수 있다.

정신상태사정을 기록하기 위한 정해진 형식은 없지만 결과를 구성하는 유용한 수단으로 BATOMI 두문자어를 제안한다; Behaviour and appearance(행동과 외모), Affect and mood(정동과 기분), Thought and speech(사고와 언어), Orientation(지남력), cognition and sensorium(인지와 감각), Memory(기억), Insight and judgement(병식과 판단). 이 두문자어를 사용하여 문서화된 정신상태사정의 예는 **박스 8.2**에 제공했다. 다음은 정신상태사정에 기여할 수 있는 관찰 유형을 간략하게 설명한다.

행동과 외모

행동과 외모는 대상자의 일반적인 외모와 활동을 의미한다. 의복, 몸단장 및 위생과 같은 행동의 가장 명백한 측면, 자기 관리 또는 방치의 증거 및 문신, 피어싱 및 흉터와 같은 주목할 만한 신체적 특징을 파악해야 한다. 자세, 눈맞춤, 안절부절못함, 눈물 흘리기, 신경질적인 버릇(예 진전 및 떨림) 및 상호작용에 대한 관심 수준을 나타내는 행동을 관찰해야 한다. 사정 과정에 대한 대상자의 태도는 외모, 반응, 신체언어 및 표정에서 볼 수 있다. 관찰하는 것뿐만 아니라 사정 맥락을 고려하여 그것이 얼마나 적절한지를 고려해야 한다. 예를 들어, 응급실에서 사정할 때 누군가가 (최소한 처음에는) 흐트러지고 졸려 보일 것으로 예상할 수 있다. 사정 과정에 대한 불안도 행동에 영향을 미친다.

정동과 기분

정동과 기분에는 때때로 상충되는 다양한 정의가 있다. 둘 다 감정상태를 말하지만, 기분은 지속되는 감정상태(특히 개인이 경험하기 때문에)를 말하고 정동은 간호사가 관찰할 수 있는 표현된 감정을 말한다. 숙련된 간호사는 특히 좋은 관계가 형성되고 대상자가 자신의 감정상태를 전달하는 것이 안전하다고 느끼는 경우 대상자의 기분을 측정할 수도 있다. 그러나 대상자에게 자신의 기분을 설명할 기회를 주는 것이 중요하다. 우울한 사람에게는 이것이 어려울 수 있기 때문에 대상자에게 1에서 10까지의 척도로 기분을 사정하도록 요청할 수 있다. 여기서 1은 가장 낮고 10은 가장 높다. 감정상태는 사정 맥락에 적절하거나 부적절할 수 있다. 예를 들어 임상적으로 검토하는 객관적이고 공식적인 상황에서 의기양양하고 활기찬 대상자라면 부적절하다고 볼 수 있다. 감정과 기분을 설명하기 위해 때때로 사용되는 용어는 불쾌한, 단조로운, 고양된, 우울한, 불안한, 불안정한(명백한 이유 없이 변동됨), 둔마된 정동이다. '안정된(euthymic)'이라는 용어는 대상자의 기분이 기쁘지도 슬프지도 않은 경우에 자주 사용된다. 기분을 사정할 때 대상자의 감정상태를 이해하는 수단으로 자신의 감정상태를 사용한다. 대상자에 대한 공감적 이해를 확립한 간호사는 그 대상자의 감정상태를 가장 잘 사정할 수 있다.

사고와 언어

사고와 언어는 일반적으로 함께 설명되며 사고의 속도, 형식 및 내용과 대상자의 구두 의사소통의 특성에 중점을 둔다. 사고를 직접적으로 사정하는 것은 불가능하므로 간접적인 말을 통해 사고를 사정한다. 말은 의사소통의 주요 매체이기 때문에 더 쉽게 관찰할 수 있다. 말의 속도, 성량, 말의 양, 어조 및 내용을 관찰한다. 빠르거나 느리거나, 매우 조용하거나 시끄럽거나, 주저하거나 내용이 빈곤한 말은 정신상태를 사정하는 데 중요할 수 있다. 예를 들어 빠르거나 압력이 가해진 말은 조증이나 불안을 나타낼 수 있다. 조용하거나 주저하는 말은 가라앉은 기분이나 불안을 나타낼 수 있다. 큰 소리로 말하는 것은 분노나 의심을 나타낼 수 있다. 말의 내용이 목표 지향적인지 또는 우회적인지 곁길로 새는 내용인지 기록한다. 다른 사람의 조정을 받는다는 사고, 편집증적 사고, 라디오나 텔레비전 뉴스가 자신을 언급하고 있다는 사고 및 기타 형태의 무질서한 사고와 같은 망상적 사고를 기록한다.

지각

지각(Perception) 부분에서는 환청 또는 기타 환각을 기록한다. 대상자가 환청으로부터 위협을 느끼는지 또는 환청이 친구가 되어 주는지 여부와 같은 환청의 특성을 설명하는 것이 도움이 된다.

환각에는 환청, 환시, 환후, 환촉, 환미가 있으며 착각과는 구분한다.

지남력, 인지, 의식

인지는 쉽게 사정되며 직접적인 질문이 필요하지 않을 수 있다. 인지는 시간, 장소, 사람에 대한 이해를 의미하며 시간과 장소에 대한 질문으로 사정할 수 있다. 일부 대상자에게는 이러한 질문이 이상해 보일 수 있으므로 이러한 질문이 일상적인 사정의 일부임을 설명하는 것이 중요하다. 감각은 정보를 인식하고 조작하고 추론작업을 수행하는 능력을 말한다. 일반적인 면담질문은 감각기능에 대한 몇 가지 근거를 제공한다. '100부터 7까지 빼기(100에서 7을 연속으로 뺄 수 있음)' 혹은 '흔한 물건(예 연필, 책, 시계)의 이름을 아는지'와 같은 표준화된 사정을 통해 상태 검사할 수 있다. 대상자의 주의력과 작업에 집중하는 능력을 관찰하며 의식 수준이 변경된 대상자는 집중하는 능력이 제한되고 주의와 인식이 변화될 수 있다.

기억

기억은 정보를 회상하는 능력을 말하며 정보의 초기 등록에서 오래된 정보를 회상할 수 있는지로 검사한다. 등록(registration) 혹은 즉각 기억(immediate memory)은 대상자에게 관련 없는 세 가지 공통 물체(예 펜, 시계, 나무)의 이름을 간호사에게 다시 말해 보도록 요청하여 사정할 수 있다. 단기 기억(short memory)은 5분 후에 동일한 세 가지 대상을 회상하도록 요청함으로써 사정할 수 있으며, 이 시간 동안 다른 질문을 한다. 마지막으로, 장기 기억은 어린 시절이나 청소년기의 사건과 같은 오래된 정보의 회상을 포함한다.

병식과 판단

병식은 때때로 대상자가 무슨 일이 일어나고 있는지, 특히 대상자가 정신적으로 아픈지 여부에 대한 치료진의 의견에 대해 동의하는지로 해석되기 때문에 때문에 논쟁의 여지가 있는 사정 영역이 될 수 있다. 병식은 현재 상황에 대한 대상자의 인식으로 가장 잘 이해된다. 단순히 '병식 부족'을 기록하는 것이 항상 도움이 되는 것은 아니다. 이는 대상자가 자신의 문제에 대해 어떻게 사고하는지 알려주지 않기 때문이다. 판단은 개인이 안전하게 행동할 수 있는 능력과 자신의 행동으로 인해 발생할 수 있는 결과를 이해하는 능력이다. 혼란스러운 사람은 판단이 현저히 손상되어 관찰할 수 있는 상황이 아니면 안전하지 않을 수 있다.

사례 공식화

모든 사정 정보가 수집되면 대상자에 대한 주관적인 인상과 객관적인 데이터를 모두 갖게 된다. 또한 현재 문제에 대한 대상자의 인식과 이러한 문제가 대상자 삶의 역사와 어떻게 관련되는지 이해할 것이다. 사례 공식화는 이러한 정보를 종합하여 대상자에 대한 개별화된 설명을 개발하는 과정이다. 심리치료의 다양한 모델에는 종종 자체 공식 모델이 있다(예 인지치료에 사용되는 인지공식). 이 장에서 우리는 공식화 보다 일반적인 모델에 대해 논의하고 대상자에 대한 심리학적 이해를 통합할 것이다.

사례 공식화는 잠재적으로 복잡한 과정이지만 다행스럽게도 간호사가 사례 공식을 작성하고 사정 기술을 개발하는 데 도움이 되는 몇 가지 모델이 있다. 생물학, 심리학 및 사회 이론은 대상자의 과거력과 현재력의 다양한 측면 간의 관계를 설명하는 데 도움이 된다. 사례 공식화는 단독으로 수행되지 않는다. 그러나 Crowe 등(2008)의 사례 공식화는 간호사

표 8.3 임상 제형(4P model)

요인(4P)	생물학적	심리적	사회적
원인 predisposing	• 유전적 • 출생 외상 • 뇌 손상 • 질병–정신과적, 신체적 • 약물 • 마약/알코올	• 통증 • 성격 • 무의식적인 방어기제 • 대처 전략 • 자아 존중감 • 신체상 • 인지 • 외상	• 사회경제적 지위 • 문화/영성
촉진 precipitating	• 약물 • 마약/알코올 • 외상 • 급성 질환	• 통증 • 삶의 단계 • 고통 • 상실 • 치료 • 스트레스 요인	• 일 • 재정 • 연결 • 관계
지속 perpetuating	위의 요인 중 하나라도 계속되는 요인	위의 요인 중 하나라도 계속되는 요인	위의 요인 중 하나라도 계속되는 요인
보호 protective	• 신체 건강	• 몰두(engagement) • 병식 • 이행 • 대처 전략 • 지능	• 소속감 및 소속된 단체 • 가족 및 사회적 관계

와 대상자가 공통된 이해와 이해의 차이를 서로 다른 관점에서 논의하고, 협상할 수 있는 기회라고 설명한다. 사정이 전체에 걸친 협력 과정이었다면 간호사와 대상자 사이에 이러한 협력이 일어나도록 하는 충분한 강력한 관계가 있을 것이다.

사례 공식화 개발에 유용한 모델은 Selzer와 Ellen(2010; 2014)이 설명하고 **표 8.3**에 나와 있는 4P 모델이다. 이 모델에서 4P [predisposing(원인), precipitating(촉진), perpetuating(지속), protective(보호)]는 현재 문제에 영향을 준 요소, 문제의 지속에 기여하는 요소 및 문제의 영향으로부터 개인을 보호하는 요소를 설명하는 데 사용된다. 4P 외에도 이 모델은 생물학적 · 심리적 · 사회적 요인을 고려한다. 학습이론, 적응이론 및 회복이론 및 철학적 이해는 다양한 요인의 기여도를 해석하는 데 사용할 수 있다. 이 모델을 사용하여 의사는 개별 대상자에게 중요한 요소가 무엇인지에 따라 매트릭스의 모든 셀에 있는 요소에 집중할 수 있다. 일부 대상자의 경우 사회적 요인이 더 강조되는 반면, 다른 대상자의 경우 심리적 또는 생물학적 요인이 더 중요하다.

사례 공식화는 이야기 형식으로 작성된다. 치료진과 대상자는 대상자 이력의 다양한 측면이 현재력에 어떤 영향을 미치는지에 관한 합의에 도달하도록 함께 노력한다. 그러나 항상 합의에 도달할 수 있는 것은 아니다. 이러한 경우, 공식은 치료진과 대상자의 다양한 관점을 반영하도록 작성되었다. 서면화된 공식화는 대상자의 가능한 미래에 대한 설명으로 마무리되며 임상서비스의 지원을 통해 강점과 보호요소를 강화할 수 있는 방법에 중점을 둔다. 명확한 사례 공식화를 작성하려면 연습이 필요하다. 치료자가 직면하는 일반적인 어려움은 너무 많은 정보를 포함하려고 시도하는 것이다. 임상기록에는 대상자에 대한 모든 관련 정보가 포함되어 있음을 기억해야 한다. 공식화는 선택적인 요약이다. 가장 적절한 정보만 포함되어야 하며 다양한 요소가 상호작용하는 방식에 중점을 둔다.

진단

진단은 생각할 수 있는 모든 정보가 고려된 문제의 정의이다. 진단은 첫째, 징후와 증상 및 기타 사정을 통해 질병을 식별하고, 둘째, 이러한 사정을 기반으로 의견이나 결론을 도출하는 것이다. 가장 많이 사용되는 정신과 진단의 현재 모델은 『정신질환 진단 및 통계 편람 제5판(DSM-5)』이다. 대부분의 임상 환경에서 정신과 진단은 일반 의사가 하는 경우가 많으나, 1차 보건 환경에서는 정신과 의사가 진단하는 경우가 많지 않다. 간호사는 보다 일반적인 정신질환의 진단기준과 이러한 진단을 내리는 데 적용되는 진단추론 과정에 대해 잘 알고 있어야 한다. 『DSM-5』 진단 및 기준의 전체 목록은 미국 정신의학협회 웹사이트(www.psychiatry.org)에서 확인할 수 있다.

비판적 사고 과제 8.6

정신과 진단은 대상자의 독특한 주관적 경험과 삶의 문제에 범주를 할당하는 과정이다. 대상자가 진단 과정을 이해하고 진단이 경험을 정확하게 반영하는지 여부를 고려하기 위해 어떻게 대상자와 협력할 수 있는가?

분류

분류는 대상자가 처음 의료서비스에 연락할 때 발생하는 사정을 나타낸다. 대상자는 자해, 환청, 자기

방치 또는 자살충동을 나타낼 수 있다. 또한 알코올이나 기타 물질의 사용 문제가 있을 수 있다. 분류는 응급실, 지역사회 정신건강 클리닉, 구급차 호출 시, 1차 보건 환경 또는 개인 가정에서 수행될 수 있으며, 전화로도 분류할 수 있다. 분류의 목적은 문제가 얼마나 시급한지, 즉각적인 안전 문제 및 의료서비스 대응을 위한 즉각적인 우선순위를 설정하는 것이다.

응급실 환경에서 의사는 정신과적 위기분류 평정척도(the Korean Crisis Rating Instrument for Psychiatric intervention, CRI)와 같은 도구를 사용할 수 있다. 정신과적 위기분류 평정척도는 2020년 국립정신건강센터 조근호 외 연구자들이 국내 정신질환자 위기관리를 위해 개발하였으며, 자 · 타해 위험성과 정신상태, 기능 수준, 지지체계의 네 가지 카테고리로 구분하여 정신질환자의 상태를 다각적으로 빠르게 평가하는 도구이다.

정신건강 분류에서 다루어야 할 질문은 **박스 8.3**에 요약되어 있다. 분류는 일반적으로 즉각적인 안전 문제가 해결되면 포괄적인 사정으로 이어진다.

위험사정

위험사정은 대부분의 정신건강서비스 제공자가 요구하는 사항이므로 위험사정의 언어와 한계에 대한 간호사의 이해는 중요하다. 가장 일반적으로 확인된 위험 영역은 자해 또는 방치로 인한 자신에 대한 위험, 다른 사람에 대한 폭력 위험 및 타해의 위험이다. 또한 입원환자 환경에서 간호사는 도주 위험도 사정해야 한다. 위험사정은 별도의 사정 형식이 아니다. 위험의 존재, 위험 수준 및 위험 관리 계획을 식별하기 위해 종합 사정에서 얻은 정보를 선택적으로 활용하는 것이다. 위험사정 및 관리가 위험을 제거하거나 유해 사례의 발생을 예측하는 것이 아니라는 점을 강조한다. 그보다는 위험에 기여하는 요인을 이해하고 대상자와 협력하여 위험을 관리하는 것이다. 간호사는 또한 위험에 대한 인식과 대상자의 삶에서 위험에 대한 긍정적인 가치 및 결정의 결과로부터 배우는 가치의 균형을 유지해야 한다.

박스 8.3 정신상태사정 문서

- 대상자는 현재 상황에서 안전하다고 느끼는가?
- 대상자가 임박한 자해의 위험에 처해 있는가?
- 대상자가 다른 사람에게 해를 끼칠 위험이 있는가?
- 자신이나 타인에게 해를 끼칠 위험이 있는 경우, 대상자는 타해할 수단을 소유하고 있는가?
- 대상자가 머물고 있거나 떠날 가능성이 있는가?
- 얼마나 빨리 대상자를 만나야 하는가?
- 현재 정신 문제에 영향을 끼칠 수 있는 신체건강 문제가 있는가?

강점사정

강점사정은 대상자가 정신건강 문제를 관리하기 위해 접근할 수 있는 개인 자원을 파악하는 것이다. 많은 대상자는 역경과 자기관리에 대한 수년간의 경험을 가지고 있으며, 문제를 예방하고 대응하기 위한 개인 및 대인 전략을 개발했다. 정신건강서비스를 새로 제공받는 대상자는 정신건강 문제에 대처하는 데 가치가 있는 생활기술도 개발하게 될 것이다. 정신건강 간호사정의 모든 영역에서와 마찬가지로 치료관계의 발전은 대상자가 가질 수 있는 강점을 이해하는 데 필수적이다. 위기상황에서 대상자는 전략이 없다고 느낄 수 있으므로 강점을 탐색하기 전에 대상자의 현재 우려와 고민에 먼저 대응하는 것이 중요하다. 강점사정 시에는 대상자가 개별 전략과 과거 삶의 도전에 어떻게 대응했는지 확인해야 한다. 간호사는 전문가가 되기보다 대상자로부터 무엇을 배울 수 있는지 물어볼 필요가 있다. 대상자가 식별할 수 있는 개인의 강점의 예로는 주의를 산만하게 하고 스트레스를 줄이는 즐거운 활동, 가족 및 친구의 이용 가능성, 영적 신념, 스트레스 관리 및 문제 해결에서 배운 기술 등이 있다.

정신과의 분류

정신과 분류체계를 개발하려는 시도는 많았다. 주목할 만한 초기 사례 중 하나는 19세기 후반 정신과 의사 에밀 크레펠린(Emil Kraepelin)의 사례이다. 단지 13개의 진단을 포함하는 Kraepelin의 체계는 각 정신질환을 공통적인 증상의 클러스터로 구성하기보다는 별개의 것으로 가정했다. 현재 사용되는 정신과 진단의 가장 일반적인 시스템인 『DSM-5』도 별개의 질병에 대한 가정을 기반으로 하지만 이러한 범주형 체계는 고통과 질병에 대한 인간의 경험을 반영하지 않는다. 정신의학에는 국제질병분류 편람 『ICD-11』(WHO, 2018) 및 『DSM-5』의 두 가지 진단 매뉴얼이 있다. 두 매뉴얼은 처음 제정된 이후로 수많은 개정을 거쳤다. 가장 최신 버전은 『ICD-11』 및 『DSM-5』이다. 『ICD-11』은 알려진 모든 질병에 대한 포괄적인 매뉴얼이며, 다섯 번째 장은 정신 및 행동 장애에 집중한다. 『DSM-5』는 정신질환을 독점적으로 분류한다. 두 시스템은 대체로 유사하며, 가장 최근 버전에서 더욱 유사해졌다. 한국에서는 건강정보 수집에 『ICD-11』이 더 일반적으로 사용되는 반면, 임상실습에서는 『DSM-5』가 더 일반적으로 사용된다.

당사자 이야기 8.1

나는 한 번도 구치소에 가본 적이 없었다. 구치소를 상상해 보면 회색으로 칠해진 콘크리트 블록 벽, 칙칙한 느낌, 강력한 강철 문, 금속 화장실이 있는 반쪽 벽 옆에 얇은 벤치 또는 침대가 있다. 내가 처음 가 본 구치소에는 적어도 욕실이 있었다. 공항 호텔의 방과 매우 흡사했지만 조금 더 매력적이었다. 대부분의 사람들이 '건강 사정'을 위한 이상적인 환경으로 생각하는 것과 정확히 일치하지 않는다. 그러나 평가는 신체건강과 정신건강에서 다르다. 혈액 검사, MRI 스캔, 반사 망치로 무릎을 두드리는 것도 없다. 때때로 당신은 페이스북 게임처럼 당신이 '집에 있는 것을 좋아하는 내성적인 사람'인지 또는 '밖으로 나가는 것을 좋아하는 외향적인 사람'인지 알려주는 설문지를 받을 수 있다. 그러나 대부분 평가는 의료진이 내가 말하고 행동하는 방식을 보고 내가 사회에 적합한지 결정하는 것과 관련되었다.

구치소에서 사정은 1분도 채 걸리지 않았다. 실제로 한 일은 추가 평가를 위해 28일 동안 나를 관찰하는 것이다. 그런 다음 사정은 연중무휴 활동이 되었다. 당신에 대한 비밀 메모를 작성하는 사람들이 당신의 모든 순간을 면밀히 조사하고 있다는 사실을 안다면 편집증에 빠질 수 있을 것이다.

그러다 매주 정식으로 평가받는 '그날'이 있었다. 가장 생생한 기억은 넓은 사무실에서 12명이 넘는 낯선 사람들과 앉아 "오늘은 어떠세요?"라는 질문을 받았던 것이다. "어…너무 무섭고 압도가 됩니다."가 정확한 대답이었을 것이다. 그러나 정신건강에 대한 평가는 '잘 지내니?'가 아니라 '퇴원하면 어떤 사건을 일으켜 신문에 실릴까?'에 가깝기 때문에 "잘 지내니?"라고 물으면 "나 자신이나 타인을 위협할 의도가 없습니다."라고 말하는 것이 정답이다. 정답을 말하고 증명할 방법을 찾은 후에는 자유를 얻게 된다.

정신건강에서 '건강사정'은 대부분 '위험사정'이다. '건강'이 차지하는 작은 부분은 유아가 가지고 있는 모양 맞추기 장난감과 비슷하다. 충분히 우울증처럼 보이면 항우울제 모양의 구멍을 통과하게 된다. 충분히 조증이나 정신병처럼 보이면 항정신병약물 모양의 구멍을 통과하게 된다. 그리고 구멍을 잘 맞추지 않으면 '콤플렉스'라고 해서 별모양 블럭을 네모난 구멍에 밀어넣는 아이처럼 당황하게 된다. 이 모든 것이 매우 암울하게 들릴 수 있지만 최악의 부분은 아무도 당신이 더 이상 아프지 않다고 말하는 '최종 사정'을 하지 않는다는 것이다. 정신건강 사정은 생애주기 동안 지속되어야 한다.

정신과 진단은 공식적으로 대부분의 정신간호사가 수행하는 분야는 아니지만 간호사가 진단 과정과 가장 많이 사용되는 진단범주의 기준을 이해하는 것이 중요하다. 대상자는 자신의 진단에 대해 질문할 수 있으며, 간호사는 이러한 질문에 대해 지식을 갖고 답변할 수 있어야 한다. 간호사는 때때로 자신을 돌보는 대상자에게 적용된 진단에 의문을 제기할 수 있으며, 그러한 질문에 충분한 정보를 제공하는 것이 중요하다. 진단을 이해한다는 것은 간호사가 생물의학 모델 내에서 실습한다는 것을 의미하지 않는다. 진단 모델은 실무를 위한 많은 틀 중 하나일 뿐이지만 정신건강 관리 공통언어의 일부를 형성하기 때문에 중요하다. 진단의 목적은 임상증상이 충분히 유사한 사람들을 정확하게 그룹화하여 각 그룹에 대한 치료 및 임상 결과를 최적화하는 것이다. 정확한 진단은 최적의 치료를 식별하는 데 필수적이다. 의사가 진단을 내리는 데 도움을 주기 위해 『DSM-5』는 개별 사례에 해당 기준을 적용하는 것에 대한 기준 목록과 결정 규칙을 제공한다.

『DSM-5』에 기준과 규칙이 명시되어 있음에도 불구하고 특히 정신건강서비스를 처음 접하거나 복잡한 이력이 있는 대상자의 경우 진단이 명확하지 않을 수 있다. 이러한 이유로 의사는 진단을 연기하거나 임시 진단을 지정하거나 감별진단 목록을 작성할 수 있다. 감별진단은 가능한 진단의 목록이며, 그중 일부가 대상자의 진단이 될 수 있다. 진단은 대상자에 대한 의사의 이해가 발전함에 따라 항상 수정될 수 있는 것으로 간주되어야 한다. 의사는 또한 대상자와 진단에 대해 논의해야 하며, 진단에 대한 불확실성과 임상치료에서 진단의 역할을 공유할 준비가 되어 있어야 한다.

단원 요약

사정은 정신건강 간호의 기본 기술 중 하나이다. 사정은 개인이 의료서비스를 처음 접하는 시점부터 간호를 제공하는 기간 내내 계속된다. 사정의 목적은 정신건강 간호를 제공하기 위해 문제와 개인에 대한 이해를 발전시키는 것이다. 사정은 치료적 관계의 발전을 기반으로 한다. 간호사가 대상자 삶의 여러 측면에 대한 정보를 찾는 구조화된 과정과 대상자가 간호사와 자신의 경험을 공유하도록 격려하고 지원하는 탐색 과정이다. 사정 방법에는 구조화 및 대화식 면담, 표준화된 사정도구 및 사고, 감정, 활동 및 사회적 상호작용과 같은 기능의 측면을 기록하는 일지가 포함된다. 표준 사정 양식 및 표준화된 사정도구를 포함하여 과정을 지원하기 위해 다양한 도구를 사용할 수 있다. 사정을 수행할 때 간호사는 사용 가능한 표준도구를 사용하고 대상자가 자신의 삶의 중요한 측면을 공유하는 것이 안전하다고 느끼는 대화에 참여할 필요가 있다. 정신건강 간호사정의 도구는 사정의 구조를 제공하는 반면, 사정 과정을 통해 간호사는 철학적 및 이론적 틀을 사정에 통합할 수 있다.

수업참여를 위한 연습

당신은 지역사회 정신건강 클리닉에서 일하는 신규 간호사이다. 당신의 역할은 지역사회 간호사나 공공기관으로부터 의뢰된 대상자의 정신건강 사정 및 치료가 가능한지를 평가하는 것이다. 당신은 K로부터 전화를 받는다. 그녀의 19세 아들은 실직한 후 지난 6개월 동안 변덕스럽고 짜증이 났다고 한다. 실직 직후 아들은 여자친구와 12개월 간의 관계를 끝냈다. 지난 6개월 동안 그는 과음했지만 가족 중 누구와도 자신의 문제에 대해 이야기하지 않았다.

1. 전화를 통한 정신건강 중등도 분류에서는 정보가 제한되어 있는 것이 일반적이며 발신자와의 라포가 빈약할 수 있다. 정신건강 분류가 논의되는 이 장의 '분류' 섹션을 참조할 것. K와 간호사의 전화통화를 팀원들과 함께 토론하고 전화 인터뷰 중 언젠가는 묻고 싶은 여섯 가지 질문 목록을 만들고 우선순위에 따라 질문을 나열한다. 이러한 질문을 할 수 있는 기회를 갖기 위해 어떤 면접기술을 사용하겠는가?
2. K는 아들이 현재 집 밖에 있기 때문에 자신이 전화하는 것을 모른다고 말한다. 전화 인터뷰 동안 K가 아들에게 자신의 우려사항을 논의하고 대면 사정을 수락하도록 지원하기 위해 K와 어떻게 협력하겠는가?
3. 이틀 후 K의 아들은 대면 사정을 위해 정신과의원에 내원한다. 정신건강 사정에 대한 내러티브적이고 서술적인 접근방식을 반영하여 사정할 때 각 접근방식을 어떻게 사용할 수 있는가?
4. 대면 사정에는 K와 그녀의 아들, 그리고 여러 전문 분야 팀의 구성원이 참여한다. 사정 면담은 1시간이 소요되며, 팀은 그녀의 아들과 협력하여 그에게 무슨 일이 일어나고 있고, 서비스가 도움을 줄 수 있는지에 대한 협력적인 이해를 발전시킨다. 일주일 후에 집에 있는 대상자를 방문하기로 합의했다. 대상자가 떠난 후 팀은 정신과 진단에 대해 논의한다. 대부분은 대상자가 우울한 기분과 함께 적응장애를 겪고 있다는 데 동의한다. 소그룹으로 의학 진단과 간호 진단에 대해 토론 시 다음을 고려해야 한다.
   1) 대상자가 적절한 치료를 받으려면 진단이 필요한가?
   2) 우울한 기분을 동반한 적응장애 진단이 대상자에게 어떤 문제를 일으킬 수 있는가?
   3) 다음 주에 대상자 방문 시 진단에 대해 어떻게 이야기할 것인가? 그는 어떤 질문을 할 수 있으며, 당신은 그 질문에 어떻게 답할 것인가?

● 유용한 웹사이트

Clinical guideline for mental state assessment. https://www.rch.org.au/clinicalguide/guideline_index/Mental_state_examination/

Diagnostic and Statistical Manual of Mental Disorders, 5th edn (DSM-5). www.dsm5.org.

HEADSS assessment. https://headspace.org.au/health-professionals/clinical-toolkit/psychosocial-assessment/

Head-to-toe assessment. https://nurse.org/articles/how-to-conduct-head-to-toe-assessment/

International Classification of Diseases (ICD). https://icd.who.int/en

Laboratory values. www.labtests.co.nz (New Zealand). https://www.mps.com.au/ [(Australia)].

Mental health assessment. https://www.integration.samhsa.gov/clinical-practice/screening-tools

Risk assessment (information about the HCR-20 instrument). http://hcr-20.com

Strengths-based assessment. https://www.iriss.org.uk/resources/strengths%c2%adbased%c2%adapproaches%c2%adworking%c2%adindividuals

Suicide risk assessment. http://www.psychiatryadvisor.com/home/topics/suicide-and-self-harm/is-this-patient-suicidal-tips-for-effective-assessment/

● 참고문헌

Aguilera, A., Schueller, S. M., Leykin, Y. Daily mood ratings via text message as a proxy for clinic-based depression assessment. J. Affect. Disord.. 2015; 175:471-474.

American Psychiatric Association (APA). Diagnostic and Statistical Manual of Mental Disorders, fifth ed. Washington: APA; 2013.

Australian College of Mental Health Nurses. Standards of Practice for Australian Mental Health Nurses. Canberra: Australian

College of Mental Health Nurses; 2010.

Babor, T. F., Higgins-Biddle, J. C., Saunders, J. B., et al., AUDIT: The Alcohol Use Disorders Identification Test Guidelines for Use in Primary Care. Geneva: World Health Organization; 2001.

Baid, H. Differential diagnosis in advanced nursing practice. Br. J. Nurs.. 2006; 15(18):1007–1011.

Barber, CF. Mental health and spirituality. BJMHN. 2018; 7(3):124–128.

Barker, P. J. Assessment in Psychiatric and Mental Health Nursing: In Search of the Whole Person. Cheltenham, UK: Nelson Thornes; 2004.

Bhugra, D., Ventriglio, A. Mind and body: physical health needs of individuals with mental illness in the 21st century. World Psychiatry. 2017; 16(1):47.

Broadbent, M., Creaton, A., Moxham, L., et al., Review of triage reform: the case for national consensus on a single triage scale for clients with a mental illness in Australian emergency departments. J. Clin. Nurs.. 2010; 19(5–6):712–715.

Brown, S. J. An interviewing style for nursing assessment. J. Adv. Nurs.. 1995; 21:340–343.

Burke, W. J., Roccaforte, W. H., Wengel, S. P. The short form of the Geriatric Depression Scale: a comparison with the 30-item form. J. Geriatr. Psychiatry Neurol.. 1991; 4(3):173–178.

Chase, S. K. The art of diagnosis and treatment. In Dunphy L.M., Winland-Brown J., Porter B., et al, eds.: Primary Care: The Art and Science of Advanced Practice, fourth ed., Philadelphia: FA Davis, 2015.

Coombs, T, Crookes, P., Curtis, J. A comprehensive mental health nursing assessment: variability of content in practice. J. Psychiatr. Ment. Health Nurs.. 2013; 20(2):150–155.

Coombs, T, Curtis, J., Crookes, P. What is the process of a comprehensive mental health nursing assessment? Results from a qualitative study. Int. Nurs. Rev.. 2013; 60(1):96–102.

Coombs, T, Curtis, J., Crookes, P. What is a comprehensive mental health nursing assessment? A review of the literature. Int. J. Ment. Health Nurs.. 2011; 20(5):364–370.

Crowe, M., Carlyle, D., Farmar, R. Clinical formulation for mental health nursing practice. J. Psychiatr. Ment. Health Nurs.. 2008; 15(10):800–807.

Cunningham, R., Sarfati, D., Peterson, D., et al., Premature mortality in adults using New Zealand psychiatric services. N. Z. Med. J.. 2014; 127(1394):31–41.

Day, J. C., Wood, G., Dewey, M., et al., A self-rating scale for measuring neuroleptic side-effects. Validation 130in a group of schizophrenic patients. Br. J. Psychiatry. 1995; 166(5):650–653.

DeWit, S. C., O'Neill, P. A. Fundamental Concepts and Skills for Nursing, fourth ed. St Louis: Elsevier; 2014.

Dickens, G. L., Ion, R., Waters, C., et al., Mental health nurses' attitudes, experience, and knowledge regarding routine physical healthcare: systematic, integrative review of studies involving 7,549 nurses working in mental health settings. BMC Nurs.. 2019; 18(1):16.

DiClemente, C. C., Corno, C. M., Graydon, M. M., et al., Motivational interviewing, enhancement, and brief interventions over the last decade: a review of reviews of efficacy and effectiveness. Psychol. Addict. Behav.. 2017; 31(8):862.

Diesfeld, K., McKenna, B. The unintended impact of the therapeutic intentions of the New Zealand mental health review tribunal., Therapeutic jurisprudence perspectives. J. Law Med.. 2007; 14(4):552–566.

Duhig, M., Patterson, S., Connell, M., et al., The prevalence and correlates of childhood trauma in patients with early psychosis. Aust. N. Z. J. Psychiatry. 2015; 49(7):651–659.

Eade, D. M., Henning, D. Chlamydia screening in young people as an outcome of a HEADSS: Home, Education, Activities, Drug and alcohol use, Sexuality and Suicide youth psychosocial assessment tool. J. Clin. Nurs.. 2013; 22(23–24):3280–3288.

Flewett, T. Clinical Risk Management: An Introductory Text for Mental Health Clinicians. Sydney: Elsevier; 2010.

Folstein, M. F., Folstein, S. E., McHugh, P. R. 'Mini-Mental State': a practical method for grading the cognitive state of patients for the clinician. J. Psychiatr. Res.. 1975; 12(3):189–198.

Foucault, M. The Birth of the Clinic: An Archaeology of Medical Perception. New York: Vintage Books; 1994.

Gray, R., Brown, E. What does mental health nursing contribute to improving the physical health of service users with severe mental illness? A thematic analysis. Int. J. Ment. Health Nurs.. 2017; 26(1):32–40.

Huline-Dickens, S. The mental State examination. Adv. Psychiatr. Treat.. 2013; 19(2):97–98.

Inouye, S. K., van Dyck, C. H., Alessi, C. A., et al., Clarifying confusion: the Confusion Assessment Method. A new method for detection of delirium. Ann. Intern. Med.. 1990; 113:941–948.

Jaber, F. S., Mahmoud, K. F. Risk tools for the prediction of violence: 'VRAG, HCR–20, PCL–R'. J. Psychiatr. Ment. Health Nurs.. 2015; 22(2):133–141.

Johnstone, L. Psychological formulation as an alternative to psychiatric diagnosis. J. Humanist. Psychol.. 2018; 58(1):30–46.

King H., ed. Health in Antiquity. New York: Routledge, 2004.

Lysaker, P. H., Pattison, M. L., Leonhardt, B. L., et al., Insight in schizophrenia spectrum disorders: relationship with behavior, mood and perceived quality of life, underlying causes and emerging treatments. World Psychiatry. 2018; 17(1):12–23.

MacNeela, P., Scott, A., Treacy, P., et al., In the know: cognitive and social factors in mental health nursing assessment. J. Clin. Nurs.. 2010; 19(9-10):1298-1306.

McPherson, A., Martin, C. R. A narrative review of the Beck Depression Inventory (BDI) and implications for its use in an alcohol-dependent population. J. Psychiatr. Ment. Health Nurs.. 2010; 17(1):19-30.

Morgan, S., Andrews, N. Positive risk-taking: from rhetoric to reality. J. Ment. Health Train. Educ. Pract.. 2016; 11(2):122-132.

Nursing and Midwifery Board of Australia (NMBA). National Competency Standards for the Registered Nurse. Melbourne: Nursing and Midwifery Board of Australia; 2013.

Nursing Council of New Zealand (NCNZ). Competencies for Registered Nurses. Wellington: Nursing NCNZ; 2007.

O'Brien, A. J., De Souza, R., Baker, M. Cultural safety. In Barker P., ed.: Psychiatric and Mental Health Nursing: The Craft of Caring, third ed., London: Hodder Arnold, 2016.

Patterson, W. M., Dohn, H. H., Bird, J., et al., Evaluation of suicidal patients: the SAD PERSONS scale. Psychosomatics. 1983; 24(4):343-349.

Pitama, S., Huria, T., Lacey, C. Improving Māori health through clinical assessment: Waikare o te Waka o Meihana. N. Z. Med. J. (Online). 127(1393), 2014.

Rapp, C. A., Goscha, R. J. The Strengths Model. A Recovery-Oriented Approach to Mental Health Services, third ed. New York: Oxford University Press; 2012.

Rasic, D., Hajek, T., Alda, M., et al., Risk of mental illness in offspring of parents with schizophrenia, bipolar disorder, and major depressive disorder: a meta-analysis of family high-risk studies. Schizophr. Bull.. 2013; 40(1):28-38.

Reilly, J., McDermott, B., Dillon, J. Standardized drug and alcohol questions at admission to an acute adult mental health unit: Clarifying the burden of dual diagnoses across a five-year period. Australasian Psychiatry. 2019; 27(3):270-274.

Sands, N., Elsom, S., Berk, M., et al., Investigating the predictive validity of an emergency department mental health triage tool. Nurs. Health Sci.. 2014; 16(1):11-18.

Scott, K. M., Lim, C., Al-Hamzawi, A., et al., Association of mental disorders with subsequent chronic physical conditions: world mental health surveys from 17 countries. JAMA Psychiatry. 2016; 73(2):150-158.

Selzer, R., Ellen, S. Formulation for beginners. Australas. Psychiatry. 2014; 22(4):397-401.

Selzer, R., Ellen, S. Psych-Lite: Psychiatry That's Easy to Read. Sydney: McGraw-Hill; 2010.

So, M., Foxe, D., Kumfor, F., et al., Addenbrooke's cognitive examination III: psychometric characteristics and relations to functional ability in dementia. J. Int. Neuropsychol. Soc.. 2018; 24(8):854-863.

Soltan, M., Girguis, J., How to approach the mental state examination. BMJ 2017; 357 j1821

Tambuyzer, E., Van Audenhove, C. Service user and family carer involvement in mental health care: divergent views. Community Ment. Health J.. 2013; 49(6):675-685.

Te Ao Maramatanga New Zealand College of Mental Health Nurses. Standards of Practice for Mental 131Health Nursing in Aotearoa New Zealand, third ed. Auckland: Te Ao Maramatanga New Zealand College of Mental Health Nurses; 2012.

Tseliou, F., Donnelly, M., O'Reilly, D., Screening for psychiatric morbidity in the population-a comparison of the GHQ-12 and self-reported medication use. Int. J. Popul. Data Sci. 3 1 2018:5. https://doi.org/10.23889/ijpds.v3i1.414

Wand, T. Is it time to end our complicity with pharmacocentricity? Int. J. Ment. Health Nurs.. 2019; 28(1):3-6.

Wand, T. Recovery is about a focus on resilience and wellness, not a fixation with risk and illness. Aust. N. Z. J. Psychiatry. 2015; 49(12):1083-1084.

Wand, T., Buchanan-Hagen, S., Derrick, K., et al, Are current mental health assessment formats consistent with contemporary thinking and practice? Int. J. Ment. Health Nurs. 2019; . doi:10.1111/inm.12656

Wand, T., Wynaden, D., Heslop, K. Who is responsible for metabolic screening for mental health clients taking antipsychotic medications? Int. J. Ment. Health Nurs.. 2018; 27(1):196-203.

Warden, S., Spiwak, R., Sareen, J., et al., The SAD PERSONS scale for suicide risk assessment: a systematic review. Arch. Suicide Res.. 2014; 18(4):313-326.

Westen, D. The scientific legacy of Sigmund Freud: toward a psychodynamically informed psychological science. Psychol. Bull.. 1998; 124(3):333.

Wood, J. M., Gupta, S. Using rating scales in a clinical setting: a guide for psychiatrists. Curr. Psychiatr.. 2017; 16(2):21-25.

World Health Organization (WHO). ICD-10: International Statistical Classification of Diseases and Related Health Problems, 10th Revision. Geneva: WHO; 1989.

Zachar P., Stoyanov D.S., Aragona M., et al, eds. Alternative Perspectives on Psychiatric Validation: DSM, IDC, RDoC, and Beyond. Oxford: Oxford University Press, 2014.

Zanotti, R., Chiffi, D. Diagnostic frameworks and nursing diagnoses: a normative stance. Nurs. Philos.. 2015; 16(1):64-73.

조근호, 윤해주, 장미, 손주영, 남윤영, 김민혁, 송후림, 김신겸, 천영서, 황태연(2020) 정신과적 위기 개입을 위한 한국형 위기 분류 평정 척도 개발, 국립정신건강센터, 2020

CHAPTER 09

정신질환과 신체건강

Mental Health Ilness and Physical Health

주요 내용

- 신체건강을 유지하는 것은 다방면에 영향을 미치며, 안녕에 필수적이다.
- 간호사는 신체건강 문제를 평가, 치료 및 예방하는 데 중요한 역할을 한다.
- 정신적 · 신체적 건강 문제를 동시에 평가하고 치료하는 것이 필수적이다.
- 정신질환자는 신체적 건강 문제를 간과하는 경우가 많다.
- 파트너십과 협력은 신체적 · 정신적 건강을 개선하는 데 중요하다.
- 정신질환자의 조기사망은 대부분 예방 가능한 신체건강 문제로 인해 발생한다.

주요 용어

- 구강건강(oral health)
- 대사기능 선별검사(metabolic screening)
- 대사증후군(metabolic syndrome)
- 비만(obesity)
- 성건강(sexual health)
- 신체활동(physical activity)
- 심장대사건강(cardiometabolic health)
- 심혈관 질환(cardiovascular disease)
- 영양(nutrition)
- 제2형 당뇨병(type 2 diabetes)
- 조기사망(premature mortality)
- 폐쇄성 수면 무호흡증(obstructive sleep apnoea)

학습 목표

이 단원을 통해 다음을 수행할 수 있다.

- 정신건강과 신체건강 간의 관계를 인식한다.
- 정신질환자들이 일반적으로 경험하는 신체건강 문제를 식별한다.
- 신체적 · 정신적 건강 문제를 경험하는 대상자에 대한 이해를 증진한다.
- 신체건강을 평가하는 간호사의 역할을 설명한다.
- 정신질환자의 신체건강을 개선하기 위한 중재를 설명한다.
- 신체건강 평가의 중요성을 설명한다.
- 확인된 신체건강 문제와 관련된 간호중재를 수행한다.

서론

정신질환자는 일반인에 비해 훨씬 열악한 신체 건강 결과를 가진다. 조현병 및 양극성장애와 같은 중증정신질환(severe mental illness, SMI)자에게서 20년 이상의 기대수명의 차이가 나타났다. 정신질환자는 비질환자에 비해 기대수명이 크게 단축된다. 정신질환자의 조기사망의 5분의 4는 자살이 아니라 예방 가능한 신체건강 상태와 관련이 있다. 정신질환자 신체 이환율이 높은 것에는 여러 가지 이유가 있다. 중증 정신질환자에게 처방된 여러 향정신성 약물이 체중 증가 및 내분계 변화를 포함하여 신체적 부작용과 관련이 있으며, 정신질환의 몇몇 증상(예 조현병의 음성증상)으로 금단증상, 고립 및 가만히 앉아있는 생활방식으로 나타날 수 있다. 중증 정신질환자가 가만히 앉아 있는 생활내면을 연구한 결과 중증 정신질환자는 연령 및 성별이 일치하는 비질환자보다 더 오래 앉아 있으며, 하루 평균 476분(거의 8시간)을 앉아서 보내는 것으로 나타났다. 또한, 신체활동이 현저히 줄어 중간 또는 격렬한 정도의 신체활동에 하루 평균 38.4분만 보내는 것으로 나타났다. 이 밖에도 빈곤, 흡연, 알코올 및 약물 사용, 노숙, 실업, 치과 질환, 성병, 수면 장애, 열악한 식이요법 등 만성질환의 다른 위험 요소에 더 취약하다.

세계보건기구(WHO)는 정신건강을 '모든 개인이 자신의 잠재력을 깨닫고, 일상적인 삶의 스트레스에 대처할 수 있으며, 생산적이고 유익하게 일할 수 있고, 지역사회에 기여할 수 있는 상태'로 정의 한다. WHO는 또한 모든 사람에게 도달 가능한 최고 수준의 건강을 누릴 평등한 기회를 제공하는 건강 보호 시스템에 대한 권리, 자신의 건강과 신체를 통제하고 간섭으로부터 자유로울 권리를 포함하는 건강에 대한 보편적 권리를 인정한다. 역사적으로 정신질환자의 신체건강 관리는 무시되었다. 지역사회 정신질환자의 신체건강 관련 보고서(국립서울병원, 2012)에 따르면, 정신질환자의 정신건강뿐만 아니라 신체건강을 포함하는 전체적인 건강 수준을 높이는 것은 이들의 회복과 지역사회 복귀에도 중요한 역할을 한다고 하였다. 간호사는 정신질환의 초기 평가부터 정신질환이 진행되는 과정 동안 신체건강 요구사항을 파악하고 문제를 해결하는데 가장 적합한 위치에 있다. 따라서 간호사는 '신체건강을 염두에 두어' 건

역사적 일화 9.1: 건강 관리? 또는 돈 벌기?

역사는 간호사가 일부 정신 건강 치료를 돈벌이로 이용하는 것들에 대해 경계해야 한다고 가르쳐준다. 18세기의 한 예로 '최면술(mesmerism)'로 알려진 치료가 있었다. 메스머(Franz Anton Mesmer, 1734~1815)가 비엔나에서 개발한 치료법은 모든 생명체를 통해 흐르는 '동물 자기장'이라고 불리는 보이지 않는 유체가 있다고 주장했다. 사람의 자기장 수준이 균형을 이룰 때 건강을 경험하며, 불균형이 되었을 때 질병을 경험한다고 하였다. 환자들은 화려하게 장식된 치료실에서 그룹 세션에 참석하여 물탱크에서 튀어나온 금속 막대를 잡으라는 지시를 받았다. 치료 중 일부 사람들은 경련처럼 보이는 것을 경험한 반면, 다른 사람들은 '최면' 상태에 빠졌다고 한다. 최면술은 역사상 가장 초기의 위약 실험 중 하나를 사용하여 벤자민 프랭클린에 의해 결국 반증될 때까지 실무자들에게 막대한 돈을 벌게 해주었다.

자세한 내용 보기: Darnton, R., 1968. Mesmerism and the end of the enlightenment in France. Harvard University Press, Cambridge

강관리를 통합하는 포괄적인 방식으로 간호실무에 적용하는 것이 중요하다.

정신질환자가 경험하는 모든 신체적 질병을 다루는 것은 이 장의 범위를 벗어난다. 따라서 기대수명에 부정적인 영향을 미치는 신체건강 문제에 초점을 맞추었다. 신체 건강 위험에 영향을 주는 요인은 그림 9.1에 나와 있다. 이 장에서는 대사증후군, 당뇨병, 심혈관 질환, 호흡기 질환, 구강건강, 수면 및 성건강에 대해 설명한다. 이러한 신체건강 문제는 중재가 필요하며, 간호사는 신체건강의 긍정적 변화를 줄 수 있는 좋은 위치에서 간호할 수 있다.

정신건강시스템에서 신체건강 방치

중증 정신 및 신체 질환을 동반한 대상자는 대개 신체 및 정신건강관리시스템 간의 간극을 경험한다. 의료시스템은 아직 통합이 부족한 상태로, 일부분은 신체 및 정신건강서비스로 분할되어 있다. 정신건강관리시스템에서 임상의는 정신질환의 증상에 집중하여 다른 건강 문제를 악화시킬 수 있다. 이러한 현상을 '진단적 은폐(diagnostic overshadowing)'라고 한다. 신체적 문제증상이 있는 정신질환자가 정신과 전문의에게 보고되더라도 이를 알아차리지 못하거나 해결을 못 시키기도 한다. 일부 정신건강전문요원들도 신체건강 문제를 돌봄의 기본으로 간주하지 않거나 신체평가를 수행할 역량이나 자신감이 부족하다. 또한 정신질환자들의 경제적인 어려움으로 인해 신체증상과 관련한 의료전문가 및 관련 서비스를 받지 못하는 경우도 있다. 이러한 문제는 조현병 및 당뇨병과 같은 복합 만성 동반질환을 가진 대상자를 간호하는 데 매우 어려운 문제가 될 수 있다. 따라서

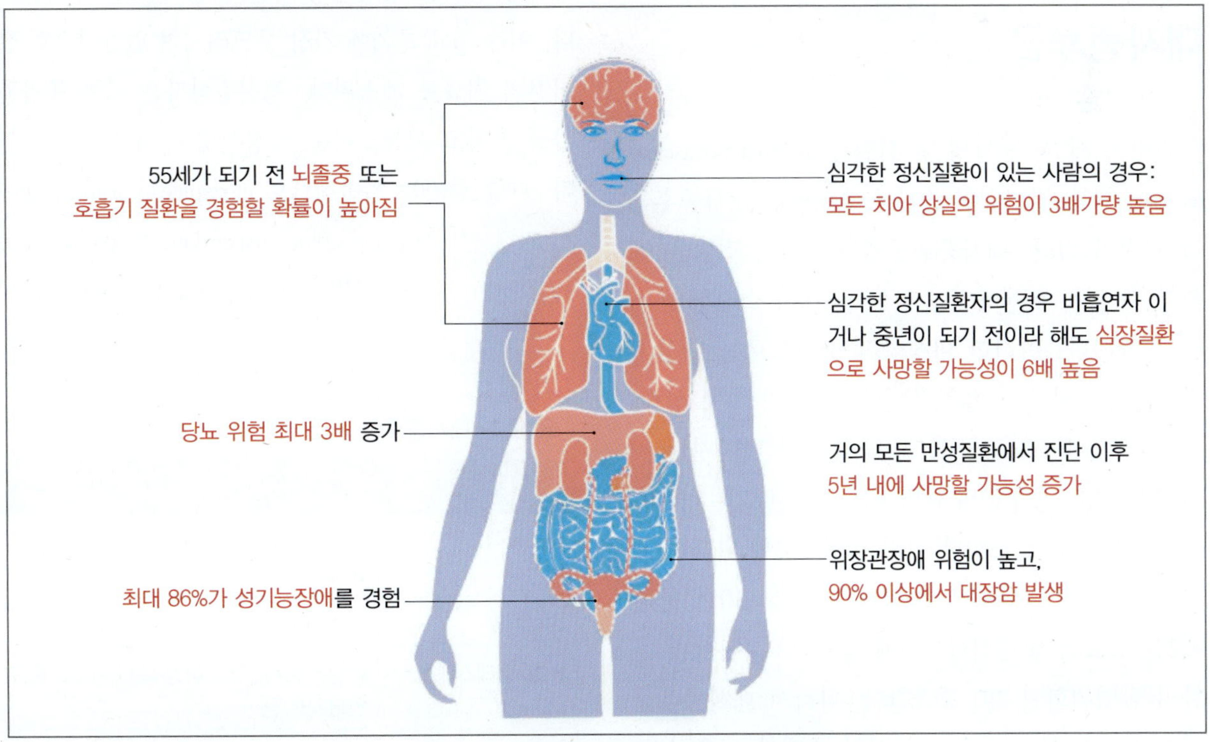

그림 9.1 중증 정신질환자의 신체건강 위험에 영향을 주는 요인

출처: National Women's Health Information Center

중증 정신질환자는 인간으로서의 권리와 건강을 유지하는 데 필수적인 의료서비스에서 소외될 수 있는 매우 취약한 인구집단이다.

접근성과 가용성은 중증 정신질환자가 직면한 건강에 대한 유일한 장애물이 아니다. 중증 정신질환자는 신체질환 비율이 높을수록 기대수명이 훨씬 단축될 뿐만 아니라 정신질환에 더한 신체질환으로 인해 2차 문제가 발생한다. 이러한 동반질환은 중증 정신질환자가 고용에 적극적으로 참여할 수 없도록 하며, 빈곤과 복지 의존도를 증가시킨다. 지역사회의 다른 대부분의 사람보다 이환율이 훨씬 더 높음에도 불구하고 중증 정신질환자는 신체건강 요구사항을 충족할 가능성이 낮다. 동반된 신체건강 문제는 정신질환자의 가족, 친구 및 간병인에게 정신질환자의 신체건강 관리까지 맡도록 역할을 확장함으로써 추가적인 부담이 될 수 있다.

대사증후군

비만은 제2형 당뇨병 및 심혈관 질환(cardiovascular disease, CVD) 발병위험 증가를 초래하는 대사증후군과 관련이 있다. 대사증후군에는 심혈관 질환을 예측할 수 있는 비정상적인 임상 및 대사 소견의 군집이 포함된다. 이러한 비정상적 소견으로는 내장지방, 인슐린 저항성, 혈압 상승, 중성지방 수치 상승, 고밀도지단백(HDL) 콜레스테롤 수치가 낮아지는 것이 있다. 대사증후군의 합병증은 심혈관, 간, 내분비 및 중추신경계를 포함한 여러 신체계통에 나타난다. 대사증후군의 기준을 충족하면 향후 5~10년 동안 제2형 당뇨병 발병위험이 5배 증가하고, 심혈관 질환의 발병위험이 2배 증가한다. 따라서 대사증후군 위험요소가 있는 경우 적극적인 중재가 필요하다. 국내 16개 기관 845명의 조현병 환자를 대상으로 실시한 연구에서 대사증후군의 유병률은 36.5%로 나타났다. 전체 대상자의 49.5%가 복부비만이었으며, 이 밖에도 42.4%에서 낮은 HDL, 38.1%에서 고혈압, 38%가 높은 중성지방, 35%가 고혈당을 나타냈다(Lee, et al., 2017). 또한 지역사회의 조현병 환자 100명을 대상으로 한 연구에서는 대사증후군 유병률이 42%로 나타났으며, 이는 일반 인구의 대사증후군 유병률보다 2배가량 높은 수치이다(Sun & Jang, 2020).

중증 정신질환자는 일반 인구에 비해 비만과 복부비만의 비율이 훨씬 더 높은데, 이는 약물을 사용하거나 사용하지 않는 질병의 초기 단계에서도 나타난다. 중증 정신질환자의 비만은 잘못된 식단 및 신체활동 부족과 같은 생활방식 요인과 관련이 있으며, 진정, 무동기 및 혼란과 같은 정신과적 증상이 체중 증가를 촉진하는 부정적인 생활방식에 영향을 미친다. 또한 약물이 식욕과 음식 섭취에 영향을 미친다는 연구결과도 있다.

체중 증가는 항정신병 약물의 잘 알려진 부작용이다. 이는 치료 초기에 가장 두드러지며 일반적으로 장기간의 치료로 계속된다. 정신질환자는 체중 증가를 가장 흔하고 고통스러운 항정신병 부작용으로 여긴다. 체중 증가는 일반적으로 clozapine과 olanzapine에서 가장 큰 반면 quetiapine, risperidone 및 paliperidone은 적당한 증가를 유발한다. aripiprazole, asenapine 및

표 9.1 대사증후군 기준

다음 다섯 가지 중 세 가지 이상 만족하면 진단	
허리둘레	남성≥90cm 여성≥85cm
중성지방	≥150mg/dL 혹은 약물치료 중
HDL 콜레스테롤	남성<40mg/dL, 여성<50mg/dL 혹은 약물치료 중
혈압	≥130/85mmHg 혹은 약물치료 중
공복혈당	≥100mg/dL 혹은 약물치료 중

ziprasidone은 다른 약물보다 체중 증가를 덜 유발할 수 있다. 그러나 모든 항정신병 약물은 처음 시작했을 때 상당한 체중 증가를 초래하는 것으로 밝혀졌다. 건강하고 활동적인 삶의 선언(**박스 9.1**)은 새로 정신질환 진단을 받은 대상자에 대한 신체적 건강 기대치의 기준을 제시한다. 이 선언과 알고리즘은 간호사가 신체적 · 정신적 간호를 통합하는 데 도움이 될 것이다.

박스 9.1 건강하고 활동적인 삶의 선언

10개 이상의 국가에서 온 전문가, 서비스 이용자, 가족 및 연구원 그룹이 성인 정신질환자의 신체건강 개선에 대한 국제적 합의 선언문을 개발하기 위해 힘을 합쳤다. Healthy Active Lives (HeAL)라는 성명은 미래의 신체 질병에 대한 위험을 사전에 대처하여 중증 정신질환자가 조기에 사망하는 추세를 역전시키는 것을 목표로 한다. 정신질환을 경험하지 않은 성인과 비교할 때 성인 정신질환자는 다음을 포함하여 예방 가능한 여러 건강 문제에 직면한다.

- 약 15~20년 수명 단축
- CVD 발병 가능성이 2~3배 높아 조기사망의 가장 흔한 단일 원인이 됨(자살보다 더 많음)
- 제2형 당뇨병 발병 가능성이 2~3배 높음
- 흡연자가 될 가능성이 3~4배 높음

HeAL 성명서는 일련의 주요 원칙, 프로세스 및 표준에 대한 국제적 합의를 반영한다. 성인 정신질환자가 건강하고, 활동적인 삶을 영위하는 것을 가로막는 낙인, 차별, 편견에 맞서 싸우고 열악한 신체건강이 불가피하다는 인식에 맞서는 것을 목표로 하며 이를 위해 다음과 같은 주제들을 다룬다.

- 개인별 맞춤화
- 오랜 기간 더 자주 대면 접촉
- (동종 의료종사자를 포함하는) 다학제적 접근

HeAL 선언은 정신병이 있는 젊은 세대의 미래 심혈관위험을 줄이는 것을 목표로 하는 5개년 목표를 설정한다. HeAL은 http://www.iphys.org.au/에서 무료로 다운로드할 수 있다.

대사증후군 선별검사

대사증후군을 식별하고 조기에 치료하려면 CVD 및 제2형 당뇨병의 위험을 증가시키는 요인을 선별해야 한다. 대사증후군에 대한 선별검사는 간호사의 평가범위에 속하며 필수적인 활동이다. 대사기능 선별검사 시에는 대상자의 혈압, 키 및 체중을 측정하고, 체질량지수를 계산한다. 신진대사 건강의 가장 좋은 지표는 허리둘레이며, 이는 선별검사에서 가장 중요한 척도가 된다. 이러한 측정 외에도 공복 지질과 혈당 측정이 필요하다. 검진은 대상자가 새로운 약물을 시작하거나 건강에 대한 우려가 있는 경우를 제외하고 3개월마다 이루어져야 한다. 선별검사를 수행하는 방법에 대한 자세한 내용은 **박스 9.2**에 제시하였다.

당뇨병

제2형 당뇨병은 신체가 인슐린의 정상적인 효과에 저항하게 되거나 췌장에서 충분한 인슐린을 생산하는 능력을 점차적으로 상실하는 진행성 상태이다. 제2형 당뇨병은 CVD, 신부전, 절단 및 실명의 위험을 크게 증가시켜 기대 수명을 10년 이상 단축시킨다. 조현병과 양극성 장애 환자의 제2형 당뇨병 유병률은 일반 인구보다 2~3배 높다. 불안이나 우울 장애의 제2형 당뇨병 위험도 우울증이 없는 사람에 비해 높은 것으로 나타났다.

생활습관 요인, 유전적 소인, 질병 및 치료에 따른 영향을 포함하여 중증 정신질환자에게서 제2형 당뇨병의 위험이 증가한 데에는 여러 가지 이유가 있다. 항정신병 약물은 제2형 당뇨병 발병위험을 증가시키며, 특히 olanzapine과 clozapine이 위험을 증가시키는 것으로 알려져 있다.

박스 9.2 대사증후군 선별

체중

- 먼저 그 사람에게 신발을 벗고, 주머니에 있는 물건을 꺼내고, 부피가 큰 옷은 벗도록 요청한다.

키

- 신발을 벗은 상태에서 발이 바닥에 평평하고 정면을 보고 있는지 확인한다.

체질량지수(BMI)

- 체중을 키의 제곱으로 나누어 계산한다(정상 범위 18.5~ 22.9).

$$\frac{\text{체중}}{\text{신장}(m^2)}$$

- 온라인 계산기는 https://www.foodsafetykorea.go.kr/portal/healthyfoodlife/bmiCalculator.do?menu_no=399&menu _grp =MENU_GRP02에서 사용할 수 있다.

허리둘레

숨을 내쉬고 허리둘레를 측정해야 한다. 대상자는 긴장을 풀고 복부근육을 수축하지 않도록 해야 한다. 배꼽 높이에 줄자를 맞추고 몸 전체를 원을 그리며 시작점으로 돌려 측정한다.

- 줄자가 지면과 평행하고 꼬이지 않았는지 확인한다.
- 줄자는 피부를 압박하지 않고 꼭 맞아야 한다.
- 환자에게 두 번 숨을 들이쉬고 내쉬도록 하고 두 번째 날숨에서 측정한다.

혈압

- 커프 크기가 올바른지 확인한다.
- 편안한 상태에서 측정한다.
- 팔을 심장 높이에 놓고 측정한다.

병리학

- 환자가 금식했는지 확인한다. 해당 검사는 다음과 같다:
  - lipid profile (HDL/LDL 포함)
  - glucose
  - 간기능

중증 정신질환자 사이에서 제2형 당뇨병은 높은 유병률에도 불구하고 그 선별비율은 여전히 낮다. 이로 인해 혈당 수치가 장기간 상승하여 제2형 당뇨병과 관련된 부작용이 나타나기도 한다. 일단 진단을 받으면, 중증 정신질환자들은 차선의 치료를 받을 가능성이 더 높고, 혈당 조절도 잘 되지 않는다. 더욱이 젊은 나이에 제2형 당뇨병 진단을 받으면 중증 정신질환자는 건강이 급격히 저하되고 조기사망을 할 수도 있다.

비판적 사고 과제 9.1

지난 2개월 동안 20kg이 쪘다고 상상해 보자. 체중 증가의 대부분은 복부 주변이다. 기분이 어떻겠는가? 현재 생활방식을 고려하여 삶에 어떤 변화가 일어날지 이야기해 보시오.

스스로 정신질환 진단을 받았다고 상상해 본다. 삶에 어떤 변화가 일어나겠는가? 정신질환과 체중 증가가 자존감에 어떤 영향을 미칠 수 있는가? 또한 회복 능력에 어떤 영향을 미칠 수 있는가? 상당한 체중 증가를 유발했다고 생각되면 약물을 계속 복용하겠는가? 그 이유는 무엇인가?

심혈관 질환

'심혈관 질환(Cardiovasular disease, CVD)'이라는 용어는 심장과 혈관에 영향을 미치는 모든 질병을 의미한다. 관상동맥심장 질환과 뇌혈관 질환은 CVD의 주요 질환이다. CVD의 주요 위험요소는 흡연, 비만, 고혈압, 혈중 콜레스테롤 상승 및 제2형 당뇨병이다. 위험을 증가시키는 다른 요인으로는 유전적 요인, 건강에 해로운 식단, 신체 활동 부족 및 낮은 사회경제적 지위가 있다.

CVD는 중증 정신질환자의 가장 흔한 사망 원인이며, 유병률은 일반 인구의 약 2배 높다. 성인 중증 정신질환자는 비질환자에 비해 CVD 비율이 3배 더 높다. 중증 정신질환자는 비질환자인 대조군과 비교할 때 과체중 또는 비만, 제2형 당뇨병, 고혈압 또는 이상지질혈증, 흡연할 가능성과 같은 개선 가능한 몇몇 위험요소를 가지고 있을 가능성이 훨씬 높

당사자 이야기 9.1

나는 20살이던 2008년 중반 olanzapine을 복용하기 시작하였고, 4개월 만에 20kg이 넘게 쪘다! 나는 충격을 받았다. 심각한 정신병에서 회복하기 시작하면서 너무 빨리 살이 쪘기 때문이다. 새로운 몸이 불편하고 부끄러워서 사람들을 피하기 시작했다. 나는 거의 항상 배가 고팠고, 기름지고 단 음식을 갈망하는 나 자신을 발견했다. 아무도 내가 배고프거나 체중이 많이 나갈 것이라는 사실에 대해 말해주지 않았다.
그 후 몇 년 동안 나는 체중을 줄이려고 노력했지만 성공할 수 없었던 것 같다. 사실 나는 느린 속도로 계속해서 살이 쪘다. 3년 만에 15kg이 더 쪘다. 항상 건강한 사람이던 내게 이것은 매우 이상한 일이었다. 약 복용을 시작하기 전에는 68kg이었으나 그 당시 몸무게는 105kg을 기록하였다. 체중을 조절하는 것에 내가 할 수 있는 것이 아무것도 없었기 때문에 살찌는 것을 체념하게 되었다.

이후 내 인생의 목표가 무엇인지 이야기해 주는 정신간호사를 만났다. 나는 이미 정규직으로 복귀했기 때문에 내가 이루고 싶은 것은 육체적인 건강이라고 그녀에게 말했다. 그녀는 내 체중과 허리둘레, 혈압을 측정하고 혈액검사를 하는 데 기꺼이 도움을 주겠다고 말했다. 우리는 함께 개선할 수 있는 부분을 살펴보았고, 그녀는 내가 할 수 있는 가장 좋은 운동과 식단 등에 대한 정보를 찾는 데 도움을 주었다.

혈액검사 결과 내 콜레스테롤 수치는 정상보다 높은 것으로 나타났다. 이 결과에 대해 나는 진심으로 걱정했고, 이를 간호사에게 표현했다. 나는 이러한 건강상태로 인해 죽게 될까 봐 걱정했다. 그녀는 때때로 약물이 체중증가 외에 이러한 문제를 일으킬 수 있다고 말해주었다. 그녀는 내가 과거에 시도한 것들이 효과가 없었음에도 불구하고 내 건강에 변화를 줄 수 있다며 나를 안심시켰다. 그녀는 다음 정신과 진료 예약에 나와 함께 병원에 동행했고 약물을 변경하는 데 도움을 주었다. 의사는 동의했고 처방약을 aripiprazole로 바꿔주었다.

그런 다음 간호사는 단기적인 목표를 위해 노력하자고 제안했다. 우리는 체중 증가를 막는 것으로 시작하여 체력 수준을 높이고 영양 섭취를 개선하는 더 많은 목표를 세웠다. 나는 살을 뺄 수 있다는 사실을 알게 되었고, 이러한 지원과 격려가 이전에 포기했던 많은 일에 동기부여를 해주었다는 것을 알았다.

2년 반 후에 나는 체중을 모두 감량하여 지금은 정신과 치료 전과 거의 비슷하다. 나는 지금 훨씬 더 행복하고 더 많은 에너지를 가지고 있다. 콜레스테롤 수치 역시 정상으로 돌아왔고 예전처럼 신체건강 문제에 대한 부담을 느끼지 않는다.

다. 중증 정신질환자의 CVD 사망률은 높지만, 전문적인 중재나 순환기 약물 치료를 덜 받는다. 연구에 따르면 조현병 환자가 이상지질혈증 및 고혈압에 대해 적절하게 선별 및 치료되지 않고 있는 것으로 나타났다. 또한 우울증은 관상동맥심장 질환의 이환율과 사망률을 악화시키는 독립적인 위험인자로 알려져 있다.

중증 정신질환자는 스텐트 삽입 및 관상동맥우회술과 같은 외과적 중재의 비율이 상당히 낮다. 이처럼 의료서비스 접근의 어려움으로 인해 중증 정신질환자의 심부전이나 급성심혈관 질환 발생시 사망율이 높아진다.

체중 증가 및 비만 관련 기전 외에도 항정신병약물은 CVD 위험을 악화시키는 데 직접적인 영향이 있는 것으로 보인다. 제2형 당뇨병 길항제는 인슐린 저항성 발병에 직접적인 영향을 미치는 항정신병 약물에 의해 유발될 수 있다. 높은 용량의 항정신병약물은 관상동맥심장 질환 및 뇌혈관 질환으로 인한 사망위험을 높이는 예측요인이다. 대부분의 항정신병약물과 일부 항우울제는 심전도의 QTc 연장으로 알려진 심장주기 변화와 관련이 있다. 연장된 QTc는 환자를 염전성 심실빈맥, 심실세동 및 돌연사와 같은 심각한 위험에 빠뜨린다.

비판적 사고 과제 9.2

중증정신질환자의 신체건강 문제에 대한 선별 및 중재를 누가 책임져야 하는가? 간호사의 업무범위, 역량 및 행동강령에 대한 표준은 앞의 책임에 대한 생각과 행동에 어떤 영향을 미치는지 이야기해 본다.

심장대사 건강의 관리

대사 건강에 대한 선별검사가 중요하지만 문제가 발생된 후 조치를 취하지 않으면 거의 도움이 되지 않는다. 간호사가 대사 건강을 '검사하는 것이 아니라 중재'하는 것이 중요하다. 심혈관 건강관리의 중심에는 생활방식 중재가 있다. 간호사는 금연(간호사 이야기 9.1 참조), 신체활동 및 건강한 영양 섭취에 관한 생활방식에 대하여 조언하고 실행시킬 수 있는 좋은 위치에 있다. 중증 정신질환자는 생활방식의 작은 변화로도 엄청난 이득을 얻을 수 있다. 긍정적인 심장대사 건강 알고리즘은 중증 정신질환자의 주요 사망원인을 관리하는 데 도움이 되도록 개발되었다. 그림 9.2를 참고한다.

비판적 사고 과제 9.3

HeAL 선언(박스 25.1)을 고려한 다음 그림 9.2의 심장대사 알고리즘과 박스 25.2의 대사증후군 선별방법을 사용하여 항정신병 약물 복용을 막 시작한 젊은 성인을 위한 간호계획을 수립한다. 개인에 맞게 계획을 세우려면 어떤 정보가 필요한지와 이 정보를 어떻게 얻을 것인지에 대해 토론해 보고 가장 중요하게 생각하는 것은 무엇인지와 이유에 대해 이야기해 본다.

핵심 간호중재

● 담배 관련 질병 및 금연

중증 정신질환자 사이에서는 매우 높은 흡연율이 관찰된다. 일반적으로 정신질환을 가진 인구는 비질환자 인구보다 흡연율이 2~3배 높으며, 특히 조현병과 양극성 장애를 가진 사람의 흡연비율이 높은 것으로 나타났다. 또한 정신질환자는 다른 흡연자보다 하루에 더 많은 담배를 피우고 더 깊이 흡입하여 중증 정신질환이 없는 흡연자보다 혈중 니코틴 수치가 더 높다.

담배 관련 질병은 중증 정신질환자에게서 볼 수 있는 총 사망원인의 약 절반을 차지했으며, 흡연은 조기사망에 기여하는 가장 높은 단일요인이다. 중증 정신질환자의 높은 흡연율은 암과 호흡기 질환의 발병위험을 높인다. 흡연은 비정형 항정신병 약물 사용과 관련된 체중 증가와 함께 CVD 위험을 증폭시키기 때문에 특히 문제가 될 수 있다.

중증 정신질환자의 높은 흡연율은 인생 초기, 종종 정신 질환 진단 이전에 발생하는 높은 흡연율과 점점 더 적어지는 성공적인 금연 시도에서 기인한다. 니코틴 수용체의 자극과 관련하여 조현병 환자의 흡연이 신경 인지에 긍정적인 효과를 보인다는 근거가 있다. 또한, 경피 니코틴 패치를 사용하면 우울한 기분이 개선되는 것으로 나타났다. 그러나 이러한 긍정적인 신경인지 효과를 보여주는 근거에 따라 중증 정신질환자의 담배 사용을 해결하는 것은 주요 임상 및 공중보건에서 다루어야 할 문제이지만 정신질환자의 담배 사용에 대한 임상적 관심은 제한적이다. 중증 정신질환자는 금연을 원하지 않는다는 일반적인 오해가 있다. 이러한 오해에도 불구하고 일반 흡연자와 같이 건강을 개선하기 위해 동기가 부여된 중증 정신질환자는 금연에 대한 강한 관심을 나타낸다. 금연에 대한 또 다른 동기는 주로 사회복지에서 파생되는 담배 소비에 대한 재정적 부담이다.

긍정적인 심장대사 건강

향정신성 약물을 복용하는 환자의 초기 중재 프레임워크

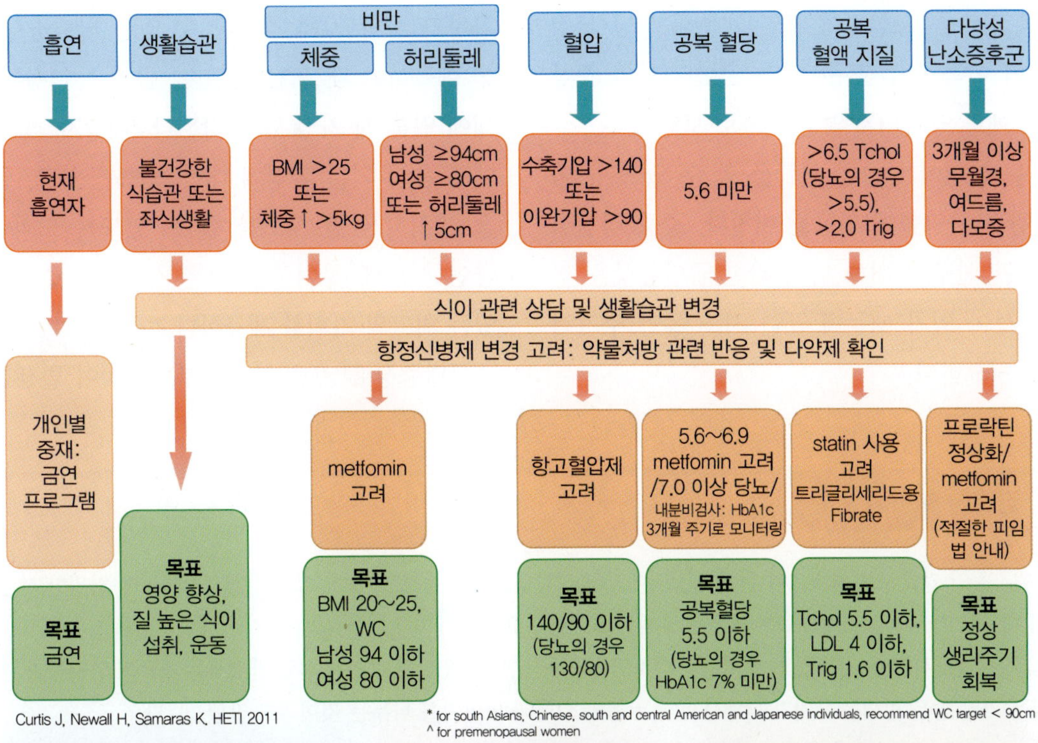

과거력: 흡연, 운동, 식이, 가족력FHx(당뇨, 비만 CVD), 임신성 당뇨, 인종, 다낭성 난소증후군

3개월 주기

검사: 체중, BMI, 허리둘레, 혈압

조사: 공복 혈당 및 지질, 총콜레스테롤(TChol), LDL, HDL, 중성지방(Trig)

비타민 D(1년에 2회)

중재

식이상담: 정크푸드 및 외식 줄이기, 체중 증가 예방 및 에너지 섭취 감소, 청량음료 및 주스 금지, 섬유질 섭취 증가

신체활동: 생활습관 교육 중재, 신체활동 권고(30분 걷기 등)

만약 3개월 이내에 목표달성에 실패한다면 약물 변경 고려

변경: 체중 증가가 적은/중립 약물로 변경, 진단 리뷰 및 항정신병 약물치료의 필요성에 대한 재고

선별만 하지 않고 **중재하기**

레드존의 모든 환자 대상

Screen cardiometabolic risk factors using screening tool (eg Waterreus, et al., 2009, Curtis, et al., 2009 SESLHD); examine and investigate 3 monthly on all clients on psychotropic medications.

NB additional considerations for those on mood stabilizers & clozapine not included here and need to be performed (eg medication plasma levels, TFT's UEC's, ECHO, etc)

Always involve general practitioner, and, where appropriate and possible refer to specialist (eg dietitian/ physician/ diabetic clinic/ exercise physiologist).

NB: Some drugs used in metabolic disease treatment are contraindicated in pregnancy (eg some antihypertensives and lipid lowering drugs). If your patient on any metabolic medications is considering pregnancy, please discuss with their GP

특정 약리학적 중재

metfomin 고려: 혈당조절 불능, PCOS, 비만 또는 지속적 체중 증가

metfomin 치료: 일주일 간 500mg의 반알을 아침 저녁 식전에 두 번 복용한 후 500mg 증량, 용량은 하루 3g까지 증량 가능, 의약 외 치료 진행, 만약 오심, 복통 등의 부작용 발생 시 식후 복용으로 변경

지질 감소 치료(PBS 가이드라인 사용)

콜레스테롤 저하를 위한 Statin 사용 시작 용량

중성지방 저하를 위한 Fibrate 치료

항고혈압제 치료: 다양한 약제 사용 가능 GP의 모니터링 요청

비타민 D:

50nmol/L 이하: 보충 저장: 하루에 콜레칼시페롤 4,000IU/day을 한 달 동안

maintenance: 1,000IU/daily. Target > 80nmol/L

References: Alberti K, Zimmet P, Shaw J. "The metabolic syndrome – a new worldwide definition". Lancet. 2005; 366: 1059–62. Correll, C. U., P. Manu, et al. "Cardiometabolic risk of second-generation antipsychotic medications during first-time use in children and adolescents". JAMA. 2009; 302: 1765–1773. De Hert M, Dekker JM, Wood D, et al. "Cardiovascular disease and diabetes in people with severe mental illness position statement from th e European Psychiatric Association (EPA), supported by the European Association for the Study of Diabetes (EASD) and the European Society of Cardiology (ESC)". European Psychiatry. 2009; 24: 412–24. Newall H, Myles N, Ward PB, Samaras K, Shiers D, Curtis J. "Efficacy of metformin for prevention of weight gain in psychiatric populations: a review". Int Clin Psychopharmacol. 2012; 27: 69–75. Newcomer JW, Hennekens CH. "Severe Mental Illness and Risk of Cardiovascular Disease". JAMA. 2007; 298: 1794–6. Waterreus AJ, Laugharne JD. "Screening for the metabolic syndrome in patients receiving antipsychotic treatment: a proposed algorithm". MJA. 2009; 190:185–9. Wu, R. R., J. P. Zhao, et al. "Lifestyle intervention and metformin for treatment of antipsychotic-induced weight gain: a randomized controlled trial". JAMA. 2008; 299: 185–193.

그림 9.2 긍정적인 심장 대사 건강 알고리즘

출처: *Curtis, J. E., et al., 2010*

금연은 성인과 청소년 모두를 위한 정신건강 프로그램 내에서 성공적으로 전달될 수 있다. 우울증 및 불안 증상 감소를 포함하여 금연을 통해 상당한 정신건강상의 이득을 얻을 수 있다. 정신질환의 증상은 금연 후에도 악화되지 않는 것으로 보인다.

간호사는 금연에 중요한 역할을 할 수 있으며, 이는 담배 관련 사망률에 영향을 미친다. 중증 정신질환자는 일반 인구에 비해 더 심각한 금단증상을 경험할 가능성이 있기 때문에 금연 시도 동안 추가적인 지원이 필요하다.

대상자의 현재 흡연상태, 니코틴 의존도 및 이전 금연 시도를 평가해야 한다. 니코틴 의존도 평가는 환자가 금연할 때 경험할 수 있는 금단증상의 수준을 예측하는 데 도움이 된다. 금연은 안정된 정신상태에 있을 때 가장 잘 시작된다. 대상자 스스로 금연에 도움이 되는 과정에 대한 정보를 얻고, 금연계획을 세워서 금연 시도를 할 수 있도록 도와야 한다. 금연 시도에 참여하는 것은 성공적으로 금연할 수 있는 최고의 기회를 제공한다.

금단증상(예 우울 및 안절부절못함)이 발생할 때 대

간호사 이야기 9.1

M은 27년 동안 간호사로 일했으며 현재 정신과에서 급성입원환자를 돌보고 있다. 그는 정신건강병동에 입원한 사람들이 금연에 대처하고 금연을 독려하도록 돕는 프로젝트를 진행하고 있다.

'처음 정신간호사 일을 시작했을 때 저는 흡연자였습니다. 당시 함께 일하고 있던 선임 간호사는 병동의 환자들과 관계를 구축하는 가장 좋은 방법은 우리가 담배를 피우는 동안 그들과 이야기를 나누는 것이라고 말했습니다.'

M은 15년 전 그의 숙모가 폐암으로 사망하는 것을 목격한 후 담배를 끊었다.

'나는 이모가 겪고 있는 일을 보았고 그것은 끔찍했습니다. 그녀는 너무 많은 고통을 겪었습니다. 나는 그때 건강을 위해 금연을 해야 한다고 결정했습니다. 그래서 금연을 시작했습니다. 특히 직장에서 담배를 피우는 사람들과 함께하는 것이 쉽지 않았습니다. 그래도 끈질기게 버텼습니다.'

M은 금연 후 얻은 것과 동일한 혜택을 간호하는 환자들이 경험하도록 간호중재를 시작했다. 정신건강의학과에서의 금연에 대해 들었을 때 그는 그것이 이상적인 기회라고 생각했다.

'나는 속으로 생각했습니다. 그들이 병동에 입원해 있는 동안 담배를 피우는 것을 허용하지 않는 것이 담배를 끊기 위한 계기가 될 수도 있다고 생각했다. 니코틴 금단현상의 최악은 처음 며칠입니다. 그래서 그들이 그것을 극복할 수 있다면 분명히 금연은 의미가 있을 것이라 생각했습니다. 나는 왜 그들이 완전히 금연하지 못했는지에 대해 생각하고 니코틴 금단증상에 익숙해지고 니코틴 대체요법을 적절하게 중재하는 방법을 배웠습니다.'

M이 이러한 간호계획에 따라 다른 간호사들도 금연에 관심을 갖고 프로그램에 참여하게 되었다. 이것은 M이 근무 중일 때뿐만 아니라 흡연 문제를 해결하는 훨씬 더 포괄적인 접근방식으로 이어졌다.

'중재의 핵심은 니코틴 금단증상을 겪고 있는 환자들에게 적절한 지원을 제공하는 것이었습니다. 니코틴 대체요법은 갈망을 완전히 멈추게 하지 못하며, 금단증상에 관하여 환자들과 이야기하는 것이 정말 도움이 되었습니다.'

이 프로그램은 많은 사람이 성공적으로 금연하고 다시 흡연하지 않는 등의 상당한 성공을 거두었다. M은 프로그램 기획과 관련된 상을 수상했다.

'담배를 금지하는 것은 잔인하지만 사람들에게 병동에서 "흡연시간"을 주는 것은 흡연의 절차를 다시 시작하는 것입니다. 결국 사람에게 이익이 없다면 사람들을 금연시키는 것이 무슨 의미가 있습니까? 우리가 발견한 것은 많은 사람들이 실제로 흡연을 그만두고 싶어했고 과거에는 그것이 정말로 어렵다는 것을 알았다는 것입니다. 금단 증상을 좋아하는 사람은 아무도 없지만, 돌이켜보면 실제로 금연 과정을 제대로 시작할 수 있도록 지원해 준 것에 대해 매우 감사한 경우가 많았습니다.'

처하는 방법이 포함된 금연상담을 통해 금연계획을 지원해야 한다. 약리학적 지원이 제공되어야 하며, 경미한 담배 의존이 있을 때 니코틴 대체요법 또는 bupropion을 사용할 수 있다. 담배 사용을 중단하면 일부 약물(예 olanzapine과 clozapine) 대사에 영향을 미칠 수도 있다. 이것이 흡연의 이유가 되어서는 안 되며, 정신과 약물의 잠재적인 부작용 증가에 대한 주의 깊은 모니터링이 필요하다.

중증 정신질환자의 흡연 중재를 할 때에는 담배의 빈도나 강도를 줄이거나, 니코틴 흡수에 대한 대안적인 방법으로 바꾸는 것과 같이 피해를 줄일 수 있는 중재들이 포함되어야 한다. 이러한 중재는 아직 금연할 준비가 되지 않았거나 과거 금연 시도에서 심각한 어려움에 직면한 중증 정신질환자에게 필요하다.

사회 · 경제적 불이익 및 인지장애와 같은 요인은 중증 정신질환자에게 흔하게 나타난다. 가족과 동료로부터의 사회적 지지 부재는 일부 환자에게 금연을 훨씬 더 어렵게 만든다. 또한 일부 조현병 환자는 니코틴이 질병의 부정적인 증상을 줄이고 인지를 개선하거나 항정신병 약물로 인한 부작용을 완화하기 위한 자가약물로 사용될 수도 있다. 금연과 함께 조현병 환자는 체중 증가와 대사위험 증가를 방지하기 위해 운동을 장려해야 한다. 간호사는 금연 후 최소 6개월 동안 환자의 약물 및 체중 변동을 주의 깊게 모니터링해야 한다. 유용한 조언과 지원은 보건복지부의 금연길라잡이 웹사이트(https://www.nosmokeguide.go.kr/index.do)를 통해 얻을 수 있다.

비판적 사고 과제 9.4

다음 질문에 대해 토론해 본다. '정신질환자는 인생의 즐거움이 별로 없는데 왜 담배를 끊도록 해서 이러한 즐거움을 빼앗으려고 하는가?'

● 영양

정신건강 치료에서의 영양요법은 학술 및 임상 분야에서 빠르게 성장하고 있으며, 전문가들은 영양의학이 정신건강서비스의 주류가 되어야 한다고 주장한다. 중증 정신질환자는 비질환자에 비해 영양상태와 식단이 좋지 않다. 이는 정신질환자들에게 심각한 체중 증가, 그에 따른 열악한 심장대사 및 사망률 격차에 영향을 미치는 중요하고도 예방 가능한 요소이다.

중증정신질환자는 일반적으로 비질환자에 비해 과일과 섬유질이 적고 포화지방이 많은 식단을 섭취한다. 관련 연구에서는 중증 정신질환자의 칼로리 섭취량이 비질환자에 비해 더 높은 반면, 채소, 콩류 및 유제품이 포함된 식단은 더 적다는 증거도 나타났다.

항정신병약물의 치료를 받는 사람들(특히 clozapnie과 olanzapine)은 일반적으로 허기가 증가하고 포만감을 느끼지 못한다고 불평한다. 이러한 약물들은 배고픔과 포만감을 조절하는 그렐린(ghrelin)과 렙틴(leptin) 호르몬에 영향을 미칠 수 있다. 항정신병약물을 사용하는 환자 중 렙틴 수치가 가장 많이 증가한 환자에게서 가장 많은 체중 증가를 확인할 수 있었다.

이러한 요인들이 설탕이나 가공된 기름진 음식에 대한 끊임없는 갈망, 미숙한 식사준비, 건강식에 대한 동기 부족 및 일부 재정의 부족 등은 체중 증가와 불건강한 대사를 일으키는 주요 원인이 된다. 추가적으로 기분저하와 우울증은 과식과 '간단한' 섭식으로 이어질 수 있다. 또한 중증 정신질환자는 일반 인구보다 기초대사율이 낮아 급격한 체중 증가를 경험한다. 이러한 환자에게 고려해야 할 상항으로 공복증후군, 하루 한끼 식사와 같은 불규칙한 식사습관, 변비, 심한 구강문제 및 만성 소화기 질병 등이 있다.

이러한 식이패턴과 영양학적 부작용을 감안할 때, 주요 식품(core food)을 늘리고 가공식품(discretionary food)을 줄여 칼로리 섭취를 조절하고 식이품질을 향상시키는 것을 목표로 하는 중재는 중증 정신질환자의 신체건강을 개선하는 핵심 요소라고 볼 수 있다. 주요 식품에는 (1) 채소, (2) 과일, (3) 우유, 치즈, 요구르트 및 대체식품, (4) 살코기, 생선, 가금류, 계란, 씨앗 및 견과류의 다섯 가지 식품군을 포함한다. 곡물, 올리브 오일과 같은 일부 건강에 좋은 오일도 포함된다. 가공식품은 고열량과 낮은 영양소를 말하며, 일반적으로는 고도로 가공되고 정제된 식품이다. 양질의 식단을 따르는 사람은 정신건강이 더 나은 반면 식단의 질이 낮은 사람은 정신적 기능이 더 나쁘다는 증거가 있다.

우울증 예방 및 증상을 감소시키고 정신건강에 유익한 식이패턴은 지중해식 식단이다. 지중해식 식단은 과일과 채소, 생선, 견과류/씨앗, 통곡물, 콩류, 올리브 오일, 페타 치즈, 특히 식사와 함께 적포도주를 적당히 섭취하는 데 중점을 둔다. 정신건강의 개선 외에도 이러한 식습관은 제2형 당뇨병과 CVD 모두를 예방하는 것으로 나타났다.

중증 정신질환에서 우려되는 주요 영양소는 카페인, 오메가-3 지방산, 엽산 및 마그네슘이다. 지나친 카페인 섭취는 수면장애와 불안감 등의 부작용을 일으킬 수 있어 우리나라의 식품의약품안전처에서는 성인의 경우 400mg 이하(커피 4잔 이하), 임산부는 300mg 이하, 어린이와 청소년은 체중 1kg당 2.5mg 이하(에너지음료 2캔 이하)의 카페인 일일섭취권고량을 설정하여 관리하고 있다. 그러나 중증 정신질환자의 카페인 섭취량은 여러 국가의 권장 섭취량보다는 적지만 비질환자와 비교할 때 더 높았으며(≥200mg), 특히 우울증과 알코올 사용장애의 경우 더 많은 카페인 섭취량(≥커피 5잔/일)을 보였다. 또한 낮은 수준의 오메가-3 지방산, 엽산 및 마그네슘은 우울증과 관련이 있으며, 보충제를 통한 섭취 증가는 치료의 효과적인 것으로 나타났다.

현재까지 중증 정신질환자에 대한 영양중재는 일반적으로 거의 없었다. 그러나 연구에 따르면 조기중재와 만성 질병 모두에 대한 영양중재가 건강위험을 감소시키는 것으로 나타났다. 향후 연구에서는 신체 측정, 생화학적 및 생활방식(영양 및 운동) 측정뿐만 아니라 삶의 질, 정신건강 증상 및 재입원률에 대한 장기적인 영향을 평가하고, 정신건강서비스의 핵심 구성요소로서 운동과 조합하여 영양중재의 사용을 뒷받침하는 충분한 근거를 마련해야 할 것이다.

영양중재와 지원은 일상적인 간호에 통합되어야 한다. 영양중재를 제공할 때 적절한 지식을 교육할 뿐만 아니라 식품구매, 영양성분표 읽기, 식품 안전 및 요리(음식 준비) 기술을 향상시키기 위해 교육적 요소와 실용적인 요소를 모두 제공하는 것이 중요하다. 배고픔 증가, 포만감 감소 및 영양가가 거의 없는 고칼로리 간편식품 및 음료에 대한 갈망에 취약한 환자의 경우 마음챙김 기반 활동도 보조중재가 될 수 있다.

● 신체활동

신체활동은 증가된 에너지 소비를 초래하는 모든 신체 움직임으로 정의할 수 있다. '신체활동'이라는 용어는 운동과 같은 구조화된 형태의 활동과 부수적인 활동과 같은 비구조화된 형태를 모두 포함한다. 정신질환자는 비질환자보다 신체적으로 움직임이 적고 장기간 앉아 있는 것으로 알려져 있다. 낮은 수준의 신체활동은 당뇨병 및 비만을 포함한 심장대사기능장애의 위험요소이다. 낮은 수준의 신체활동 외에도 정신질환자는 비질환자에 비해 심폐건강이 좋지 않으며, 이는 모든 원인으로 인한 사망 및 이환율의 위험요인이다. 정신질환자들의 CVD와 관련된 조기사망을 예방하기 위해서는 앉아 있는 시간을 줄이고 전반적인 활동을 늘리며, 중등도의 격렬한 신체활동 참여를 늘리는 것을 목표로 하는 근거기반 신체활동 중재가 일상적인 치료로 간주되어야 한다.

신체활동과 운동은 진단과 상관없이 정신과적 증상에 유익한 영향을 미치는 것으로 나타났으며, 인지 개선을 위한 운동의 이점에 대한 연구가 증가하고 있다. 종단 연구에서도 활동과 우울 증상 사이의 양방향 관계를 강조했으며, 신체활동이 우울증의 발병위험을 줄인다는 근거가 있다.

정신질환자의 신체활동을 늘리기 위한 근거기반 전략에는 동기강화 인터뷰, 대면 및 그룹 기반 운동 세션과 같은 행동기법이 포함된다. 또한 구조화된 운동처방과 개별화된 중재는 기분, 동기, 시설 및 자원에 대한 접근의 개인차를 반영한다. 운동은 일률적인 중재가 아니며, 다양한 개별요인을 고려하여 개별화된 운동중재를 개발하여야 한다. 신체적 제한 외에도 고려해야 할 요소는 정신과적 증상의 심각성, 이전 운동 이력, 개인이 수행할 수 있는 운동 방식 및 강도에 영향을 미칠 수 있는 서비스 또는 시설에 대한 동기 및 접근 가능성이다.

운동은 신체활동의 구조화된 하위분류이며, 운동처방은 일반적으로 적절한 목표설정 전략을 통합하면서 'FITT (Frequency Intensity Time Type)' 원칙(빈도, 강도, 시간 및 유형)에 따라 설명된다. 국제 정신건강 물리치료사기구(IOPTMH)는 성인이 주당 최소 2일 동안 근육강화활동에 추가하여 주당 150분의 중등도 신체활동 또는 75분의 중강도 신체활동을 목표로 할 것을 권장한다. 또한 IOPTMH는 강도에 관계없이 일정 수준의 신체활동은 아예 없는 것보다 낫다는 점에 주목하면서 환자가 신체활동을 하지 않는 것을 피해야 한다고 주장한다. 중증 정신질환자에게 이러한 신체활동 권장사항이 수행될 수 있도록 지원되고 권장되어야 한다. 그러나 이러한 권장사항이 중증 정신질환자에게는 거창하고 비현실적일 수 있다는 주장이 있다. 하루 종일 앉아 있는 시간을 없애고 짧은 시간 걷기를 늘리는 것과 같은 실용적인 목표에 대한 긍정적인 메시지를 일상적으로 홍보해야 한다. 정신간호사는 정신질환자에게 운동 중재와 신체활동 상담을 제공할 수 있는 좋은 위치에 있다. 실용적인 중재의 예에는 만보기(또는 구입 가능한 가속도계)를 통한 객관적인 모니터링 장치 사용과 가벼운 신체활동을 축적하기 위한 개별화된 중재(예 TV 광고 시간에 의자에서 일어나거나 움직이는 것, 하루에 지정된 포인트에서 정해진 시간에 5분 걷기)가 있다. 또한 입원환자가 시설 내 식당으로 걸어갈 때 더 먼 경로를 이용하게 하는 것이 포함될 수 있다. 이러한 제한된 중재는 사소해 보일 수 있지만, 작고 점진적인 변화를 장려하는 것은 중증 정신질환자의 짧은 중간 강도 활동을 전환하는 데 더 나은 방법일 수 있다. 중증정신질환자의 중간 강도의 활동으로 전환하는 것은 작지만 점진적인 변화를 가져오는 방법일 수 있다.

호흡기 질환

호흡기 질환은 1970년대까지 정신병원 사망의 주요 원인이었다. 오늘날 호흡기 질환은 중증 정신질환자에게 여전히 널리 퍼져 있다. 대략 3명 중 1명이 제한성 또는 폐쇄성 폐질환을 앓고 있으며, 유병률은 일반 인구의 두 배이다. 폐렴 발병 가능성도 상당히 높아진다. 이러한 상태는 중증 정신질환자에게 더 일반적일 뿐만 아니라 사망으로 이어질 가능성도 더 높다. 흡연은 호흡기 질환의 위험 증가와 밀접한 관련이 있으며, 특히 만성 폐쇄성 폐질환의 발병 및 진행과 혼합 형태의 천식에 영향을 미친다.

호흡기계 건강사정은 신체건강 사정의 필수 구성요소이며, 간호사는 경각심을 가지고 대상자의 호흡기 상태를 정기적으로 평가해야 한다. 증가된 심장대사 위험요소와 밀접하게 연결된 흡연과 같은 개선 가능한 위험요소를 고려하여 추가 중재와 지원이 필요할 수 있다. 신체활동은 폐기능 저하를 지연시킬 수 있으므로 촉진해야 한다. 인플루엔자는 심각한 호흡기 질환과 사망으로 이어질 수 있는 잠재적으로 관리 가능한 공중보건 문제이다. 일상적인 인플루엔자 예방접종은 중증 정신질환자에게 권장되어야 한다. 인플루엔자 예방접종에 대한 정보는 질병관리청 예방접종도우미 웹사이트(https://nip.kdca.go.kr/irgd/index.html)에서 쉽게 구할 수 있으며, 간호사는 함께하는 환자에게 백신을 접종하도록 해야 한다.

비판적 사고 과제 9.5

당신은 바쁘게 돌아가는 정신과 병동의 간호사이며, 인플루엔자 예방접종의 중요성을 알고 있다. 같은 부서원들과 환자의 예방 접종률을 향상시키기 위해 어떤 중재전략을 수립할 수 있는가?

구강건강

구강건강은 일반적인 건강과 안녕에 필수적이다. 구강건강은 식사, 외모, 언어 및 기타 사회적 · 정신적 요인에 영향을 미친다. 구강건강 문제에는 위생, 치아우식(충치), 치주질환, 치과 외상 및 구강암이 포함된다. 구강건강은 또한 심장대사 건강에 중요한 역할을 하며, 치주질환은 제2형 당뇨병, 관상동맥심장질환 및 뇌졸중의 위험을 증가시킨다. 중증 정신질환자는 일반인에 비해 구강건강 문제가 나타나는 비율이 훨씬 높다. 정신질환자가 구강건강 결과가 좋지 않은 이유는 다양하다. 많은 향정신성 약물은 구강에서 생성되는 타액의 양을 줄여 입을 마르게 하는 구강건조증을 유발할 수 있다. 구강건조증은 치주질환의 증가와 관련이 있다. 우울증, 의욕상실, 인지장애와 같은 정신질환의 증상은 치위생에 대한 무관심으로 이어질 수 있으며, 중증 정신질환자들의 경우 규칙적인 양치질 및 치실 사용 비율이 상당히 낮은 것으로 관찰된다. 중증 정신질환자는 또한 흡연과 탄산음료를 섭취할 가능성이 더 높으며, 이 두 가지 모두 치과질환의 원인이 되기도 한다.

구강건강의 간호관리

중증 정신질환자의 경우 치과질환의 위험이 높음에도 불구하고 예방 차원의 치과치료를 위해 치과진료를 받을 가능성이 비질환자보다 적다. 정신간호사는 치과서비스에 대한 접근을 장려하고 촉진하는 역할을 해야 한다. 환자가 치과 진료를 받기 위해서는 도움이 필요할 수 있다. 간호사가 임상적 상호작용을 통해 구강건강을 일반 건강의 중요한 부분으로 증진할 수 있는 기회로 활용하 는 것도 중요하다. 흡연, 다이어트, 알코올 사용 및 치과위생에 중점을 둔 건강증진은 일상적으로 정신 건강 간호에 통합되어야 한다.

비판적 사고 과제 9.6

개인의 구강건강에 영향을 미치는 사회적 · 경제적 요인을 고려하고 토론해 본다. 이러한 요인을 변경하기 위해 중재할 수 있는 간호 전략을 이야기해 본다.

정신질환 원인이 아닌 증상

혼란, 시력 문제 및 행동 변화는 많은 정신질환의 증상일 수 있지만 뇌종양, 전염병 및 탈수증의 일반적인 증상이기도 하다. 병력 청취 및 관련 검사를 포함하는 올바른 평가는 정확한 진단으로 이어지며 신체건강 문제를 놓치지 않게 해준다. 정신질환과 함께 나타 날 수 있는 다른 의학적 상태로는 윌슨병(유전성 대사장애), 그레이브스병 및 HIV가 있다.

사례연구 9.1

'몸을 마음에 새기다.'

시드니 본다이 센터에서 운영하는 조기 정신질환 프로그램에는 정신병 초기 단계에 있는 15~25세의 젊은 성인들이 참여한다. 지역사회 정신건강서비스 내에서 학제 간 모델에 의해 팀이 작업한다.

본다이 센터에서 정신질환의 첫 번째 삽화를 경험하는 젊은 대상자를 돌보는 간호사는 비정형 항정신병 약물이 정신질환의 많은 골치 아픈 증상을 완화시키는 데 성공했지만, 동시에 급격한 체중증가와 당뇨병 및 심장병의 장기 위험요인을 가지게 만들었다는 것을 알고 있다.

"우리는 체중 변화 및 기타 대사 이상을 측정하는 평가도구를 개발하여 이러한 경보에 대응했습니다. 우리가 발견한 것은 젊은 대상자들이 정신과 치료를 받은 첫 해에 일반적으로 10~20kg, 때로는 그 이상의 체중이 증가했으며, 이러한 체중 증가로 개인의 신진대사 상태가 급격히 악화되었다는 것입니다. 이러한 문제에는 높은 콜레스테롤과 고혈압이 있습니다. 혈당수치가 상승하여 이 젊은 대상자들이 당뇨병에 걸릴 위험이 훨씬 더 높아지기도 합니다."

간호사들은 또한 젊은 대상자가 낙인과 낮은 자존감을 경험하는 비율도 증가하고 있음을 알게 되었다. 정신질환 진단을 받고, 정신과 약물을 복용해야 한다는 사실뿐 아니라 변화된 체형에도 대처하려 하고 있었기 때문에 이는 '이중의 고난'과도 같았다. 이것은 개인생활에 영향을 미치고 업무, 학업 및 사회화에 영향을 미쳤다.

"사람들의 건강을 평가하는 것만으로는 충분하지 않다는 것을 깨달았습니다. 우리는 실제로 변화를 일으킬 필요가 있었기 때문에 '평가만 하지 말고 중재하라'는 슬로건을 채택했습니다."

여러 분야의 팀과 협력하여 간호사는 다양한 생활방식 중재와 'Keeping Body in Mind (KBIM)'라는 프로그램을 수립했다. 이 프로그램은 체중 증가에 수반되는 대사 건강 악화를 예방하는 것을 목표로 하여 향후 심장병과 당뇨병으로 이어질 수 있는 상황을 예방하는 것이었다. 이 프로그램은 임상간호사가 관리감독하고 운동생리학자, 영양사 및 동료 지원자를 활용하였다. 생활방식 중재 프로그램은 건강 코칭, 식이요법, 지원 및 감독자가 있는 운동 프로그램을 포함한 세 가지 요소를 가지고 상호 연결된 접근방식의 서비스를 제공한다. 각 참가자의 중재 프로그램은 개인에 맞게 조정할 수 있다.

이 프로그램은 최근 다른 초기 정신병 서비스와 비교하는 통제된 연구로서 평가되었다. KBIM 그룹의 참가자는 12주 개별화된 생활방식 프로그램을 제공받았고, 비교그룹(n = 12)은 표준치료를 받았다. 평가 연구에 따르면 KBIM 그룹은 표준치료(평균 7.8kg)에 비해 12주째 체중 증가(12주 동안 평균 1.8kg)가 상당히 적은 것으로 나타났다. 중재 그룹의 13%만이 임상적으로 유의한 체중 증가(기준 체중의 7% 이상)를 경험한 반면, 비중재 그룹은 75%였다.

수업참여를 위한 연습

1. 최적의 신체 건강을 유지하는 것은 다면적이고 웰빙에 필수적이며 간호사는 신체 건강 문제를 평가, 치료 및 예방하는 데 중요한 역할을 한다. 그룹을 구성하여 다음 진술에 대해 토론해 본다.
   - 성적 건강은 인간의 권리이다.
   - 대사증후군은 예방할 수 있다.
   - 구강 건강은 전반적인 건강의 중요한 부분이다.
   - 조현병 환자는 일반 인구보다 20~25년 일찍 사망할 가능성이 높다.
   - 중증정신질환은 당뇨병 진단만큼 심혈관 질환의 위험요소이다.
2. 그룹원과 협력하여 진술에 나열된 문제가 평가되고 처리되며 간과되지 않도록 간호 개입 및 전략을 개발한다. 파악한 전략을 구현하는 데 필요한 자원을 고려해 본다. 장벽이 있는지와 이러한 장벽을 어떻게 극복할 수 있을지 이야기해 본다.

단원 요약

- 중증 정신질환자는 사람은 거의 모든 만성건강상태에서 이환율과 사망률이 훨씬 더 높다. 이 장에서는 중증 정신질환자의 최적의 신체건강을 증진, 평가 및 유지하는 것의 중요성을 강조했다.
- 성건강, 구강건강, 수면, 대사증후군, CVD, 당뇨병 및 호흡기 질환과 같은 특정 건강평가가 강조되었다. 일상적인 건강검진을 포함한 완전한 신체평가는 전인적인 정신간호의 필수요소임을 기억하는것이 중요하다.
- 예방 가능한 질병과 질병상태를 개선하는 데 간호사가 할 수 있는 중요한 역할은 분명하다. 중증 정신질환자는 비질환자보다 훨씬 더 나쁜 신체건강 결과를 보인다. 중증 정신질환자가 현재 경험하고 있는 기대수명 격차를 개선하기 위해 정신간호사는 1차 건강 메시지와 중재를 통해 문제를 해결해야 한다.
- 금연, 식이요법 및 운동은 조기 CVD를 예방하는 데 결정적으로 필요한 핵심 중재이다. 신체건강의 다른 영역, 특히 호흡기, 성, 구강 및 수면의 선별 및 중재에 대한 인식과 옹호는 전반적인 삶의 질을 향상시키는 데 매우 중요하다.
- 신체건강 상태의 조기중재와 예방은 정신질환자의 결과를 개선하는 데 중요하다. 정신간호사는 신체건강 관리를 주요 책임 중 하나로 우선순위를 정해야 하며, 여기에는 시간을 내어 환자의 요구를 종합적인 방식으로 경청하고 지원하는 것이 포함된다.

● 유용한 웹사이트

식품의약품안전처 BMI계산기. https://www.foodsafetykorea.go.kr/portal/healthyfoodlife/bmiCalcurator.do?menu_no=399&menu_grp=MENU_GRP02

보건복지부 금연길라잡이. https://www.nosmokeguide.go.kr/index.do

질병관리청 예방접종도우미. https://nip.kdca.go.kr/irgd/index.html

대한비만학회. http://general.kosso.or.kr/html/

서울시 대사증후군 오락프로젝트. http://www.5check.or.kr/

Keeping the Body in Mind in Youth with Psychosis. http://www.iphys.org.au/

World Health Organization. http://www.who.int/en/

● 참고문헌

지역사회 정신질환자 건강수준, 건강행태 분석 및 신체건강증진을 위한 방안. 국립서울병원. 2012

Afonso, P., Figueira, M. L., Paiva, T. Sleep-wake patterns in schizophrenia patients compared to healthy controls. World J. Biol. Psychiatry. 2014; 15(7):517-524.

Alberti, K., Zimmet, P., Shaw, J. The metabolic syndrome-a new worldwide definition. Lancet. 2005; 366(9491):1059-1062.

Alvarez-Jiménez, M., González-Blanch, C., Crespo-Facorro, B., et al. Antipsychotic-induced weight gain in chronic and first-episode psychotic disorders: 360a systematic critical reappraisal. CNS Drugs. 2008; 22(7):547-562.

Aschbrenner, K. A., Brunette, M. F., McElvery, R., et al. Cigarette smoking and interest in quitting among overweight and obese adults with serious mental illness enrolled in a fitness intervention. J. Nerv. Ment. Dis.. 2015; 203(6):473-476.

Ashton, M., Rigby, A., Galletly, C. What do 1000 smokers with mental illness say about their tobacco use? Aust. N. Z. J. Psychiatry. 2013; 47(7):631-636.

Bak, M., Fransen, A., Janssen, J., et al, Almost all antipsychotics result in weight gain: a meta-analysis. PLoS ONE 9 4 2014 e94112

Begdache, L., Chaar, M., Sabounchi, N., et al. Assessment of dietary factors, dietary practices and exercise on mental distress in young adults versus matured adults: a cross-sectional study. Nutr. Neurosci.. 2019; 22(7):488-498.

Bella, A. J., Shamloul, R. Psychotropics and sexual dysfunction. Cent. European J. Urol.. 2013; 66(4):466.

Bort-Roig, J., Briones-Buixassa, L., Felez-Nobrega, M., et al. Sedentary behaviour associations with health outcomes in people with severe mental illness: a systematic review. Eur. J. Public Health. 2019; 30(1):150-157.

Brown, S. Excess mortality of schizophrenia: a meta-analysis. Br. J. Psychiatry. 1997; 171:502-508.

Brown, S., Kim, M., Mitchell, C., et al. Twenty-five year mortality of a community cohort with schizophrenia. Br. J. Psychiatry. 2010; 196(2):116-121.

Callaghan, R. C., Veldhuizen, S., Jeysingh, T., et al. Patterns of tobacco-related mortality among individuals diagnosed with schizophrenia, bipolar disorder, or depression. J. Psychiatr. Res.. 2014; 48(1):102-110.

Carroll, J. E., Irwin, M. R., Merkin, S. S., et al, Sleep and multisystem biological risk: a population-based study. PLoS ONE 10 2 2015 e0118467

Cimo, A., Dewa, C. S. Symptoms of mental illness and their impact on managing type 2 diabetes in adults. Can. J. Diabetes. 2018; 42(4):372-381.

Colten H.R., Altebogt B.M., eds. Sleep Disorders and Sleep Deprivation, an Unmet Public Health Problem. Washington, DC: The National Academies Press, 2006.

Cooper, S. J., Reynolds, G. P. BAP guidelines on the management of weight gain, metabolic disturbances and cardiovascular risk associated with psychosis and antipsychotic drug treatment. J. Psychopharmacol. (Oxford). 2016; 30(8):717-748.

Correll, C. U., Manu, P., Olshanskiy, V., et al. Cardiometabolic risk of second-generation antipsychotic medications during first-time use in children and adolescents. JAMA. 2009; 302(16):1765-1773.

Correll, C. U., Solmi, M., Veronese, N., et al. Prevalence, incidence and mortality from cardiovascular disease in patients with pooled and specific severe mental illness: a large-scale meta-analysis of 3,211,768 patients and 113,383,368 controls. World Psychiatry. 2017; 16(2):163-180.

Cuerda, C., Velasco, C., Merchan-Naranjo, J., et al. The effects of second-generation antipsychotics on food intake, resting energy expenditure and physical activity. Eur. J. Clin. Nutr.. 2014; 68(2):146-152.

Cuerda, C., Velasco, C., Merchán-Naranjo, J., et al. The effects of second-generation antipsychotics on food intake, resting energy expenditure and physical activity. Eur. J. Clin. Nutr.. 2013; 68:146-152.

Curtis, J., Newall, H. D., Samaras, K. The heart of the matter: cardiometabolic care in youth with psychosis. Early Interv. Psychiatry. 2012.

Curtis, J. E., Newall, H., Samaras, K. Positive cardiometabolic health: an early intervention framework for patients on psychotropic medications. Early Interv. Psychiatry. 2010; 4(Suppl. 1):60.

Curtis, J., Watkins, A., Rosenbaum, S., et al. Evaluating an individualized lifestyle and life skills intervention to prevent antipsychotic-induced weight gain in first-episode psychosis. Early Interv. Psychiatry. 2015; 10(3):267-276.

Curtis, J., Zhang, C., McGuigan, B., et al. y-QUIT: smoking prevalence, engagement and effectiveness of an individualized smoking cessation intervention in youth with severe mental illness. Front. Psychiatry. 2018; 9:683.

Darnton, R. Mesmerism and the End of the Enlightenment in France. Cambridge: Harvard University Press; 1968.

de Boer, M. K., Castelein, S., Wiersma, D., et al. The facts about sexual (dys) function in schizophrenia: an overview of clinically relevant findings. Schizophr. Bull.. 2015; 41(3):674-686.

De Hert, M., Vancampfort, D., Correll, C. U., et al. Guidelines for screening and monitoring of cardiometabolic risk in schizophrenia: systematic evaluation. Br. J. Psychiatry. 2011; 199(2):99-105.

de Wit, L. M., van Straten, A., Lamers, F., et al. Depressive and anxiety disorders: associated with losing or gaining weight over 2 years? Psychiatry Res.. 2015; 227(2):230-237.

Erlangsen, A., Andersen, P. K., Toender, A., et al. Cause-specific life-years lost in people with mental disorders: a nationwide, register-based cohort study. Lancet Psychiatry. 2017; 4(12):937-945.

Essock, S. M., Dowden, S., Constantine, N. T., et al. Blood-borne infections and persons with mental illness: risk factors for HIV, hepatitis B, and hepatitis C among persons with severe mental illness. Psychiatr. Serv.. 2014; 54(6):827-835.

Estruch, R., Ros, E., Salas-Salvadó, J., et al. Primary prevention of cardiovascular disease with a Mediterranean diet. N. Engl. J. Med.. 2013; 368(14):1279-1290.

Firth, J., Siddiqi, N., Koyanagi, A., et al. The Lancet Psychiatry Commission: a blueprint for protecting physical health in people with mental illness. Lancet Psychiatry. 2019; 6(8):675-712.

Firth, J., Stubbs, B., Teasdale, S. B., et al. Diet as a hot topic in psychiatry: a population-scale study of nutritional intake and inflammatory potential in severe mental illness. World Psychiatry. 2018; 17(3):365.

Gartner, C., Hall, W. Tobacco harm reduction in people with serious mental illnesses. Lancet Psychiatry. 2015; 2(6):485-487.

Gates, J., Killackey, E., Phillips, L., et al. Mental health starts with physical health: current status and future directions of non-pharmacological interventions to improve physical health in first-episode psychosis. Lancet Psychiatry. 2015; 2(8):726-742.

Gatov, E., Rosella, L., Chiu, M., et al. Trends in standardized mortality among individuals with schizophrenia, 1993-2012: a population-based, repeated cross-sectional study. CMAJ. 2017; 189(37):E1177-E1187.

Gilbody, S., Peckham, E., Man, M. S., et al. Bespoke smoking cessation for people with severe mental ill health (SCIMITAR): a pilot randomised controlled trial. Lancet Psychiatry. 2015; 2(5):395-402.

Glassman, A. H., Bigger, J. T., Jr. Antipsychotic drugs: prolonged QTc interval, torsade de pointes, and sudden death. Am. J. Psychiatry. 2014; 158(11):1774-1782.

Gordon-Dseagu, V. L., Mindell, J. S., Steptoe, A., et al. Impaired glucose metabolism among those with and without diagnosed diabetes and mortality: a cohort study using health survey for England data. PLoS ONE. 10(3), 2015.

Happell, B., Stanton, R., Hoey, W., et al. Cardiometabolic health nursing to improve health and primary care access in community mental health consumers: baseline physical health outcomes from a randomised controlled trial. Issues Ment. Health Nurs.. 2014; 35(2):114-121.

Hasan, S. S., Clavarino, A. M., Mamun, A. A., et al. Incidence and risk of diabetes mellitus associated with depressive symptoms in adults: evidence from longitudinal studies. Diabetes Metab. Syndr.. 2014; 8(2):82-87.

Hayes, J. F., Marston, L., Walters, K., et al. Mortality gap for people with bipolar disorder and schizophrenia: UK-based cohort study 2000-2014. Br. J. Psychiatry. 2017; 211(3):175-181.

Hendry, A., Snowden, A., Brown, M. When holistic care is not holistic enough: the role of sexual health in mental health settings. J. Clin. Nurs.. 2018; 27(5-6):1015-1027.

Hjorth, P., Davidsen, A., Kilian, R., et al. A systematic review of controlled interventions to reduce overweight and obesity in people with schizophrenia. Acta Psychiatr. Scand.. 2014; 130(4):279-289.

Holt, R. I., Mitchell, A. J. Diabetes mellitus and severe mental illness: mechanisms and clinical implications. Nat. Rev. Endocrinol.. 2014; 11(2):79-89.

Ignaszewski, M., Yip, A., Fitzpatrick, S. Schizophrenia and coronary artery disease. B. C. Med. J.. 2015; 57(4):154-157.

Jones, D. R., Macias, C., Barreira, P. J., et al. Prevalence, severity, and co-occurrence of chronic physical health problems of persons with serious mental illness. Psychiatr. Serv.. 2014;

55(11):1250 - 1257.

Kachur, R. E. The Internet Alert Project:spreading the word about high-risk sexual activities advertise on the Internet. AIDS care. 2004; 16(8): 971-976.

Kalucy, M. J., Grunstein, R., Lambert, T., et al. Obstructive sleep apnoea and schizophrenia: a research agenda. Sleep Med. Rev.. 2013; 17(5):357 - 365.

Kanady, J., Soehnera, A. M., Harvey, A. G. A retrospective examination of sleep disturbance across the course of bipolar disorder. J. Sleep Disord. Ther.. 2015; 4(2):193.

Kaur, J., A comprehensive review on metabolic syndrome. Cardiol. Res. Pract. 2014; 943162. doi:10.1155/2014/943162 [[Epub 2014 Mar 11].].

Kisely, S., Baghaie, H., Lalloo, R., et al. A systematic review and meta-analysis of the association between poor oral health and severe mental illness. Psychosom. Med.. 2015; 77(1):83 - 92.

Kisely, S., Quek, L. H., Pais, J., et al. Advanced dental disease in people with severe mental illness: systematic review and meta-analysis. Br. J. Psychiatry. 2011; 199(3):187 - 193.

Kraus, T., Haack, M., Schuld, A., et al. Body weight and leptin plasma levels during treatment with antipsychotic drugs. Am. J. Psychiatry. 2014; 156(2):312 - 314.

Langan, J., Smith, D. J. Cardiovascular morbidity and mortality in schizophrenia: implications for primary care. Prim. Care Cardiovasc. J.. 2014; 7(1):23.

Lawrence, D., Hancock, K. J., Kisely, S., The gap in life expectancy from preventable physical illness in psychiatric patients in Western Australia: retrospective analysis of population based registers. BMJ 2013; 346 f2539

Lederman, O., Suetani, S., Stanton, R., et al. Embedding exercise interventions as routine mental health care: implementation strategies in residential, inpatient and community settings. Australas. Psychiatry. 2017; 25(5):451 - 455.

Lee, J. S., Kwon, J. S., Kim, D., et al. Prevalence of metabolic syndrome in patient with schizophrenia in Korea: a multicenter nationwide cross-sectional study. Psychiatry investigation, 2017; 14(1):44.

Lichtman, J. H., Froelicher, E. S., Blumenthal, J. A., et al. Depression as a risk factor for poor prognosis among patients with acute coronary syndrome: systematic review and recommendations a scientific statement from the American Heart Association. Circulation. 2014; 129(12):1350 - 1369.

Lin, S. T., Chen, C. C., Tsang, H. Y., et al. Association between antipsychotic use and risk of acute myocardial 362infarction: a nationwide case-crossover study. Circulation. 2014; 130(3):235 - 243.

Lucatch, A. M., Lowe, D. J.E., Clark, R., et al. Neurobiological determinants of tobacco smoking in schizophrenia. Front. Psychiatry. 2018; 9:672.

Lum, A., Skelton, E., Wynne, O., et al. A systematic review of psychosocial barriers to smoking cessation in people living with schizophrenia. Front. Psychiatry. 2018; 9:565.

M, A. The nurse role in managing and treating sleep disorders. Nurs. Times. 2005; 101(23):34 - 37.

Mammen, G., Faulkner, G. Physical activity and the prevention of depression: a systematic review of prospective studies. Am. J. Prev. Med.. 2013; 45(5):649 - 657.

Manderbacka, K., Arffman, M., Lumme, S., et al. The effect of history of severe mental illness on mortality in colorectal cancer cases: a register-based cohort study. Acta Oncol. (Madr). 2018; 57(6):759 - 764.

Mather, B., Roche, M., Duffield, C. Disparities in treatment of people with mental disorder in non-psychiatric hospitals: a review of the literature. Arch. Psychiatr. Nurs.. 2014; 28(2):80 - 86.

McKee, J., Brahm, N. Medical mimics: differential diagnostic considerations for psychiatric symptoms. Ment. Health Clin.. 2016; 6(6):289 - 296.

McKibbin, C. L., Kitchen-Andren, K. A., Lee, A. A., et al. Oral health in adults with serious mental illness: needs for and perspectives on care. Community Ment. Health J.. 2015; 51(2):222 - 228.

Mineur, Y. S., Picciotto, M. R. Nicotine receptors and depression: revisiting and revising the cholinergic hypothesis. Trends Pharmacol. Sci.. 2010; 31(12):580 - 586.

Montejo, A. L., Montejo, L., Baldwin, D. S. The impact of severe mental disorders and psychotropic medications on sexual health and its implications for clinical management. World Psychiatry. 2018; 17(1):3 - 11.

Morgan, V., McGrath, J., Jablensky, A., et al. Psychosis prevalence and physical, metabolic and cognitive co-morbidity: data from the second Australian national survey of psychosis. Psychol. Med.. 2013; 44(10):2163 - 2176.

Moore, S., Shiers, D., Daly, B., et al. Promoting physical health for people with schizophrenia by reducing disparities in medical and dental care. Acta Psychiatr. Scand.. 2015; 132(2):109 - 121.

Myles, N., Newall, H. D., Curtis, J., et al. Tobacco use before, at, and after first-episode psychosis: a systematic meta-analysis. J. Clin. Psychiatry. 2012; 73(4):468 - 475.

National Health and Medical Research Council, Australian dietary guidelines. NHMRC, Canberra, 2013. Available from: https://www.nhmrc.gov.au/_files_nhmrc/file/publications/n55_australian_dietary_guideli

Pandor, A., Kaltenthaler, E., Higgins, A., et al. Sexual health risk reduction interventions for people with severe mental illness: a systematic review. BMC Public Health. 2015; 15(1):138.

Parletta, N., Zarnowiecki, D., Cho, J., et al. A Mediterranean-style dietary intervention supplemented with fish oil improves diet quality and mental health in people with depression: a randomized controlled trial (HELFIMED). Nutr. Neurosci.. 2019; 22(7):474-487.

Park, S. M., Kim, J. Y., Go, S. H. The sexual knowledge, sexual attitude and sexual behavior of psychiatric patients. Journal of Digital Convergence. 2017; 15(9):261-271.

Partti, K., Vasankari, T., Kanervisto, M., et al. Lung function and respiratory diseases in people with psychosis: population-based study. Br. J. Psychiatry. 2015; 1:9.

Peckham, E., Brabyn, S., Cook, L., et al. Smoking cessation in severe mental ill health: what works? an updated systematic review and meta-analysis. BMC Psychiatry. 2017; 17(1):252.

Pinto Pereira, S. M., Geoffroy, M., Power, C. Depressive symptoms and physical activity during 3 decades in adult life: bidirectional associations in a prospective cohort study. JAMA Psychiatry. 2014; 71(12):1373-1380.

Plante, D. T., Winkelman, J. W. Sleep disturbance in bipolar disorder: therapeutic implications. Am. J. Psychiatry. 2008; 165(7):830-843.

Potvin, S., Zhornitsky, S., Stip, E. Antipsychotic-induced changes in blood levels of leptin in schizophrenia: a meta-analysis. Can. J. Psychiatry. 2015; 60(3 Suppl. 2):S26.

Quinne, C., Browne, G. Sexuality of people living with a mental illness: a collaborative challenge for mental health nurses. Int. J. Ment. Health Nurs.. 2009; 18(3):195-203.

Rathmann, W., Pscherer, S., Konrad, M., et al. Diabetes treatment in people with type 2 diabetes and schizophrenia: retrospective primary care database analyses. Prim. Care Diabetes. 2015; 10(1):36-40.

Reilly, S., Olier, I., Planner, C., et al, Inequalities in physical comorbidity: a longitudinal comparative cohort study of people with severe mental illness in the UK. BMJ Open 5 12 2015 e009010

Reininghaus, U., Dutta, R., Dazzan, P., et al. Mortality in schizophrenia and other psychoses: a 10-year follow-up of the æsop first-episode cohort. Schizophr. Bull.. 2015; 41(3):664-673.

Ribe, A. R., Laursen, T. M., Sandbæk, A., et al. Long-term mortality of persons with severe mental illness and diabetes: a population-based cohort study in Denmark. Psychol. Med.. 2014; 44(14):3097-3107.

Ringen, P. A., Engh, J. A., Birkenaes, A. B., et al. Increased mortality in schizophrenia due to cardiovascular disease - a non-systematic review of epidemiology, possible causes, and interventions. Front. Psychiatry. 2014; 5:137.

Rosenbaum, S., Tiedemann, A., Sherrington, C., et al. Physical activity interventions for people with mental illness: a systematic review and meta-analysis. J. Clin. Psychiatry. 2014; 75(9):964-974.

Ruhrmann, S., Schultze-Lutter, F., Salokangas, R. K., et al. Prediction of psychosis in adolescents and young adults at high risk: results from the prospective European prediction of psychosis study. Arch. Gen. Psychiatry. 2010; 67(3):241-251.

Rüther, T., Bobes, J., De Hert, M., et al. EPA Guidance on tobacco dependence and strategies for smoking cessation in people with mental illness. Eur. Psychiatry. 2014; 29(2):65-82.

Sarris, J., Logan, A. C., Akbaraly, T. N., et al. Nutritional medicine as mainstream in psychiatry. Lancet Psychiatry. 2015; 2(3):271-274.

Schoepf, D., Uppal, H., Potluri, R., et al. Physical comorbidity and its relevance on mortality in schizophrenia: a naturalistic 12-year follow-up in general hospital admissions. Eur. Arch. Psychiatry Clin. Neurosci.. 2014; 264(1):3-28.

Schroeder, S. A. Smoking cessation should be an integral part of serious mental illness treatment. World Psychiatry, 2016; 15(2):175.

Schuch, F., Vancampfort, D., Firth, J., et al. Physical activity and sedentary behavior in people with major depressive disorder: a systematic review and meta-analysis. J. Affect. Disord.. 2017; 210:139-150.

Shanahan, L., Copeland, W. E., Angold, A., et al. Sleep problems predict and are predicted by generalized anxiety/depression and oppositional defiant disorder. J. Am. Acad. Child Adolesc. Psychiatry. 2014; 53(5):550-558.

Smith, K., Deschênes, S. S., Schmitz, N. Investigating the longitudinal association between diabetes and anxiety: a systematic review and meta-analysis. Diabet. Med.. 2018; 35(6):677-693.

Smith, P. H., Mazure, C. M., McKee, S. A. Smoking and mental illness in the US population. Tob. Control. 2014; 23(e2):e147-e153.

Smith, P.F., Smith, Andrew, Miners, John, et al., 2000. Safety Aspects of Dietary Caffeine - Report from the Expert Working

Group. Australia and New Zealand Food Authority. 20 – 3.

Sommer, I. E., Kahn, R. S. The magic of movement: the potential of exercise to improve cognition. Schizophr. Bull.. 2015; 41(4):776 – 778.

Spiegelhalder, K., Regen, W., Nanovska, S., et al. Comorbid sleep disorders in neuropsychiatric disorders across the life cycle. Curr. Psychiatry Rep.. 2013; 15(6):364.

Stanton, R., Reaburn, P., Happell, B. Barriers to exercise prescription and participation in people with mental illness: the perspectives of nurses working in mental health. J. Psychiatr. Ment. Health Nurs.. 2015; 22(6):440 – 448.

Stubbs, B., Firth, J., Berry, A., et al. How much physical activity do people with schizophrenia engage in? A systematic review, comparative meta–analysis and meta–regression. Schizophr. Res.. 2016; 176(2 – 3):431 – 440.

Stubbs, B., Koyanagi, A., Schuch, F., et al. Physical activity levels and psychosis: a mediation analysis of factors influencing physical activity target achievement among 204 186 people across 46 low–and middle–income countries. Schizophr. Bull.. 2017; 43(3):536 – 545.

Sun, M. J., Jang, M. H. Risk factors of metabolic syndrome in community–dwelling people with schizophrenia. International Journal of Environmental Research and Public Health. 2020; 17(18):6700.

Stubbs, B., Vancampfort, D., De Hert, M., et al. The prevalence and predictors of type two diabetes mellitus in people with schizophrenia: a systematic review and comparative meta–analysis. Acta Psychiatr. Scand.. 2015; 132(2):144 – 157.

Tang, L. R., Zheng, W., Zhu, H., et al. Self–reported and interviewer–rated oral health in patients with schizophrenia, bipolar disorder, and major depressive disorder. Perspect. Psychiatr. Care. 2015; 52(1):4 – 11.

Tanskanen, A., Tiihonen, J., Taipale, H. Mortality in schizophrenia: 30–year nationwide follow–up study. Acta Psychiatr. Scand.. 2018; 138(6):492 – 499.

Taylor, G., McNeill, A., Girling, A., et al, Change in mental health after smoking cessation: systematic review and meta–analysis. BMJ 2014; 348 g1151

Teasdale, S. B., Ward, P. B., Samaras, K., et al. Dietary intake of people with severe mental illness: systematic review and meta–analysis. Br. J. Psychiatry. 2019; 214(5):251 – 259.

Teasdale, S. B., Ward, P. B., Rosenbaum, S., et al. Solving a weighty problem: systematic review and meta–analysis of nutrition interventions in severe mental illness. Br. J. Psychiatry. 2017; 210(2):110 – 118.

Teasdale, S. B., Ward, P. B., Rosenbaum, S., et al. A nutrition intervention is effective in improving dietary components linked to cardiometabolic risk in youth with first–episode psychosis. Br. J. Nutr.. 2016; 115(11):1987 – 1993.

Thornicroft, G. Physical health disparities and mental illness: the scandal of premature mortality. Br. J. Psychiatry. 2011; 199(6):441 – 442.

Tobin, T., Tobin, M. L. Staying awake and aware: the importance of sleep in psychiatric nursing practice. Issues Ment. Health Nurs.. 2017; 38(11):924 – 929.

Todd, R. A., Lewin, A. M., Bresee, L. C., et al. Coronary artery disease in adults with schizophrenia: anatomy, treatment and outcomes. Int. J. Cardiol. Heart Vessel.. 2014; 4:84 – 89.

Urry, K., Chur–Hansen, A., Khaw, C. 'It's just a peripheral issue': a qualitative analysis of mental health clinicians' accounts of (not) addressing sexuality in their work. Int. J. Ment. Health Nurs.. 2019; 28(6):1278 – 1287.

Vancampfort, D., Correll, C. U., Galling, B., et al. Diabetes mellitus in people with schizophrenia, bipolar disorder and major depressive disorder: a systematic review and large scale meta–analysis. World Psychiatry. 2016; 15(2):166 – 174.

Vancampfort, D., Stubbs, B., Ward, P. B., et al. Why moving more should be promoted for severe mental illness. Lancet Psychiatry. 2015; 2(4):295.

Vancampfort, D., Stubbs, B., Ward, P., et al. Integrating physical activity as medicine in the care of people with severe mental illness. Aust. N. Z. J. Psychiatry. 2015; 49(8):681 – 682.

Vancampfort, D., De Hert, M., Skjerven, L., et al. International Organization of Physical Therapy in Mental Health consensus on physical activity within multidisciplinary rehabilitation programmes for minimising cardio–metabolic risk in patients with schizophrenia. Disabil. Rehabil.. 2012; 34(1):1 – 12.

Vancampfort, D. Firth, J. Schuch, F. B., et al. Sedentary behavior and physical activity levels in people with schizophrenia, bipolar disorder and major depressive disorder : a global systematic review and meta–analysis. World Psychiatry, 2017; 16(3):308–315.

Watkins, A. Keeping the body in mind. Aust. Nurs. Midwifery J.. 2014; 21(11):44 – 45.

Wing, V. C., Wass, C. E., Soh, D. W., et al. A review of neurobiological vulnerability factors and treatment implications for comorbid tobacco dependence in schizophrenia. Ann. N. Y. Acad. Sci.. 2012; 1248(1):89 – 106.

World Health Organization (WHO). Mental health Action Plan 2013 – 2020. Geneva: WHO; 2013.

World Health Organization (WHO), The right to health: fact sheet no. 31. WHO, Geneva, 2008. https://www.who.int/hhr/activities/Right_to_Health_factsheet31.pdf?ua=1

CHAPTER 10

불안장애

Anxiety

주요 내용

- 불안은 스트레스 요인이나 위협에 직면했을 때 여러 가지 적응 반응을 이끌어내기 위한 기능에 있어 필수적인 보호적 감정이다. 불안은 삶의 질과 기능에 중요한 영향을 미치며 몇몇 사람에게는 문제를 유발시킬 수 있다.
- 불안장애가 있는 대부분의 사람은 1차 보건 환경에서 치료와 지원을 받는다. 그러나 불안장애는 물질 사용, 우울장애 및 자살충동과 같은 중복이환을 가진 경우가 많다.
- 인지행동치료와 수용전념치료 같은 치료는 불안, 외상 및 스트레스 관련 장애에 대한 근거 기반 치료이다. 더 심각하고 복잡한 증상은 정신 및 약물치료를 병행할 수 있다.
- 간호사는 불안, 외상 및 스트레스 관련 장애가 있는 사람을 사정하고 정신건강교육, 사회경제적 지원 및 심리적 중재를 제공하고 협력적 치료관계를 발전시킬 수 있는 좋은 위치에 있다.

주요 용어

- 과각성(hyperarousal)
- 과잉경계(hypervigilance)
- 만성적 스트레스(chronic stress)
- 반추(rumination)
- 스트레스 반응(stress response)
- 스트레스 요인(stressor)
- 시상하부–뇌하수체–부신(HPA)축[hypothalamus – pituitary – adrenal (HPA) axis]
- 심리적 중재(psychological interventions)
- 외상후스트레스장애(post–traumatic stress disorder)
- 인지(cognitions)
- 침습적인 불안한 생각(intrusive anxious thoughts)
- 외상 기반 간호(trauma–informed care)
- 회피 행동(avoidance behaviours)

학습 목표

이 단원을 통해 다음을 수행할 수 있다.

- 진화론적, 적응적, 기능적 관점에서 불안을 이해한다.
- 스트레스와 불안의 원인, 작용기전을 설명한다.
- 정상적인 스트레스 반응으로서의 불안과 불안장애 사이의 경계를 인식한다.
- 특정 불안장애의 진단적 증상과 특징을 설명한다.
- 불안을 나타내는 대상자 사정에서 고려할 사항에 대해 이해하고 불안장애의 고통과 증상 완화를 위한 적절한 중재를 적용한다.

서론

불안장애가 무엇인지 임상적으로 정의하고 이해하려면 먼저 인간의 경험 안에서 자연적으로 발생하는 불안을 살펴봐야 한다. 불안은 잠재적으로 위험한 자극에 대한 필수 반응의 식별 및 개발을 허용하는 진화론적 생존 특성이다. 불안은 자극적 상황에서 인지된 위험 수준을 줄이기 위해서 인지적 · 생리적 반응 및 행동 반응과 관련된 미래지향적 기분 상태로 정의될 수 있다.

일반적으로 투쟁/도피/각성 반응으로 알려진 스트레스 기반의 반응은 인간이 일생 동안 경험하게 되는 수많은 상황에 직면했을 때 필수 불가결한 것이다.

불안은 생존을 보장하는 반응으로 개인의 삶에 지속적인 수준의 고통과 손상을 유발하는 반응으로 변화할 수 있다. 연속적이고 기능적인 프레임워크 내에서 불안과 공포 반응을 인식하는 것은 불안장애를 표준화하고 불안장애의 존재 여부의 더 나은 사정을 위해 대상자와 함께 하도록 돕는다.

이 장에서는 불안 반응 중에 발생하는 복잡한 상호작용을 확인하고 다양한 불안, 외상 및 스트레스 관련 장애, 일반적인 증상 및 현재 사용 가능한 근거 기반 치료를 살펴본다. 또한 외상 및 어린 시절의 불행한 사건을 포함하는 과거의 경험과 중요한 사건에 의해 형성되는 불안의 일부 내적 반응사건을 유발하는 계기와 강화요소를 탐구한다. 증상에 대한 간략한 개요는 **표 9.1**에 정리하였다.

외상 기반 관점에서 불안감을 살필 수 있다는 것은 간호사가 불안의 기원과 기능을 더 잘 고려하는 데 도움이 되어 훨씬 더 지원적이고 효과적인 치료를 제공할 수 있도록 한다.

스트레스, 두려움, 불안의 병인론

스트레스, 두려움, 불안은 스트레스 요인에 반응하여 발생하는 정상적인 내적 경험이다. 스트레스 요인은 인간의 마음 속에서 스트레스 반응을 촉진하는 내적 · 외적 자극으로 정의될 수 있다. 역사적으로 인간은 종족의 전쟁에서부터 기근과 같이 자연적으로 발생하는 환경적 위험에 이르기까지 생명을 위협하는 수많은 상황에 정기적으로 노출되어 왔다. 우리는 진화 속에서 스트레스, 두려움, 불안의 역할을 연구할 때, 위험에 직면했을 때 조기인식, 생리학적 기폭제 및 행동 적응을 가능하게 하는 고유의 방법을 포함한 시스템을 알 수 있게 된다. 생존을 위해 인간의 뇌는 위협에 즉각적 대응에 대한 정보를 학습하고 저장하는 능력을 개발하였다. 인간의 행동은 우리의 스트레스 반응 시스템에 의해 형성되며, 바로 이 시스템이 불안장애와 다른 대부분의 정신장애 발병과 관련되어 있다.

스트레스에 대한 생리적 반응은 신체의 거의 모든 계통을 포함하는 무수히 많은 복잡한 피드백 기전이다. 스트레스 반응의 초기 과정은 중추신경계 내에 위치한 시상하부에서 담당한다. 들어오는 감각정보는 빠른 준비반응을 위해 편도체로 직접 보내진다. 동시에 정보는 해마에 저장된 기억으로 처리된다. 이 과정을 통해 위험 수준을 확인하고 추가적인 생리적 · 행동적 반응에 대비할 수 있다. 교감신경계가 활성화되고, 일련의 신호반응은 잠재적인 위험에 대응할 준비가 되어 있는지 확인하기 위해 투쟁 또는 투쟁반응을 통해서 심혈관계와 같은 신체계통 행동을 자극하는 역할을 한다. 이러한 반응을 일으키는 시스템은 시상하부–뇌하수체–부신 축 또는 HPA축이다(그림 10.1). HPA축은 감염 시 면역 반응의 일부가 되고, 스트레스를 받을 때 포도당 수치를 조절하는 데 도움을 주는 것과 같은 중요한 역할을 한다.

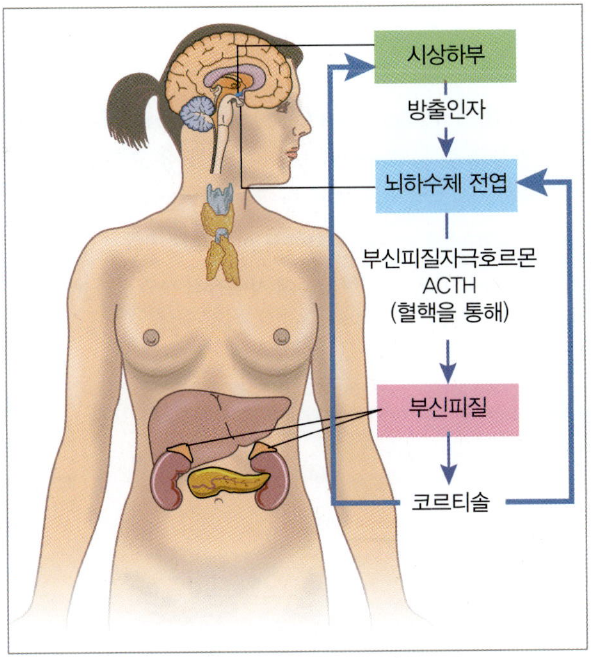

그림 10.1 시상하부-뇌하수체-부신(HPA) 축

출처: Simon, 2015

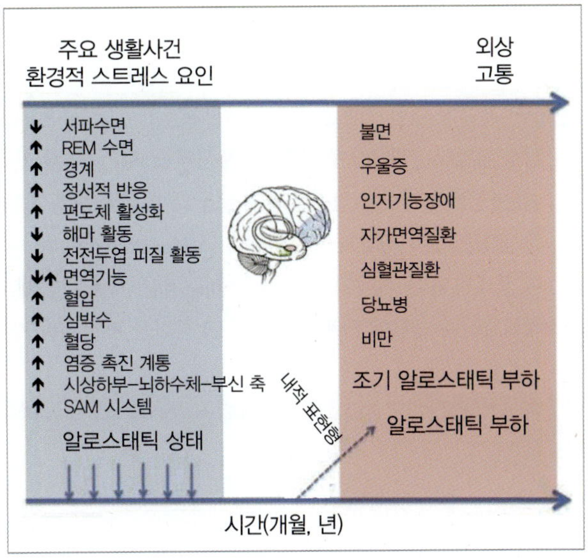

그림 10.2 알로스태틱 상태와 알로스태틱 부하가 뇌에 미치는 영향

주요 생활사건 및 환경적 스트레스 요인은 스트레스에 대한 적응적 반응 증가로 시상하부, 전전두엽 피질, 편도체와 같은 중심축 안에 알로스태틱 상태(불균형)를 생성할 수 있다. 수개월 또는 수년에 걸쳐 지속되면 알로스태틱 부하(마모 및 찢어짐)가 발생하여 불면증, 정신장애, 심혈관 질환, 당뇨병 등에 대한 민감성이 증가할 수 있다. (SWS: 느린 파동 수면; HPA 축: 시시상하부-뇌하수체-부신피질 축; REM: 눈의 빠른 움직임; SAM 시스템: 교감신경-부신수질계)

출처: Palagini, L., et al., 2013 . Copyright © 2012 Elsevier Ltd.

어린 시절 학대 경험과 같은 높은 수준의 스트레스 노출은 고조된 스트레스 반응과 관련되며, 초기 트라우마는 정신병리 발달에 중요한 기여자로 확인되었다.

학대적 관계와 같이 외상성 스트레스 요인이 지속되는 동안 경험되는 만성 스트레스는 코르티솔의 과다분비 및 지속적인 교감신경계 반응을 초래한다. 지속적인 교감신경계 활동 및 코르티솔에 대한 과도한 침습적 노출은 지속적으로 증가하고, 관리하기 어려운 알로스태틱 부하(allostatic load)(그림 10.2)의 생성으로 인해 신체적 질병과 정신병리를 초래하며, 중추신경계와 심혈관계와 같은 계통에 해로운 영향을 초래하는 것으로 나타났다.

스트레스를 받는 삶의 경험에 대한 다양한 반응은 개인의 유전적 차이와 환경적 차이(양육)를 통합하여 이해할 수 있다. 유전적 취약성은 7세까지의 아동에서 우울증과 불안증상에 크게 나타났다. 반면 환경 요인(긍정적 또는 부정적)은 청소년기와 성인기에 걸쳐 증상 여부와 안정에 대한 중요한 예측인자로 알려져 있다.

만성 스트레스는 정신건강과 일반적인 안녕에 어려움을 유발하는 직접적인 요인 중 하나이다. 처음에 스트레스는 실제 위기와 역경에 의해 활성화되지만, 공포의 일반화 과정을 통해 이러한 촉발사건을 완화한 후에도 지속될 수 있다. 공포의 일반화 과정은 유사한 미래가 위협에 직면했을 때 공포정보와 공포반응을 유지하는 능력을 통해 생존을 돕는다. 그러나 만성적인 스트레스로 인해 변연계는 더 과민한 반응을 보이고, 개인의 환경에서 위험과 위협의 경험을 증폭 · 확장시켜 도움이 되지 않는 공포의 일반화를 만들어낸다.

주요 생활사건 및 환경적 스트레스 요인은 스트레스에 대한 적응적 반응 증가로 시상하부, 전전두엽 피질, 편도체와 같은 중심 축 안에 알로스태틱 상태(불

역사적 일화 10.1 : 초기 설명

불안장애에 대한 최초의 표현 중 하나는 미국 남북 전쟁(1861~1865) 동안 제이콥(Jacob Da Costa) 박사가 기술한 '과민한 심장'이었다. 그는 땀에 젖은 손, 두근거림, 현기증, 터널 시야, 설사, 가슴 통증 등의 증상을 보이는 군인들을 묘사했는데, 이는 군인이 가벼운 임무로 옮겨졌을 때 해결되었다. 오늘날에도 여전히 사용되고 있는 불안장애에 대한 초기 설명은 '광장공포증'이다. 신경과 전문의 모리츠(Moritz Benedikt, 1835~1920)가 1870년에 발표한 기사에서 이렇게 말했다. "사람들이 실내나 좁은 거리에 있는 한 잘 지내지만, 대로에 들어서자마자, 특히 공공 광장에서 현기증에 사로잡혀 쓰러질까 봐 두려워하거나 불안에 사로잡혀 감히 그 공간을 가로질러 가지 못한다."

자세한 내용 보기: Klein, D. F,. 2002. Historical aspects of anxiety. Dialogues in Clinical Neuroscience, 4(3): 295

균형)를 생성할 수 있다. 수개월 또는 수년에 걸쳐 지속되면 알로스태틱 부하(마모 및 찢어짐)가 발생하는데 이는 불면증, 정신장애, 심혈관질환, 당뇨병 등에 대한 민감성을 증가시킬 수 있다.

삶의 과정에서, 우리는 우리 자신, 타인, 세계, 그리고 우리의 미래를 이해하는 데 도움을 주는 초기 환경과 경험을 바탕으로 신념체계와 관련된 인지 또는 사고방식을 개발한다.

이러한 인지는 삶을 살아가면서 의사결정과 사건처리에 도움을 주며, 스트레스 유발과 반응적 기분상태 또는 감정 발달에 중요한 역할을 한다(Riskind, et al., 2013). Harmen(1991)의 스트레스 발생 효과는 우리의 인지적 취약성(원래 사고 방식, 절망 및 반추)의 영향에 대한 것이다.

이는 재앙적인 인식과 함께 부정적인 사건을 경험할 가능성을 증가시켜 더 많은 스트레스와 불안을 발생시킨다. 또한 이는 생리적 불안 반응, 불안사고, 불안감 및 불안 행동의 잠재적 악순환을 발생시키고 서로 지속되면서 정신적 안녕에 대한 위험을 증가시키게 된다.

불안장애

불안장애는 일반적으로 임박한 위험에 대한 사고와 위험에 대한 인식, 안전 행동, 불안 유발 요인이 나타나며 뚜렷한 생리학적 각성과 함께 높은 수준의 공포를 느낀다. 임상적 의미에서 '불안장애'라는 용어는 진단적 추론과정에서 불안 및 관련 장애의 증상이 현저한 기능과 삶의 질 손상을 유발하는 것이 인정될 때 적용된다.

불안장애를 경험하는 대부분의 사람은 1차 보건 환경에서 치료를 받는다. 불안장애의 증상은 흔히 주요 우울증상을 보이는 대상자에서 훨씬 자주 나타나고 더 큰 치료적 관심을 받는다. 이는 의료시스템뿐 아니라 불안 증상을 갖고 살아가는 대상자에게는 하나의 도전이다. 불안장애는 만성적으로 장애를 일으킬 수 있는 증상의 특성으로 인해 서비스 이용률을 높인다.

불안장애 대상자는 흔히 치료 받기를 미루며, 불안은 회피성 행동대처 방식의 일부로 여긴다. 이러한 지연은 지속적인 고통, 기능 손상 및 심각한 삶의 질 저하를 초래할 수 있다. 불안장애는 자해와 자살 위험성의 주된 원인으로 현재의 정신사회적 스트레스 요인에 대한 대처를 손상시킨다. 감정으로서의 불안은 인지 왜곡을 초래하여 사람이 압도되고 두렵고 희망이 없다고 느끼게 만든다.

불안장애에 대해 안전장치가 되는 치료법은 없지만, 희망과 증상 완화를 제공하는 방안은 많다. 불안장애 및 기타 정신건강 상태에 대한 선별 및 사정은 모든 간호 사정에서 필수적인 부분이어야 한다.

'정상적인(normal)' 불안과 '장애(disordered)'로 여겨질수 있는 불안은 사정을 위해 정보에 입각한 모든 정보를 얻지 못한다면 구분하기가 어려울 수 있다. 외상 이력을 포함하여 필요한 모든 정보를 수집하기 위해서는 협업과 좋은 치료적 관계가 필수적이다. 대상자가 불안감을 경험하고 있는 상황이나 환경은 대상자 사정 및 치료과정에서 살펴야 한다. 불안장애의 촉발 요인과 지속 요인을 파악할 수 있는 기초를 제공하기 때문에 불안장애는 촉발 요인을 잘못 해석할 수 있다. 예를 들어 심박수의 변화에 대해 파국적으로 반응하는 사람은 심장마비로 죽게 될 것이라고 믿게 된다. 반면 불안장애의 증상은 폭력적인 파트너의 정서적 또는 신체적 학대와 관련된 외부 자극에 반응하여 나타날 수 있다.

살코브스키스(Salkovskis, 1996)는 위험에 대한 인식이 불안의 발달과 강도에 미치는 영향을 이해하는 데 유용한 예를 제공한다(그림 10.3). 세상, 타인, 자신에 대한 해석은 우리의 감정적 · 생리학적 · 인지적 · 행동적 반응을 결정한다. 불안의 많은 증상은 개인이 인지하는 위협의 수준과 관련이 있다. 모든 잠재적 위협은 그러한 사건이 발생할 가능성과 발생할 경우 그 사람에게 얼마나 치명적인지를 추정하여 처리된다. 내부 대처자원은 이용 가능한 모든 외부 지원/구조와 함께 고려된다. 자신과 타인에 대한 보호의식 없이 재앙적 위험 발생 가능성이 높아 보일 때 높은 수준의 불안과 공포를 경험하게 되고, 그 결과 안전감이 돌아올 때까지 생존에 초점을 맞춘 대응이 잇따른다.

불안은 위험의 인식에 비례한다.

$$\frac{\text{'그것이 일어날 것'이라는 인식된 가능성} \times \text{'만약 그랬다면'의 인식된 두려운 일}}{\text{그럴 때 인식된 대처능력} + \text{인식된 구조 요인}}$$

그림 10.3 불안과 위험의 인식
출처: Salkovskis P.M. (ed.), 1996

살코브스키스의 모델은 이전의 외상과 그와 관련된 인지가 위협평가 과정에 어떤 영향을 미치는지 이해하는 방법을 제공한다. 외상은 미래의 상황에 대한 인식과 반응을 부정적으로 바꿀 수 있다. 만약 대상자가 더 이상 자신을 보호할 능력이 없다고 느끼고 다른 사람이 자신을 도울 것이라고 믿지 않는다면, 대상자는 통제력이 떨어지고 따라서 더 취약하다고 느낀다. 이러한 요인은 불안 수준이 높은 사람의 경험에서 종종 발견한다. 이는 의미 있고 가치 있는 활동에 참여하기보다 오히려 불안한 상황을 피하거나 불안을 일으킬 것으로 예상되는 자신의 행동을 제한하기 때문에 더 기능적인 손상을 초래할 수 있다. 이러한 안전지향적 행동은 사람이 현재 또는 미래에 중대한 위협이 있는 것처럼 행동하기 시작하면서 불안감을 강화하여 내부생리적 스트레스 반응은 지속되지만 자신이 살아있다는 것에 안심하도록 만든다. 이러한 생리적 · 행동적 · 정서적 · 인지적 경험은 불안 및 기타 정신건강 장애의 진단적 증상의 기초를 형성하고 우울증에 취약하게 만든다.

불안장애의 역학

우리나라는 정신장애의 유병률 및 정신건강서비스 이용 현황 파악을 위해 만 18세 이상 79세 이하

성인 5,511명을 대상으로 2021년 정신건강실태조사를 실시하였다(보건복지부, 2021). 불안장애 유병률을 살펴보면, 평생 동안 불안장애를 경험한 비율은 9.3%, 지난 1년 간 불안장애를 경험한 비율은 3.1%로 나타났다. 불안장애 유형 중 특정공포증이 평생 유병률(6.3%)과 1년 유병률(2.1%) 모두 가장 높은 비율로 나타났다.

불안장애 평생 유병률은 특정공포증 다음으로 범불안장애가 1.7%로 나타났으며 외상후스트레스장애(1.5%), 사회공포증(0.6%), 공황장애(0.4%), 광장공포증(0.3%), 강박장애(0.2%)로 조사되었다.

불안장애 1년 유병률은 남자 1.6%, 여자 4.7%, 전체 3.1%로 여자의 경우 남자보다 2.9배 높았다. 불안장애의 1년 유병률은 남자의 경우 30~39세(2.8%), 여자는 18~29세(6.7%)에서 가장 높게 나타났다. 남자는 이혼 · 별거 · 사별(3.2%), 여자는 미혼일 경우(6.2%) 높았으며, 남자(1.7%)와 여자(5.0%) 모두 대졸 이상일 때 유병률이 높게 나타났다.

불안장애의 1년 유병률은 2016년에 비해 감소하였으며, 특정공포증의 감소에 따른 것으로 나타났다[특정공포증 4.9%(2011) → 4.5%(2016) → 2.3%(2021)]. 이는 코로나19 확산으로 인해 외부활동이 줄어들면서 공포의 대상이나 자연환경 등 특정 상황에 대한 노출 자체가 줄어들었을 가능성이 높은 결과라 평가하고 있다.

비판적 사고 과제 10.1

당신은 현재 자신의 삶에서 스트레스와 불안에 어떻게 대처하고 있는가? 이 시간 동안 주기적으로 어떤 생각을 경험하고 어떤 행동에 참여하는가? 자신에게 가장 효과적인 지지를 제공하는 것은 무엇인가? 별로 도움이 되지 않는 답변이 있는가? 스트레스와 불안이 나타날 때 생각하고 행동하는 데 가장 도움이 되는 방법은 무엇인가? 당신은 실습에서 이 학습내용을 어떻게 사용할 수 있는가?

공존질환

불안장애에서 공존질환은 너무 만연해서 예외라기보다는 규칙으로 여겨지는 경우가 많다. 불안장애에서 공존질환의 평생 유병률은 80%까지 높은 것으로 나타났으며, 우울장애와 강력한 상관성이 있다. 그러나 불안-불안의 공존이환(둘 이상의 불안장애의 제시)은 매우 일반적이며, 발병연령이 더 빠르고 증상의 만성화가 더 큰 것으로 나타났다.

많은 정신장애에서 확인된 고조된 불안감에 대한 평가는 중요하다. 연구에 따르면 조현병 진단을 받은 사람은 임상적으로 16~85% 사이의 비율에서 유의미한 불안증상을 보인다. 공존하는 불안장애는 조현병의 양성증상과 관련이 있다. 예를 들어 많은 의심과 피해망상은 사회적 불안 및 공황과 상관관계가 있는 것으로 나타났다. 불안은 또한 조현병 대상자 사이에서 입원 건수의 증가와 관련이 있는 것으로 나타났다. 이러한 연구결과는 조현병 및 기타 정신장애로 일차적 진단을 받은 사람의 불안에 대한 치료적 중재의 필요성을 뒷받침한다.

사회불안장애, 공황장애, 범불안장애와 같은 진단은 물질남용장애와 함께 발생할 수 있으며, 일부 경우 물질 사용은 불안증상을 관리하기 위한 자가치료 방법으로 사용한다. 불안장애는 양극성장애와 같은 다른 심각한 정신장애와 함께 발생하는 것으로 알려져 있으며, 일반적으로 성격장애와 관련이 있다. **박스 10.1**은 불안장애에 대한 인식을 높이기 위한 권장사항을 제시한다.

사정 및 진단

대상자가 치료에 참여하면 초기 사정 및 치료 과정을 통해 두려움을 유발하는 자극에 노출될 뿐만

박스 10.1 불안장애에 대한 인식 개선을 위한 권고사항

- 불안장애, PTSD 및 OCD의 주요 특징과 이들을 구별하는 주요 증상에 대해 알아본다.
- 불안장애, PTSD 또는 OCD의 존재 여부를 결정하기 위해 불안 증상을 나타내는 사람을 대상으로 특성, 심각성, 기간, 고통 및 관련 손상에 대해 묻는 체계적인 질문을 개발한다.
- 불안장애 환자에서 증상의 특성에 변동이 많고 시간이 지남에 따라 특성이 변화하는 경향을 숙지한다.

출처: Baldwin, D. S., et al., 2014.

아니라 결과에 대한 불확실성, 자기 낙인 및 타인의 판단에 대한 두려움을 경험함으로써 불안감이 고조될 수 있다. 치료적 관계에 익숙해지고 무조건적이고 긍정적 관심의 느낌을 전달하는 것은 대상자로 하여금 안전감과 신뢰감을 가질 수 있도록 하며, 현재와 과거 경험을 이야기하도록 돕는다. 이러한 경험을 이해함으로써 대상자의 불안감에 영향을 미치는 소인, 촉발 요인 및 지속 요인을 파악하기 시작한다.

아동기 상처와 트라우마의 유병률이 높기 때문에 트라우마 검사를 사정에 포함하여 증상 발현의 영향 정도를 파악해야 한다. 트라우마 검사는 그 사람에게 무슨 일이 일어났는지 정확히 사정하지 못하지만 트라우마가 발생했다는 것을 확인할 수 있는 충분한 정보를 수집한다. 트라우마가 확인되면 사정은 현재 해를 끼칠 위험이 있는지 여부에 초점을 맞춰야 하며, 트라우마로 인한 외상후스트레스장애 증상에 대한 선별을 수행해야 한다.

간호사 이야기 10.1은 대상자의 불안을 이해하고 효과적인 중재를 계획하는 사정기술 사용에 대해 설명한다. 철저한 간호사정을 관련된 정신사회적 정보 검토를 포함하며, 재정적 위협, 신체적 위험 또는 주요한 상실(고용, 관계, 건강상태, 문화적 스트레스)과 같은 불안 반응을 유발할 수 있는 현재의 스트레스 요인을 탐색할 수 있다.

대상자에게 문제가 되는 불안의 모든 측면을 이야기하도록 지원하기 위해 일반적인 선별 질문이 권장된다(**박스 10.2**). 불안과 관련된 질문은 단순하고 시간에 따라 달라야 하며, 불안의 고조와 회피와 같은 행동 변화를 모두 포함해야 한다.

불안 증상이 삶의 질과 기능에 미치는 영향에 관한 탐구는 임상적으로 유의한 수준의 불안감이 경험되고 있는지 여부를 고려하는 데 도움이 된다.

간호사 이야기 10.1

잠도 안 자고 밥도 안 먹고 가만히 앉아 있을 수 없을 정도로 불안했던 40대 남성을 담당했던 기억이 난다. 그는 소음을 막기 위해 머리에 귀마개를 하고 돌아다니는 것이 그의 불안을 악화시키고 있는 느낌을 설명했다. 그 남성은 1년간 일을 쉬었고 극도의 불안과 집중력 부족으로 어린 두 자녀를 돌보는 것을 포함하여 평소 운전하거나 일상생활에 참여할 수 없다고 느꼈다. 그의 아내는 집안일을 해야 했기 때문에, 이것은 그의 가족에게 정말 큰 피해를 주었다. 그의 자녀들은 무슨 일이 일어났는지 이해하지 못했지만 아버지가 완전히 자기 자신에만 빠져 있다고 느꼈다. 그의 주치의(일반의사), 간호사 및 1차 정신건강서비스의 지속적인 지원과 철저한 사정을 통해 그의 직장 내에서 일어나는 특정한 변화가 불안의 원인임을 확인하였다. 약물치료와 인지행동치료는 그가 대처전략을 알아내는 데 도움을 주어 자신의 삶으로 돌아갈 수 있는 능력을 회복할 수 있었다. 사회복지사의 도움, 재정적 지원, 교육 및 자활 웹사이트 접속에 대한 지침을 포함하여 대상자와 가족을 지원하기 위해 다양한 자원이 제공되었다.

Karen Jones는 Marae 기반 건강클리닉에서 근무하는 간호처방사이자 간호사이다.

박스 10.2 일반 선별 질문

지난 2주 동안 다음과 같은 문제로 인해 얼마나 괴로웠는가?
- 긴장, 불안, 겁먹고 놀람, 걱정 또는 초조함을 느끼는가?
- 극심한 공황을 느끼거나 겁을 먹고 놀랐는가?
- 당신을 불안하게 만드는 상황을 피하는가?

출처: APA, 2013

특정 스트레스로 유발된 촉발 요인 반응에 의한 불안 외에 범불안을 파악하기 위해서는 대상자의 역할과 삶의 영역 전반에 걸쳐 만연된 불안을 사정해야 한다. 질문지 척도(0~10점)는 불안의 강도를 식별하는 데 도움이 될 수 있다. 생리적 각성(예 빈맥, 발한, 과호흡)과 행동 반응(불안을 줄이고 안전감을 증진하기 위해 촉발 요인 또는 설명된 다른 행동을 피함)을 사정하는 질문은 불안의 기능적 · 물리적 영향 수준을 결정하는 데 도움이 된다.

우울기분 상태, 알코올 및 물질남용, 정신병적 증상 또는 정서장애와 같은 다른 문제나 어려움을 사정하는 것은 가능한 공존질환을 확인하는 데 도움이 된다. 마찬가지로 불안장애와 높은 수준의 공존질환으로 인해 이들 중 하나가 주요 장애로 나타나는지 불안을 사정해야 한다.

사정에서는 대상자의 건강력, 특히 불안을 유발하는 것으로 알려진 상태(예 그레이브스병)와 불안의 부정적 영향을 받는 상태(예 고혈압) 등을 특별히 고려해야 한다.

사람들이 보일 수 있는 불안에 대한 다양한 문화적 표현과 믿음을 인식하는 것은 중요하다. 일부 문화에서 증상이 전신에 걸쳐 경험되는 신체적 증상(예 통증)처럼 보다 신체적으로 나타날 수 있으며, 침습적 사고는 영적 또는 초자연적 경험에 의해 유발된 것으로 인식될 수 있다. 대상자의 시각을 개선하고 치료에 대한 이해공유와 접근방식을 지원하기 위해 문화적 맥락을 이해하려고 시도하는 것이 중요하다. 정신간호사는 문화–임상의 차이를 연결하고 치료가 대상자에게 수용 가능하며 문화적으로 포용적이고 안전하도록 유지하는 데 큰 도움이 될 수 있다. 사정은 또한 대상자의 건강 회복에 대한 지원 경로를 식별하기 위해 대상자의 복지에 대한 특정 문화적 측면을 고려해야 한다.

마지막으로, 불안장애에서 자해와 자살의 유병률과 행동은 이전에 논의되었다. 정신간호사가 가능한 모든 자해 위험성을 사정하기 위해서는 이러한 문제에 대해 질문하는 것에 편안해지는 것이 필수적이다. 다음으로는 다양한 불안장애의 증상을 간략히 설명한다. 주요 기능의 요약은 **표 9.1**에 있다.

사정도구

정신간호사가 불안장애를 선별하기 위해 일반적으로 사용할 수 있는 몇 가지 사정도구가 있다. 대부분은 자체 관리되며 인터넷을 통해 무료로 사용하거나 다운로드할 수 있다. 언급된 도구의 대부분은 어떤 상태에서도 사용할 수 있으며, 가벼운 증상이나 심각한 증상을 파악하는 데 민감하지만, 그 자체로 진단을 결정하지는 않는다. 이러한 사정 결과는 철저한 선별과정을 위해 과거 및 현재의 정보와 함께 살펴보아야 한다. 간호사는 정확한 진단을 위해 필요한 정보수집을 지원할 수 있다.

불안척도-7

불안척도-7(7 items anxiety scale, GAD-7)은 과도한 걱정과 일반화된 증상의 심각성을 선별하고 측정하기 위해 개발된 일곱 가지 질문의 자가보고 평가도구이다. 5점, 10점, 15점은 각각 경증, 중등도, 중증 불안에 대한 절단점으로 간주된다. 10점 이상의 점수는 범불안장애 진단의 존재 여부에 대한 탐색을 위해 추가 평가가 필요하다는 것을 의미한다.

표 10.1 특정 불안, 외상 및 스트레스 관련 장애의 주요 특징

장애	주요 특징
범불안장애 generalized anxiety disorder	• 여러 사건이나 활동에 대한 과도하고 통제하기 어려운 불안과 걱정(예 학교/직장의 어려움) • 불안감/긴장감 또는 근육긴장 등의 증상 동반
강박장애 obsessive-compulsive disorder	• 강박사고: 반복적이고 지속적인 생각, 충동 또는 이미지가 거슬리고 원치 않는 것으로 경험되고 뚜렷한 불안이나 고통을 유발 • 강박행동: 강박사고로 인한 불안감을 줄이기 위해 개인이 수행하도록 충동적으로 느끼는 반복행동(예 손 씻기) 또는 정신적 행동(예 수를 셈)
공황장애 panic disorder	• 반응사건을 유발하는 계기가 없는 상태에서 예상치 못한 공황발작이 반복됨 • 추가적인 공황 및/또는 공황발작과 관련된 부적응적인 행동 변화에 대한 지속적인 우려
광장공포증 agoraphobia	• 상황에 대한 명백하고 불합리한 두려움 또는 불안 • 공황과 같은 증상이 발생할 경우 탈출이 어렵거나 도움이 되지 않을 수 있다는 생각으로 인해 우려되는 상황을 적극적으로 피함
사회불안장애 social anxiety disorder	• 타인에 의한 철저한 검토로 노출 가능한 사회적 상황에 대한 명백하고 과도하거나 비현실적인 두려움 또는 불안 • 두려운 상황에 대한 적극적 회피
특정공포증 specific phobia	• 특정 물체나 상황에 대한 비합리적인 두려움 또는 불안감 표시(예 비행, 높이, 동물, 주사 맞기, 혈액 보기)
외상후스트레스장애 및 급성스트레스장애 Post Traumatic Stress Disorder acute stress disorder	• 실제 또는 위협적인 사망, 심각한 부상 또는 성폭행에 대한 노출 • 침습 증상(예 괴로운 기억이나 꿈, 플래시백, 강렬한 괴로움) 및 이벤트와 관련된 자극 회피 • 인지와 기분의 부정적인 변화(예 부정적인 신념과 감정, 이탈), 각성과 반응의 현저한 변화(예 과민성 행동, 과잉 경계)
적응장애 adjustment disorder	• 스트레스 요인이 발생한 후 3개월 이내에 발생하는 정서적 또는 행동적 증상의 발달(정상적인 사별은 포함하지 않음) • 스트레스의 심각성이나 강도에 비례하지 않는 것으로 언급됨

출처: Katzman, M. A., et al.; licensee BioMed Central Ltd 2014 . Released under Open Access, Creative Commons Attribution License.

• 예일-브라운 강박장애 평정척도

예일-브라운 강박장애 평정척도(Yale-Brown Obsessibe-Compulsive Scale, Y-BOCS)는 강박장애의 심각성, 영향 및 증상의 유형에 대한 길고 포괄적인 척도이다. Y-BOCS는 반구조화된 면접으로 진행되기 때문에 사용자에게는 합리적인 수준의 경험이 요구된다.

• 수정판 사건충격척도

수정판 사건충격척도(Impact of Event Scale-Revised, IES-R)는 트라우마 후 PTSD의 존재를 나타낼 수 있는 증상을 측정하기 위해 개발된 22개 항목의 짧은 자가보고 도구이다. 질문은 외상후스트레스장애의 주요 증상군인 침습적 재경험, 과각성 및 지속적 회피 여부를 측정하는 것이 목적이다.

불안장애

범불안장애

범불안장애(generalised anxiety disorder, GAD)는 수많은 일상적인 상황에 대해 지속적이고 과도하며 소모적인 걱정이 특징으로, 심신이 약화되는 질환이다.

걱정은 침습적 사고와 경험하는 불안의 신체적 증상으로 인해 자주 통제하기 어렵고 일상적 기능에 매우 심각한 지장을 준다. GAD는 지속적인 불안으로 인한 경계상태에서 발생하는 신체 통증, 안절부절못함, 흥분성, 불면, 피로, 과각성 등을 동반하는 지속적이고 만성적인 장애로 간주될 수 있다.

GAD는 종종 스트레스 요인에 의해 악화되는 만성 질환으로 간주된다. 다른 불안장애와 비교하여 삶에 가장 많은 장애를 일으키는 것으로, 한 연구에서는 응답자 중 거의 절반(48%)이 삶의 최소 4개 영역에서 상당한 영향을 미친다고 언급하였다. GAD는 불안증상보다 신체적 건강과 기분에 대한 불편이 더 많을 수 있기 때문에 1차 보건에서 잘 인식되지 않는 경우가 많다.

우리나라에서 범불안장애 평생유병률은 1.7%이다(보건복지부, 2021). 불안한 기질을 갖는 것은 취약요소로 간주되며, 사람들은 자신이 자주 걱정되었다고 보고한다. 유사한 소인성 위험인자를 공유하는 다른 불안 및 우울장애와의 공존질환 유병률을 증가시키는 고유한 유전적 위험요소가 있다. 주요 우울증 장애는 일반적으로 범불안장애와 함께 발생하며, 이는 더 만성적이고 심신을 약화시키는 증상을 유발할 수 있다.

일부 사람은 더 많은 신체적 통증을 나타내는 반면 다른 사람은 더 많은 인지적 증상을 경험하는 등, 불안증상의 표현 차이가 특정 문화 내에서 확인되었다는 점에 유의해야 한다.

우리나라에서 범불안장애의 치료적 접근은 약물치료와 정신 치료를 병행하는 것이 가장 효과적이라고 보고 있으며, 환자에게 범불안장애에 대한 교육을 시행하여 질환과 관련된 환자의 믿음을 변화시키고, 약물치료에 대한 지식을 증진시키는 것을 일차 간호로 제공한다. 이는 인지행동치료로 가장 많이 적용하고 있으며 단기적으로는 환자의 신체증상과 불안증상 경감을 목표로 하고, 궁극적으로는 환자가 발병 이전의 기능 수준으로 회복할 수 있도록 돕는다. 또한 재발이나 합병증 없이 자신의 역할을 다하는 것을 목적으로 약물치료와 비약물치료 두 가지 모두를 포함하는 치료계획을 수립하도록 권고하고 있다(송정민과 채정호, 2005).

당사자 이야기 10.1

불안감이 언제 엄습할지 모르는 경우가 꽤 많다. 하지만 나는 그 경고신호를 알고 있다: 더 긴장되고 초조해지고, 가족들에게 짜증을 내고, 뭔가 이상하다고 느끼고, 모든 것에 긴박감을 느끼는 것이다. 나는 내 생각이 요동치기 시작한다는 것을 알아차리고, 내가 해야 할 일을 생각하거나 내가 한 일이 옳았는지 아닌지에 대해 걱정하기 때문에 무언가를 즐기거나 그 순간에 존재하는 것처럼 있는 것이 더 어렵다.

내 불안은 일부 나의 기질(나는 항상 걱정스러워했다)과 일부는 내 생활방식(삶과 일의 균형을 잘 맞추지 못함) 및 내 어린 시절의 경험에서 시작되었다. 나는 걱정을 많이 하시는 부모님 밑에서 자랐다. 나이가 들수록 불안감이 다가올 때 세상을 보는 시각에서 부모님의 고민을 볼 수 있었다.

불안감이 어떻게 작용하고 내 몸에서 어떤 일이 일어나는지, 불안한 생각을 파악하고 속도를 늦추고 자신을 돌보는 데 집중하는 방법을 배우는 것이 불안감에 대한 가장 도움이 되는 접근법이었다. 아주 자주, 내 괴로움을 멈추고 주의를 기울이고, 기꺼이 느끼고 싸우지 않으며, 내 자신에게 더 친절하게 대해주는 것이 정말 도움이 된다. 다음 단계는 내가 수면을 잘 하고, 식단과 활동의 균형을 유지하고, 내가 사랑하는 사람들과 함께 즐기는 것들을 확실히 하기 위해 생활 방식을 바꾸는 것이다. 나는 균형을 유지하기 위해 일상생활에서 이러한 웰빙 활동을 유지하는 것이 중요하다는 것을 안다.

강박장애

강박장애(obsessive-compulsive disorder)는 본질적으로 강박적 사고가 시간이 지남에 따라 사람의 내부세계를 지배할 위험이 있는 불안을 유발하는 침습적 인지(생각, 충동 또는 이미지)의 반복적인 경험을 동반한다. 강박적인 인지는 생명을 위협하는 질병에 걸리거나 가족구성원에게 해를 끼치는 것과 같은 자신이나 타인에게 해를 끼칠 수 있는 위험의 주제를 자주 포함한다. 이러한 인지는 불안의 생리적 증상을 동반하여 사람에게 위험을 느끼게 한다. 강박적인 인지와 불안한 신체감각 반응에 있어 강박행동은 불편감에 대한 인식을 줄이고 안전감을 조성하는 목적을 위해 발현된다. 강박적인 행동은 질병의 획득이나 전염을 막기 위해 손을 씻는 것과 같이 강박사고와 직접적으로 관련될 수 있고, 원치 않는 결과의 위험을 줄이기 위해 표면을 특정 횟수로 두드리는 것과 같이 전혀 관련이 없을 수 있다. 강박적 행동을 완화하고 감지하는 것은 강박사고에서 강박적 행동으로 '융합(fuse)'하는 참사를 방지한다. 따라서 강박사고를 더 많이 경험할수록 강박행동을 더 많이 한다.

강박행동을 하거나 침습을 억제함으로써 불안감을 줄이려는 시도에도 불구하고, 두 가지 모두 재발한다. 이것은 강박행동에 더 많은 시간을 소비하고 강박적인 사고가 일상적인 인지 과정을 방해함에 따라 매우 파괴적이고 고통스러운 강화하는 악순환이 재생된다.

강박장애는 특별히 흔한 불안장애가 아니다. 우리나라에서 강박장애 평생유병률은 0.2%이며, 1년 유병률은 0.1%로 나타났다(보건복지부, 2021).

강박장애의 낮은 비율에도 불구하고, 증상은 종종 다른 불안장애에 비해 더 심각하고, 자살사고, 계획 및 자살시도 비율이 더 높으며, 이는 치료와 위험의 면밀한 모니터링의 필요성을 나타낸다.

치료에는 증상의 심각성에 따라 약물치료와 함께 상담치료(talking therapies)가 병행된다. 특정 유형의 인지행동치료(CBT)인 노출 및 반응 예방은 강박장애에 있어 가장 성공적인 치료법으로 보이며, 치료에 참여한 사람의 75%에서 장기간의 증상 개선이 있다고 보고되었다. 약물치료 선택에서는 우울증에 대해 1차 치료제로 규정된 용량보다 높은 용량의 SSRI가 포함된다.

공황장애

공황장애(panic disorder, PD)는 공황발작의 형태로 일어나는 강렬하고 일시적인 불안에 휩싸여 예측할 수 없는 경험으로 특징지어진다. 극심한 생리적 불안증상(예 빈맥, 발한, 떨림, 호흡곤란, 흉통, 현기증, 메스꺼움, 따끔따끔함)과 함께 이인화(자신과 분리된 느낌)가 나타난다. 공황발작은 불안의 다른 표현과 관련해서 공황장애 외 다른 것에서도 발생할 수 있지만, 더 높은 빈도, 비선택적 유발 환경 및 예기 불안은 다른 진단과 구별하는 데 도움이 된다.

공황발작은 약 10분 이내에 극에 달하며 최대 45분까지 지속될 수 있다. 생리학적 증상의 급증으로 공황발작 시 파국적 인지를 경험하는 것이 일반적이다. 곧 죽을 것 같은 느낌(예 '심장마비를 일으켜 죽을 것 같다'), 정신건강 악화(예 '나는 정신을 잃을 것 같다') 또는 의식상실의 두려움에 대한 부정적인 결과(예 '나는 기절할 것이고 내가 의식을 잃었을 때 어떤 일이 내게 일어날 것이다') 등이 있다. 결과적으로, 사람들은 도움을 구하고(예 응급서비스 전화), 발작을 벗어나며(예 앉기), 증상을 모니터링하기(예 신체 스캔, 맥박 측정) 위해 공황발작 동안 빠르게 안전 행동을 취한다.

공황발작이 진정되기 시작하면, (a) 그들은 파국적 사건 직전에 있었고, (b) 안전행동은 공격 중에

역사적 일화 10.2: 소크라테스식 질문

현대사회에서 CBT는 여러 종류의 불안장애에 대한 1차 치료법으로 잘 알려져 있다. CBT는 고대 그리스의 스토아철학과 역사적인 연관성을 가지고 있는데, 이 철학은 삶이 끊임없이 변화하기 때문에 사람은 명확한 사고를 유지하기 위해 노력해야 한다고 보았다. 특히 CBT의 핵심은 '소크라테스식 질문'으로 알려진 고대 기술이다. 이것은 고대 그리스 철학자 소크라테스(기원전 470~399년)의 이름을 딴 학습방법을 가리킨다. 그는 사람들에게 사실로서 제시된 정보를 가르치는 것보다 아이디어를 검토하고 타당성을 결정하기 위해 사려 깊은 질문을 하는 방법을 배울 때 더 많이 배운다고 믿었다.

자세한 내용 보기: Brickhouse, T. C., Smith, N. D., 2009 Socratic teaching and Socratic method. In: Siegel H (ed). The Oxford handbook of philosophy of education. Oxford University Press, New York, pp. 177–94.

일어난 임박한 파국을 막았다는 잘못된 인상을 얻게 된다. 이는 불안증상에 대한 주요한 오해가 있음을 나타내며(예 '공황발작이 일어나 죽을 수 있다'), 추가 발작과 더 큰 예기 불안을 유심히 살피게 된다. 외출 시 다른 사람에게 의존하는 것, 신체 과잉 경계(증상에 대한 신체 검사) 및 잠재적 유발/고위험 상황을 피하는 것과 같은–인지된 위험을 줄이고 추가발작을 피하기 위해 여러 가지 예방적 안전행동이 발달된다. 이러한 안전 행동은 약 3분의 2의 사례에서 광장공포증을 유발할 수 있으며, 공

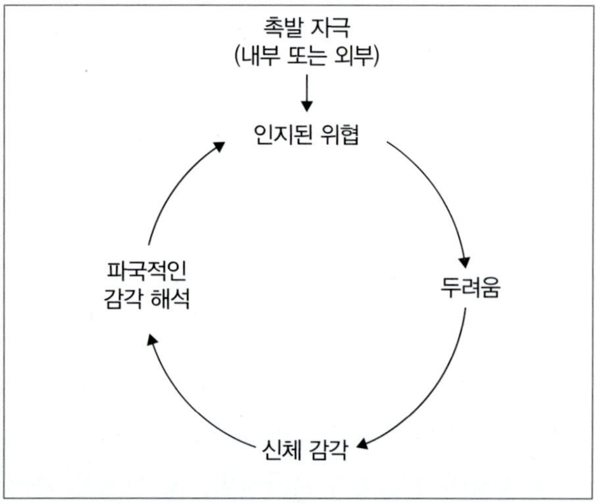

그림 10.4 공황장애에 대한 클라크의 인지 모델
출처: Clark, D. M., 1986

황발작, 불안 및 지속적으로 증가하는 안전 행동의 악순환을 초래할 수 있다. 그림 10.4는 공황장애에 대한 클라크(Clark)의 인지 모델을 보여준다.

공황장애는 덜 흔한 불안장애 중 하나로, 우리나라 공황장애 평생유병률은 0.4%이며, 1년 유병률은 0.1%이다(보건복지부, 2021).

공황장애는 우울증과 같은 질환과의 공존율이 높으며, 자살사고, 계획 및 자살성공과 강한 상관관계가 있다. 공황장애는 발작 중과 발작 후 나타나는 의료서비스의 높은 비율 및 내과적 질병과 연결된 발작에 대한 두려움으로 인해 더 높은 도움 요청 비율과 관련이 있다.

공황장애 치료는 주로 온라인 CBT (Cognitive behavioral therapy) 과정 또는 대면 세션을 통해 전달될 수 있는 CBT와 같은 짧은 심리적 중재에 중점을 둔다. SSRI와 벤조디아제핀은 약리학적 치료에 대한 상반된 증거가 있으며, 삼환계 항우울제는 장기간에 걸쳐 순응도를 감소시키는 부작용을 자주 유발한다.

광장공포증

광장공포증(agoraphobia)은 쇼핑센터, 혼잡한 지역 또는 열린 공간과 같은 공공장소에 노출되거나 예상

된 노출에 대해 일반화되고 일관되며 상당한 비현실적인 공포반응을 특징으로 한다. 공포와 관련된 불안 인지는 사람이 공황상황이 시작되거나 상당한 고통의 증상을 경험하는 경우 도움을 받을 수 없거나 벗어날 수 없다고 생각될 때 나타난다. 회피는 일반적으로 안전행위로 사용되어 일상적 기능의 손상을 초래한다. 불안을 유발하는 영역이나 상황에 들어서기 위해 산만함이나 타인에 대한 의존과 같은 기술을 정기적으로 사용한다.

광장공포증은 공황장애와 공존하는 경우가 많으며, 공황발작이 항상 경험되는 것은 아니지만 기능적 장애가 심각할 수 있다.

우리나라 광장공포증 평생유병률은 0.3%이며, 1년 유병률은 0.2%이다(보건복지부, 2021). 다른 불안장애에 비해 발병률이 낮음에도 불구하고, 광장공포증은 자살사고, 자살계획 및 자살시도와 상관관계가 강하며, 사정 시 자살위험에 대한 선별의 중요성을 강조한다.

사회불안장애

사회불안장애(social anxiety disorder, SAD)는 1차 보건의료에서 제대로 인식되지 않으며, 수줍음과 내향성으로 오해될 수 있다. 사회불안장애를 가진 사람은 당혹감, 굴욕, 타인에 의한 부정적인 판단과 같은 사회적 상황에서 지속적이고 객관적인 불합리한 두려움으로 인해 사회적으로 유발된 높은 고통과 일상생활 기능장애를 경험한다. 이는 특히 교실 내 또는 파티와 같이 수행 기대치가 있을 수 있는 경우에 해당한다. 자신에 대한 부정적이고 유연하지 못한 믿음은 과거 또는 현재의 감정적 학대를 내면화한 결과로 나타날 수 있으며, 다른 사람이 지각한 신체적 · 성격적 결함이나 지적 부족에 대해 '발견'할 수 있다는 두려움과 함께 발생할 수 있다.

그 상태를 강화하고 영속시키는 것은 사회적 상황에서 자신에 대한 집중력과 과잉 감시이다. 자신에 대한 왜곡된 인지적 평가는 사회적 상황에서 사회적 회피나 높은 사회적 불안으로 이어진다. 대화 리허설, 타인에 대한 대화 방향 변경 또는 사회적 사건 중 상호작용 회피와 같은 발달된 안전행동은 그 사람이 사회적으로 무능하고 다른 사람이 받아들일 수 없는 것처럼 보이게 하기 때문에 불안을 가중시킨다. 사건 후 행동 분석은 자주 부정적인 사회적 상호작용과 결함 있는 사회적 행동에 치우쳐 미래 상황에서 두려움과 잠재적 회피를 증가시킨다.

사회불안장애를 가진 사람은 사회적 상황에서 신체 통제력 상실(예 부정맥, 구토, 얼굴을 붉히거나 흔들림)에 대한 상당한 두려움을 가지고 있어 사회적 굴욕과 타인의 부정적 평가를 더 많이 받는다.

사회불안장애는 관계를 만들고 유지하고 교육 및 경력 개발기회를 제공하는 것이 더 어려워지기 때문에 개인의 가족 및 연인 관계, 직업기회 및 일상생활에 심각한 영향을 미칠 수 있다.

우리나라의 사회불안장애 유병률은 다른 나라에 비해 낮은 비율을 보인다. 2021년 조사 결과에 따르면(사회공포증으로 보고되고 있음) 평생유병률은 0.6%이며, 1년 유병률은 0.2%이다(보건복지부, 2021). 청소년 대상 사회불안장애 유병률에 대한 별도 조사는 이루어지지 않아 성인과의 비교 결과가 보고되지는 않았으나, 코로나19로 인한 불안의 수준을 비교하여 제시하고 있다(한국트라우마스트레스학회, 2021).

사회불안장애는 우울증, 약물 및 알코올 남용과 강한 상관관계가 있다. 이러한 문제는 사회불안장애 자체의 증상보다는 서비스에 대한 참여로 자주 이어진다.

사회불안장애 치료는 증상의 심각성과 다른 불안장애 또는 우울증과 같은 공존질환이 있는지 여부에 따라 달라진다. 최근 치료 선택에 대한 메타분석은 CBT와 SSRI 또는 선택적노르아드레날린재흡수억제제(SNRI)의 투여를 함께 권장하는 최적의 조합치료를 제시했으며, CBT는 약물치료보다 지속효과가 더 컸다. 벤조디아제핀과 같은 다른 약물은 의존성의 위험 때문에 제안되지 않는다. **사례연구 10.1**은 사회적 불안의 경험을 설명한다.

특정공포증

상황, 동물 또는 자연 환경에 대해 일시적인 두려움을 경험하는 것은 흔한 일이다. 그러나 실제 위험 수준에 비례하지 않고 고통과 기능장애를 일으키는 공포는 특정공포증(specific phobia)으로 간주될 수 있다. 특정공포증은 일반적으로 동물, 상황, 자연환경 또는 혈액 주사–상처 아형으로 분류되는 촉발 요인에 직면하여 지속적이고 비합리적이며 강렬한 공포 반응을 수반한다. 혈액 주사–상처 공포증 반응은 심박수와 혈압의 급격한 증가로 인한 미주신경 실신/거의 실신 반응을 동반하는 경우가 많다.

진단의 주요 기준은 6개월 이상의 기간 동안 지속적으로 증가하는 불안 반응, 노출 동안 상당한 회피 또는 강렬한 공포를 견디는 것, 기능 감소 및 고통의 증가 수반이다.

공포 대상 물체에 대한 두려움은 직접 접촉, 원거리 근접성 또는 자극과의 접촉에 대한 예상을 통해 경험할 수 있으며, 공황발작을 포함하여 더 심한 쪽에서 일련의 불안반응을 생성할 수 있다. 불안의 경험 정도는 주변에 다른 사람이 있거나 덜 인식된 공포자극을 덜 인지하여 노출되는 것(예 개 공포증이 있는 사람의 경우, 작은 개를 보는 것/큰 개를 보는 것 또는 목줄을 한 개를 길 건너에서 보는 것/목줄을 하지 않은 개를 같은 길 한쪽에서 보는 것)과 같은 안전의 맥락적 요소의 존재/부재로 감소/증가할 수 있다. 공포자극과 더 오래 접촉하면 위험에 대한 인식이 더 높아져 더 큰 불안반응을 유발할 수 있다.

특정공포증을 진단을 받은 사람 중 최대 75%는 특정 물체 또는 상황에 대한 다중공포증을 가지고 있다.

특정공포증은 불안장애 유형 중 우리나라에서 가장 높은 비율을 나타내는 질환이다. 특정공포증의 평생유병률은 6.3%이며, 1년 유병률은 2.1%로 나타났다(보건복지부, 2021).

청소년 정신건강실태조사에서 GAD–7을 통해 평가한 코로나19로 인한 청소년의 불안 수준은 3.76점으로 나타났는데 성인(4.62점)보다 다소 낮은 점수이다. 경도 불안(5점 이상) 비율은 청소년의 21.4%로 나타났고, 중등도 불안(10점 이상)은 7.02%, 심한 불안(15점 이상)은 4.21%이었다. 중등도 이상 불안 비율은 남자청소년 9.29%, 여자청소년 13.1%로 나타났고, 연령대별로 중학생 11.1%, 고등학생 11.3%이었다.

사례연구 10.1

J는 난독증 진단을 받은 21세 여성으로 사회적 상황에서 현저한 불안을 겪고 있다. J는 다른 사람들의 판단을 끊임없이 두려워 하고 다른 사람들에게 말할 때 '자신의 난독증'을 듣고 그녀가 어리석다고 생각할 것이라고 믿는다. J는 정기적으로 사교적인 상황을 피했고, 참석해야 할 때는 머릿속에서 토론에 대답하는 연습을 하고 다른 사람들에게 많은 질문을 함으로써 주위를 분산시키기 위한 여러 가지 안전 행동을 하였다.

J는 그녀의 문제가 그녀의 지능 수준에 있고 사람들이 그녀의 낮은 지능을 발견했을 때 그녀를 알고 싶어 하지 않을 것이라고 믿는다. J는 어떻게 변화할 수 있을지 확신하지 못하고 있으며, 사회적 접촉의 부족과 지속적인 불안으로 인해 우울한 기분이 나타나기 시작한다.

코로나19로 인한 청소년의 불안은 대부분이 정상 범위였으나, 11.23%의 청소년은 중등도 이상의 불안 위험군으로 나타났다. 청소년의 불안 관련 증상은 대부분의 증상이 성인보다 비교적 낮았으나 '짜증과 화'는 비슷한 수준으로 나타나 불안이 외부로 표출되는 특성이 높았다(한국트라우마스트레스학회, 2021).

어떤 경우 공포증은 심각한 질병을 가진 사람이 혈액 주사-상처 공포증 때문에 바늘을 통한 치료를 거부하는 것과 같은 생명을 위협하는 위험을 초래할 수 있다.

특정공포증은 일반적으로 7~11세에 발생하지만, 상황 또는 자연 환경 아형은 발병연령이 더 늦다. 일부 공포증은 어린 시절과 청소년기에 자연적으로 완화되지만, 성인기까지 지속될 수 있다. 예를 들어, 어린 시절 성적 학대를 받은 후 어둠에 대한 두려움이 발생할 수 있고, 개를 목격하거나 공격을 받은 후 개에 대한 두려움이 발생할 수 있기 때문에 공포증의 발생을 둘러싼 요인을 평가하는 것이 중요하다. 다른 발생 요인으로는 비행기 추락이나 폭풍에 대한 언론보도, 사건 목격 또는 높은 건물 꼭대기에서의 공황발작과 같은 자극과 접촉하는 동안 극심한 반응을 경험하는 것 등이 있다.

회피행동은 시간이 지남에 따라 그들이 집과 직장을 찾고 일과를 선택하는 방식, 삶을 어떻게 사는지에 큰 영향을 미칠 수 있다. 그것은 그 사람의 공포증 자극에 대한 직접적 접촉을 증가시키는 움직임과 같은 도움을 탐색하도록 연결하는 상황으로 바꿀 수 있다.

공포장애 치료는 다른 불안장애와 비교하여 상대적으로 연구가 부족하다. 현재 치료 적응증은 기능상의 심각성과 손상 정도에 따라 달라진다. 잠재적 또는 가벼운 증상의 경우, 고통을 정상화하고 대상자 불안 유발 요인을 식별하기 시작하는 것을 돕기 위해 CBT 도구를 통한 모니터링 및 대면 또는 온라인 심리교육이 권장된다. 국제적으로 공포 자극에 대한 단계적 노출이 있는 CBT는 1차 치료로 간주되며, 예를 들어 바늘 공포증이 있고 바늘을 사용한 의학적 중재가 필요한 경우 벤조디아제핀 사용을 급성 치료의 경우에만 고려한다.

비판적 사고 과제 10.2

많은 사람이 중요한 삶의 스트레스 요인 때문에 일생 동안 가벼운 불안장애 증상을 경험한다. 불안장애를 진단하는 것과 경미한 표현에 대해 보다 표준화된 접근 방식을 사용하는 것의 이점은 무엇인가? 진단은 언제 도움이 될 수 있고 언제 도움이 되지 않을 수 있는가?

외상 및 스트레스 관련 장애

외상후스트레스장애(PTSD), 급성스트레스장애(ASD), 적응장애(AD)는 『DSM-5』 이전에는 불안장애로 분류되었다. 『DSM-5』에서 외상 및 스트레스 관련 장애로 불안장애가 구분된 분류는 외상 자체와 정신건강 고통 및 기타 발달과 관련된 노화 문제의 원인으로서 외상의 중요성을 반영하고 식별한다. 잠재적으로 충격적인 사건에 노출되는 것은 흔하며, 최대 75%의 사람이 일생 동안 적어도 하나의 외상성 사건을 경험한다. 외상 후 다양한 고통 반응은 불면증에서부터 공포, 불안까지 흔하고 정상적인 것이지만, 일부 사람은 ASD, PTSD 또는 다른 불안이나 정신 장애가 발생할 수 있다.

외상후스트레스장애

외상후스트레스장애(Post-traumatic stress disorder, PTSD)는 직접 경험이나 대리 외상(외상을 목격하거나 사랑하는 사람의 외상에 대해 듣거나 외상을 경험한 사람과의 인터뷰를 통해 외상의 세부사항에 극단적으로/반복적으로 노출됨)에 의해 외상 사건이나 여러 외상에 직접 노출될 수 있다. 진단 목적으로 고려되는 외상 유형에는 위협적이거나 실제 신체적 또는 성적 상해, 개인적 폭력, 전쟁, 심각한 사고, 자연재해 및 갑작스럽고 치명적인 의료사건이 포함된다.

PTSD는 다음과 같은 4개의 뚜렷한 증상군 내에 위치한 증상이 특징이다. 침습적 재경험(예 악몽, 해리성 플래시백, 반복적 기억), 과각성(예 놀람 반응의 고조, 외상 기억에 대한 강렬한 생리학적 반응, 과잉 경계), 지속적인 외상 자극 회피(예 외부적 상기 및 기억과 같은 내부적 외상 경험 관련 기억)와 기분 및 인지적 변화(예 무감각증, 무감각증, 공포, 낮은 기분, 공정한 외상 기억 회수, 집중력 저하, 위험에 대한 일반화된 생각)이다. 이 행동 변화는 관련된 유발 요인의 회피, 수면장애, 대인관계에서의 짜증 증가, 폭력, 무모함, 약물 남용과 같은 자기 파괴적 행동과 같은 것이다. 개인은 불쾌한 기분상태, 해리 또는 각성과 같은 증상의 심각성을 경험할 수 있다.

증상은 일반적으로 외상 후 3개월 이내에 발생하지만, 증상 발현이 지연되어 몇 개월 또는 몇 년 후에 나타날 수 있다. 외상 후 첫 달에는 PTSD의 진단이 내려지지 않는데, 약 50%의 사람이 3개월 이내에 완전히 회복되기 때문이다.

연합 학습 과정은 위험을 경험할 때 미래 생존 대응을 지원하여 처리된 위협 유발 요인의 기억을 불러오고 필요할 때 적절하게 대응할 수 있도록 돕는다. PTSD에서, 기억 처리 측면은 외상 도중과 이후에 결함이 발생하여 불완전하고, 일반화되며, 추후 위험하지 않은 자극으로 식별되는 치명적 위협신호와 함께 부적절하게 저장되는 '파손된 외상 기억'이 발생하는 것으로 생각된다. 외상 기억의 부정확한 처리는 시간에 따른 기억의 부정확한 배치감각에 기여하는 것으로 가정되며, 현재 위험과 관련 및 행동반응에 대한 인식(생리학적 · 인지적)으로 이어진다. 그 결과, 외상은 단순히 기억되기보다는 다시 경험하게 된다. 지속적인 외상 재경험을 통해 생기는 정서적 부담감과 위협감으로 인해 상당한 회피전략이 개발되어 일상생활의 기능 장애로 이어진다. 외상은 또한 외상 사건 자체와 기타 유전적 · 인지적 · 기질적 취약성에 의해 촉발되어 개인 내부에서 고조된 공포반응을 생성하는 것으로 생각된다. 이러한 기전 및 다른 기전은 외상후스트레스장애의 악순환을 지속시키는 데 필수적인 것으로 간주되며, 환자가 압도당하고 증상의 무게에 눌려 기능을 발휘하기 위해 고군분투하는 동시에 그들을 괴롭히는 기억을 피하고 외상이 재발할 가능성을 줄이기 위해 상당한 노력을 기울인다.

우리나라에서 PTSD 평생유병률은 1.5%이며, 1년 유병률은 0.3%로 나타났다(보건복지부, 2021).

PTSD의 비율은 특정 유형의 대인관계 외상에 노출된 후 훨씬 더 높은 것으로 나타났다. 예를 들어, 한 연구에서 강간생존자의 50%가 PTSD를 가지고 있는 것으로 나타났다.

PTSD를 진단받은 많은 사람들은 복합적인 PTSD의 개념으로 이어지는 여러 외상 사건을 보고한다. 복합 PTSD 증상은 다중 외상의 지속적 · 복합적 특성의 영향과 관련이 있으며, 지속적인 대인관계 어려움, 정서조절장애, 장기간의 해리상태, 신체적 고통 · 증상 및 고정적이고 왜곡된 신념체계를 유발할 수 있다.

PTSD의 유병률은 전문 정신건강서비스에 접근하는 건강대상자의 경우 훨씬 높은 것으로 밝혀졌으며, 일부 연구에 따르면 67.2%에 이른다. 미국의 대규모 다중사이트 연구에서는 782개 표본 중 84%가 평생 대인관계의 폭력 경험을 보고했고, 52%는 평생 성폭력을 보고했다고 밝혔다. 특히 성폭력이 유년기에 발생했다고 보고되었을 경우, 외상이 발견되는 비율이 성인이 되었을 때 더 높았다. 또한 표본의 34.8%가 PTSD 기준을 충족했으며, 기분장애와 현재 물질남용의 공존질환이 높은 것으로 나타났다. PTSD로 확인된 사람은 지난 1년 동안 정신과 재입원율이 더 높았고, 신체건강이 더 나빴으며, 지난 6개월 동안 신체건강 문제로 인한 입원율이 더 높았다. 이러한 연구 결과는 외상이 일생 동안 대상자들은 잠재적으로 광범위하고 무력하게 만든다고 강조한다.

임상환경에서 중요한 고려사항은 다른 진단과 관련하여 PTSD를 선별하는 비율이다. 한 초기 연구는 275명의 서비스 사용자 표본을 포함하는 다중 사이트 연구 내에서 놀라울 정도로 낮은 진단비율을 확인했다. 표본 중 98%가 적어도 하나의 외상성 사건에 노출되었다고 보고했으며, 43%(119명)가 PTSD 진단기준을 충족했다. 이 119명 서비스 사용자 중 3명만이 임상기록에 진단이 문서화되었다. 조현병 환자 70명을 포함한 이후 연구에서 참가자가 PTSD의 공존질환을 진단받았을 때 증상의 심각성과 질병의 만성화 증가에 상당한 영향을 미치는 것으로 나타났다. 70명의 참가자 중 아무도 연구 전에 PTSD 진단을 받은 적이 없었다.

PTSD는 특히 불안 및 정동 장애, 물질남용과 함께 높은 공존질환 비율을 가지고 있다. 외상은 특히 어린 시절의 폭력이나 외상을 경험한 적이 있는 경우 자살의 위험요소로 알려져 있기 때문에 자해위험에 대한 선별은 필수적이다. 현재 외상 가능성이 있기 때문에 사정이 필수적인 보호방법으로 고려되도록 하기 위해서는 다른 사람으로부터 위해위험을 보호하는 것 또한 포함해야 한다.

현재 PTSD 치료를 위한 호주 및 국제지침은 안구운동 민감소실 및 재처리 기법(EMDR) 및 외상 중심 CBT와 같은 외상 중심 정신중재 제공을 권고한다. 이러한 전문적인 정신중재는 외상에 초점을 맞춘 대화요법에 대한 교육을 받고 지속적인 감독하에 참여한 경험이 있는 의료인에 의해 제공된다. SSRI는 대상자가 정신치료에 참여하기를 원하지 않거나 정신치료만으로 이득을 얻지 못할 경우 사용될 수 있으며, 중증 정동장애나 불안장애에 대한 공존질환이 있는 경우 도움이 될 수 있다.

비판적 사고 과제 10.3

불안이 조현병, 우울장애, 섭식장애와 같은 다양한 정신장애 진단의 하나로서 어떻게 작용하는가? 이러한 상황을 겪고 있는 사람에게 불안은 어떤 문제를 초래하는가? 불안에 대한 어떤 중재가 다른 상황 내에서도 도움이 될 수 있는가?

급성스트레스장애

급성스트레스장애(acute stress disorder, ASD)는 임상적으로 PTSD와 매우 유사하지만, ASD는 외상성 사건에 노출된 후 한 달 이내에 진단할 수 있는 반면, PTSD는 한 달이 지나야 진단된다. ASD 진단을 받은 사람이 반드시 PTSD를 유발하는 것은 아니며, 따라서 한쪽이 다른 쪽을 예측하지는 않는다는 점에 유의해야 한다. 마찬가지로 PTSD 진단을 받은 사람은 노출 첫 달 이내에 ASD 증상이 없었을 수 있다.

ASD의 치료 근거와 지침은 PTSD와 유사하며, 외상 중심 CBT가 1차 치료로 권장된다.

적응장애

적응장애(adjustment disorder, AD)는 인간관계의 종료, 실직, 사회경제적 어려움, 발달적 사건(은퇴) 또는 지속적인 질병이나 장애와 같은 하나 이상의 삶의 스트레스 요인에 대해 객관적으로 결정되고, 중요하고 지속적이며 비정형적인 스트레스 반응을 특징으로 한다. 증상은 일반적으로 기분 저하, 걱정, 대처 불능감, 활동에 대한 중단과 같은 감정적 또는 행동적 변화를 수반하며, 이는 사회적 또는 직업적 기능을 자주 손상시킨다. 증상은 3개월 이내에 발생하고 스트레스 요인이 중단된 후 6개월 이내에 완화된다. 사별 후 AD의 진단은 복잡하며, 슬픔증상이 예상되는 슬픔반응을 벗어난 강도와 지속적으로 발생하는 수준에서만 고려된다.

AD는 상당히 일반적이지만 사용 가능한 진단도구가 거의 없기 때문에 상대적으로 연구가 덜 되어 있다. 주요 우울장애와 같은 다른 장애와의 구별도 어렵기 때문에 1차 진료서비스에서 AD의 인지도는 상대적으로 낮다.

AD에 대한 역학연구는 거의 없으며, 우리나라에서는 AD에 대한 전반적 실태조사 결과자료는 별도로 보고되지 않았다. 전 세계 유병률은 외래환자 환경에서 5~20%인 것으로 추정되며, 신체적 건강상태를 경험한 사람에서 14%의 비율이 확인되었다. 이는 취약성과 개인 및 가족 기능에 대해 잠재적으로 유의미한 영향이 증가하기 때문에 중요한 인생 과도기(예 부모가 됨, 은퇴)에 접어든 인구에서 AD를 평가할 필요성이 확인된다.

AD는 모든 문화에서 발견되지만, 생활스트레스 요인에 대한 문화적 반응은 다르다. 사정 시 문화 자문가의 신중한 고려와 의견이 권고된다.

치료는 인지행동, 마음챙김 기반 및 해결 중심 치료법을 통해 개인의 대처기전을 향상시킨다. AD에 대한 약물 사용을 뒷받침하는 연구가 부족함에도 불구하고, 항우울제 처방이 1차 진료에서 높은 비중을 차지하고 있는데, 이는 증상을 주요 우울증 질환으로 오진하기 때문일 수 있다.

치료 및 간호중재

간호사는 불안감이나 트라우마 병력이 있는 사람을 옹호하는 데 중요한 역할을 한다. 인정(validation)은 간호사가 제공할 수 있는 첫 번째이자 아마도 가장 유용한 중재이다. 사정 활동을 통해 불안의 기원과 그것이 한 사람의 삶에 미치는 영향에 대한 이해를 도울 수 있다. 간호사는 대상자가 더 큰 마음의 안정과 기능을 개발할 수 있도록 지지하는 수많은 유용한 중재를 제공할 수 있다. 대상자가 불안을 위해 중재를 어떻게 사용했는지에 대한 설명은 다음의 **당사자 이야기 10.2**를 참조한다.

정신교육

정신교육(Psychoeducation)은 향후 의사결정에 대한 정보 제공을 위해 개인의 정신건강 능력 및 자기인식을 높이기 위해 필요한 지식을 말한다. 낮은 정신건강 정보와 자기 낙인은 정신적 안녕에 어려움을 겪고 있는 사람의 낮은 수준의 도움 요청 행동과 관련이 있다. 정신교육은 불안장애로 인한 고통을 완화하는 강력한 치료도구이며 대상자의 참여, 치료 결과 및 심리사회적 기능을 개선하는 데 도움이 된다.

정신교육은 대상자에게 불안의 기능과 목적에 대해 가르치는 것을 포함하므로 불안은 반드시 피하거나 두려워 할 필요 없는 공유된 인간의 경험으로 정상적이고 필요한 것으로 볼 수 있다. 불안이 지속되는 기전에 대한 통찰력과 성찰을 높이는 데 도움이 되도록 실제 시나리오를 통해 대화함으로써 고조된 불안반응을 탐색할 수 있다.

정신교육은 불필요한 전문용어 없이 항상 자유로이 제공되어야 하며, 정보와 질문을 처리하는 시간을 허용하는 균형 잡힌 협력적 방식으로 전달되어야 한다. 웹사이트, 유인물 및 셀프 도움말 책을 통한

당사자 이야기 10.2

불안에 대해 오해하고 있는 한 가지는 '불안이 신체적 특성'이라는 생각이다. 그것은 종종 불편하고, 어떤 때는 꽤 고통스러워질 수 있다. 최악의 경우, 마지막 임신 2개월 동안 나의 신체적 불안감은 밤낮으로 공황 발작 수준이거나 거의 가깝게 있었다. 나의 사고 과정은 이성적이었으나, 진정하고 이성적 사고를 하려고 노력함으로 인해 내 몸에 퍼지는 아드레날린과 코티솔을 막을 수 없었다. 깨는 순간부터 나는 내 몸과 그 느낌이 어떤지 예민하게 의식했다. 그것은 과열 상태였고 다른 것에 집중하는 것이 어려울 정도의 불편한 수준까지 흥분되어 있었다. 약물치료를 통해 한 번에 4시간씩 잠을 잘 수 있었지만, 낮에 평온을 찾을 수 있었던 유일한 시간은 활동에 깊이 몰두할 때뿐이었다. 그 순간 자체도 순식간이었다. 나의 정신과 주치의는 나를 1분 1초 간격으로 설명했고, 여러 번 내가 다음 순간까지 살아남을 수 있을지 확신하지 못했다.
여러 가지가 나를 도왔다. 나는 끊임없이, 그리고 의심의 여지없이 바빠야만 했다. 나는 일을 부탁했고 가족은 필요하다면 친절하게 일자리를 마련해 주었다. 돌이켜보면, 그 작업들은 내 마음을 산만하게 하고 약간의 평화로운 순간을 허락할 수 있도록 육체적이면서도 생산적이어야만 했다. 나의 공황은 그들이 제공하는 오락 활동 수준을 쉽게 깨뜨렸기 때문에 생각하는 것을 실패했지만, 아들과 활발하게 노는 것은 한 번에 몇 분씩 효과가 있었다. 가장 힘들었던 어느 날, 의료진은 나에게 차를 몰고 집에 가는 길에 공원 풀밭을 맨발로 걸으면서 자연과 발밑의 풀의 느낌에 집중하라고 말했다. 나는 그가 미친 사람이라고 생각했지만, 내가 그것을 해야 한다는 것을 알았다. 그것은 효과가 있었다. 나는 그 날과 다른 모든 날들을 약물, 치료, 마음챙김 기술, 적극적인 주의 산만함, 그리고 가족의 지원을 사용하여 살아남았다. 3년 후, 그리고 EMDR(안구운동 민감소실 및 재처리 기법) 치료 후, 분만 시 필요한 여섯 가지 약 대신 한 가지 약만 사용하고, 달리기와 필라테스를 하며, 자연의 한가지를 아주 가까이에서 보려고 매일 노력한다. 나는 그것을 자세히 분석하려고 노력하고 내가 있는 그 순간이 실제로 존재하는 전부라는 것을 스스로에게 상기시킨다.

자기주도학습은 학습을 위한 유연성과 선택권을 제공하므로 임상환경에서 사용할 유용한 자원을 식별할 수 있도록 한다.

사회적 지지

사회적 지지는 지속적인 외상 및 고통의 잠재적 · 장기적 · 부정적 영향으로부터 개인을 보호하는 것으로 밝혀졌다. 사회적 지지는 동료애, 유대감, 자원 접근성 증가, 즐거움을 제공하는 활동에 참여할 기회와 같은 여러 가지 이점을 제공한다. 개인의 현재 사회적 지지 수준을 파악하고 강화하는 것은 회복에 강력한 영향을 미칠 수 있다.

충족되지 않은 사회경제적 요구(주택, 빈곤, 사회적 고립 등)는 큰 장벽이 될 수 있으며, 필요에 따라 다른 기관에 의뢰하여 다른 중재와 함께 고려되어야 한다.

외상 기반 간호와 심리적 처방

외상 기반 접근방식은 서비스 제공의 모든 측면에서 민감성, 선택성 및 협업을 보장함으로써 그 사람에게 무엇이 잘못되었는지가 아니라 그 사람에게 무슨 일이 일어났는지 이해하려는 시도를 강력하게 강조한다. 따돌림, 학대, 심각한 손실, 재난 또는 부모의 정신건강 문제에 대한 노출과 같은 현재의 고조된 불안상태를 유발하는 데 영구적으로 영향을 미치는 모든 외상 기반 경험을 고려해야 한다. 트라우마 선별검사에 대한 자세한 내용은 이 장의 평가 부분을 참조한다. 심리적 처방은 외상 정보 치료를 전달하는 데 필수적이고 그 자체로 치료적 중재이며, 대상자가 있는 그대로의 상태로 어려움을 겪고 있는 이유를 이해할 수 있는 기회를 제공한다. 이러한 의미에서, 심리적 처방은 의료진과 대상자 모두에게

임상사례

정신건강센터에 방문한 소방공무원 27세 남성은 2개월 전 자신이 근무하는 지역의 화학공장 화재를 진압하다 대형폭발사고를 경험하였다. 폭발사고로 인해 공장에서 근무하던 근로자 대부분이 사망 또는 중상을 입었으며 자신도 유독가스에 장시간 노출되면서 입원치료를 받았다. 대상자는 퇴원 후 당시 상황이 반복해서 떠오르고 밤에는 악몽으로 자주 깨며 수면시간은 하루 3~4시간 정도로 파악되었다. 응급출동 시에도 그 때 상황이 먼저 떠올라 과도하게 놀라기도 하고 사람들을 구하지 못했다는 죄책감과 무력감으로 업무를 수행하기 힘들다고 호소하였다. 근무 중에도 불안하고 초조함을 많이 느끼며 집중하기 어렵고 동료들과의 대화 횟수도 현저히 감소한 상황이다.

증상과 징후
- 근무 중 불안감과 초조함
- 과도한 놀람 반응
- 사고상황에 대한 회상

간호진단
불안

간호활동
- 사건에 대한 회상 표현을 적극적으로 경청한다
- 자신의 감정에 대해 표현할 수 있도록 격려한다.
- 불안감 완화를 위한 호흡법 및 이완요법을 교육한다.
- 스트레스 관리 방법을 교육한다.
- 체계적 둔감법을 활용하여 스스로 조절할 수 있는 능력을 키우도록 돕는다.

약물처방:
Paroxetine 20mg hs
Zolpidem 10mg (Prn)

결과
- 외상사건에 대한 표현 시 불안이 감소한다.
- 자발적으로 사건에 대해 이야기한다.
- 불안을 느낄 때 호흡법 및 이완요법을 적용한다.

증상과 징후
- 악몽
- 수면 중 자주 깸
- 수면시간 : 3~4시간/day

간호진단
수면장애

간호활동
- 비자극적이고 편안한 수면환경을 조성한다.
- 수면위생에 대해 교육한다.
- 명상요법을 교육한다.
- 필요시 수면제를 복용한다.

결과
- 충분한 수면을 취한다.
- 취침 시 명상을 통해 수면을 유도한다.

증상과 징후
- 동료들과의 대화 감소
- 죄책감과 무력감
- 낮은 업무 집중도

간호진단
자기돌봄 결핍

간호활동
- 치료진과 자주 일대일 관계를 갖는다.
- 무력감의 내용을 사정하고 표현을 격려한다.
- 대상자가 가능한 수준에 따라 상호작용할 수 있는 대화를 파악하여 수행한다.
- 인지치료를 통해 현실을 좀 더 객관적으로 보도록 돕고 자기 비난 및 죄책감을 극복하도록 돕는다.
- 자조그룹을 통해 지지체계를 마련한다.

결과
- 의미 있는 사람들과 만족스러운 관계를 회복한다.
- 적절한 직업 및 사회활동을 수행한다.
- 유사한 경험을 한 사람들의 모임에 참석한다.

그림 10.5 불안장애(PTSD) 대상자를 위한 간호계획 개념지도

통찰력 제공과 중재 선택의 신중한 과정에 도움을 주는 데 매우 중요한 것이다.

협업 방식은 치료 제휴를 심화시키며, 더 다학제적인 치료팀을 만들고 그들 스스로에 대한 더 깊은 이해를 통해 대상자의 동기부여에 도움을 줄 수 있는 잠재력을 제공한다.

심리적 처방은 심리학자의 도구로 여겨져 왔지만 간호사에 의해 점점 더 많이 사용되고 있다.

심리적 중재

심리적 중재는 실험, 교육, 심리치료, 기술 훈련, 이완 또는 서면 활동과 같은 다양한 자원을 사용하여 감정, 인식, 태도 및 행동을 수정하는 데 도움이 된다.

심리적 중재는 불안 및 외상 관련 장애에 대해 효과적이고 근거 기반이며 선호하는 치료 선택으로 자주 간주된다. 이 치료법은 단기 또는 장기 치료 패키지(6~20회 이상의 회기), 그룹치료 환경 내에서 또는 온라인 안내 또는 서면 셀프 도움말 패키지를 통해 일회성으로 제공될 수 있다. 심리치료나 대화요법은

간호사 이야기 10.2

J는 눈을 크게 뜨고 적극적으로 의자에서 시간을 보낸다. 그는 10년 동안 나와 같은 다른 사람들과 함께 치료를 받아 왔다. 나는 J가 다른 사람의 기분을 맞추고 제안을 기꺼이 받아들인다는 것을 금방 알아차렸다. 나는 조심해서 걸어야 한다. J는 불안한 상황이고, 우리 모두는 불안을 가지고 있다. J는 이 자연스러운 불안경험이 매우 증폭되어 삶을 두려움의 세계로 바꾸어 놓았다.

우리는 함께 그의 삶에서 작동하지 않는 것에 대해 이야기했다. 그의 불안은 치명적이다. 커튼 뒤에 갇힌 채 밖으로 나오는 것을 두려워하고 있을 때 기쁨을 찾는 것은 거의 불가능했다.

비합리적인 두려움은 어디에나 있다. 마치 두려움이 점점 짧아지는 것처럼 느껴진다. 사교파티 초대가 J에게 위협이 되었다. '내 친구가 나를 초대했다… 나는 너무 화가 났다. 그가 감히? 그는 내가 갈 수 없다는 것을 안다!' 그는 자신을 빤히 쳐다보게 만드는 어떤 상황도 두렵다. 그는 항상 그랬던 것처럼, 특히 인상을 찌푸린 아버지에게 깊은 인상을 주려고 노력하는 어린 소년으로서 자신이 부족해지지 않을까 두려워한다.

그의 생각은 비뚤어져 있었다. '난 갈 수 없어…, 난 대처할 수 없어…' 이 생각이 단계적으로 시작되었다. 불안한 감정이 공기를 타고 퍼졌다. 그의 심장은 뛰고, 동공은 확대되며, 근육은 긴장되고, 손바닥에서는 땀이 났다. 이 모든 감각은 '난 여기 커튼 뒤에 있어야 해'라고 말했다. 이 모든 감각은 오래된 신념으로 굳어 있었다.

이 안전한 방에서 우리는 그의 투쟁, 즉 생각, 감정, 두려움에 대해 이야기했다. J의 두려움은 말하고 듣고 객관적으로 탐구된다. 공포의 힘은 사라지기 시작했다. 우리는 불안, 그 자연스러운 리듬과 목적을 탐구했다. 우리가 이것을 탐구할 때 그는 어떤 부정적인 결과도 관리할 수 있도록 자신을 신뢰하기 시작했다. 그런 다음 그는 자신의 두려움에 자신을 하나씩 노출시켰다. 이러한 경험을 우리 방에 가져와 토론하고, 비판하고, 배웠다. 이제 J는 자신의 생각에 도전할 수 있다. 그는 육체적 감각을 진정시키기 위해 마음챙김과 이완을 사용한다. 감정을 알아차리고 인정하게 된다.

오늘, J는 미소를 지으며 자신만만한 태도로 앉아 있다. 그는 더 일찍 일을 하고 있었고, 쉽지는 않았지만 괜찮았다. 그는 친구를 방문 중이다. 곧 가족모임에 갈 예정이고, 럭비를 다시 시작할까 생각 중이다. 지금 J는 자신의 삶과 그것이 가지고 있는 무서운 부분들에 대한 생각에 잠겨있지만 두려워하지 않는다.

근거 기반 치료 프로토콜을 사용하는 간호사를 포함하여 적절히 훈련된 건강전문가에 의해 제공된다.

현재 불안장애에 대한 근거 기반 심리적 중재는 CBT, 수용 전념 치료(ACT), 이완 및 마음 챙김 기반 스트레스 감소가 포함된다. 연구에 따르면 일반적으로 심리 치료는 불안 증상에 대한 대기 목록 관리와 비교하여 큰 효과가 있으며, CBT는 단독 약물치료보다 낮은 재발률을 보이는 것으로 입증되었다.

간호사 이야기 10.2는 간호사가 간호 실무에서 심리적인 중재를 사용하는 것에 대한 개요를 제공한다.

인지행동치료

인지행동치료(CBT)는 다양한 정신건강 상태, 특히 불안장애를 치료하는 데 사용되는 효과적인 근거 기반 대화치료법이다. 1960년대 벡(Aaron Beck)이 우울증 단기 치료법으로 개발한 CBT는 불안과 외상 관련 질환을 포함한 다양한 정신적 · 육체적 건강장애를 위해 수정 및 보완되었다. **표 9.2**는 인지행동 중재를 요약하였다.

CBT는 대상자의 역사적 경험, 발달된 신념체계와 현재의 인지, 생리적 증상, 감정적 경험 및 행동적 반응을 현재 환경의 맥락에서 이해하려고 시도하는 작업형식의 공동목표 수립에 초점을 둔다. 이러한 요인이 어떻게 상호작용하여 고통과 어려움을 영속하게 하는지를 확인함으로써 치료자와 대상자는 행동 변화 실험을 시도하고 삶에서 더 큰 유연성과 기능을 허용할 수 있도록 인지구조를 재구성할 수 있다. 오랫동안 지켜온 신념체계와 괴로움, 고통스러운 경험에 대한 습관적인 행동방식의 변화는 불안과 우울장애에 대한 약리적 치료와 비교하여 재발 방지를 위해 CBT의 향상된 효과에 대한 연구 결과로 설명될 수 있다.

CBT는 온라인 중재로 실현할 수 있으며, 간단한 치료 패키지(3~6회)부터 보다 집중적인 효과를 위해 장기간(6~20회 이상의 회기)에 걸쳐 제공될 수 있으며, 위기에 대한 짧은 일회성 심리적 중재의 일부로 분류될 수 있다.

CBT는 변증법적 행동치료, 수용전념치료(ACT), 스키마 치료 및 행동 촉진과 같은 '제3의 물결' 접근으로 적용되었다.

수용전념치료

1980년대 후반 헤이즈 등(Steven Hayes, Kirk Stroshal, and Kelly Wilson)이 개발한 수용전념치료(ACT)는 고통의 수준을 직접 도전하거나 바꾸려고 하는 것과는 대조적으로 고통의 내부 표현(예 부정적인 생각, 고통스러운 정서, 생리적 표현)과 치료자가 관계하는 방식을 변화시킴으로써 고통과 함께 하는 것에 대해 다른 접근법을 취한다. ACT는 부정적인 생각, 고통스러운 정서, 그리고 그에 수반되는 신체적 증상과 같은 내부 경험은 인간 경험의 정상적인 측면이며, 그것들을 없애기 위해 피하거나 싸우기보다는, 수용하고 함께 일할 수 있다고 제안한다. 마음챙김과 가치 기반 행동에 대한 헌신을 사용하여 삶과 현재 순간에 더 유연하게 초점을 맞춘다. 치료는 심리적 유연성을 향상시키기 위한 기술을 개발하고, 자신에 대해 보다 유연한 관점을 갖게 하며, 고통과 어려운 생각에 지배당하지 않고 현재 순간과 집중할 수 있게 하는 것이다.

ACT는 불안 및 기타 정신건강 상태를 다루는 데 좋은 경험적 기반을 제공하는 60개 이상의 무작위 대조군실험에서 잘 입증되었다.

표 10.2 인지행동 중재의 구성요소

노출	• 환자가 두려움에 직면하도록 격려한다. • 환자는 경험을 통해 교정 정보를 배운다. • 반복적인 노출을 통해 두려움을 소거한다. • 성공적인 대처는 자기효능감을 향상시킨다.
안전반응 억제	• 환자는 평소의 불안 감소 행동을 통제한다(예 탈출, 안심 시키기 필요). • 부정적인 강화 감소시킨다. • 불안을 줄이는 행동을 사용하지 않고 불안에 대처함으로써 자기효율성을 향상시킨다.
인지전략	• 인지 재구성, 행동 실험 및 관련 전략은 위험에 대한 환자의 과장된 인식을 대상으로 한다(예 SAD에서 부정적인 평가에 대한 두려움). • 위협 수준에 대해 교정된 정보를 제공한다. • 자기효능감 신념을 목표로 삼을 수 있다.
각성 관리	• 이완 및 호흡 조절기술은 환자가 증가된 불안 수준을 조절하는 데 도움이 될 수 있다.
안전신호에 대한 순응	• 환자는 안전 신호(예 동행자의 존재, 가장 가까운 화장실 위치 파악)를 포기한다. • 환자는 적응적 자기효능감 신념을 배운다.

출처: Katzman, M. A., et al.; licensee BioMed Central Ltd 2014 . Released under Open Access, Creative Commons Attribution License.

범진단적 치료 접근

범진단적 치료 접근은 이전에 불안장애 간의 차이에도 불구하고 몇 가지 공통된 취약점이 발견되었으므로 이러한 공통점을 치료하기 위한 중재를 제공하는 것보다 효과적이고 비용효율적일 수 있다는 믿음이 생겼다. 초진단적 치료는 그 사용을 지지하는 것에 대해 알려진 과학적 근거가 있으며 다학제적인 의료환경 전반에 걸쳐 보다 쉽게 구현할 수 있도록 적용된다. 불안감 그 자체에 대한 민감성은 모든 불안장애에서 발견되는 진단적 취약점 중 하나이다. 불안 민감성은 불안의 각성 증상에 대한 두려움으로 인격장애와 외상후스트레스장애에서 특히 문제가 된다. ACT는 불안을 필요하고 중요한 인간의 경험으로 수용하도록 촉진함으로써 불안 그 자체에 대한 두려움을 줄이는 것을 목표로 하는 초진단적 치료의 좋은 예이다. 이러한 방법으로, 취약성이 관찰된다면 어떤 불안장애를 진단하던 간에 ACT를 적용할 수 있다.

디지털 정신건강 자원

우리는 기술을 활용하여 많은 인구에 대해 상대적으로 저렴하게 디지털화되고 보급될 수 있는 능력을 활용하여 심리적 중재를 제공하는 것의 이점을 점점 더 확인하고 있다. E-CBT 및 온라인 자원은 대상자에게 비용이 적게 들거나 전혀 들게 하지 않으면서 참여의 유연성을 제공한다. 대부분의 인터넷 기반 도구는 CBT를 기반으로 하며 사용자에게 다음과 같은 기회를 제공한다: 중간 학습 활동을 포함한 정기적인 온라인 수업을 통해 CBT에 접근하고, 자신의 안녕을 평가 및 모니터링하며, 다양한 조건에 대한 통합 정신교육을 배우고, 활용 시간, 장소 및 속도를 선택할 수 있다. 도구는 내장된 프롬프트를 통해 어려움이 높은 상황에 대해 추가 지원을 요청하고 의견을 구할 수 있도록 지원할 수 있다. 연구에 따르면 의료인이 제공하는 지침과 지원은 의료인의 관계없는 형태의 E-CBT 형태보다 더 큰 준수와 긍정적 결과를 가져오게 한다.

SPARX (Smart, Positive, Active, Realic, X-factor thinks) 및 Quest-Te Whitianga와 같은 일부 웹사이트는 자조치료 매뉴얼의 무료 다운로드를 제공하는 동시에 불안과 우울증을 가진 청소년을 지원하기 위한 대화형 게임 프로그램을 통해 학습과 CBT를 활용하는 자조를 통합한다.

대면과 온라인 CBT를 비교하여 유사한 수준의 효과를 보여주는 연구의 수가 증가하고 있고, 일반적으로 대기자 명단과 비교해도 더 우수하다. 인터넷을 통해 제공되는 치료법은 단계적 치료 모델에 따라 경증이거나 중등도의 불안을 가진 대상자에게 도움이 되는 첫 단계로 간주될 수 있으며 대면치료를 기다리는 대상자에게도 도움이 된다.

문화적 지원

문화는 신체와 정신과 마찬가지로 본질적으로 우리의 일부이며, 문화와의 연결은 안녕을 위해 필수적이다. 문화는 정의하기 어려울 수 있지만, 일반적으로 집단적 가치, 관행, 관습 및 전통의 집합으로 구성되는 것으로 생각되며, 반드시 민족적 정체성에만 국한되는 것은 아니다. 문화와의 연결은 사람들에게 소속감, 안정감, 의미를 부여할 뿐 아니라 역사 안에서 그리고 현재 순간에 자신의 위치를 찾도록 도와주고 자신에 대한 비전을 보여주기 때문에 미래를 위한 많은 보호요소와 회복력을 제공한다.

건강시스템은 일반적으로 서양 건강 모델에서 비롯되며, 다른 문화권 사람들에게 잠재적인 시사점과 도전을 가져온다. 뉴질랜드와 호주의 토착문화인 마오리족, 원주민, 토레스해협 섬주민은 그들만의 독특한 신앙체계와 건강 관행이 있으며, 이 믿음들은 그들의 민족에게 보호요소를 제공하는 것으로 알려져 있다. 원주민을 위한 평등한 결과를 위해 문화에 대한 연결을 중요한 요소로 확인하고 Mason Durie(1982)의 모델인, 'Te Whare Tapa Wha'와 같은 현재의 토착 의료모델로부터 배우고 활용해야 한다. 이 모델은 whenua(토지), whakapapa(계보) 및 tikanga 마오리 또는 마오리 방식과의 연결의 중요성뿐만 아니라 taha wh nau(확장된 가족 건강 및 더 넓은 사회시스템), taha hinengaro(정신적 안녕 및 심신의 불가분의 본질), taha tinana(신체건강) 및 taha wairua(영적 건강)에 대한 깊은 연결과 필수적 역할을 도표로 나타내어 묘사하고 있다.

정신약리학

일반적으로 약물치료는 부작용의 위험, 관련 비용 및 심리적 중재가 작용하는 중요한 영속적 요인을 대상으로 삼을 수 없다는 점을 고려할 때 불안과 외상 관련 장애에 대한 1차적인 접근법은 아니다. 또한 증상 평가 및 모니터링만으로도 높은 위약 반응을 제공하는 경우가 많아 가벼운 불안장애 치료에 약의 효과를 입증하기가 어려웠다.

불안장애에 대한 약리학적 치료를 사용하는 동인은 대상자가 경험하는 증상의 강도, 일상적인 기능 및 지속시간이 영향을 미친다. 정신약리학은 항상 부작용과 위해성을 포함하여 의약품의 모든 측면을 사전 동의를 얻는 과정을 거쳐 활용되어야 한다.

단기적인 약물 사용은 중등도에서 중증의 증상을 나타내는 대상자에게 도움이 될 수 있으며, 심리치료에 참여하는 데 도움을 줄 수 있다. 예를 들어, 심각한 범불안장애 사례의 경우 병용 사용은 두 가지 치료 중 하나를 단독으로 사용하는 것보다 더 효과적이다.

불안감을 위해 사용되는 향정신성의약품(벤조디아제핀을 제외한)은 종종 즉각적인 반응을 일으키지 않는다. 단기적으로 증상이 악화될 수 있으므로 대상자가 대비해야 한다. 약물 선택은 근거 수준, 부작용 측면에서의 안전성, 개인에 대한 금기사항, 과거사용에 대한 사전 긍정적 반응에 따라 결정된다.

SSRI는 우울증 및 정동 장애를 치료하는 데 사용되며, 유사한 근거 기반, 광범위한 효과 및 부작용 측면의 높은 수준의 내성으로 인해 불안장애의 치료에 있어 필요할 때 일반적으로 처방된다. SNRI는 불안장애, 특히 범불안장애와 인격장애의 급성 치료 및 재발 예방 단계에서 효과가 입증되었지만, 부작용은 더 높고 내성은 덜하다. 로라제팜 및 디아제팜과 같은 벤조디아제핀은 인격장애, 사회불안장애 및 범불안장애의 단기 치료에 일부 입증된 효과가 있으나, 종종 진정 및 인지장애를 유발하며 장기간 사용 시 의존성의 위험이 있다.

단원 요약

높은 수준의 불안은 현재와 미래에 일어날 수 있는 일에 대한 더 많은 불안과 두려움을 유발할 수 있는 수많은 위험 가능성으로 가득 차 있어 불안정한 침습적 생각을 우리의 의식에 보내는 원인이 될 수 있다. 하지만 감정 그 자체로서 불안은 정상적이고 필요한 것으로 우리의 일상생활에서 보호적인 역할을 한다.

불안 및 외상 관련 장애는 몇 가지 중요한 삶의 사건과 초기 경험 이후에 발생할 수 있으며, 일상생활의 스트레스에 의해 자주 지속되며 삶에 있어 의미를 깨닫고 가치에 대한 연결성을 손상시킨다. 심리적 중재는 큰 역할을 하며 신중한 약리학적 치료로 보완될 수 있다.

간호사는 다양한 진단과 문제에 대한 효과적인 심리적 중재를 파악하고 학습할 뿐만 아니라 사정 및 수행 기술을 향상시킬 수 있다면 불안장애를 가진 대상자와 함께 작업할 수 있는 필요한 지식 등을 가르칠 준비를 해야 한다. 그러나 우리가 사용해야 하는 가장 큰 도구는 협업적인 치료관계로 대상자 자신의 전문지식을 인식하고 자신의 삶에서 전문 지식을 활용할 수 있도록 돕는 것이다.

수업참여를 위한 연습

불안감이 많은 삶과 불안감이 없는 삶을 사는 것의 이점에 대한 토론을 위해 반을 두 그룹으로 나누세요. 각 그룹에 토론할 시간을 준 다음 주제에 대해 토론하고 공정한 그룹을 요청하거나 학급 내에서 어떤 팀이 토론에서 이길지 결정하는 토론을 합니다. 토론 후 학생들이 볼 수 있고 토론할 수 있도록 주요 논점들을 작성합니다.

● 유용한 웹사이트

CALM (Computer Assisted Learning for the Mind) – online self-care package. https://www.calm.auckland.ac.nz/

e-Couch – free, self-help modules for depression and anxiety. https://ecouch.anu.edu.au/welcome

GET Self-Help – cognitive behaviour therapy self-help resources. https://www.getselfhelp.co.uk/

Just a Thought – free CBT tool that can be used independently or prescribed by a health worker. https://justathought.co.nz

MindSpot – a free service for Australian adults experiencing anxiety, stress, depression and low mood. https://mindspot.org.au/

National Institute for Health and Care Excellence (NICE) – guidelines for a range of mental health conditions. https://www.nice.org.uk/guidance

Royal Australian and New Zealand College of Psychiatrists (RANZCP). https://www.ranzcp.org/home

SPARX – self-help e-therapy tool for young people. https://www.sparx.org.nz/

This Way Up – low-cost online CBT courses. https://thiswayup.org.au

● 참고문헌

보건복지부 국립정신건강센터(2021). 2021년 정신건강실태조사 보고서.

송정민, 채정호(2005). 일차진료에서의 범불안장애의 진단과 치료. 가정의학회지, 26, 517-528.

한국트라우마스트레스 학회(2021). 코로나19 청소년 정신건강실태조사 보고서.

American Psychiatric Association (APA). Diagnostic and Statistical Manual of Mental Disorders, fifth ed. Washington, DC: APA; 2013.

Andrews, G., Bell, C., Boyce, P., et al. Royal Australian and New Zealand College of Psychiatrists clinical practice guidelines for the treatment of panic disorder, social anxiety disorder and generalised anxiety disorder. Aust. N. Z. J. Psychiatry. 2018; 52(12):1109–1172.

Asmundson, G. J.G., Taylor, S., Smits, J. A.J. Panic disorder and agoraphobia: an overview and commentary on DSM-5 changes. Depress. Anxiety. 2014; 31:480–486.

Australian Bureau of Statistics, National survey of mental health and wellbeing: summary of results. ABS, Canberra, 2007. Available: www.abs.gov.au/ausstats/abs@.nsf/mf/4326.0. (Accessed 1 July 2015).

Australian Centre for Posttraumatic Mental Health (ACPMH), Australian Guidelines for the Treatment of Acute Stress Disorder and Posttraumatic Stress Disorder. ACPMH, Melbourne, 2013. Available: http://phoenixaustralia.org/wp-content/uploads/2015/03/Phoenix-ASD-PTSD-Guidelines.pdf. (Accessed 1 July 2015).

Australian Centre for Posttraumatic Mental Health (ACPMH), Australian guidelines for the treatment of adults with acute stress disorder and posttraumatic stress disorder. ACPMH, Melbourne, Victoria, 2007. Available: www.nhmrc.gov.au/_files_nhmrc/publications/attachments/mh13.pdf. (Accessed 1 July 2015).

Baldwin, D. S., Anderson, I. M., Nutt, D. J., et al. Evidence-based pharmacological treatment of anxiety disorders, post-traumatic stress disorder and obsessive-compulsive disorder: a revision of the 2005 guidelines from the British Association for Psychopharmacology. J. Psychopharmacol.. 2014; 28(5):403–439.

Benton, D. M., Deering, D. E.A., Adamson, S. J. Treating co-occurring posttraumatic stress disorder and substance use disorders in an outpatient setting in New Zealand. NZ J. Psychol.. 2012; 41(1):30.

Brickhouse, T. C., Smith, N. D. Socratic teaching and socratic method. In: Siegel H., ed. The Oxford Handbook of Philosophy of Education. New York: Oxford University Press; 2009:177–194.

Canton, J., Scott, K. M., Glue, P. Optimal treatment of social phobia: systematic review and meta-analysis (report). Neuropsychiatr. Dis. Treat.. 2012; 8:203–215.

Casey, P., Doherty, A. Adjustment disorder: implications for ICD-11 and DSM-5. Br. J. Psychiatry. 2012; 201:90–92.

Christie, G. I., Shepherd, M., Merry, S. N., et al, Gamifying CBT to delivery emotional health treatment to young people on smartphones. Internet Interv. 2019; 18 100286

Clark, D. M. A cognitive approach to panic. Behav. Res. Ther.. 1986; 24:461–470.

Cooper, J., Metcalf, O., Phelps, A. PTSD: an update for general practitioners [online]. Aust. Fam. Physician. 2014; 43(11):754–757.

Cosoff, S. J., Hafner, R. J. The prevalence of comorbid anxiety in schizophrenia, schizoaffective disorder and bipolar disorder. Aust. N. Z. J. Psychiatry. 1998; 32:67–72.

Craske, M. G. Transdiagnostic treatment for anxiety and depression. Depress. Anxiety. 2012; 29:749–753.

Craske, M. G., Rauch, S. L., Ursano, R., et al. What is an

anxiety disorder? Depress. Anxiety. 2009; 26:1066 - 1085.

Cuijpers, P., Sijbrandij, M., Koole, S., et al. Psychological treatment of generalised anxiety disorder: a meta-analysis. Clin. Psychol. Rev.. 2014; 34:130 - 140.

Durie, M. Whaiora: Morihealth Development. Auckland: Oxford University Press; 1982.

Earl, T., Hodgson, E., Bunting, A., et al. Talking therapies in times of change. J. NZCCP. 2014; 24:5 - 24.

Faravelli, C., Lo Sauro, C., Lelli, L., et al. The role of life events and HPA axis in anxiety disorders: a review. Curr. Pharm. Des.. 2012; 18(35):5663 - 5674.

Forbes, D., Creamer, M., Phelps, A., et al. Australian guidelines for the treatment of adults with acute stress disorder and post-traumatic stress disorder. Aust. N. Z. J. Psychiatry. 2007; 41(8):637 - 648.

Freidl, E. K., Zakarin, E. B., Phobias. BMJ Publishing Group, London, 2016. Available: http://bestpractice.bmj.com

Gee, G., Dudgeon, P., Schultz, C., et al. Aboriginal and Torres Strait Islander social and emotional wellbeing. In: Dudgeon P., et al, eds. Working Together: Aboriginal and Torres Strait Islander Mental Health and Wellbeing Principles and Practice. Canberra: Commonwealth of Australia, 2014.

Goodman, W. K., Price, L. H., Rasmussen, S. A., et al. The Yale - Brown Obsessive - Compulsive scale. I. Development, use, and reliability. Arch. Gen. Psychiatry. 1989; 46:1006 - 1011.

Hammen, C. Generation of stress in the course of unipolar depression. J. Abnorm. Psychol.. 1991; 100:555 - 561.

Hartley, S., Barrowclough, C., Haddock, G. Anxiety and depression in psychosis: a systematic review of associations with positive psychotic symptoms. Acta Psychiatr. Scand.. 2013; 128(5):327 - 346.

Hawton, K., Saunders, K., Topiwala, A., et al. Psychiatric disorders in patients presenting to hospitals following self-harm: a systematic review. J. Affect. Disord.. 2013; 151(3):821 - 830.

Hayes, S. C., Pistorello, J., Levin, M. E. Acceptance and commitment therapy as a unified model of behavior change. Couns. Psychol.. 2012; 40(7):976 - 1002.

Hinton, D. E. Multicultural challenges in the delivery of anxiety treatment. Depress. Anxiety. 2012; 29:1 - 3.

Hofmeijer-Sevink, M. K., Batelaan, N. M., van Megen, H. J.G. M., et al. Clinical relevance of comorbidity in anxiety disorders: a report from the Netherlands Study of Depression and Anxiety (NESDA). J. Affect. Disord.. 2012; 137(1 - 3):106 - 112.

Johnson, E. M., Coles, M. E. Failure and delay in treatment-seeking across anxiety disorders. Community Ment. Health J.. 2013; 49(6):668 - 674.

Katzman, M. A., Bleau, P., Blier, P., et al. Canadian clinical practice guidelines for the management of anxiety, posttraumatic stress and obsessive-compulsive disorders. BMC Psychiatry. 2014; 14(Suppl. 1):S1 - S83.

Kazantzis, N., Kennedy-Moffat, J., Flett, R., et al. Predictors of chronic trauma-related symptoms in a community sample of New Zealand motor vehicle accident survivors. Cult. Med. Psychiatry. 2012; 36(3):442 - 464.

Kenardy, J. Treatment guidance for common mental health disorders: Adjustment disorder. InPsych October (online). Available: www.psychology.org.au/Content.aspx?ID=6213 2014. (Accessed 1 July 2015).

Kessler, R. C. Posttraumatic stress disorder: the burden to the individual and to society. J. Clin. Psychiatry. 2000; 61(Suppl. 5):4 - 12.

Klein, D. F. Historical aspects of anxiety. Dialogues Clin. Neurosci.. 2002; 4(3):295.

Leonard, B. E. The HPA and immune axes in stress: the involvement of the serotonergic system. Eur. Psychiatry. 2005; 20:S302 - S306.

Lowrance, S. A., Ionadi, A., McKay, E., et al. Sympathetic nervous system contributes to enhanced corticosterone levels following chronic stress. Psychoneuroendocrinology. 2016; 68:163 - 170.

Malan-Müller, S., Hemmings, S. M.J., Seedat, S. Big effects of small RNAs: a review of microRNAs in Anxiety. Mol. Neurobiol.. 2013; 47:726 - 739.

McEvoy, P. M., Grove, R., Slade, T. Epidemiology of anxiety disorders in the Australian general population: findings of the 2007 Australian National Survey of Mental Health and Wellbeing. Aust. N. Z. J. Psychiatry. 2011; 45(11):957 - 967.

Merry, S. N., Stasiak, K., Shepherd, M., et al, The effectiveness of SPARX, a computerised self-help intervention for adolescents seeking help for depression: randomised controlled non-inferiority trial. BMJ 2012; 344 e2598

Mueser, K. T., Goodman, L. B., Trumbetta, S. L., et al. Trauma and posttraumatic stress disorder in severe mental illness. J. Consult. Clin. Psychol.. 1998; 66:493 - 499.

Mueser, K. T., Salyers, M. P., Rosenberg, S. D., et al. Interpersonal trauma and posttraumatic stress disorder in patients with severe mental illness: demographic, clinical, and health correlates. Schizophr. Bull.. 2004; 30(1):45 - 57.

Nadew, G., Exposure to traumatic events, prevalence of posttraumatic stress disorder and alcohol abuse in Aboriginal communities. Rural Remote Health 12 4 2012 1667. Available: www.rrh.org.au. (Accessed 1 July 2015).

Newman, J. M., Turnbull, A., Berman, B. A., et al. Impact of traumatic and violent victimization experiences in individuals with schizophrenia and schizoaffective disorder. J. Nerv. Ment. Dis.. 2010; 198:798 - 814.

Neziroglu, F., Mancusi, L. Treatment resistant OCD: conceptualization and treatment. Curr. Psychiatry Rev.. 2014; 10(4):289 - 295.

National Institute for Health and Care Excellence (NICE). Anxiety disorders. In: NICE Quality Standard QS53. UK: NICE; 2014.

National Institute for Health and Care Excellence (NICE). Post-traumatic stress disorder: management. In: NICE Quality Standard CG26. London: NICE; 2005.

Nivard, M. G., Dolan, C. V., Kendler, K. S., et al. Stability in symptoms of anxiety and depression as a function of genotype and environment: a longitudinal twin study from ages 3 to 63 years. Psychol. Med.. 2015; 45:1039 - 1049.

Palagini, L., Baglioni, C., Ciapparelli, A., et al. REM sleep dysregulation in depression: state of the art. Sleep Med. Rev.. 2013; 17(5):377 - 390.

Patra, B. N., Sarkar, S. Adjustment disorder: current diagnostic status. Indian J. Psychol. Med.. 2013; 35:4 - 9.

Peters, J. We Need to Talk: Talking Therapies - a Snapshot of Issues and Activities Across Mental Health and Addition Services in New Zealand. Auckland: Te Pou O Te Whakaaro Nui; 2007.

Riskind, J. H., Kleiman, E. M., Weingarden, H., et al. Cognitive vulnerability to anxiety in the stress generation process: further investigation of the interaction effect between the looming cognitive style and anxiety sensitivity. J. Behav. Ther. Exp. Psychiatry. 2013; 44:381 - 387.

Royal Australian and New Zealand College of Psychiatrists (RANZCP). Australian and New Zealand clinical practice guidelines for the treatment of panic disorder and agoraphobia. Aust. N. Z. J. Psychiatry. 2003; 37:641 - 656.

Resick, P. A., Bovin, M. J., Calloway, A. L., et al. A critical evaluation of the complex PTSD literature: implications for DSM - 5. J. Trauma. Stress. 2012; 25(3):241 - 251.

Salkovskis P.M., ed. Frontiers of Cognitive Therapy. New York: Guilford Press, 1996.

Schmidt, N. B. Innovations in the treatment of anxiety psychopathology. Behav. Ther.. 2012; 43:465 - 467.

Sawchuk, C. N., Veitengruber, J. P., Panic Disorders. BMJ Publishing Group, London, 2016. Available: http://bestpractice.bmj.com

Sawchuk, C. N., Veitengruber, J. P., Olatunji, B. O., et al, Social Anxiety Disorder. BMJ Publishing Group, London, 2015. Available: http://bestpractice.bmj.com

Seibell, P. J., Pallanti, S., Bernardi, S., et al, Obsessive-Compulsive Disorder. BMJ Publishing Group, London, 2015. Available: http://bestpractice.bmj.com

Simon, D. P. The science of stress and addiction: A mini-review of the research, Part 1. Available: https://drsimonsaysscience.org/2015/03/22/the-science-of-stres s-and-addiction-a-mini-review-of-the-research-part-1, 2015.

Simpson, T. L., Comtois, K. A., Moore, S. A., et al. Comparing the diagnosis of PTSD when assessing worst versus multiple traumatic events in a chronically mentally ill sample. J. Trauma. Stress. 2011; 24:361 - 364.

Spitzer, R. L., Kroenke, K., Williams, J. B., et al. A brief measure for assessing generalized anxiety disorder: the GAD-7. Arch. Intern. Med.. 2006; 166(10):1092 - 1097.

Taylor-Rodgers, E., Batterham, P. J. Evaluation of an online psychoeducation intervention to promote mental health help seeking attitudes and intentions among young adults: randomised controlled trial. J. Affect. Disord.. 2014; 168:65 - 71.

Tursi, M. F., Baes, C. V., Camacho, F. R., et al. Effectiveness of psychoeducation for depression: a systematic review. Aust. N. Z. J. Psychiatry. 2013; 47(11):1019 - 1031.

Weiss, D. S., Marmar, C. R. The impact of event scale: revised. In: Wilson J., Keane T.M., eds. Assessing Psychological Trauma and PTSD. New York: Guilford Press; 1996:399 - 411.

Wells, J. E. Twelve-month prevalence. In: Oakley Browne M.A., Wells J.E., Scott K.M., eds. Te Rau Hinengaro: The New Zealand Mental Health Survey. Wellington: Ministry of Health, 2006.

Wynter, K., Rowe, H., Fisher, J. Common mental disorders in women and men in the first six months after the birth of their first infant: a community study in Victoria, Australia. J. Affect. Disord.. 2013; 151(3):980 - 985.

Zoellner, L. A., Pruitt, L. D., Farach, F. J., et al. Understanding heterogeneity in PTSD: fear, dysphoria, and distress. Depress. Anxiety. 2014; 31:97 - 106.

CHAPTER 11

조현병 스펙트럼 및 기타 정신병적 장애

Schizophrenia Spectrum disorder

주요 내용

- 대부분의 조현병과 같은 정신병환자는 적합한 지원을 통해 일상생활 회복이 가능하다.
- 정신간호사는 정신병환자 간호 시 파트너십과 대상자 중심의 인간관계에 초점을 두는 것이 중요하다.
- 조현병의 발병원인은 명확하지 않으나 관련 이론은 일부 질병의 원인을 설명할 수 있는 근거가 되고 있다.
- 트라우마와 사회적 스트레스로 인해 정신병을 진단받게 될 수 있다.
- 많은 사람은 조현병과 같은 정신병을 경험하는 것은 개인의 요구에 대한 지속적 부조화와 트라우마에 대한 반응으로 이해할 수 있다.

주요 용어

- 낙인과 회복(stigma and recovery)
- 대안 이론(alternative theories)
- 사회적 결정요인(social determinants)
- 심리치료 및 정신약리학(psychotherapy and psychopharmacology)
- 양성 및 음성 증상(positive and negative symptoms)
- 언어 및 용어(language and labels)
- 질병에 대한 주요 모델(dominant models of understanding)

학습 목표

이 단원을 통해 다음을 수행할 수 있다.

- 조현병 진단을 받은 사람의 유병률과 사회적 결정요인을 설명한다.
- 현재 지배적인 접근방식에 속해 있는 언어, 문화, 이데올로기 및 권력의 영향을 설명한다.
- 조현병과 관련된 증상과 징후에 대해 설명한다.
- Power Threat Meaning Framework, Open Dialogue, Intervoice: International Hearing Voices Network를 포함한 정신병 치료에 대한 대안적 방식을 설명한다.
- 조현병 대상자에게 적용되는 다섯 가지 일반적 간호중재를 적용한다.

서론

인간은 에너지와 정보 속에서 미시적이고 거시적인 경험을 하며, 많은 정보를 관계적이며 구체적 프로세스를 통해 처리하고 조절한다. 정신의 변화하는 능력과 민감성은 이러한 놀라운 처리와 조절을 가능하게 한다. 이 단원은 지각의 왜곡을 경험하는 조현병 대상자 간호에 대한 설명이다.

정신병이란 '마음의 병(illness of the mind)'을 의미하는 고대 그리스어에서 유래하였고, 역사 이래로 인류가 경험해 온 것이다. 현대에는 정신병을 규칙적인 인식에서 벗어난 생각, 감정 및 행동 패턴이 왜곡되어 내면세계로 이동하는 현상을 설명하는 데 사용되는 용어가 되었다. 많은 사람이 정신병을 혼란스럽고 기괴하고 두려운 것으로 생각한다. 그러나 다른 사람에게는 정신병이 '현실세계'보다 더 견디기 용이한 환경이 되기도 한다.

다른 정신병과 마찬가지로 현재 '정신병' 및 조현병'은 의학적 진단을 확인하거나 반박할 수 있는 다른 검사나 절차가 확실하지 않다. 정신병은 대상자 자신뿐 아니라 주변 사람에게도 이상하고 혼란스러움을 준다. 이 때문에 정신병환자는 차별적 대우를 받을 수 있다. 이러한 인식과 낙인은 대상자에게 좋지 않은 영향을 주므로 다양한 교육프로그램과 캠페인을 통해 정신병환자에 대한 부정적 인식과 낙인을 예방하고 있다. 조현병은 예측하기 힘들고 위험한 것으로 간주되지만 이는 사실과 다르다. 정신병환자는 범죄와 폭력의 희생자가 될 가능성이 훨씬 더 높다.

많은 사람이 정신병 삽화를 경험하면 조현병 진단을 받을 것을 두려워하지만 이 역시 확실하지 않다. 연구에 따르면 조현병 진단을 받은 사람의 70% 이상이 회복을 경험한다. 이 장에서는 조현병을 이해하기 위해 회복 지향적 관점에서 설명하였다. 정신건강 간호는 진단에도 불구하고 대상자가 경험하는 문제를 중심으로 해결하는 것이다. 이 단원에서는 '조현병' 대상자를 어떻게 이해하고 치료하는지 설명한다. 아울러 간호사가 정신병 증상을 파악하고 협력하기 위해 선택할 수 있는 광범위한 방법을 고려할 수 있도록 혼란, 망상, 환각과 같은 일반적인 증상과 정신병환자와 협력하는 최신 대안방법을 설명한다.

유병률 및 사회적 결정요인

문화에 따라 정신병 및 조현병 스펙트럼의 정의와 연구설계, 지리적 지역, 평가시간, 연구환경, 표본 크기의 다양성 때문에 유병률을 판단하는 것은 매우 어렵다. 2010년 호주의 조현병의 평생 유병률이 0.75%로 보고된 반면, 2008년 뉴질랜드에서 12개월 유병률은 0.1%로 보고되었다. 또 다른 연구에서 24개국에서 진행된 조현병의 증상 정도와 경제적 부담에 대한 연구에서 조현병의 유병률이 인구의 0.26%에서 0.67% 사이임을 보고하였다. DSM-5(APA, 2013)에 의하면 조현병의 평생 유병률을 약 0.3~0.7%로 추정하고 있다. 일반적으로 청소년기 이전에 발병하는 것으로 알려졌으나, 20대 초반에서 중반에 발병이 가장 흔하다. 역사적으로 볼 때 정신병환자에 대한 낙인과 열악한 지지체계 그리고 관리방식으로 인해 조현병 대상자의 경우 빈곤, 투옥 및 노숙 등 부정적 경험을 할 가능성이 높다.

번스 등(Burns et al., 2014)은 26개국에서 진행된 연구를 통해 빈곤과 조현병 사이에 상당한 관계가 있다고 보고하였다. 예를 들어, 사회경제적 하위그룹의 조현병 발병률이 더 높은 것으로 나타났다. 도시화는 조현병 발병의 알려진 위험요인이다. 예를 들어, 중국은 전례 없는 대규모의 도시화를 겪었다. 이로 인해 조현병 대상자 수가 증가하였다. 도시가 6억 명 인구규모로 확장되자 조현병 대상자의 수도 1990

년 309만 명에서 2010년 716만 명으로 132% 증가하였다(Chan et al., 2015).

세계적으로 교도소 수감자 중 10~15%가 정신병을 앓고 있으며, 일반인에 비해 정신병 발병율이 최대 4배가량 더 높은 것으로 나타났다. 예를 들어, 좀도둑은 기억력과 집중력 저하로 인해 정신병이 발생할 수 있으며, 정신병 삽화로 인한 혼란, 마약 또는 알코올 사용으로 인해 정신병환자가 생길 수 있다. 그러나 정신병과 범죄 사이의 연관성은 확실하지 않다.

OECD 국가에서는 조현병과 같은 정신병이 사회적 약자에서 더 발생하는 경향이 있다고 보고 있다. 노숙자 집단에서 유병이 높았으며, 토레스 해협 인근 섬 원주민 등 다양한 문화적 배경을 가진 사람들의 유병률이 더 높은 것이 한 예이다. 정신병과 관련된 사회적 비용으로는 입원 대상자, 병원, 형사 사법 시스템 및 지역사회 기반 비용, 의료서비스 비용, 실업과 불완전 고용으로 인한 생산성 손실 등이 있다. 따라서 간호사가 정신병과 관련된 문제를 극복하도록 간호를 제공하는 것은 개인의 건강뿐 아니라 사회문제와도 관련이 있다.

언어와 라벨의 중대한 역할

사회의 많은 영역에서 언어는 정신병환자를 통제하고 행동을 수정하도록 강요하는 데 사용되는 도구이다. 간호사는 언어적 및 비언어적 힘을 인식해야 한다. 언어는 대상자의 성장을 향상시키고, 대상자를 존중하고, 정직하며 진실되게 사용해야 한다. 일반적으로 정신간호사는 '정신병'의 증상과 현상을 나타내는 의학용어를 사용해야 한다.

역사적으로 정신병과 관련 현상은 끊임없이 변화하는 사회와 현상의 해석에 영향을 받아 왔으며, 정신건강 분야의 특성상 합리적이고 객관적인 지식은 거의 존재하지 않았다. 극단적인 예로 1850년대에 미국 의사 사무엘 카트라이트(Samuel Cartwright)는 탈출을 시도한 흑인 노예를 진단하기 위해 진단명 드라페토마니아(drapetomania)를 명명하였다. 흑인 인종의 특징과 질병이라는 책에서 카트라이트는 노예는 주인에게 복종해야 하며 탈출을 시도하거나 불복종은 정신병환자로 취급되어야 한다고 주장했다. 그는 책에서는 주인이 노예에게 친절해서 생긴 결과라고 주장하고 치료를 제안했다. 노예가 이유 없이 불만족스러운 증상을 보인다면 강한 채찍질을 하고 양쪽 엄지발가락을 제거해 육체적으로 뛰지 못하게 하였다. 카트라이트는 이 의학적 조언을 엄격하게 준수하면 드라페토마니아가 치료될 것으로 믿었다. 이 진단명은 루이지애나 의학협회의 지지를 얻었고 그의 논문은 널리 출판되었다.

1911년 스위스의 정신과 의사 브로일러(Eugen Bleuler, 1857–1939)는 '분열'을 의미하는 schizo와 '정신'을 의미하는 'phrenia'를 결합하여 현대의 '정신분열증(조현병)'이라는 명칭을 만들었다. 브로일러는 개인과 외부세계, 내부갈등 사이의 분열을 상징하는 용어를 의도한 것이다. 브로일러는 생각과 생각, 감정, 의지 사이의 끊어진 연결을 설명하였다. 그럼에도 불구하고 정신분열증(조현병)을 '분할된 성격'과 동일시하는 사회적 관점이 발달했다. 이는 조현병을 일종의 '지킬 앤 하이드' 발현과 동일시했는데, 이는 겉보기에는 '정상'인 사람이 예측할 수 없이 비이성적이고 위험한 사람으로 변할 수 있다고 본 것이다. 불행히도 정신병환자를 표현하는 대중적인 영화 및 미디어에서 정확한 표현을 하지 못하고 고대신화나 고정관념을 표현하는 경우가 많다. 간호사는 드라페토마니아나 정신분열증과 같은 용어가 문화, 이데올로기 및 권력의 맥락에서 인간의 행동이나 심리적 개념을 나타내기 위해 언어가 어떻게 사용되었는지를 보여주는 예임을 명심해야 한다.

따라서 정신병의 증상과 징후에 대한 설명은 사용되는 용어에 크게 영향을 받는다. 용어는 대상자의 증상 중 유사한 것을 그룹화하려는 결과로 생겨났다. 정신병을 설명하는 방식은 끊임없이 변화하는 언어와 객관성의 결여에도 불구하고, 간호사는 정신병에 대한 최근 지식과 표현방식을 알아야 한다.

역사적 일화 11.1은 2013년 DSM-5의 설명으로, 현대 의료시스템에서 정신병의 증상을 설명하는 가장 대표적인 근거이다.

증상과 징후

조현병은 망상, 환각, 와해된 사고(언어), 심하게 와해되거나 비정상적인 운동 행동(긴장증 포함), 음성증상의 다섯 가지 유형 중 하나 이상을 보일 때로 정의한다.

망상(delusions)은 제시되는 증거에도 바뀌지 않는 고정된 신념이다. 망상에는 다양한 주제(예 박해, 참조, 신체, 종교, 웅장함)가 있다.

- 누군가에게 쫓기고 있거나 감시되고 있다는 믿음과 같은 편집증적 망상(paranoid delusions)(예 '내 이웃이 나를 죽이려고 음모를 꾸미고 있다')
- 자신에게 특별한 능력이나 '능력'이 있다고 믿는 과대망상(grandiose delusions)(예 '나는 날 수 있다' 또는 '나는 신의 사명을 받았다')
- 생각 방송(thought broadcasting), 즉 그 사람의 생각이 다른 사람에게 방송되거나 들린다는 믿음
- 다른 사람이 자신의 생각을 받아들이고 있다는 믿음인 사고 철수(thought withdrawal)
- 생각 삽입(thought insertion): 생각이 자신의 의지에 반하여 마음 속에 들어온다는 믿음

환각(hallucinations)은 지각장애이다. 실제로는 존재하지 않으나 청각, 시각, 느낌, 후각 또는 미각 등 오감 중 어느 것에서도 환각을 경험할 수 있다. 일반적인 환각은 다음과 같다.

- 환청 : 일반적으로 자신에게 또는 타인에 대해 말하는 목소리를 듣거나 소리가 없을 때 음악 및 기타 소음을 듣는 것을 포함하는 청각적 환각/환청(auditory hallucinations)(예 집에 혼자 있을 때 누군가가 자신의 이름을 부르는 소리 듣기)
- 환시 : 없는 것을 보거나 이상한 방식으로 사물을 보는 것과 같은 시각적 환각/환시(visual hallucinations)(예 특이한 모양, 색상 또는 빛을 보거

역사적 일화 11.1: 정신병 항의

사람들에게 정신병이라는 꼬리표를 붙여 권력과 이념을 영속화하려는 방법으로 1960년대 미국에서 DSM-II를 사용하였다. '항의'라고 불리는 증상으로 수백 명의 아프리카계 미국인을 정신분열증으로 진단하는 데 사용한 것이 있다. 미국에서 시민권 획득과 인종차별 종식을 위한 시위에 참여했던 사람들이 정신분열증으로 진단을 받고 병원에 입원했으며 미시간의 아이오니아 주립병원에서 간호사와 의사들이 이러한 진단을 받은 사람들을 치료했다. 이는 정신병의 징후로 '적대감'과 '공격성'을 포함하는 DSM-II의 문구 변경으로 가능했던 것이며, 문화적 차이와 저항을 건강 문제로 해석할 수 있게 한 예이다.

자세히 알아보기: Metzl JM 2010 The protest psychosis: how schizophrenia became a black disease. Beacon Press, Boston

나 앞에 서 있는 사람의 이미지를 보는 것)

- 환각 : 아무것도 없는 상태에서 몸에 무언가가 닿거나 몸에서 일어나는 일을 느끼는 것과 관련된 신체적 환각/환촉(somatic hallucinations)(예 개미가 피부 위를 기어 다니는 것 같은 느낌)
- 환후 : 아무런 냄새가 나지 않는 상태에서 물건의 냄새를 맡는 것과 관련된 후각 환각(olfactory hallucinations)(예 집에 물고기가 없는데도 썩은 물고기 냄새가 나는 경우)
- 환미 : 이상한 음식을 맛보는 것을 나타내는 미각 환각(gustatory hallucinations)(예 입에서 금속 맛이 나는 경우).

와해된 사고(disorganised thinking)는 대상자의 언어를 통해 나타난다. 일반적으로 한 주제에서 다른 주제로 빠르게 전환하는 대화가 특징이다. 이것은 '주제이탈(derailment)' 또는 '연상이완(loose associations)'으로 나타난다. 대상자는 질문에 대한 답을 명확히 하지 않고 모호하거나 관련이 없는 말로 답할 수 있다. 이해할 수 없는 말을 하거나, 일관성이 없는 '말비빔(word salad)'으로 나타난다. 정신간호사는 대상자를 사정하면서 혼란스럽고 와해된 언어가 의사소통 시 얼마나 심각하게 손상된 것인지 평가해야 한다. 간호사가 대상자와 언어적 배경이 다르다면 손상의 심각성을 평가하기 어렵다. 경미한 사고나 언어의 와해는 조현병의 전구기 및 잔여기간 동안 나타날 수 있다. 언어증상에는 다음이 포함될 수 있다.

- 신어조작증(neologism): 존재하지 않는 단어 사용
- 반향언어(echolalia): 대화 중 상대방이 사용하는 단어/구를 반복
- 보속증(perseveration): 단일 응답이나 아이디어를 지나치게 계속/반복

와해된 행동(disorganised behaviour)은 어린아이 같은 '어리석음'에서 예측할 수 없는 동요에 이르기까지 다양한 방식으로 나타날 수 있다. 모든 목표 지향적 행동에서 문제가 나타날 수 있으며, 이로 인해 일상생활활동을 수행하는 데 어려움을 겪을 수 있다. 긴장증(catatonia)은 환경에 대한 반응의 현저한 감소이다. 여기에는 다음이 포함될 수 있다.

- 지시에 대한 저항[거절증(negativism)]
- 경직되거나 부적절하거나 기이한 자세 유지
- 언어 및 운동 반응의 완전한 부족[함구증(mutism) 또는 혼미(stupor)]
- 명백한 이유 없이 목적 없이 과도한 운동활동[긴장성 흥분(catatonic excitement)]

다른 특징으로 반복되는 움직임, 응시, 찡그린 얼굴, 묵음 및 말의 울림이 있다. 긴장증은 조현병과 관련이 있지만 긴장성 증상은 비특이적이며 다른 정신병(예 긴장증이 있는 양극성 장애 또는 우울장애) 및 의학적 상태(다른 의학적 상태로 인한 긴장성 장애)로 발생할 수 있다.

음성증상(negative symptoms)은 발병 이전에 존재하기도 하며, 발병 이후에 감소하거나 없어지는 사고과정, 감정 및 행동의 부재 또는 감소를 의미한다. 이러한 음성증상은 조현병의 대표적 증상으로 다른 정신병에서는 일반적이지는 않다.

감정 표현의 감소는 일반적으로 대화 시 나타나는 감정, 눈맞춤, 말의 억양 및 손이나 머리 및 얼굴의 감정표현이 감소하는 것으로 나타난다.

무의욕증(avolition)은 동기가 부여된 자발적인 목적활동의 감소로 나타낸다. 대상자는 오랜 시간 동안 앉아 있고 일이나 사회활동 참여에 관심을 거의 보이지 않을 수 있다. 다른 음성증상으로는 무언어증(alogia), 무쾌감증(anhedonia) 및 사회성 부족(asociality) 등이 있다.

• 무언어증(alogia): 목소리의 출력 감소로 나타남
• 무쾌감증(anhedonia): 긍정적인 자극으로부터 쾌락을 경험하는 능력이 감소하거나 이전에 경험한 쾌락을 회상하는 능력이 저하됨
• 사회성 부족(asociality): 사회적 상호작용에 대한 명백한 관심 부족을 말하며 의욕 상실과 관련될 수 있지만 사회적 상호작용을 위한 제한된 기회의 징후일 수도 있음

정신병 증상으로 대인관계가 악화되기도 한다. 현실과 욕구 사이에서 갈등을 인지할 때 불안 수준이 높아진다. 타인에게는 자신의 현실을 인정하지 않고 무시하는 것처럼 보이고 상대방이 초점을 맞추고 방향을 바꾸려고 할 때 대상자는 분노할 수 있다. 이러한 반응은 대상자가 '외부세계'에 대처하려는 시도이기 때문에 안전과 보안이 필요하다.

위에서 설명한 증상과 징후는 DSM-5를 구성한 조직인 APA에 근거한다. 조현병에 대해 서로 다른 의견이 있을 때 간호사는 상대의 견해와 경험을 지지하고 옹호하는 데 협력적인 역할을 할 수 있다.

조현병 스펙트럼 장애 유형

앞서 언급했듯이 진단받은 조현병 스펙트럼 장애를 확인하거나 반박할 수 있는 임상절차나 진단은 확실하지 않다. 병에 대한 진단을 내리는 것은 상세한 병력 청취, 행동 관찰 및 전문가 의견에 크게 의존한다. 이러한 과정에서 얻은 데이터는 APA(DSM-5) 및 세계보건기구(국제질병분류 11차 개정판 또는 'ICD-11')의 진단기준에 따르게 된다. 이러한 방식은 정신병 평가 및 치료의 효율을 높이고 용어의 일관성을 유지하기 위해 유사한 증상과 징후를 진단범주로 그룹화하는 것이다. 조현병의 유형은 다음과 같다.

• 조현병(schizophrenia)
• 단기 정신병적 장애(brief psychotic disorder)
• 망상장애(delusional disorder)
• 조현양상장애(schizophreniform disorder)
• 조현정동장애(schizoaffective disorder)
• 물질유도성 정신병적 장애(substance-induced psychotic disorder)

다음 내용은 DSM-5(APA, 2015)에서 제시한 조현병 스펙트럼 및 기타 정신병적 장애의 설명이다.

조현병

조현병(schizophrenia) 진단을 위해서는 음성 및 양성 증상이 혼합된 상태를 최소 6개월 이상 지속해야 한다. 음성증상은 일, 대인관계 또는 자기관리와 같은 하나 이상의 주요 영역에서 현저한 기능장애를 특징으로 하며, 발병 전에 달성한 수준보다 현저히 낮다(또는 발병이 아동기 또는 청소년기에 있을 때 대인관계, 학업 또는 직업 기능의 기대 수준을 달성하지 못함). 6개월 기간 내에 대상자는 적어도 1개월 동안 양성 증상을 경험해야 하며, b, c 중 적어도 하나가 존재해야 한다.

a. 망상
b. 환각
c. 와해된 언어(예 사고이탈 또는 일관성 없음)
d. 심하게 무질서하거나 긴장된 행동
e. 음성증상(예 감정표현 감소 또는 의욕상실).

조현정동장애 및 우울 또는 양극성 장애는 배제되어야 하며, 증상이 다른 생리적 원인이나 물질 사용으로 인한 것도 배제된다.

단기 정신병적 장애

단기간의 간헐적인 정신병으로, 갑작스러운 발병과 함께 하루 이상 1개월 미만으로 지속되며, 결국 심리사회적 기능을 완전히 회복하게 된다. 단기 정신병적 장애(brief psychiatric disorder)는 망상, 환각, 와해된 언어(예 일관성이 없거나 빈번한 탈선), 심하게 와해된 행동 또는 긴장증적 행동 중 하나(또는 그 이상)의 증상이 있어야 한다. 유사한 상황으로 우울증이나 양극성 장애와 같은 정신병이 있다. 약물사용이나 기타 일반적인 의학적 상태에 의한 것은 배제되어야 한다. 임신 중 또는 산후 4주 이내에 스트레스가 많은 경우 단기 정신병적 장애에 대한 구체적인 설명이 추가될 수도 있다.

망상장애

망상장애(delusional disorder) 진단을 받으려면, 먼저 한 달 이상 동안 하나(또는 그 이상)의 망상이 있어야 한다. 둘째, 조현병 진단기준을 충족하지 않으며, 환각이 있는 경우에는 증상이 심하지 않거나 망상 주제와 관련되지 않는다. 셋째, 대상자의 행동장애가 심하지 않고 기괴하지 않아야 한다. 또한 사회적 · 직업적 기능저하가 심하지 않아야 한다. 넷째, 조증이나 주요 우울장애가 발생한 경우 망상기간에 비해 짧아야 한다. 다섯째, 신체이형장애나 강박장애와 같은 정신장애나 약물복용, 기타 의학적 원인에 의한 경우는 배제해야 한다. 진단 시 특정 유형의 망상에 해당해야 한다(예 과대, 질투, 박해, 혼합 또는 성욕).

조현양상장애

조현양상장애(schizophreniform disorder)를 진단하기 위해서는 a, b, c 중 하나 이상을 포함하여, 다음 목록 중 최소 2개 이상을 포함한다.

a. 망상
b. 환각
c. 와해된 언어(예 사고이탈 또는 일관성 없음)
d. 심하게 무질서한 행동
e. 긴장증 행동
f. 음성증상(감정 표현 감소 또는 의욕 상실).

증상은 최소 1개월 이상 6개월 미만 동안 지속되어야 한다. 조현정동장애 및 정신증의 특징이 있는 우울증 또는 양극성 장애는 제외해야 한다.

조현정동장애

조현정동장애(schizoaffective disorder)는 조현병의 기준을 충족하는 증상과 함께 정동장애(주요 우울증 또는 조증)를 장기간 경험한다. 진단은 원인이 되는 물질(남용 약물, 약물) 및 기타 의학적 상태를 배제해야 한다. 일부 조증 삽화가 있을 경우 '양극성 장애'로 진단한다. 주요 우울삽화가 발생하면 '우울증'으로 분류할 수 있다.

물질유도성 정신병적 장애

물질유도성 정신병적 장애(substance-induced psychotic disorder)로 진단받기 위해서는 망상이나 환각을 경험한 병력이 있어야 하며 신체검사 또는 검사 결과는 물질중독이나 금단현상 중이나 직후에 정신장애가 발생했음을 나타내야 한다. 물질유도성 정신병적 장애는 사회적, 직업적 또는 기타 중요한 기능 영역에서 상당한 고통이나 손상을 초해야 한다. 섬망과 같은 다른 의학적 원인은 배제되어야 하며, 정신병이 물질/약물 사용 이전에 이미 존재하거나 상당한 기간(최소한 달) 급성 금단 또는 심각한 중독이 중단된 후 나타난 것이어야 한다.

정신병 및 조현병의 대안적 접근

위의 진단기준은 현대의학적 관점이다. 간호사는 이러한 진단과 용어, 생화학적 원인과 증상을 잘 알고 있어야 한다. DSM-5을 보완하고자 의료전문가는 정신병환자와 협력관계를 통해 정신병 및 조현병의 새로운 접근방식과 대안적 접근방식을 제시하고 있다. 네 가지 주요 대안적 접근방식은 다음과 같다.

PTM

영국 심리학회(British Psychological Society)에서 발표한 PTM (The Power Threat Meaning Framework) 프레임워크는 정신병 치료에서 진단 및 의학적 관점과 실천에 대한 개념적 · 지적 대안을 제공하는 영국의 대안적 진단체계를 말한다. PTM은 힘의 작동, 위협과 공포반응 사이의 연결, 개인적 · 사회적 · 경제적 · 물질적 환경 내에서 자율성 등 인간 경험의 측면을 고려하는 평가 및 진단에 대한 완전히 새로운 접근방식을 제공하고자 한다. PTM은 정신과 진단의 관점이 아닌 개인의 이야기와 의미 만들기로 새로운 진단체계에 대한 관점으로 대상자에게 초점을 맞춘 풍부하고 의미 있는 대안을 제공한다.

정신병 및 조현병과 관련된 논쟁을 고려할 때, PTM 프레임워크는 대상자의 공통된 경험을 공식화하는 보다 실용적인 방법이며, 개인이 장애가 있는지 여부에 대한 의미와 감각을 공식화할 수 있도록 한다. 조현병 진단과 관련된 용어는 정신의학적 패러다임에 치중되어 있으며, 정신의학적 힘의 불균형이 작용한다고 보았다. 따라서 간호사는 PTM 프레임워크가 대상자의 삶에서 힘에 대한 부정적인 경험과 위협의 맥락에서 의미를 찾도록 지원할 때 힘의 긍정적인 사용을 이해하는 데 유용할 수 있다.

해리성 이론

정신간호사인 매튜 볼(Matthew Ball)이 개발한 해리성 이론(dissociachotic theory)은 전통적으로 정신병의 경험을 이해하는 대안적인 방법이다. 해리성 이론은 현재 정신병적 장애로 분류된 경험이 실제로 인지된 위협으로부터 경험하는 의미 있는 해리 형태라고 주장한다. 해리성 이론은 또 다른 대안적 방식인 음성(voices) 및 다미주신경 이론(polyvagal theory)에 대해 비일상적이고 경험적 현실이 환각 및 망상과 같은 증상으로 잘못 분류된다고 주장한다. 이러한 경험적 현실은 사회적 · 정서적 · 신체적 안전에 대한 인간의 욕구를 충족시키기 위한 의미 있는 대처전략으로 간주되어야 한다.

위협에 대한 도피, 투쟁, 동결 반응은 세 가지 본능적 대처전략이다. 해리성 이론은 인간의 뇌가 진화하고 전두엽의 기능이 발달함에 따라 '해리'로 알려진 네 번째 본능적 위협반응이 발달했다고 주장한다. 이 이론은 정신병 증상이 해리성 현상이며, 위협에 대한 의미 있고 생동감 있는 반응이라 설명하고 있다.

해리성 이론에 따라 간호사는 이러한 해리성 현상이 대상자에게 갖는 의미를 밝히고 개인이 경험하는 위협감과 안전에 대한 필요성을 탐색하고 치료하기 위해 치료적 의사소통을 사용하는 데 초점을 맞춘다. 위협의 감소와 안전성의 증가가 달성됨에 따라 해리성 현상이 진정되는 특성을 설명한다. 해리성 이론은 대인관계의 중요성을 강조하는 간호접근법과 일치하며, 대상자의 경험과 현실의 차이를 정당화하는 사회적 관점이다.

열린 대화법

열린 대화법(open dialogue therapy, ODT)은 스칸디나비아에서 개발된 대안적 치료법이다. 열린 대화법의 주요 목표는 개인의 소셜 네트워크를 활용하거나 가정에서 가족의 치료 참여를 높이는 것이다.

열린 대화법의 일곱 가지 핵심원칙은 다음과 같다. 첫 번째는 즉각적인 도움을 제공하기 위해 의료서비스에 대한 접근은 의료팀과 대상자, 가족 또는 위탁서비스 간의 첫 접촉 후 24시간 이내에 이루어져야 하며, 그 이후에는 어떤 상황에서도 의료전문가로부터 즉각적인 지원을 받아야 한다.

두 번째 원칙은 치료기간 동안 소셜 네트워크를 지속적으로 활용하는 것이다. 소셜 네트워크는 대상자가 선택한다. 친척, 친구, 이웃, 고용주, 동료 또는 기타 치료기관으로 구성될 수 있으며, 대상자의 이야기를 공유함으로써 치료의 기본을 구축한다. 소셜 네트워크를 통해 치료를 제공하는 의료진과 대상자의 이야기를 서로 경청할 뿐만 아니라 대상자를 지원하는 역할을 한다.

열린 대화법의 세 번째 원칙은 유연성과 이동성이다. 대상자와 지원 네트워크의 변화하는 요구사항에 유연하게 대응한다. 실제로 정신역학 이론, 체계적인 가족치료, 대화 이론, 약리학 및 사회구성주의와 같은 대상자의 요구에 맞는 다양한 심리치료적 접근을 허용한다. 관련된 회의나 만남은 대상자와 가족의 동의하에 대상자의 집에서 진행하는 것이 바람직하다.

열린 대화법의 네 번째 및 다섯 번째 원칙은 책임과 심리적 연속성이다. 이는 치료의 연속성이 유지되도록 대상자를 평가하는 초기 팀의 중요성을 나타낸다.

열린 대화법의 마지막 두 가지 원칙은 불확실성에 대한 내성과 대화주의이다. 불확실성이란 대상자의 회복 과정에 장애가 있을 수 있다는 것이고, 내성이란 관련된 모든 사람이 회복과정의 어려움과 위험을 기꺼이 받아들일 필요가 있다는 사실을 나타낸다. 대화는 대상자, 의료진이 회복 과정에 따라 열린 개방성을 나타낸다. 대상자의 '고충 및 문제'에 대해 논의하면서 친밀한 관계가 향상된다. 공식적인 인터뷰 접근방식보다 대상자와 가족에게 익숙한 언어와 방식을 적용한다.

인터보이스: 국제환청네트워크

외상이 뇌에 미치는 영향에 대한 연구를 위해 국제환청네트워크(International hearing voices network; www.intervoiceonline.org)가 창설되었다. 마리우스 롬(Marius Romme) 교수 등이 설립한 인터보이스(Intervoice)는 음성('환청'이라고도 함)과 같은 정신병환자의 관점에서 이해해야 한다고 주장한다. 네트워크는 또한 내적 목소리를 조현병의 비정상적 증상으로 해석하기보다는 외상적 경험이 환청의 원인이 될 수 있다고 하였다. **당사자 이야기 11.1**에서 M은 대상자 중심의 이해와 참여의 새로운 치료대안인 '목소리 듣기'에서 자신의 증상에 대해 이야기한다. 국제환청네트워크는 호주, 뉴질랜드 및 해외의 다양한 나라에서 운영되고 있다.

질병의 원인

현재까지 많은 연구와 대안이 정신병의 원인을 설명하였다. 그중 세 가지 생물학적 이론인 신경해부학, 유전학 및 신경생화학이 가장 일반적이다. 이 세 가지 관점은 상호연결성이 높다. 조현병은 흔히 '신경정신학적 장애'라고 불리며, 이는 심리적 장애의 원인이 뇌의 신경학적 구조와 기능에 있음을 의미한

당사자 이야기 11.1

나는 십대 초반부터 불법 약물을 사용했다. 나는 해외에서 살며 노숙을 했고 21살에 어머니와 함께 의사를 만나러 갔을 때 내 인생의 미래가 거의 보이지 않았다. 의사는 자살증상에 초점을 맞추고 절망감을 느끼고 불법약물을 사용하는 것을 우려했기 때문에 정신건강팀과 연락한 후 정신병원에 입원치료를 받도록 하였다. 나는 자라면서 많은 친구가 있었지만 그 당시에는 인간관계가 거의 없었고 가족은 내 건강에 대해 매우 걱정하는 상태였다. 그러나 가족은 정신건강 문제에 대한 지식이 거의 없었다.

정신과 의사와 간호사에게 평가를 받았고 간호사는 내 말을 경청하며 내 진단보다는 내 상태와 경험에 더 관심을 갖는 것처럼 느껴졌다. 나는 항정신병제와 항우울제를 복용하기 시작했고 6주 후에 외래방문을 예약하고 어머니의 집으로 퇴원했다. 병원에서 사귄 친구 중 한 명이 퇴원한 지 얼마되지 않아 스스로 목숨을 끊었는데, 그 후 얼마 지나지 않아 나도 스스로 목숨을 끊으려 했다. 나는 사람들에게 내가 무가치한 존재이며 스스로 목숨을 끊어야 한다는 목소리를 들었다고 말했다. 비디오 카메라로 나를 항상 지켜보고 있다는 남자의 목소리도 들려 매우 무서웠다. 목소리는 나에게 죽으라고 말했기 때문에 나는 내 삶을 끝내려고 했다. 나는 절망과 노숙자가 된 상황에서 자살을 시도했다.

여러 차례 입원치료를 하게 되었고 불법약물 사용을 중단했지만 여전히 나를 경멸하는 목소리가 들렸고 세상과 나 자신이 외부의 '힘'에 의해 통제되고 있다는 느낌을 받았다. 나는 자살충동을 느꼈고 내가 세운 계획에 따라 자살을 시도했다. 다른 두려운 정신병적 경험으로 나를 죽이려고 덤벼든 고양이를 보았으며, 고양이가 사라진 것을 알 때까지 3일 동안 격리실 치료를 받았다. 나는 무능한 인간이라는 느낌을 지속적으로 받았으며, 내 경험에 대한 알고 싶었고, 내 섹슈얼리티를 탐구하고, 종교적 정당성을 찾으려는 시도를 했다. 나는 병원에 다섯 번이나 입원했지만 간호팀과 의료팀은 내가 정신과적 경험을 한 원인을 결코 발견하지 못했다고 느꼈다. 나의 정신병적 경험은 생의학적 근거로 설명되었고 내가 조현병이라는 가능성도 배제되지 않았다. 간호사들은 부서에서 나와 함께 많은 시간을 보냈지만 약물과 전기경련 요법에 중점을 둔 치료에 치중하는 등 과업 지향적이었다. 나는 그들이 내가 경험하는 정신병에 대해 사건에 대한 보다 의미 있는 이해를 하기 원했고 치료적 관계 구축과 같은 기본적인 정신건강 간호기술을 사용할 수 있었다고 믿는다. 나는 항정신병 약물, 항우울제, 안정제를 처방받아 복용했고, 간호사는 나의 1차 의료종사자로서 약물의 부작용과 부정적인 영향을 더 알 수 있을거라 생각한다. 사전 예방적 접근방식이 있었다면 발생하는 여러 어려움과 문제를 예방하거나 해결할 수 있었을 것이다. 나는 18개월 만에 체중이 50kg이나 증가하였다. 약물복용, 잘못된 식단, 운동 부족으로 살이 찐 것으로 생각되며, 사회적으로 점점 더 고립되었다. 간호사는 이 모든 것을 정신병 증상과 치료부작용으로 인식했다. 아무도 회복에 대해 이야기하지 않았고 긍정적인 미래나 예후는 상상하기 쉽지 않았다.

다섯 번째 입원기간 동안 약물치료와 입원으로 증상이 호전되지 않았기 때문에 2년 간의 심리치료를 시작했다. 나는 정신병자 8명과 함께 간호사가 관리하는 재택 커뮤니티에 살았다. 그곳에서 사람 중심의 관점은 의학적 진단과 질병보다는 내 자신의 경험과 현실에 더 중점을 두었고, 내 삶에 대해 지원했다. 나는 정신건강시스템 내에서 많은 친구를 사귀었고 동료 간의 상호수용은 전체 경험을 이해하고 마지막으로 나 자신을 수용하는 데 중요한 요소라는 것을 깨달았다.

시간이 지남에 따라 환청과 기타 정신증상은 내 삶에 덜 영향을 미쳤고 정신과 의사와 협력하여 모든 약물을 줄이고 중단했다. 나는 자원봉사자로 일하며 현재의 숙소로 이사하기 전에 유급 일자리를 찾았다. 정신병적 장애로 정신건강시스템에서 '치료'를 받은 4년이 지난 이후로 나는 15년 동안 인생 여정을 따라가며 세 자녀의 남편이자 아버지로서 아름다운 가족의 일원이 되었고, 정신건강 간호 및 치료 분야에서 성공적인 사례가 되었다. 내가 경험한 목소리의 원인을 해석하는 데 특히 도움이 된 것은 질병을 이해하기 위한 '목소리 듣기' 접근방식이었다.

다. 현대의 영상진단 기술은 조현병 대상자의 뇌조직 용적 감소 및 뇌실 용적 증가를 진단하고 있으며, 항정신병 약물의 부작용을 설명하는 데 사용된다. 뇌 해부학적 구조와 조현병 사이의 연관성을 탐구하는 많은 연구가 이루어졌고, 조현병의 생물학적 · 유전학적 이해는 50년 이상 연구되었다.

정신장애가 발달 과정 중 경험하는 외상에 의한 영향을 받는 것으로 알려졌고, 유해한 아동기 경험과 건강 및 사회적 결손 사이의 영향이 중요한 요인으로 밝혀지고 있다. 아동기 외상 경험에 대한 연구는 정신건강, 신체건강 및 사회적 영역을 다루며, 아동기 트라우마의 수와 정신병 가능성과의 관련성을 밝혀냈다. 리드 등(Read et al., 2014)은 정신병을 역경에 대한 반응으로 기능적 자기공명영상을 통해 조현병 등을 진단하면서 뇌의 화학적 · 구조적 다섯 가지 주요 변화는 어린 시절 외상을 경험한 대상자에게 발견된다고 하였으며, 이를 '외상으로 인한 신경발달 모델'로 설명하였다.

스트레스 취약성에 대한 설명에서 환경적 · 생물학적 및 외상성 이론을 통합하여 보면 대상자는 삶의 과정에서 스트레스 사건에 노출되며, 이러한 사건이 일부 정신병에 대한 생물학적 소인이 있는 대상자의 증상을 일으킬 수 있다고 보았다. 이 이론은 특정 사람이 정신병에 더 취약하다고 주장한다. 정신병 및 조현병의 경우 이러한 스트레스 취약성이 환경 및 생물학적 요인과 관련성을 설명하고 있다. 또 다른 관점으로 환경과 문화적으로 가족의 역할을 연구하던 중 가족과 가정환경이 정신병의 경과에 영향을 준다는 것을 발견하였다. 구체적으로 설명하면, 과도한 비판, 적대감 또는 정서적 과잉 등 높은 수준의 감정표현을 보인 가족에서 정신병을 경험하는 사람은 정상적인 패턴의 가족에 비해 더 다양한 증상을 보이는 것으로 알려졌다.

간호중재

정신건강 간호중재는 대상자의 총체적 이해를 바탕으로 이루어져야 한다. 그러나 이는 쉽게 간과되기도 하는데, 정신병 유형별 접근방식이 사용되기도 한다. 앞에서 설명한 바와 같이 정신병 및 조현병에 대한 정신과적 접근은 일반적으로 지각, 인지 및 사고의 심각한 장애의 공통된 특성에 초점을 둔다. '정신병'이라는 용어는 조현병과 가장 강하게 연관되어 있지만 양극성 장애, 우울증, 치매 및 섬망과 같은 다른 질병의 특징일 수도 있다. 건강사정 시 간호사는 정신병 및 조현병과 같은 정신병을 평가할 때 현재 의학적 접근방식이 완전하지 않음을 알고 있어야 한다. 간호사가 정신병 및 조현병 대상자에게 7가지 일반적인 간호중재를 해야 하며, 이에는 사정, 치료적 의사소통, 정신약물치료, 신체건강 증진, 사회적 옹호, 재발 방지 및 회복 중심 치료계획이 포함된다. 이러한 중재 각각은 다음과 같이 간략하게 논의된다.

간호사정

정신건강에는 객관적인 과학적 도구나 검사(예 혈액검사 또는 엑스레이 촬영) 방법보다는 간호사의 지식과 경험에 의한 간호사정이 중요하다. 즉, 정신건강 분야의 간호사정 시 가장 효과적 방법은 대상자와 협력하여 강점과 약점을 파악하고 대상자가 만족스러운 삶을 누릴 수 있도록 돕는 것이다. 간호사는 정신병에 대한 지표뿐 아니라 대상자의 능력과 활동에 관심을 가져야 한다. 간호사정 시 다음 사항이 중요하다.

- 정신 간호사정은 정신병에 대한 평가가 아님
- 간호사정이 도움이 될 수도 있고 도움이 되지

않을 수도 있음
- 간호사정이란 일회성이 아닌 지속성 과정
- 사정 단계에서 중재가 될 수 있음
- 잘못된 정보는 향후 간호에 잘못된 정보를 제공할 수 있음
- 불완전하거나 정보가 부족한 경우 좋지 않은 결과로 이어짐

푸사르 폴리 등(Fusar-Poli et al., 2020)은 명백한 정신병 삽화의 예측인자로 낮은 등급(하위 역치)의 정신증상, 기능 저하, 우울증 및 혼란으로 설명하고 있다. 또한 약물 남용 및 우울증 등의 동반되는 특성을 고려해야 한다. 조현병의 발병 시기는 청소년기 또는 초기 성인기이므로 교육, 직업 및 사회적 환경에서 다른 사람과의 관계형성이 어려울 수 있다. 음성증상으로 인해 응답이 짧거나 단음절로 이루어진 제한된 대화가 나타난다. 무기력 증상은 사람을 무감각하게 만들고 일상생활의 요구에 대응하기 어렵게 한다. 의욕상실이 있으며 활동을 시작하고 완료하는데 어려움을 겪는다. 새로운 개념을 배우는 데 주의력 장애가 있으며, 새로운 기술을 습득하기 어렵기 때문에 치료 및 재활에 부정적 영향을 미친다.

정신병 초기에는 부모가 '정상'으로 혼동하는 경우가 있다. 이는 부모 입장에서 청소년기 아동이 자신의 사생활을 중시하고 부모의 감시로부터 벗어나려는 행동과 혼동할 수 있기 때문이다. 사회적 참여란 사교활동을 통해 삶의 동반자를 찾고 미래를 위해 경력을 개발하며 흥미롭고 보람 있는 사회적 관계와 파트너십을 개발하고 유지하는 것인데, 정신병환자의 경우 이러한 것이 어려워진다. 조현병 대상자의 경우 수입을 얻고 개인의 독립을 추구하는 것 보다는 개인위생, 영양 및 신체활동을 위해 병원에 입원하거나 부모에게 의존하게 된다.

경과와 결과를 확실하게 예측할 수는 없지만 일부 대상자의 경우 질병이 장기화되면서 만성적 관해와 재발 등으로 다양한 경과를 나타낸다. 조기발병은 예후가 더 좋지 않으며, 후기 발병하는 경우는 비교적 나은 예후를 나타낸다. 일반적으로 음성 증상은 질병의 후기에 많이 발생한다. 예후와 관련된 요인은 다음과 같다.

- 발병 전단계의 적극적 조정
- 갑작스러운 발병 및 후기 발병
- 자기인식 및 회복탄력성
- 식별 가능한 정신병 삽화가 있는 경우
- 동시에 발생한 기분장애
- 단기간 급성질환
- 삽화 간 높은 수준의 기능 유지
- 잔여증상 감소
- 신경기능 유지

조현병에 대해 DSM-5(APA, 2013)는 '만성 단계'를 언급하지 않고 대신 증상이 '지속적'인지 '완전' 또는 '부분적' 관해 단계인지를 지정한다. 지속적인 증상은 '대부분의 질병 경과 동안 장애의 진단증상 기준을 충족'한다. 조현병 대상자의 약 20%에서 장기적으로 경과가 좋으며, 이들 중 소수는 완전히 회복된다. 나머지 80% 중 대부분은 일상생활에 도움이 필요하다. 조현병은 급성증상의 악화와 완화가 반복되며 만성화된다. 일부의 경우 점진적인 악화 과정을 겪는다. 정신증상은 일반적으로 시간이 지남에 따라 감소하지만 예후와 밀접한 관련이 있는 음성증상 및 인지장애의 지속은 예후와 관련이 있다. 타분야 전문가 그룹은 DSM-5의 기준보다 대상자의 회복률을 높게 예측하기도 한다.

간호사는 정신상태검사를 사용하도록 교육받지만 이는 특히 정신병의 맥락에서 문제가 된다. 개인의 '통찰력'과 '판단력'을 평가하는 것은 대상자의 주관

임상사례

대학교 2학년 K(남자, 22세)는 대학을 오면서 부모님을 떠나 타지에서 혼자 살게 되었고, 첫 강의 때 강의실에 자신이 들어오자 동기 한 명이 큰소리로 웃어 자신을 주목하고 있다고 생각했다. 수업 중 머리를 계속 앞뒤로 움직이며, 벽을 노려보고 킥킥 웃는 모습, 무표정, 오랫동안 씻지 않아 냄새가 심하게 난다. 수업이 끝나고 기숙사로 돌아오는 길에 수상한 학생 2명이 기숙사를 배회하고 있었고, 며칠 후 자신의 기숙사 방에 도청장치와 생각을 조정하는 전자조정장치가 설치된 것을 알게 되었다고 말하였다. 도청장치와 전자조정장치가 자신을 감시하고, 자기 생각을 통제하기 때문에 공부에 집중할 수 없다고 하였다. 밤마다 전자장치를 통해 '대통령이 될 큰 인물이기 때문에 주변 사람들이 너를 방해하고 망치려 하니 아무도 믿으면 안 된다'는 전자 음성이 들린다고 하였다. 최근 텔레비전을 보면 아나운서가 자신을 논평하고, 앞으로 자신이 대통령이 될 인물이기 때문에 상대 정치인들이 자신을 방해하기 위해 머릿속에 장치를 심어 생각을 통제하고 결국 자신을 미치게 하려는 음모가 있다고 하였다. 특히 학과 학생들이 이에 동조하여 가담하고 있어 학과 친구들이 무서워 피한다고 하였다.

증상과 징후
- 음성이 들린다고 함

간호진단
감각지각장애 (환각)

간호활동
- 환각의 징후들을 관찰한다.
- 환청의 내용을 파악한다.
- 환각을 강화시키지 않는다. '그들' 대신 '음성'이란 단어를 사용하여 '그 음성들이 다시 들리나요?' 라고 물어본다.
- '당신에게는 그 소리가 들린다는 것을 알지만 저는 들리지 않습니다' 고 말하여 대상자의 지각을 공유하지 않음을 알린다.
- 활동에 참여시켜 환자의 주의를 돌리고 현실감을 강화한다.
- 환각에 대처하는 방법을 교육한다.

약물처방:
올란자핀(Olanzapine)
10mg hs

결과
- 환각에 대해 현실감을 갖는다.
- 환각을 인식하고 중단시키는 활동을 한다.

증상과 징후
- 피해망상, 관계망상적 사고

간호진단
사고과정 장애

간호활동
- 신뢰 관계를 형성한다.
- 망상에 대해 환자와 논쟁하거나 강화하지 않는다.
- 망상으로 인해 생기는 대상자의 감정을 표현하도록 격려한다.
- 예고 없이 대상자와 접촉하지 않는다.
- 다른 직원이나 다른 환자와 속삭이거나 웃지 않는다.
- 환경 내 사건이나 활동, 타인의 행동에 대해 간단히 설명해 준다.
- 현실에 초점을 두고 실제 사람들과 사건에 대해 이야기하여 현실감을 강화한다.

결과
- 환경 내에 있는 타인을 의심하지 않는다.
- 현실감각을 유지한다.

증상과 징후
- 상동증, 무표정, 학과 친구들을 피함
- 오랫동안 씻지 않은 외모, 냄새

간호진단
사회적 고립 / 자기돌봄결핍 (위생)

간호활동
- 위축된 환자의 경우 일대일 상호작용한다.
- 환자의 나이와 지위에 맞는 적절한 사회적 기술을 교육한다.
- 환자 주변의 지지체계를 확보하여 상호작용, 전화, 대화, 방문 등을 주선한다.
- 개인위생 활동을 독립적으로 하도록 격려한다.
- 독립적인 수행에 대해 긍정적 강화와 인정을 제공한다.

결과
- 사회적 참여가 증진된다.
- 개인위생을 수용할 수 있는 수준으로 유지한다.

그림 11.1 조현병 대상자를 위한 간호계획 개념지도

역사적 일화 11.2: 거짓 환자(pseudo-patients)

정신병과 관련된 진단의 객관성에 대한 문제는 1968년 한 심리학자 그룹에 의해 수행된 실험에 의해 주장되었다. 스탠포드 대학의 심리학 교수인 David Rosenhan이 주도하고 1973년 사이언스 저널에 게재된 이 실험에는 3명의 여성과 5명의 남성이 참여했다. Rosenhan 자신 역시 북미의 5개 주에 있는 정신 병원에 입원하기 위해 환각을 가장한 가짜 환자로 잠시 행동했다. 그들 중 실제로 아픈 사람은 없었음에도 불구하고 모든 의사들은 환자를 입원하여 정신 장애 진단을 받도록 했다. 입원 후 각 환자는 정상적으로 행동하기 시작했고 직원들에게 자신이 괜찮다고 더 이상 정신과적 증상을 겪지 않는다고 알렸다. 그럼에도 불구하고 퇴원하기 위해 모든 환자는 정신병이 있다는 데 동의하고 퇴원 조건으로 항정신병 약물을 복용해야 했다. 가짜 환자가 치료를 위해 입원한 평균 시간은 19일이었다. 실험이 끝난 후 관련 병원 중 하나는 Rosenhan에게 가짜 환자를 시설로 다시 보내주도록 요청했으며 직원이 이를 감별할 것이라고 보장하기도 했다. Rosenhan은 이에 동의했고 193명의 새로운 환자를 보냈다. 이 중 병원 직원은 41명을 가짜 환자로 식별했으며 이 중 19명은 적어도 한 명의 정신과 의사와 한 명의 다른 직원으로부터 의심을 받았다고 한다.

자세히 알아보기: Rosenhan DL 1973 On being sane in insane places. Science 179(4070): 250–8

적 경험이나 대안적 현실에 대한 경험을 간과할 수 있다. 대상자의 주관적 경험에 대한 의미 있는 접근방식은 간호이론가 트레블비(Joyce Travelbee, 1971)와 슈윙(Gertude Schwing, 1954)은 상호 기대와 경험 공유의 원칙에 초점을 맞추어야 한다고 주장하였다. 또한 인간관계의 가치와 인간관계에 적합한 환경을 조성하여야 하며, 조현병의 심리적 치료가 중요하다고 하였다.

치료적 의사소통

정신병의 과정은 다양한 회복과정과 기복을 거친다. 간호사는 상담, 피드백 제공, 새로운 사고방식과 대처기술을 포함한 교육을 실시하고 대상자 중심의 지원을 제공하며 이 과정에서 다양한 의사소통 방식을 사용한다. 간호사가 정신병 및 조현병 스펙트럼 대상자와 의사소통하는 것은 대상자의 회복에 매우 중요한 영향을 미친다. 간호사 및 의료팀과 좋은 관계를 가진 대상자는 회복과 좋은 경과를 경험할 가능성이 높다.

공감의 태도와 적극적 경청, 대상자의 경험을 확인하고, 보살핌이 필요한 사람과 협력적 관계를 통해 치료적 동맹을 구축하는 데 도움이 되는 간호중재는 다양하다. 팀으로 함께 하는 협력관계는 도움이 되지만 공식적이거나 '딱딱한' 접근방식은 비효율적일 수 있다.

간호사는 정신병 및 조현병 대상자, 가족 및 기타 지원자와 빈번하게 정기적으로 접촉하므로 간호사는 스트레스원을 조정하고 대처하는 교육을 제공하며 치료관계를 구축할 수 있는 가장 좋은 위치에 있다. 간호사는 조현병이나 정신병환자와 함께하는 효과적인 의사소통 전략을 사용한다.

- 개인의 사생활과 자율성을 존중한다.
- 의사소통과 선택을 명확하게 유지한다.
- 대상자와 간호사의 대화내용을 공유하고 이해하는지 확인한다.
- 대상자의 말이 이상하게 들리거나 이해가 되지 않더라도 경청한다.

- 대상자의 말은 그들에게 매우 현실적이라는 것을 인식한다.
- 대상자의 말을 정중하게 경청한다.
- 안전이 문제가 되지 않는 한 말다툼이나 논쟁을 피한다.

때때로, 간호사의 치료적 의사소통은 사회적 장애를 초래하는 음성증상(동기 부족, 무딘 감정, 의욕상실, 사회적 위축 및 부주의)에 초점을 맞출 필요가 있다. '정신병환자'로 불리는 경험을 가진 사람은 일반적으로 이전의 수준으로 기능을 회복하기 위해 애쓸 것이다. 질병 과정에서 학교 성적이 나빠지고, 사회적 관계가 어려워지며, 감소된 자기 관리 및 발달과업의 미달성 등이 나타난다. 질병의 초기에 공통적으로 나타나는 사회적 · 직업적 수행의 어려움이 나타난다.

인지행동치료(CBT)는 회복단계에 있는 대상자에게 적합하거나 건강을 유지하는 데 적합할 수 있다. 인지행동치료의 기본 가정은 생각과 행동을 변화시켜 증상을 조절한다는 것이다. 현재 경험하고 있는 증상은 과거에 학습된 사고와 행동의 결과이며 현재에 해로운 영향을 준다. 따라서 인지행동치료 접근방식은 과거의 파괴적인 방식을 학습하지 않고 미래를 위한 보다 건설적인 접근방식으로 바꾸는 것이다. 인지행동치료는 오랫동안 삶의 질을 향상시킬 수 있다.

예를 들어, 대중교통을 타고 여행하는 동안 무서운 환청을 듣는 사람은 헤드폰과 휴대용 장치를 통해 음악을 듣는 것이 환청을 일부 조절할 수 있음을 습득하게 된다. 또한 대상자는 환각을 통제하고 질병의 일부 증상이며 환청이 무해하다고 생각할 수 있다. 망상적 사고의 경우도 이러한 망상의 내용을 스스로 탐색하도록 할 수 있다.

이웃이 자신을 염탐하고 있다는 망상적 사고가 있다면 이웃의 행동이 악의가 아니라 우려에 의해 일어난 것으로 생각을 수정할 수 있다. 이웃을 알고 신뢰하는 것이 해결책이 될 수 있다. 그러나 망상적 사고의 특성 때문에 상당한 시간이 걸릴 수 있다. 또한 망상은 실제 사건에서 비롯된 경우가 많으며 '잘못된 생각'을 바로잡으려는 시도는 우리가 대상자의 진실을 인정하지 않는다는 부정적 반응을 일으킬 수 있다. 대상자는 자신의 '망상'이 타당함을 확신시키려고 노력하게 되며 '망상'이 증가할 수 있다.

때때로 가족구성원은 정신병에 대해 상반된 감정을 가지고 있거나 반대로 가족구성원으로부터 학대를 받은 경우 가족이 치료에 참여하기를 원치 않을 수 있다. 조현병 또는 정신병환자는 상충되는 감정을 다루어야 하며, 일반적으로 가족의 배제를 스트레스의 원인으로 여기고 오히려 자신을 돌보는 과정에 포함되기를 원한다. 대상자가 의미 있는 피드백을 제공하기에는 건강상태가 좋지 않을 수 있고 정신병은 대상자와 지원시스템 모두에 스트레스를 줄 수 있기 때문에 정신병의 초기 단계에서 보호자, 친인척 및 간병인에게 더 많은 교육을 제공해야 한다. 간호사는 가족과 간병인이 치료팀에서 대상자가 원하는 도움을 제공하고 참여할 수 있도록 노력해야 한다. 구성원의 지식과 자원은 협력과 참여를 통해 간호계획에 매우 중요하기 때문이다. 가족과 간병인은 효과적인 대처전략, 문제 해결, 의사소통 기술 및 약물의 영향에 대한 교육을 통해 나아질 수 있다. 가족심리교육 프로그램은 매우 효과적일 수 있다.

정신 약물치료

항정신병 약물은 1950년대에 처음 사용되었다. 강도와 용량에 따라 진정작용이 있고 환각 및 망상과 같은 양성증상을 감소시키는 것으로 알려져 있지만 모든 사람에게 해당하지는 않는다. 각 약물에는 장점과 단점이 있다. 약효가 빠른 것도 있고 약효가 오래 지속되는 것도 있다. 간호사는 일반적인 항정신병 약물의 긍정적인 부분과 부정적인 부분을 이해하고 약물에 대한 주의사항을 대상자 및 처방한 의사와 지속적으로 의견을 나누어야 한다.

일반적으로 항정신병 약물은 적정용량을 유지하며 투약하게 된다. 적정용량이란 심리치료 및 사회적 지지 등의 추가 치료법을 동시에 병행하며 약물을 사용하는 것을 의미한다. 필요에 따라 약물의 용량을 늘리기 위해 신중하고 점진적인 투약을 한다. 약물을 중단할 경우 사용을 서서히 중단하는 것도 중요하다. 약물용량의 변경은 처방하는 의사와 상담을 통해 이루어진다. 그러나 항정신병 약물의 장기 복용 시 나타나는 일반적인 부작용과 약물중단은 신중히 결정해야 한다.

항정신병 약물은 질병에 초점을 맞추어 투약하며 대인관계 및 윤리적 간호가치를 반영하고 있다.

● 항정신병 약물의 부작용

항정신병 약물은 다양한 부작용이 있다. 입마름, 두통, 변비, 요정체, 광공포증, 안구건조(눈물 생성 감소) 및 성기능 장애와 같은 말초신경계 부작용이 일반적이다. 중추신경계 부작용에는 진정, 파킨슨 증상, 정좌불능 및 발작역치 감소가 있다. 다른 부작용으로는 광과민성, 망막 악화, 내분비 장애가 있다. 조현병의 가장 흔한 증상은 음성증상이다. 항정신병 약물은 음성 증상에 대체로 효과가 적거나 음성증상이 심해질 수 있다. 무관심, 주도성 결여, 둔감한 감정 및 경험에 대한 통찰력 감소를 일으키며, 신경이완제 악성증후군이 나타나기도 한다.

기타 이상반응으로 급성 근긴장이상, 무과립구증, 신경이완제 악성증후군 및 지연성 운동장애이다. 급성 근긴장 이상은 얼굴, 목, 몸통, 골반 또는 사지의 불수의적 근육 경련이 단기간 또는 장기간 지속된다. 항콜린성 약물로 치료할 수 있고, 생명을 위협하는 경우는 거의 없지만 경련은 상당한 고통을 유발한다. 무과립구증은 인플루엔자 감염 시 관찰되는 것과 유사한 전구징후를 보이는 잠재적으로 치명적인 혈액장애이며, 증상으로 갑작스러운 발열, 오한, 인후통, 근육약화 및 구강통증이 있다. 조기발견이 중요하기 때문에 임상검사 결과 모니터링을 통해 진단한다. 무과립구증이 발생하면 항정신병 약물을 즉시 중단해야 한다. 신경이완제 악성증후군의 일반적인 증상으로 높은 체온(열), 과도한 발한 및 구강 타액 분비, 근육경직, 정신상태 변화, 혈압의 급격한 변동 등이 있다. 조기발견이 중요하며 신경이완제 악성증후군이 확인되면 항정신병 약물을 즉시 중단한다. 지연성 운동장애는 전체 근육계의 대운동을 수반하는 증후군으로, 대상자는 특징적으로 턱의 좌우 움직임과 함께 입술을 빨거나 혀를 내미는 것과 같은 입의 과잉운동을 보인다. 얼굴 찌푸림, 틱 및 경련 왜곡도 나타난다. 이 상태는 일반적으로 장기간 약물치료를 한 대상자에게 나타나며 되돌릴 수 없다.

항콜린성 약물(항파킨슨 약물이라고도 함)은 항정신병 약물의 부작용을 완화하는 데 도움이 된다. 항콜린성 약물은 신경세포 간 시냅스에서 아세틸콜린을 차단하는 작용을 한다. 세 가지 일반적인 항콜린성 약물은 벤즈트로핀 메실레이트(Benztropine Mesylate) 트리헥시페니딜(trihexyphenidyl), 비페리딘(biperiden) 등이다. 치료의 목적은 부작용을 완화하고 신체기능을 정상화하는 것이다. 항콜린성 약물의 부작용으로 구강건조, 어지러움, 흐린 시야, 오심과 신경과민증 등이 나타날 수 있다. 다른 문제로는 변비, 빈맥, 요정체, 졸음, 쇠약, 구토 및 두통이 나타날 수 있다. 또한 이러한 약물은 중추신경계 자극을 증가시킬 수 있으며, 이로 인해 안절부절못함, 초조, 방향감각 상실, 기억 상실, 혼란, 섬망 또는 환각이 나타날 수 있다.

• 의원성

'의원성(iatrogenesis)'이라는 용어는 자연적 치유과정이 아닌 질병의 치료 과정이나 의료적 중재에 의해 의도치 않게 발생하는 부작용을 말한다. 현대 의료체계에서는 항정신병 약물의 장기간 복용이 이루어지며, 정신병 치료에 약물치료 중요성을 강조하는 의학적 모형을 유지하는 경향이 있다. 조현병 대상자는 신체적 건강에 문제가 있고 기대수명이 일반인구보다 15년가량 더 짧은 것으로 알려졌다. 그 이유로 체중 증가, 당뇨병, 대사증후군 및 심혈관질환과 폐질환이 나타나며, 이는 조현병을 치료하는 과정에서 발생하는 것으로 알려져 있다. 호주 및 기타 국가에서는 이러한 다약제 사용 및 고용량 사용으로 인한 위험성에 대해 주목하고 있다. 정신약물의 신체적 부작용만을 고려한다면 항정신병 약물을 피하는 것은 합리적인 결정일 수 있으나 현실성은 없으며, 간호사는 대상자에게 약물복용에 대한 설명 시 긍정적인 효과와 부작용에 대해 알려주어야 한다.

표 12.1은 항정신병 약물로 일반적인 부작용과 간호를 설명한다. 제21장에서 항정신병 약물 또는 신경계 약물에 대한 포괄적 내용을 다룬다.

신체건강 증진

정신병환자 1,642명을 대상으로 호주 전역의 데이터를 수집하여 '정신병의 유병률 및 평생 이환율의 추정치를 제시하고 참가자의 인지, 신체건강 및 약물사용 프로필을 설명한 연구에 따르면 정신병환자는 건강과 삶의 질을 개선하기 위해 포괄적이고 통합적인 회복 모델이 필요하다고 하였다. 연구 참가자의 60.8%가 대사증후군, 65.9%가 흡연, 47.4%가 비만, 32.4%가 좌식생활, 49.8%가 알코올 남용 및 의존, 50.8%가 대마초 남용과 의존을 가지고 있었다. 정신병환자는 다양한 보건 캠페인에도 불구하고 열악한 신체건강을 계속 경험한다고 하였다.

조현병 대상자의 경우 의학적 동반질병 및 심혈관계 위험성이 대사증후군을 높이는 올란자핀(olanzapine)을 처방받은 경우로 알려졌다. 비만은 상당한 체중 증가를 일으키는 클로자핀(clozapine)과 같은 약물에 의해 복합되는 것으로 알려졌다. 항정신병 약물을 처방받은 대상자에게 대사증후군이 나타날 수 있고, 이에 대한 선별절차나 모니터링 방법은 아직 확실하지 않다. 일부 의사는 대상자의 체중, 공복혈당 또는 지질 수치를 통해 대사증후군을 확인하고 있다. 이러한 문제는 1차적으로 대상자의 책임이며, 건강유지 행동(예 암검진 및 운동), 흡연 및 잘못된 식단을 포함한다.

조현병 및 정신병 치료과정에서 가장 나쁜 결과에 해당하는 노숙자와 빈곤층에게 필요한 의료서비스에 대한 접근은 여전히 사회적 문제가 되고 있다. 정신건강 의료서비스에 접근할 수 있는 사람도 약물치료로 인한 부작용으로 어려움을 겪는다. 이로 인해 약물복용 불이행은 주요 문제이며 많은 대상자가 약물복용을 스스로 중단하기도 하며 정신증상 악화와 입원이 반복되는 결과를 초래하기도 한다. 이를 '회전문 현상'이라 한다. 회전문 현상의 주요 핵심을 파악하는 것은 중요하며, 여기서 간호사(정신과 의사와 협력하여)가 약물 및 병원치료에 대한 대안방법을 제안할 수 있다. 약물복용 불이행은 처방자의 의견에 대한 대상자의 합법적인 권리이기도 하다. 정신병환자는 이러한 권리가 종종 간과되거나 제한되기도 하는데, 이는 위험한 상황을 통제하고 안전을 확보하는 범위 내에서 이루어진다.

사회적 지지와 옹호

정신병이나 조현병 대상자는 다양한 사회적 문제에 직면한다. 일반적으로 일상생활의 문제로는 외

표 11.1 항정신병 약물의 부작용 및 간호중재

부작용	간호중재
체중 증가: 클로자핀(clozapine), 올란자핀(olanzapine) 및 클로르프로마진(chlorpromazine) 사용 시	• 활동과 운동의 중요성을 강조하고 가능한 한 혼수상태를 극복하기 위해 동반자와 함께 한다. 현재 식이 섭취량을 평가하고 필요한 경우 수정을 제안한다. • 약물의 효과를 관리하는 데 어려움을 겪는 사람을 비난하지 않도록 주의한다.
파킨슨병 효과(Parkinsonian eff ects): 공허함, 가면과 같은 표정, 침 흘림, 떨림, 근육 경직, 경직 및 비틀거리는 걸음걸이	• 이러한 이상반응은 시간이 지나면 가라앉는다고 안심시킨다. 파킨슨병 효과를 모니터링하고 처방된 대로 항콜린제를 투여한다. • 일부 부작용을 관리하는 데 있어 추가 약물의 제한된 가치에 대해 대상자에게 개방적이어야 한다.
정좌불능증(akathisia): 사지를 움직이고 자세를 바꾸려는 끊임없는 충동으로 수면과 휴식을 모두 방해할 수 있음	증상이 심할 경우 항정신병 약물을 재검토해야 하며, 의사에게 이를 보고한다. 항콜린제는 부작용을 개선할 수 있다.
생명을 위협하는 신경이완제 악성 증후군(neuroleptic malignant syndrome): 일반적으로 빠르게 진행되지만 대상자가 더 높은 효능의 전형적인 항정신병제(예 할로페리돌)를 복용하는 경우 언제든지 발생할 수 있다.	비정형 항정신병 약물의 출현 이후 감소 추세와 함께 문헌에 따르면 3~27%의 사망률을 나타내는 의료 응급상황이다. 증상은 고열, 심한 운동강직, 의식수준 장애, 심혈관기능, 혈압, 발한, 발열, 저혈압, 빈맥, 혼미 및 근육강직이다. 즉시 항정신병 약물을 중단하고 의사에게 진료를 의뢰한다. 간호는 할로페리돌과 같은 고효능 약물을 복용하는 대상자의 증후군에 대한 경계로 구성된다. 대상자에게 수분을 공급하고 체온 감소 등을 모니터링한다.
지연성 운동이상증(tardive dyskinesia, TD; '후기 발생 운동장애'), 장기간의 기존 항정신병 약물(예 할로페리돌)에 대한 치명적이고 비가역적인 이상반응이지만 비정형 항정신병 약물에서도 드물게 나타남	영향의 정도는 경증에서 무력화까지 다양하며, 신체 · 팔 · 다리의 경련과 같은 움직임, 혀 굴리기, 입술 깨물기 등이 포함된다. TD는 항정신병 약물을 중단한 후에도 계속되며 벤즈트로핀(benztropine)과 같은 항파킨슨병 약물을 투여하면 종종 악화된다. 의사에게 비자발적 움직임을 의뢰하여 용량을 중단하거나 낮추고 평가한다.
급성 근긴장이상 반응(Acute dystonic reaction; 경련) – 몸통과 목의 근육 경련(opisthotonos 및 torticollis): 눈이 통제할 수 없을 정도로 돌아갈 수 있음(안과적 위기). 후두근육이 경련을 일으켜 기도를 막으면 생명을 위협한다.	신속한 간호중재가 필요한 의학적 응급상황으로 급성 근긴장이상 반응은 벤즈트로핀과 같은 항파킨슨병 약물의 정맥내, 근육내 또는 경구(경로는 중증도에 따라 다름) 투여에 신속하게 반응한 후 주의 깊게 관찰한다. 후두경련의 경우, 대상자는 해결될 때까지 기도 지원과 산소요법이 필요할 수 있다.

부환경의 부적절한 해석이나 위협과 위험에 대한 인지, 사회적 고립, 낮은 자존감, 부적절한 감정표현 및 타인의 감정표현을 받아들이고 이해하는 데 어려움을 겪는 것 등이 있다. 개인이 자신의 경험을 통해 일상생활을 관리하도록 지원하는 사회적 옹호의 역할은 증상을 치료하는 것만큼이나 중요하며, 모든 치료의 핵심이다. 사회적 옹호를 제공하는 간호사의 능력은 대상자의 요구를 다루며 치료적 관계를 구축하는 데 달려 있다.

직업, 교육 및 사회경제적 지위는 대부분의 사람에게 삶의 중요한 요소이며, 정신병 및 조현병 대상자는 이러한 부분에서 심각한 혼란과 불이익을 받기도 한다. 채용과 고용 기회의 부족은 조현병 대상자가 직면하는 사회적 배제의 한 형태이다. 정신병환자의 실업률은 매우 높으며, 이미 고용된 경우에도 많은 시간을 병가로 사용한다. 구직과 직장 복귀는 조현병 대상자에게 유익한 영향을 미친다. 자원봉사로 시작하여 직장으로 복귀하기도 한다. 직장에서 필수적인 지원체계가 있고 장애차별을 금지한 법률이 있다. 또 대부분의 경우 고용주는 안전하며 타 직원의 고충이 없도록 작업장을 운영할 책임이 있다. 이는 조현병의 사회적 낙인과 함께 어려움을 유발한다.

안정된 삶을 위해 편안하고 안전한 집을 갖는 것은 인간의 필수적인 욕구이지만, 노숙자, 특히 조현병 대상자에게는 어려운 일이다. 연구에 따르면 정신병환자와 노숙자는 상호 연관성이 있으며 트라우마, 역경, 성별, 인종 및 기타 사회적 요인과 관련이 있다. 노숙 환경은 생활의 혼란과 관계를 파괴할 수 있다. 특히 조현병의 양성증상은 이웃관계에서 영향을 주며 조현병 대상자가 세입자인 경우 퇴거시키는 결과를 초래할 수 있다. 이것은 물론 차별의 한 형태이기도 하나 일반인들의 인식과 불편감도 고려해야 한다. 조현병의 음성증상은 타인과의 관계와 애착관계에 영향을 미친다. 음성증상으로 인해 일상적인 업무상 어려움이 있으며, 이로 인해 이웃주민과의 문제나 임차 및 주택 상환과 관련된 부분에 문제가 발생하기도 한다.

그러나 이것이 정신병을 가진 노숙자에게만 해당하는 것은 아니다. 정신병은 노숙자가 된 후 발생하기도 하며, 빈번한 폭행, 강간, 강도, 영양실조, 지원부족 및 의료서비스 이용 부족과 같은 엄청난 스트레스와 관련이 있을 수 있다. 정신병환자가 노숙자가 되는 것은 명백하게 위험한 일이다. 문헌에 따르면 두 상황 모두에 처한 경우 사망률은 일반 인구의 4배, 조현병을 앓고 있지만 집이 있는 경우 사망률은 2배인 것으로 나타났다. 정신건강 정책제안 및 전문의가 고민하는 가장 큰 과제는 노숙자인 정신병환자에게 의료서비스를 제공하고 조현병 대상자를 위한 주택 및 의료기관에 대한 접근을 확대하는 것이다.

재발 방지

조현병과 같은 정신병은 만성화 형태로 진행되는데, 일시적으로 재발하고 완화되는 급성 정신병 형태와 안정기간이 교대로 나타나는 상태이다. 조현병 대상자 중 최대 40%가 입원 후 1년 이내에 급성 증상이 재발하므로 잠재적인 재발의 초기징후와 유발인자를 파악하고 스스로를 조절하는 방법을 지원하는 것이 중요하다. 급성 증상의 재발을 줄이기 위해 다양한 환경과 관계에서 람베르티(Lamberti, 2001)는 조현병의 재발 방지를 연구하였고 재발 방지의 핵심은 가족 및 기타 지지자와 긴밀하게 협력하는 것이며, 이는 대상자가 함께 동의해야 진행할 수 있다고 하였다.

재발 방지에는 치료적 관계 수립 및 지속적인 교육, 재발의 초기징후 식별, 재발징후 모니터링, 이러한 징후가 관찰되는 경우 조기중재가 중요하다. 그 과정에서 개인, 가족 및 지원을 참여시키고 정확성과 정직성을 보장하기 위해 긍정적인 관계를 유지하는 것이 중요하다. 불행히도 가족과 간병인은 대상자 치료의 동맹자로 간과되기도 한다. 호주의 연구에서 급성 정신건강 관리시설에서 친척과 간병인이 대상자에 대한 좋은 정보제공자 역할을 할 것으로 기대했지만 일부 가족 및 간병인은 간호사와 치료계획과 무관하고, 일부는 적극적으로 대상자와 거리를 두게 한다고 느꼈다고 하였다.

회복 중심의 간호계획

회복 중심의 간호계획은 대상자의 선호도를 파악하고 강제 중재를 피하거나 최소화하는 방법이다. 이는 정신건강 응급상황 발생 시 대상자의 희망사항을 문서화하는 사전지시서의 형태를 취할 수 있다. 급성 통증은 자살, 심각한 방치, 인지장애 및 기타

표 11.2 정신증상에 따른 간호접근법

문제	간호접근법
망상적 사고	• 망상적 사고의 내용을 이해하려고 노력한다. 망상적인 생각은 대상자의 생각에서 일어나는 주제에 대한 단서를 제공할 수도 있다. 다른 언어를 고려하고(바람직하게는 대상자의 언어를 사용하는 것이 좋음) 망상이 관련된 사람에게 실제라고 믿는다는 것을 인정한다. 이것은 관심 있는 이해를 전달하고 신뢰를 발전시키는 데 도움이 된다. • 대상자와 상황이나 현실에 대해 서로 다른 경험과 견해를 가질 수 있음을 인정하는 데 진정성이 있어야 한다. 이는 공모가 아니라 대상자의 현실 경험을 수용한다는 증거가 된다. • 개인을 위한 더 안전한 환경을 만들기 위해 환경의 다양한 측면을 조정하고 사용자와 협력한다.
환청	• 자신의 현실을 이해하기 위해 교류한다. • 목소리가 특정 행동을 제안하는 경우 대상자가 자신의 행동을 선택하는 데 필요한 자원을 탐색한다. 목소리는 개인이 개인의 안전에 영향을 미치는 조치를 취하도록 제안할 수 있다. 목소리가 과거의 고통과 관련하여 중요한 은유적 의미를 가질 수 있으며, 목소리에 따라 행동하는 데 있어 선택의 측면에서 개인과 구별된다는 점을 이해하기 위해 대상자와 협력한다. • 환청으로 인한 고통을 관리하기 위해 간호사, 동료직원 또는 다른 사람의 증가된 지원의 잠재적 가치에 대해 논의하고 탐색한다. • 환청을 자극하는 것으로 보이는 활동을 식별하고 그러한 상황에 대처하는 방법을 강구하기 위해 협력한다. • 대상자와 협력하여 헤드폰을 통한 음악감상, 의식, 놀이 또는 창의성과 같이 환청의 영향을 줄이는 행동을 확인/구분한다. • 심각한 곤경에 처한 대상자에게는 prn 처방이 도움이 될 수 있다..
공포/불안/편집증	• 대상자가 겪을 수 있는 두려움, 불안 또는 편집증에 대해 생각해 본다. • 두려움과 경험에 대해 논의하고 가치가 있을 수 있는 지원을 고려한다. • 대상자가 자신의 행동과 그것이 어떻게 잘못 해석될 수 있는지 알고 있다. 간호사의 접근방식이 자신감을 갖고 있는지 확인하고 관대한 개인공간이 필요한 사람을 염두에 둔다. • 신체적 접촉은 항상 동의를 얻어야 하며 대상자와 협력하여 안심하고 지원하기 위한 접근방식으로만 고려해야 한다. 아울러 스트레스/외상 반응으로 나타날 가능성이 있는 표현을 고려한다. • 항상 상호 인간으로서 대상자와 협력하여 일하려고 노력한다.
무질서한 사고	• 대상자의 경험을 탐색하는 데 시간을 보낸다. • 무질서한 사고가 삶에 미치는 영향에 대해 생각해 본다. • 대상자와 협력하여 약물이 유용한지 고려하되 개인적인 표현을 억제하지 않도록 주의한다. • 신체활동을 자신의 신체에 대한 주인의식과 안전감을 회복하도록 돕는 메커니즘으로 간주한다. • 대상자와 함께 일할 때 불안전한 느낌을 증가시킬 수 있는 모든 요소를 고려한다.
스트레스/트라우마 반응	• 스트레스/트라우마 관련 반응을 '정신증' 상태를 경험하는 곤경에 처한 사람의 일반적인 이유라고 생각해 본다. • 무엇이 잘못되었는지가 아니라 무슨 일이 일어났는지 이해하는 것이 간호사의 가장 지지적인 접근방식에 협력하는 데 중요하다. • 정신병적 경험의 고통이 특히 일상 생활과 광범위한 급성 및 만성 안녕에 미치는 영향을 고려한다.

위험을 포함한 위기에 대응해야 할 수 있음을 시사한다. 정신건강 위기가 발생하면 사전에 협상된 치료에 의해 치료방법의 선택이 어려워질 수 있으며, 정신건강법률에 따라 입원 및 치료를 받을 가능성이 커진다. 사전돌봄계획은 대상자의 고통을 경감하고 대상자가 선호하는 치료를 전달하는 것에 대해 대상자와 협상하는 것이다.

회복계획은 대상자가 원하거나 또는 원하지 않는 약물, 지원을 위해 연락해야 하는 사람 및 과거 위기에서 도움이 된 전략을 지정할 수 있다. 대상자는 친

간호사 이야기 11.1

1970년대에 18세였을 때 시드니의 한 클리닉에서 정신과 간호를 시작했습니다. 친구가 그곳에서 훈련을 시작했고 그녀는 그녀의 직업이 단순히 사람들과 항상 이야기하는 것이라고 말했습니다. 대상자와 이야기하는 것이 전혀 허용되지 않는 사무실에 있을 때 이러한 설명은 매우 재미있고 훌륭하게 들렸습니다! 진료소는 보호병동이 없는 비정상적으로 진보적인 곳이었고, 간호사들은 하루 일과가 끝날 때 보고서를 작성하지 않는 한 사무실에서 시간을 보내지 않고 하루 종일 대상자와 관계를 맺어야 했습니다. 이러한 일과는 매우 간단하게 들렸습니다. 카드, 체스, 농구 또는 테니스를 치고, 대상자와 함께 걷고, 영화를 보러 갔습니다. 약을 주고, 이야기하고, 듣고, 관계를 구축했습니다. 외향적인 성격은 아니었지만 이를 극복하고 혼자, 초조하거나 화를 내거나 이불 속에 파묻혀 있는 사람에게 다가가고, 때론 노골적으로 연락을 거부하는 사람에게 다가가야 했습니다.

직면한 대상자들은 이전에 만난 사람들과 달랐고 적극적으로 정신병을 앓고 있는 사람들이었습니다. 정신병환자들은 또한 감정에 예민하게 적응했기 때문에 내가 두려워하거나 회피하는 것이 있으면 빠르게 감지되고 거부반응이 뒤따랐습니다. 경험 많은 간호사들은 내가 반응해야 하는 것은 증상이 아니라 근본적인 감정이라고 말했습니다. 결국 그 사람이 자신이 염탐하고 있다고 생각하거나, 다른 사람들이 그들의 생각을 방해하고 있다고 생각하거나, 머리 속의 목소리가 자신에 대해 모욕적인 말을 하고 있다고 생각한다면 아마도 취약하고 두렵고 방어적이라고 느낄 것입니다. 그들에게 필요한 것은 추리나 논쟁이 아니라 인간성과 배려, 그리고 더 안전하고 안정감을 느낄 수 있도록 도와주는 것이었습니다. 요즘은 그것을 '반영', '공감'이라고 부르는데, 이러한 접근법은 어떤 대상자에게도 항상 통했습니다.

2년차에 나는 낮 병원에 있는 대상자 그룹을 배정받았습니다. 나는 크고 작은 치료 그룹을 운영하고 그룹과 농구를 하고 약을 분배하는 법을 배웠습니다. 나는 이완 요법을 하고 내 진행 상황을 전문 감독자에게 보고하고 차례로 감독하는 법을 배웠습니다. 3년차 때 나는 지역 쇼핑센터 클리닉의 방문 정신과 상담센터에 배치되어 아기를 안고 있는 젊은 엄마와 같이 쇼핑을 하러 외출한 사람들이 수시로 센터를 방문하여 자신의 문제에 대해 이야기할 수 있도록 했습니다. 또한 가정 팀과 함께 지역사회의 퇴원 대상자에 대한 위기평가 및 후속 방문을 수행했습니다.

정신과 의사부터 학생들까지 직원들 사이의 전문적인 관계는 내가 아는 것 중 가장 민주적이고 상호 도움이 되었으며 평등은 대상자와의 관계에 반영되었습니다. 학생들은 그들이 알고 있는 모든 것을 가르쳐준 선배 간호사로부터 지속적으로 멘토링을 받았습니다. 약물, 순응도 및 부작용 확인 방법; 사람들이 안전하고 지지를 받을 수 있도록 그룹을 운영하는 방법; 파괴적인 인신공격을 대상자의 고통의 증상으로 해석하는 방법; 어떤 사람이 대화를 나누거나 대화하기를 원하지 않는 경우 조용히 '함께'하도록 격려하는 방법; 다른 수준에서 동시에 작업하고 카드 게임을 편안하고 포괄적인 치료 세션으로 바꾸는 방법 등이 멘토링을 받은 내용입니다.

내가 배운 가장 계시적인 기술은 '대화'가 양방향이어야 한다는 기대를 억제하는 방법이었다고 생각합니다. 즉, 비판적이지 않고 자신감을 수용하고 나 자신, 감정, 믿음 및 필요가 침해되지 않도록 하는 것입니다. 나는 종종 내가 받은 실습 교육을 되짚어보고 우리가 가르치는 것과 오늘날 대학에서 학생들이 배우는 것과 대조하는데, 변화의 일부 측면은 지속적으로 혼란스럽기도 합니다. 간호사는 더 나은 학문적 이해를 개발하지만 '포괄적인' 학부 교육 시스템에서 더 좁고 얕은 정신건강 기술 기반을 교육받습니다. 우리는 작업 치료사, 사회복지사 및 심리학자가 정신간호사가 수행했던 많은 역할 이전에 더 포괄적인 치료를 제공했고 과거에 더 유능 했습니다. 그러나 오늘날의 대상자는 회복 및 대상자인권 운동으로 대표되기 때문에 경제적 이익을 위해 사람들에 대한 낮은 수준의 보살핌을 수용하는 것으로 보이는 국가 의료 서비스에도 불구하고 이전보다 더 나은 서비스를 받고 있습니다.

구나 가족구성원으로부터 회복치료계획을 수립하는 데 도움을 받아야 한다. 또한 변호사를 참여시키기도 한다. 치료계획은 대상자의 치료팀과 논의해야 하며 기록의 사본은 대상자가 보관하도록 한다. 간호사는 대상자가 사전치료계획을 세우도록 도울 수 있으며 사전치료계획이 통합되도록 지지해야 한다. 간호사는 또한 회복치료계획의 내용과 선택을 존중해야 하는 윤리적 책임이 있다. 회복치료계획은 의료인에게 구속력이 없지만, 대상자의 희망에 부합하는 치료를 제공하기 위해 모든 노력을 기울여야 한다. 또한 의료인이 내리는 결정은 정신건강법안을 기반으로 내리게 되며, 대상자가 아닌 의료인은 대상자의 결정을 거부할 법적 권리가 없다는 점을 분명히 해야 한다.

낙인

조현병 대상자는 질병과 관련된 낙인과 함께 자존감이 낮아진다. 의료계 등에서 질병의 원인을 제시하는 것과 별도로 다양한 대중매체에서는 '조현병'을 지역사회에서 다루기 어렵고 사회적으로 부적절한 행동을 하는 사람으로 묘사한다. 일반인이 완전히 이해할 수 없는 비정상적인 행동과 수용하기 불가능한 행동을 표현하기도 한다.

대중매체는 지역사회주민에게 정신병적 행동(예 환각 및 망상)과 증상(침입하거나 공격적으로)을 대중을 자극하기 위해 선정적으로 만드는 경향이 있다. 이러한 대중매체에서 정신병환자의 견해는 다루어지거나 거의 표현된 적이 없다. 정신병에 대한 낙인이 표현되지 않더라도 조현병 대상자는 이러한 부분이 정신적 고통의 원인이라 하였다. 정신병이 진행되면서 증상의 강도가 심해지기 때문에 적절한 복장, 사회적 예절 및 개인위생과 같은 사회적 규범을 거의 지키기가 어렵다. 또한 치료약물인 항정신병 약물의 부작용으로 대상자를 소외시키기도 한다.

언론매체는 사람들이 정신병에 대한 인식에 막대한 영향을 미치며, 해를 끼치려는 의도가 없는 경우에도 '정신분열증', '미친' 또는 '정신이 이상한'이라는 단어로 부적절하게 사용한다. SANE Australia는 Stigma Watch 웹사이트(www.sane.org/services/stigmawatch)를 유지하고 있다. 이 웹사이트는 폭력적이거나 끔찍한 범죄를 저지른 사람이 뉴스 미디어에서 이전에 정신병을 앓고 있다고 언급하는 경우 등의 사례를 강조한다. SANE Australia는 이러한 반복적인 언급이 정신병에 대한 일반 대중의 혼란과 인식 왜곡을 가중시킨다고 주장한다.

한편 다른 소셜 미디어는 낙인을 줄이고 장애에 대한 대중의 이해를 높이기 위해 대안적인 이해를 제공하려고 한다. 'Mad in America(www.madinamerica.com)'는 실제 경험한 사람들과 임상전문가를 호스팅하여 아이디어와 개념을 게시하고 최신 연구 및 아이디어에 대해 논평하는 소셜 미디어의 한 예이다.

● 유용한 웹사이트

Australian Government Department of Health. https://www1.health.gov.au/internet/publications/publishing.nsf/Content/mental-pubs-f-plan09-toc~mental-pubs-f-plan09-ap1

International Hearing Voices Network.

- http://hvna.net.au.
- http://hearingvoiceswa.org.au.
- http://voicesnsw.com.au.
- https://hearingvoicesnetworkanz.wordpress.com.
- https://hearingvoicesnetworkanz.wordpress.com/support-groups.
- www.intervoiceonline.org

New Zealand Early Intervention in Psychosis Society. www.earlypsychosis.org.nz/index.php

NSW Schizophrenia Fellowship. www.sfnsw.org.au

SANE Australia. www.sane.org/mental-health-and-illness/

단원 요약

정신병 및 조현병은 일반적으로 약 1%의 유병률을 보이며, 여러 가지 증상을 나타낸다. 성인기 초기에 발생하며 지각, 행동, 기분, 사고능력, 사회적 · 직업적 기능에 영향을 미친다. 이러한 영향에도 불구하고 정신병 및 조현병의 발병원인 등은 완전히 밝혀지지 않았다. '다중인격' 등으로 잘못 오해받고 있으며, 조현병이나 정신병 진단을 받은 대상자는 불신과 두려움과 차별을 받기도 한다. 발병원인은 사회적 · 환경적 · 심리적 · 생물학적 요인을 포함하는 복합적인 원인으로 나타난다. 이러한 연구는 지금의 연구와 이론의 근간이 되었고 조현병 및 정신장애의 발병원인, 용어, 예후 및 회복을 보는 방식에 큰 영향을 미쳤다. 사회의 많은 사람이 폭력과 위험이라는 낙인을 강조하여 이러한 정신병의 증상을 경험하는 대상자는 복잡한 어려움을 겪게 되므로, 이러한 대상자를 지지하고 옹호할 필요가 있다.

간호사는 정신병 및 조현병 대상자가 질병에서 회복하고 건강을 유지하며 최적의 건강 수준을 달성하도록 돕는 중요한 역할을 한다. 간호사는 주관적이고 객관적인 데이터를 포함하여 정신건강 평가에서 얻은 정보를 사용하여 재발을 예측하고 예방하고 대상자의 회복 유형에 맞게 설계된 치료를 계획하고 수행해야 한다. 이러한 질병을 경험하는 사람들의 삶을 개선하기 위한 위대한 도전은 계속되고 있다. 간호사는 조현병 및 정신장애, 증상을 경험하는 대상자를 도울 수 있는 방법을 알고 문제를 해결하는 데 기여할 수 있다.

facts–and–guides 244 • StigmaWatch. www.sane.org/mental–health–and–illness/facts–and–guides/reducing–stigma •. Discussion regarding schizophrenia. www.sane.org/mental–health–and–illness/facts–and–guides/schizophrenia.

Second Life virtual world was utilised in a study by Australian Professor Peter Yellowlees designed as an educational tool to simulate the frightening experiences of hallucinations associated with mental illness in order to develop greater understanding among non–sufferers: www.youtube.com/watch?v=P4–PUF3ScL0.

Surviving Schizophrenia is a video in which Elyn Saks, Debra Lampshire and Paris Williams, all world experts on mental health, use their personal experiences and work in their respective fields to debunk the myths and stigma surrounding schizophrenia: http://attitudelive.com/documentary/surviving–schizophrenia

Voice hearer and psychologist Eleanor Longden talks about her journey back to mental health and makes the case that it was through learning to listen to her voices that she was able to survive: www.ted.com/talks/eleanor_longden_the_voices_in_my_head.

● 참고문헌

American Psychiatric Association (APA). Schizophrenia Spectrum and Other Psychotic Disorders: DSM–5 Selections. Washington DC: American Psychiatric Publishing; 2015.

American Psychiatric Association (APA). Diagnostic and Statistical Manual of Mental Disorders, fifth ed. Washington DC: APA; 2013.

Andrews, G., Dean, K., Genderson, M., et al. Management of Mental Disorders, fifth ed. Darlinghurst: Clinical Research Unit for Anxiety and Depression, University of New South Wales School of Psychiatry; 2014.

Arnold, K., Vakhrusheva, J. Resist the negation reflex: minimizing reactance in psychotherapy of delusions. Psychosis. 2016; 8(2):166 – 175.

Ayano, G., Tesfaw, G., Shumet, S. The prevalence of schizophrenia and other psychotic disorders among homeless people: a systematic review and meta–analysis. BMC Psychiatry. 2019; 19(1):370.

Ball, M. ISPS Australia's Response to Schizophrenia Awareness Week: Drop the Label!. https://www.madinamerica.com/2018/05/isps–australias–response–to–schizophrenia–awareness–week–drop–

the-label/ 2018. (Accessed 22 April 2019).

Boos, H., Cahn, W., van Haren, N., et al. Focal and global brain measurements in siblings of patients with schizophrenia. Schizophr. Bull.. 2011; 17:1-12.

Brown, D. W., Anda, R. F., Tiemeier, H., et al. Adverse childhood experiences and the risk of premature mortality. Am. J. Prev. Med.. 2009; 37(5):389-396.

Burns, J. K., Tomita, A., Kapadia, A. S. Income inequality and schizophrenia: increased schizophrenia incidence in countries with high levels of income inequality. Int. J. Soc. Psychiatry. 2014; 60(2):185-196.

Chan, K. Y., Zhao, F., Meng, S., et al. Urbanization and the prevalence of schizophrenia in China between 1990 and 2010. World Psychiatry. 2015; 14(2):251-252.

Chong, H. Y., Teoh, S. L., Bin-Chia Wu, D., et al. Global economic burden of schizophrenia: a systematic review. Neuropsychiatr. Dis. Treat.. 2016; 12:357-373.

Cleary, M., Hunt, G. E., Horsfall, J., et al. Nurse-patient interaction in acute adult inpatient mental health units: a review and synthesis of qualitative studies. Issues Ment. Health Nurs.. 2012; 33(2):66-79.

Coffey, M., Hannigan, B., Simpson, A. Care planning and co-ordination: imperfect solutions in a complex world. J. Psychiatr. Ment. Health Nurs.. 2017; 24(6):333-334.

Conrad, P., Barker, K. K. The social construction of illness: key insights and policy implications. J. Health Soc. Behav.. 2010; 51(Suppl. 1):S67-S79.

Corstens, D., Escher, S., Romme, M. Accepting and working with voices: the Maastricht approach. In: Moskowitz A., Schäfer I., Dorahy M.J., eds. Psychosis, Trauma and Dissociation: Emerging Perspectives on Severe Psychopathology. Chichester, West Sussex: Wiley-Blackwell; 2008:319-332.

Dorozenko, K., Martin, R. A critical literature review of the direct, adverse effects of neuroleptics. In: Curtin University. Report prepared for the National Mental Health Consumer & Carer Forum. Available from: https://nmhccf.org.au/sites/default/files/docs/nmhccf_-_clr_-_web_accessible_version_-_final_-_august_2017_0.pdf 2017. (Accessed 2 December 2017).

Fazel, S., Seewald, K. Severe mental illness in 33,588 prisoners worldwide: systematic review and meta-regression analysis. Br. J. Psychiatry. 2012; 200:364-373.

Fusar-Poli, P., de Pablo, G. S., Correll, C. U., et al, Prevention of psychosis: advances in detection, prognosis, and intervention. JAMA Psychiatry 2020; . doi: 10.1001/jamapsychiatry.2019.4779 [Online ahead of print.].

Grech, E., Raeburn, T. Experiences of hospitalised homeless adults and their health care providers in OECD nations: a literature review. Collegian. 2019; 26:204-211.

Hetherington, J. Peer-supported open dialogue. Ther. Today. 2015; 26(10):26-29.

Jones, S. R., Fernyhough, C. A new look at the neural diathesis-stress model of schizophrenia: the primacy of social-evaluative and uncontrollable situations. Schizophr. Bull.. 2007; 33(5):1171-1177.

Kazdin, A. E., Blase, S. L. Rebooting psychotherapy research and practice to reduce the burden of mental illness. Perspect. Psychol. Sci.. 2011; 6(1):21-37.

Kennedy, M., Dornan, J., Rutledge, E., et al. Extra information about treatment is too much for the patient with psychosis. Int. J. Law Psychiatry. 2009; 32:369-376.

Khalifeh, H., Johnson, S., Howard, L., et al. Violent and non-violent crime against adults with severe mental illness. Br. J. Psychiatry. 2015; 206(4):275-282.

Kopelowicz, A., Liberman, R. P., Wallace, C. J. Psychiatric rehabilitation for schizophrenia. Int. J. Psychol. Psychol. Ther.. 2003; 3(2):283-298.

Lamberti, J. S. Seven keys to relapse prevention in schizophrenia. J. Psychiatr. Pract.. 2001; 7(4):253-259.

Laugharne, J., Waterreus, A. J., Castle, D. J., et al. Screening for the metabolic syndrome in Australia: a national survey of psychiatrists' attitudes and reported practice in patients prescribed antipsychotic drugs. Australas. Psychiatry. 2016; 24(1):62-66.

Lee, S. The stigma of schizophrenia: a transcultural problem. Curr. Opin. Psychiatry. 2002; 15(1):37-41.

Longden, E. The voices in my head. Available: www.ted.com/talks/eleanor_longden_the_voices_in_my_head/transcript?language=en, 2013.

Mårtensson, G., Jacobsson, J. W., Engström, M. Mental health nursing staff's attitudes towards mental illness: an analysis of related factors. J. Psychiatr. Ment. Health Nurs.. 2014; 21(9):782-788.

Mehl Madrona, L. Remapping Your Mind: The Neuroscience of Self-Transformation Through Story. Rochester: Bear & Company; 2015.

Metzl, J. M. The Protest Psychosis: How Schizophrenia Became a Black Disease. Boston: Beacon Press; 2010.

Mitchell, A. J., Vancampfort, D., Sweers, K., et al. Prevalence of metabolic syndrome and metabolic abnormalities in schizophrenia and related disorders - a systematic review and meta-analysis. Schizophr. Bull.. 2013; 39(2):306-318.

Modi, S., Dharaiya, D., Schultz, L., et al. Neuroleptic malignant syndrome: complications, outcomes, and mortality. Neurocrit. Care. 2016; 24(1):97-103.

Moncrieff, J., Cohen, D., Porter, S. The psychoactive effects of psychiatric medication: the elephant in the room. J. Psychoactive Drugs. 2013; 45(5):409-415.

Morgan, V. A., McGrath, J. J., Jablensky, A., et al. Psychosis prevalence and physical, metabolic and cognitive co-morbidity: data from the second Australian national survey of psychosis. Psychol. Med.. 2014; 44(10):2163-2176.

Nairn, R. G., Coverdale, J. H. People never see us living well: an appraisal of the personal stories about mental illness in a prospective print media sample. Aust. N. Z. J. Psychiatry. 2005; 39(4):281-287.

Neil, A. L., Carr, V. J., Mihalopoulos, C., et al. Costs of psychosis in 2010: findings from the second Australian national survey of psychosis. Aust. N. Z. J. Psychiatry. 2014; 48(2):169-182.

O'Brien, L., Cole, R. Mental health nursing practice in acute psychiatric close-observation areas. Int. J. Ment. Health Nurs.. 2004; 13(2):89-99.

Porges, S. The Polyvagal Theory: Neurophysiological Foundations of Emotions, Attachment, Communication, and Self-Regulation. New York: W. W. Norton & Company; 2011.

Porter, R. Madness: A Brief History. London: Oxford University Press; 2002.

Rautanen, M., Lauerma, H. Imprisonment and diagnostic delay among male offenders with schizophrenia. Crim. Behav. Ment. Health. 2011; 21(4):259-264.

Read, J., Fosse, R., Moskowitz, A., et al. The traumagenic neurodevelopmental model of psychosis revisited. Neuropsychiatry. 2014; 4(1):65-79.

Reich, S. M., Pinkard, T., Davidson, H. Including history in the study of psychological and political power. J. Community Psychol.. 2008; 36(2):173-186.

Rosenhan, D. L. On being sane in insane places. Science. 1973; 179(4070):250-258.

Schwing, G. A Way to the Soul of the Mentally Ill. New York: International Universities Press; 1954.

Seikkula, J., Alakare, B., Aaltonen, J. Open dialogue in psychosis I: an introduction and case illustration. J. Constr. Psychol.. 2001; 14(4):247-265.

Siegel, D. Mindsight. Sydney: Scribe; 2009.

Simeone, J. C., Ward, A. J., Rotella, P., et al. An evaluation of variation in published estimates of schizophrenia prevalence from 1990-2013: a systematic literature review. BMC Psychiatry. 2015; 15:193-207.

Stotz-Ingenlath, G. Epistemological aspects of Eugen Bleuler's conception of schizophrenia in 1911. Med. Health Care Philos.. 2000; 3(2):153-159.

Taitimu, M., Read, J., McIntosh, T. Ng Whakwhitinga (standing at the crossroads): how Mori understand what Western psychiatry calls 'schizophrenia'. Transcult. Psychiatry. 2018; 55(2):153-177.

Torgalsbøen, A., Rund, B. Maintenance of recovery from schizophrenia at 20-year follow-up: what happened? Psychiatry. 2010; 73(1):70-83.

Travelbee, J. Interpersonal Aspects of Nursing. Philadelphia: FA Davis. Co.; 1971.

Ueda, S., Sakayori, T., Omori, A., et al. Neuroleptic-induced deficit syndrome in bipolar disorder with psychosis. Neuropsychiatr. Dis. Treat.. 2016; 12:265-268.

Van Heeringen, C., Hawton, K., Williams, J. M.G. Pathways to suicide: an integrative approach. In: Hawton K., Van Heeringen C., eds. The International Handbook on Suicide and Attempted Suicide. Hoboken, NJ: John Wiley & Sons; 2000:223-234.

van Os, J., Kapur, S. Schizophrenia. Lancet. 2009; 374(9690):635-645.

Weisman, A., Rosales, G., Kymalainen, J., et al. Ethnicity, family cohesion, religiosity and general emotional distress in patients with schizophrenia and their relatives. J. Nerv. Ment. Dis.. 2005; 193(6):359-368.

Weller, P. Psychiatric advance directives and human rights. Psychiatry Psych. Law. 2010; 17(2):218-229.

Zipursky, R. B., Agid, O. Recovery, not progressive deterioration, should be the expectation in schizophrenia. World Psychiatry. 2015; 14(1):94.

CHAPTER 12

기분장애
(양극성 장애 및 우울증)

Mood Disorders

주요 내용

- 기분장애 대상자를 위한 간호 원칙과 중재를 확인한다.
- 치료에 성공하기 위해서는 치료적 관계 형성이 중요하다.
- 기분장애는 다양한 정신적 · 사회문화적 · 생물학적 영역의 영향을 받는다.
- 항우울제와 기분안정제는 기분장애 치료에 사용되는 주요 약물이다.
- 우울증 및 양극성 장애 대상자에게 자살사고에 대한 사정이 필요하다.

주요 용어

- 가족력(family history)
- 신체건강과 동반질환(physical health and comorbidity)
- 정신의학과 약물(psychology and medicine)
- 양극성 장애(bipolar disorder)
- 영성과 문화(spirituality and culture)
- 우울증(depression)
- 징후 및 증상(signs and symptoms)

학습 목표

이 단원을 통해 다음을 수행할 수 있다.

- 기분장애와 관련된 행동을 설명한다.
- 기분장애와 관련된 인지(사고) 변화를 설명한다.
- 기분장애와 관련된 의사소통의 변화를 이해한다.
- 주요 우울장애 및 양극성 장애와 관련된 기분 변화를 설명한다.
- 기분장애와 관련된 신체기능의 변화를 설명한다.
- 간호중재 이유와 예측 가능한 대상자의 반응을 설명한다.
- 기분장애에 대한 인지적 · 사회적 · 생물학적 원인을 이해한다.
- 항우울제와 기분안정제 약물 사용에 대해 이해한다.
- 병행해서 사용되는 약물을 설명할 수 있다.
- 정신치료, 인지행동치료 및 기타 치료에 대해 이해한다.
- 치료적으로 자신을 사용하는 것을 설명한다.
- 주요 우울장애 및 양극성 장애 대상자를 간호하는 과정에서 발생할 수 있는 특성을 설명할 수 있다.

서론

이 장에서는 기분장애 대상자 간호를 위한 정신건강 사정, 중재, 지식, 태도를 확인하고 생활전반에 미치는 영향에 대해 알아본다.

대부분의 정신질환에서 기분이 가라앉거나 상승되는 것은 흔한 일이지만 이번 장에서는 질환의 관점에서 기분변화 현상에 대해 알아보고자 한다. 대부분의 기분장애 대상자는 일반인에 비해 강한 기분변화가 지속적으로 나타나며, 그로 인해 인지, 행동, 의사소통, 신체기능의 다양한 문제까지 초래한다.

특히 여기서는 일반적인 슬픔과는 구분된 주요 우울장애(주요 우울증), 양극성 장애, 산후우울증 및 노화와 관련된 우울증에 대해 다루고자 한다.

간호사는 상담과 약물중재가 필수적인 기분장애 대상자에게 개방적이고 존중하는 태도를 통해 협력관계를 형성하고 파트너로서 대상자의 회복을 도와야 한다.

기분장애의 유형

『정신질환 진단 및 통계 편람(Diagnostic and Statistical Manual of Mental Disorders, 5th edition, DSM−5)』에 따른 기분장애 진단에는 우울증과 양극성 장애가 있다.

우울증 관련 진단에는 파괴적 기분조절장애, 주요 우울장애(주요 우울삽화 포함), 지속적인 우울장애(기분 저하), 월경 전 불쾌장애, 물질/약물 유발 우울장애, 다른 의학적 상태로 인한 우울장애, 기타 특정 우울증이 있다(APA, 2013).

산후우울증 또는 주산기우울증은 임신했거나 최근 출산한 여성에게 영향을 미치는 우울증 유형이다. 일부 여성은 임신 중에 우울증에 걸리는 반면, 출산 직후 우울증에 걸리기도 한다. 이는 출산 후 비교적 흔한 현상인 '베이비 블루스(baby blues)'와는 다른점으로 산후우울증은 베이비블루스보다 더 심각하고 오랫동안 지속된다. 산후우울증은 산모와 아기에게 중대한 결과를 초래할 수 있으므로 문제라고 판단되면 가능한 한 빨리 도움을 제공하는 것이 중요하다. 우울증은 엄마와 아기의 유대감에 영향을 미친다. 특히 애착과 초기 결속감은 산후기간과 아동기 전반에 걸쳐 양육하는 데 매우 중요한 역할을 한

역사적 일화 12.1: 우울에서 우울증으로

인류 역사상 '우울'이라는 용어는 대부분 기분이 좋지 않은 사람을 묘사하는 데 사용되었고 '우울증'이라는 용어는 라틴어 'de'와 '압박하다'를 의미하는 'premere'에서 유래한 것으로 스코틀랜드의 신경과 의사인 로버트 휘트(Robert Whytt, 1744-1766)가 '마음의 우울증'이라는 용어로 사용하면서 일반 의사들도 사용하기 시작했다.

불행히도 18세기 당시 우울증 환자에게는 치료법이 거의 없었다. 미국 정신의학의 선구자인 벤자민 러시(Benjamin Rush)는 '우울증'이라는 용어를 사용한 또 다른 작가로, 그는 '마음의 우울증은 잊혀진 원인에 의해 유발될 수 있다'고 언급했다(Rush, 1827; p.44).

자세히 알아보기: Whytt, R., 1765. Observations on the nature, causes, and cure of those disorders which have been commonly called nervous, hypochondriac, or hysteric, to which are prefi xed some remarks on the sympathy of the nerves. Printed for T Becket and P DuHondt, London, and J Balfour, Edinburgh.

다. 또한 산모가 아기를 돌보고 아기가 잘 자라는 데 필요한 모든 것을 제공하며 최선을 다하고 있다고 느끼는 것에도 영향을 미친다.

양극성 장애는 엄마와 아기 모두에게 영향을 미칠 수 있으며, 양극성 진단을 받은 임산부는 약물치료를 이미 받고 있는 경우가 많다. 기분안정제는 태아에게 문제를 일으킬 수 있으므로 양극성 장애 진단을 받은 임산부는 전문적인 관리가 반드시 필요하다. 특히 항경련제와 같은 일부 약물은 임산부에게 금기이지만 리튬(Lithium carbonate)은 비교적 안전한 편이다. 가장 안전한 선택은 약물을 전혀 사용하지 않는 것이지만 양극성 장애 병력이 있는 여성에게 약물을 사용하지 않는 것은 거의 불가능하므로 주산기 및 산후 정신질환에 대한 전문지식을 갖춘 정신과 의사의 진료가 필수적이며, 정신건강 간호사의 지속적인 지원과 치료적 중재도 필요하다.

우울증은 노년층에서 흔히 나타나는데, 과거력에 우울증이 있기도 하지만 노화의 결과로 우울증 삽화가 발생하기도 한다. 우울증의 일반적인 문제로는 은퇴 후 목적 상실, 배우자나 다른 가까운 친척이나 친구의 죽음, 노화된 신체의 한계를 받아들이는 어려움 등이 있다. 이러한 경우 노인은 사회에 기여하는 구성원으로서 자신의 가치를 느끼지 못할 수 있다.

양극성 장애 진단을 받은 노인도 정신건강서비스센터에서 볼 수 있다. 노년기에 양극성 장애가 처음 발생하는 것은 매우 드물기 때문에 이런 경우 노인이 복용하고 있는 약물, 신체상태 영향에 의한 것인지도 확인해야 하며, 정신과 의사의 소견을 받아 보는 것도 도움이 된다.

양극성 장애와 관련된 진단에는 양극성 I 장애, 양극성 II 장애, 순환성 장애, 물질/약물 유발 양극성 및 관련 장애, 다른 의학적 상태로 인한 양극성 및 관련 장애, 기타 특정 양극성 장애 및 상세불명의 양극성 장애가 포함된다.

일반적으로 분류되지는 않지만 조현정동장애가 있다. 이는 기분에 상당한 변화를 주는 일종의 조현병으로, 기분은 우울하거나 고양될 수 있지만 주된 문제는 정신병적 증상이다.

대상자가 경험했던 문제를 명확히 나타내면 정신과의사가 진단을 내리고 치료방법을 찾는 데 도움이 된다. 바커(Barker, 2009)는 의학적 진단을 대상자 유형을 파악하는 정도로만 유용하게 사용하고 정신간호사는 대상자가 표현하는 문제에 따라 간호를 제공한다. 로렌 모셔(Loren Mosher)는 간호를 제공함에 있어 다음 세 가지 질문을 활용하도록 제안한다.

- 당신은 왜 여기에 있습니까?
- 당신이 여기 도움을 받으러 오기까지 인생에 어떤 일들이 있었습니까?
- 상황을 '수정'하기 위해 수행해야 하는 것들은 무엇이며 '수정' 과정을 간호사는 어떻게 도울 수 있습니까?

기분장애의 유병률

양극성 장애는 과거에 조울정신병으로 알려졌으며, 양극성 장애의 유병률은 1~5% 정도이다.

최근 양극성 장애로 명칭이 변경되면서 정신과 의사들은 양극성 장애로 진단 내리거나 기분안정제를 과하게 사용하는 경향이 있다. 양극성 장애 대상자에게는 약물뿐만 아니라 이야기치료와 정신사회적 중재도 유익하므로 통합적 접근법을 사용하는 것이 더욱 바람직하다고 볼 수 있다.

기분장애 영향 요인

우울증과 양극성 장애는 다양한 요인에 의한 복잡한 현상이다. 기분장애는 생물학적 문제, 심리적 문제, 관계 문제, 가족 및 사회적 문제, 그 사람의 세계관과 영성이 포함된 다양한 원인 등에 의해 발현된다. 이러한 다양한 원인으로 인해 기분장애 대상자 평가 시에는 대상자의 다양한 영역을 조사하는 것이 중요하다.

특별한 이유 없이 갑자기 나타나는 우울증에 대해 맥라렌(McLaren, 2007)은 통제되지 않고 오랫동안 지속된 불안에 기원을 두고 있다고 한다. 오랜 불안 때문에 사람들은 점차 삶의 다양한 활동과 측면을 포기하고 이러한 '포기' 과정은 결국 즐거움을 포기하기 때문에 우울증으로 이어진다고 보는 견해이다. 이는 원인을 알 수 있는 우울증과는 구별하는 것이 중요하다. 사람들은 사랑하는 사람의 죽음, 실직 또는 삶의 다른 재난과 같은 유형의 상실 후에 우울해질 수 있다. 과거에는 이러한 유형의 우울증을 외인성 우울증, 즉 식별 가능한 외부 원인이 있는 우울증이라고 했다. 이 용어는 더 이상 사용되지 않지만 일부 사람에게 우울증을 유발할 수 있는 요인을 고려하는 데 유용한 방법이다.

기분장애의 경험

기분장애는 개인의 삶을 방해한다. 이것은 우울증과 양극성 장애 모두에 적용된다.

우울증은 대상자의 에너지와 명료하게 생각하는 능력, 삶의 즐거움을 빼앗아간다. 쇼핑이나 요리와 같은 간단한 작업을 매우 어렵게 만들 수 있으며, 출근, 개인위생 관리 또는 삶의 중요한 관계에 참여하는 것과 집을 떠나거나 일을 하는 데 어려움을 겪기도 한다. 우울증 대상자는 때로 근거 없이 죄책감을 느낀다. 그로 인해 다른 사람의 사랑과 관심을 받을 가치가 없거나 부담스럽다고 느껴 주변 사람으로부터 멀어지고 고립을 경험하며, 기분이 나아지고 정상적인 기능 수준으로 돌아갈 가능성에 대해서도 절망감을 느낀다.

그러나 양극성 장애의 조증 단계에서는 반대 현상이 발생한다. 대상자는 매우 행복하고 활력을 느낄

역사적 일화 12.2: 버지니아 울프

정신질환은 모든 계층의 사람에게 영향을 미칠 수 있다. 버지니아 울프(Virginia Woolf, 1883~1941)는 20세기의 가장 유명한 소설가 중 한 사람이었지만 양극성 장애와 오랜 싸움을 했다. 매우 지적인 울프는 정신건강 문제에 대처하기 위해 글을 사용했다. 이것은 특히 그녀가 기분장애에 대한 소인을 물려받은 것으로 생각되는 부모와의 관계와 관련이 있다. 그녀는 『Lighthouse』 책에서 그녀의 부모를 중심 인물로 포함시켰고 약간의 치료효과를 얻을 수 있었다. 일부 비평가들은 1941년 울프의 자살은 그녀가 질병에 대한 인식이 부족했음을 보여준다고 했지만 그 당시에는 기분장애에 대한 효과적인 치료법이 거의 없었고 끊이지 않는 질병과의 지속적인 투쟁을 감안할 때 그녀의 자살은 동정적으로 언급되기도 한다.

자세히 알아보기: Caramagno, T. C., 1996. The fl ight of the mind: Virginia Woolf's art and manic-depressive illness. University of California Press, Berkeley.

수 있다. 그들은 성격에 맞지 않는 행동을 할 수 있으며, 이는 기분이 정상 수준으로 돌아왔을 때 죄책감과 수치심으로 이어질 수 있다. 조증 상태에 있는 대상자는 무한 에너지 사용과 수면의 필요성이 줄어들었다고 느끼기 때문에 육체적으로 지칠 수도 있다. 판단력이 손상되어 잘못된 결정을 내릴 수 있다. 여기에는 과소비, 부채 발생, 일반적으로 고려하지 않을 무분별한 성적 행동에 가담하는 문제도 포함된다. 양극성 장애의 조증 단계에 있는 대상자는 평판에 해가 될 가능성이 있고, 이는 양극성 장애 대상자의 비자발적 치료의 기준 중 하나에 해당된다.

기분장애의 징후와 증상

우울증 및 양극성 장애의 징후와 증상은 『정신질환 진단 및 통계 편람(Diagnostic and Statistical Manual of Mental Disorders, 5th edition, DSM-5)』과 미국정신의학협회(American Psychiatric Association, APA, 2013) 『국제질병분류 편람(International Classicfication of Disease Manual, ICD 11, 2018)』에 제시되어 있다. 우리나라에서는 정신건강 진단서비스에 대해서는 『DSM-5』를 주요 진단분류시스템으로 사용하고 신체건강 문제, 의료시스템의 모든 영역, 특히 데이터 수집 영역에서는 『ICD 11』을 사용하고 있다. 우울증의 주요 증상은 거의 매일 하루 종일 우울한 기분이다. 다른 주요 증상은 삶의 즐거움 상실이다. 우울증 진단을 내리기 전에 이러한 증상 중 하나 또는 둘 모두가 거의 매일, 대부분의 시간 동안, 최소 2주 동안 발생해야 한다. 다른 심리적 증상으로는 부적절한 죄책감, 불안, 무가치함, 절망감에 대한 과도한 감정이 있다. 우울증의 또 다른 증상은 반복되는 죽음에 대한 생각(단순히 죽음에 대한 두려움이 아님), 자살시도 또는 자살시도에 대한 특정 계획 없이 반복되는 자살 생각이다. 또한 에너지 감소나 피로감 증가, 거의 매일 정신운동성 동요 또는 지체, 불면증 또는 과다수면, 체중 감소나 체중 증가 또는 식욕 변화가 있다.

어떤 사람은 우울증의 일부로 정신병 증상을 보일 수 있는데, 가장 흔한 정신병 증상은 망상적 신념이다. 이러한 망상적 신념은 우울증의 경험과 일치하는 경향이 있으며, 대표적으로 허무주의적 망상과 신체 망상이 있다. 예를 들어 자신의 내장이 쇠약해지거나 죽거나, 신체의 일부나 자아가 더 이상 존재하지 않는다고 믿는 망상이다. 일반적으로 증상의 초기에 병원치료를 받지 않아 심각한 유형의 이 우울증으로 이환된다.

『DSM-5』에는 양극성 장애에 대한 두 가지 주요 진단이 있다: 양극성 Ⅰ장애 및 양극성 Ⅱ장애. 이 두 진단의 주요 차이점은 문제의 심각도이다. 징후와 증상은 유사하지만 양극성 장애Ⅱ는 '사회적 또는 직업적 기능에 현저한 손상을 일으키거나 입원이 필요할 정도로 삽화가 심각하지 않다'는 기준이 포함된다.

양극성 장애의 독특한 특징은 우울한 기분상태와 조증 또는 경조증 기분상태 사이의 기분 변동이다. 양극성 장애의 진단을 내리기 전에 조증 기분상태를 경험해야 한다. 사람이 우울한 기분상태만 가지고 있다면 주요 우울장애로 진단된다. 기분의 이러한 변동은 어떤 사람에게는 급격할 수 있으며, 기분은 며칠에서 몇 주에 걸쳐 변한다. 이것은 급속 순환 양극성 장애로 알려져 있는데, 드물게 나타난다. 보통 기분 변동은 몇 달에서 몇 년에 걸쳐 발생하는 것이 더 일반적이다.

양극성 장애에서 조증 삽화의 주요 증상은 지속적으로 고양되고, 과대하거나 과민한 기분, 비정상적이고 지속적으로 증가된 에너지 또는 활동이 뚜렷하며 거의 매일 하루의 대부분 나타난다. 또한 다음 증상 중 세 가지 이상을 나타내야 한다.

- 과장된 자부심 또는 과대함
- 수면 필요성 감소
- 평소보다 말이 많거나 계속 말해야 한다는 압박감
- 생각의 도피 또는 생각이 요동치는 주관적인 경험
- 주의산만성
- 목표지향적 활동의 증가(사회적으로, 직장/학교에서 또는 성적으로)

기분장애는 사회적 또는 직업적 기능에 현저한 손상을 일으키거나 입원이 필요할 정도로 심각하다. 이 마지막 기준은 양극성 Ⅰ장애와 양극성 Ⅱ장애의 주요 차이점이 표시되는 곳이다.

『DSM-5』는 양극성 Ⅱ장애는 삽화가 기능의 명백한 변화와 관련이 있지만 사회적 또는 직업적 기능에 현저한 손상을 일으키거나 입원이 필요할 만큼 심각하지 않다. 이 기준에 따르면 양극성 Ⅱ장애는 양극성 장애의 덜 심각한 형태이며, 양극성 Ⅰ장애만큼 사람의 삶에 지장을 주지 않는다.

양극성 장애의 우울 단계는 주요 우울장애와 매우 유사하다. 양극성 장애의 진단을 내리기 위해서는 경조증 또는 조증 삽화가 질병의 과정 중 어느 시점에서 발생해야 한다.

정상적인 불행이나 행복과 우울증이나 조증은 구별하는 것이 중요하다. 개인이 삶의 기복에 따라 불행과 기쁨을 느끼는 것은 정상이다. 많은 사람이 기분의 변동을 경험하며, 이 과정에서 병적인 것은 없다. 인생의 우여곡절과 승리에 대한 정상적인 반응이다. 우리는 정상적인 반응을 질병화하는 경향을 조심할 필요가 있다. 대상자 삶의 이야기를 잘 이해하면 정상에서 비정상까지의 스펙트럼에서 그 사람이 어디에 속하는지 판단할 수 있고, 일시적인 상태와 장기적인 문제를 구별하는 데 도움이 될 수 있다. 불필요하고 부적절한 치료는 해로울 수 있으므로 주의가 필요하다.

신체건강 및 기분장애

우울증과 양극성 장애는 모두 개인의 신체적 건강과 평안에 영향을 미칠 수 있는 신체적 증상을 보인다. 우울증과 양극성 장애 모두 모두 수면 문제가 나타날 수 있지만 우울증에서의 불면증은 질병의 증상 중 하나인 반면, 양극성 장애에서는 에너지 수준이 높아져 수면이 덜 필요하다고 느낀다.

식욕 감소도 영양 섭취 감소로 인해 신체건강 문제를 일으킬 수 있다. 수면 문제와 마찬가지로 식욕 감소는 우울증과 양극성 장애에서 다르게 나타난다. 식욕 감소는 우울증의 증상인 반면, 양극성 장애가 있는 대상자는 너무 바빠서 제대로 식사를 할 수 없다는 차이가 있다.

일부 신체건강 문제는 우울증을 유발하거나 악화시킬 수 있다. 만성 통증이나 만성 장애와 같은 문제가 그 예이다. 예를 들어 만성 통증을 안고 살아가는 문제를 생각할 때 통증은 삶의 여러 측면에 영향을 미칠 수 있다. 씻고 옷을 입는 것과 같은 간단한 일조차도 어려울 수 있고, 밖에 나가서 쇼핑을 하는 것도 고통스러운 경험이 될 수 있다. 만성 통증이 있는 대상자는 통증 수준을 낮추기 위해 활동을 제한하면서도 우울해질 수 있다. 이러한 복잡한 문제에 대한 간단한 해결책은 없지만 마음챙김과 명상과 같은 몇 가지 대안이 도움이 될 수 있다.

인슐린 의존성 당뇨병과 같은 만성 질환이 있는 대상자는 우울증이나 조증이 있을 때 혈당수치를 정기적으로 확인하지 않거나 식단을 소홀히 하여 신체건강을 악화시킬 수 있어 주의가 필요하다.

갑상선기능항진증 또는 갑상선기능저하증과 같은 질환은 양극성 장애 또는 우울증의 조증 단계를 보일 수도 있어 신체건강력을 세밀하게 확인해야 한다. 그 밖에도 신체건강 문제 치료 시 사용되는 약물과 우울증이나 양극성 장애를 치료 시 사용되는 약물 간의 상호작용도 고려해야 한다.

사정 영역

우울증과 양극성 장애 대상자를 생물학적 문제, 심리적 문제, 관계 문제, 가족 및 사회적 문제, 그 사람의 세계관과 영성 등이 포함된 전반적인 영역에 대해 사정하는 것은 복잡한 일이다.

기분장애가 있는 대상자를 사정할 때는 인내가 필요하다. 우울증을 앓는 사람은 생각이 평소보다 느릴 수 있어 집중력 감소와 함께 생각과 감정을 말로 표현하는 사고력에 문제가 있을 수 있다. 그러므로 답변할 문제에 대해 생각할 시간을 더 많이 주어야 한다. 이것은 우울증 대상자를 사정할 때 더 많은 시간을 할애해야 할 수도 있음을 의미한다.

반면, 양극성 장애의 조증 단계 대상자는 너무 많은 말을 하고, 와해된 생각을 하며, 집중력에 문제가 있다. 이런 이유로 집중할 수 있도록 돕는 전략의 사용이 필요하다. 사람이 계속 작업을 수행하도록 하려면 지속적이고 반복적인 지시가 필요할 수 있다.

사정은 일회성 과정일지라도 한 사람과 함께 치료 작업을 수행할 수 있는 기회이다. 대상자를 사정 과정에 참여시키려면 좋은 대인관계 기술과 참여를 위한 가장 강력한 도구인 간호사의 존중과 정중한 접근방식이 필요하다. 존중하고 예의가 바르다는 것은 상대방의 이야기를 경청하고 도움을 주려는 수용과 준비를 나타낸다. 자신에 대해 관심을 갖고 경청해 주는 경우 대상자가 사정 과정에 참여할 가능성이 더 크다. 또한 협업도 중요한다. 이는 그 사람과 함께 일하는 느낌을 증진해 주는 것이다. 간호사는 '전문가'이자 전문의들보다 대상자의 이야기를 세심하게 듣고 격려함으로써 치료에 대한 의사결정에 대상자를 참여시키고 치료 파트너로 대우하여 협력을 증가시켜야 한다.

좋은 치료적 관계 기술의 사용은 우리가 돌보는 사람에게 심오한 영향을 미칠 수 있다. 잘 수행된 정신건강 사정은 대상자가 도움을 받을수 있다는 느낌을 전달 받을수 있게 하며 회복의 중요한 요소인 희망을 촉진할 수 있다. 많은 당사자들이 회복과정에서 희망은 매우 중요하다고 언급하고 있다. 이에 정신간호사는 희망을 고취시키는 데 중요한 역할을 해야 한다.

건강력

문제가 시작된 발생시점과 기분장애 대상자의 건강력을 확인하는 것은 매우 중요하다.

특히 우울증이 갑자기 나타나는 경우는 거의 없으며, 양극성 장애의 조증 단계도 몇 주 또는 몇 달에 걸쳐 나타난다. 대상자에게 문제가 발생하기 이전 상태를 사정하여 대상자가 건강할 때의 기능 수준과 질병 발생의 촉발요인도 확인해야 한다. 간호사는 대상자가 과거에 기분장애를 경험했는지도 알아야 한다. 이는 시간이 지남에 따른 질병 경과에 대한 도식을 만들고 과거에 무엇이 도움이 되었는지 이해하는 데 도움이 된다. 이 정보는 특히 약물 선택과 관련이 있으며, 증상이 있었을 때 환자에게 효과가 있었던 것이 무엇인지 안다면 처방에 도움이 될 수 있다. 또한 환자의 회복에 도움이 된 다른 중재에 대해 아는 것도 중요하다. 여기에는 인지행동치료, 기타 대화치료 및 업무 지원, 일상활동 또는 소셜 네트워크 개발과 같은 다양한 치료 및 정신사회적 중재가 포함될 수 있다.

물질 남용

알코올과 다른 기타 약물은 사람의 기분에 부정적인 영향을 미쳐 우울증이나 기분 상승을 유발할 수 있다. 알코올은 민감한 대상자에게 우울증을 유발할 수도 있으며, 암페타민 및 기타 각성제는 조증을 유발할 수도 있다. 어떤 대상자는 자신의 어려움을 극복하기 위해 약물이나 알코올을 자가약으로 사용하기도 하나 이는 효과적인 접근방식이 아니며, 오히려 중독의 문제를 초래할 수 있고 회복과정을 더욱 복잡하게 만드는 신체건강 문제로 이어질 수 있다.

알코올 및 기타 약물도 정신건강에 사용되는 약리학적 치료를 방해할 수 있기에 알코올 및 기타 약물 사용의 전체 이력을 확인하는 것도 중요하다.

심리적(인지 및 정서적) 상태

개인의 세계관은 문제에 대한 접근방식을 다루는 데 중요한 측면으로, 심리적 영역에 해당되는 광범위한 부분이다. 개인의 세계관을 아는 것은 삶의 문제에 대한 개인의 인식과 문제에 대한 반응을 이해하는 데 도움이 된다. 이는 회복을 돕거나 방해할 수도 있고, 자신의 삶을 통제하는 느낌을 갖게 할 수도 있다. 즉, 낙관주의 또는 비관주의가 영향을 미칠 수 있으며, 비관적인 견해를 가지고 있다면 자신의 생활환경에 대한 통제력이 제한되는 느낌을 받아 내부 자원을 통해 회복에 이르는 것도 어렵다고 판단할 수 있다.

개인의 세계관이라는 이 범주에는 그 사람의 감정상태가 포함된다. 이것을 일반적으로 '기분(mood)'이라고 하며, 기분에 대한 사정은 그 사람이 어떻게 느끼는지에 대해 간호사에게 말하는 것에 달려 있다. 간호사는 또한 감정 표현의 관점에서 그 대상자의 모습을 보고 대상자가 어떻게 느끼는지 알 수 있다. 이 후자의 측면을 '정서정서(affect)'라고 한다. 어떤 경우에는 대상자의 감정을 스스로 말하는 주관적인 기분보다 객관적인 정서상태가 더 정확한 그림을 제공할수 있다. 어떤 대상자는 우울증과 같은 문제가 있다는 것을 인정하기 어려워하고 다른 사람에게 괜찮다고 하기 위해 '행복한 얼굴'을 하기도 한다. 오랜 시간 '행복한 얼굴'을 유지하지 못할 수도 있는데, 이때 '슬픈 얼굴'이 그들의 진정한 감정상태를 반영한다고 볼 수 있다.

따라서 사정 단계에서 대상자를 면밀히 관찰하여 정서의 모든 변경사항을 기록하고 설명해야 한다. 부드러운 질문은 대상자의 진정한 감정상태를 드러내도록 한다. 정신건강 문제는 집중력 및 계획과 같은 개인의 인지능력에도 영향을 미칠 수 있다. 우울증과 조증 증상 중 하나는 집중력 감소이며, 이는 직장에서 필요한 업무를 수행하지 못하는 것으로 나타날 수 있다.

사회적 관계망

개인의 사회적 관계망은 정신질환 관리에 도움이 될 수도, 되지 않을 수도 있지만 간호사에게 대상자의 사회적 관계망을 이해하는 것은 대상자를 이해하는 데 유용하다.

대상자는 '지지하는 가족과 친밀하게 연결되어 있는가?' 또는 '갈등을 일으키거나 연결이 끊어져 있는가?', '대상자를 지지하는 친구가 있는가?', '삶의 목적을 찾는 데 시간과 노력을 들이는 관심을 갖고 있는가?', '스포츠 또는 취미와 같은 공통 관심사를 가진 사람과 사회적 관계망을 통해 폭넓게 공유하고 있는가?'

대상자는 '직장동료와 긍정적인 관계를 유지하며 일하고 있는가?' 아니면 '직장동료와 어려움이 있는가?'

대상자에게 지지적인 가족과 사회적 관계망이 있을 때 좀 더 긍정적인 결과를 가져오므로 이러한 것에 대해 아는 것은 도움이 된다. 이러한 관계망은 대상자를 지지할 뿐만 아니라 대상자가 주변에 대한 관심을 갖고 활동에 다시 참여하고자 하는 등 회복에도 중요한 역할을 한다. 때로는 동네를 산책하는 간단한 일도 지역사회의 다른 구성원과 연결될 수 있으며, 특히 우울증을 겪고 있는 대상자에게는 회복 과정의 긍정적인 시작점이 될 수 있다.

영적 믿음

영성은 종교적인 것만 관련된 것이 아닌 광범위한 개념이다. 영성은 개인의 삶에 의미와 목적을 제공할 수 있다.

어떤 사람에게는 종교적 소속이 자신의 삶과 세상에서 위치와 목적에 대한 기초를 제공하기도 한다. 다양한 종교와 관련 신념체계가 있으며 이러한 문제를 이해하는 것은 중요하다.

어떤 사람에게는 영성이 민감한 문제일 수 있으므로 개인의 영적 믿음에 대한 질문은 민감한 방식으로 수행되어야 한다. 개인의 영적 믿음에 대해 이야기할 때 존중하는 태도를 유지하고 비판적이거나 부정적으로 보일 수 있는 행동이나 말을 하지 않는 것이 매우 중요하다.

자신이 가지고 있는 종교로 인해 박해와 차별을 받은 경험이 있는 대상자는 자신의 종교에 대해 말하기를 꺼릴 수 있다. 여러 세대에 걸쳐 자신이 가진 종교로 인해 과거 치료에 대한 불만이 있을 수 있으므로 매우 민감하고 연민 어린 방법으로 영성 주제에 접근하는 것이 중요하다.

인종에 기반을 둔 영적 연합은 부정적인 정서를 유발할 수도 있으므로 이러한 유형의 상황 인지에 민감할 필요가 있고, 돌봄과 지지하는 방식으로 대처해야 한다. 우리가 어떤 사람의 영성에 진정한 관심을 보이고 이해하는 마음으로 바라본다면 대상자의 영적 측면을 더 잘 이해할 수 있다.

문화적 견해

우리가 정신질환이라고 부르는 것에 대한 문화적 견해는 다양하므로 정신질환에 대한 개인의 문화적 관점을 이해하는 것이 중요하다. 개인마다 견해는 상당히 다를 수 있으며, 간호사가 정신질환에 대한 모든 문화적 견해에 대해 전문가가 될 수는 없지만 문화마다의 차이점을 발견하는 데 전문가는 될 것으로 기대한다. 이러한 문제에 대한 민감하고 비판단적이며 비판적인 사정은 다른 문화권의 사람이 정신질환에 대해 생각하는 다양한 방식을 이해하는 데 필요한 관점을 제공할 수 있다.

위험 사정

자살충동은 특히 우울증 삽화 동안 증가할 수 있지만 양극성 장애의 조증 단계에서도 증가할 수 있으므로 이에 대한 사정은 중요하다. 자살위험 평가에는 높은 수준의 기술과 지식 및 임상적 판단이 필요하다. 이런 기술은 경험이 풍부한 정신건강 간호사에 의해서 개발될 수도 있다. 자살 위험이 드러났을 때 과민반응을 하지 않는 것이 중요하지만, 그보다는 위험 수준과 그 사람이 위험을 관리할 능력과 자원이 있는지에 대한 확인이 필요하다. 자살위험 때문에 병원에 모두 입원하는 것은 아니며, 정신건강관리자가 자살위험의 수준에 따라 지역사회에서 지원하면서 관리할 수도 있다.

간호사는 대상자가 스스로 어떻게 목숨을 끊을 것인지에 대한 계획이 있는지, 만약 그렇다면 이 계획을 수행할 수단에 접근할 수 있는지 여부와 같은 문제에 대해 사정할 필요가 있다. 또한 그들의 의도 수준을 이해할 필요가 있다. 이는 그 사람이 계획에 따라 행동할 가능성을 나타낸다. 의도는 자살위험 시 정확한 예측변수 중 하나이다. 또한 대상자가 자신

임상사례

28세 된 여성 J는 2주전에 건강하게 출산을 하였고 별다른 문제없이 잘 지냈다. 그러나 1주 전부터 많은 일들을 해야 하는 것이 너무 힘들다며 예민하게 반응하고 남편과 동생, 어머니에게 물건을 던지며 욕을 하고 발로 차거나 때리는 행동을 보였다. 3~4일 전부터는 출산한 아이를 돌보지 못하고 있으며 전반적으로 불안정한 상태이다. 또한 쉽게 흥분하며, 주제가 자주 바뀌고 상황과 논리에 맞지 않는 이야기를 하고 새로운 단어를 만들어 사용하고 있다. 가족이 자신의 이야기를 이해하지 못한다고 답답해한다.

증상과 징후

- 화를 내면서 욕설, 쉽게 흥분하며 불안정
- 발로 차거나 때리는 폭력적인 행동

간호진단

폭력위험성(타해)

간호활동

- 부드럽고 확고한 태도로 일관성 있게 파괴적 행동에 대한 제한 설정을 한다
- 위험한 물건을 모두 제거한다.
- 통제력을 상실한 경우 필요시 격리나 억제대를 적용한다.
- 환경적 자극을 최소화 하기 위해 가능한 한 조용한 방과 낮은 수준의 불빛을 유지한다.
- 적대적 언어표현과 공격적 행동이 파괴적 결과를 초래할 수 있음을 인식시키고 자기주장 훈련을 통해 분노를 적절하게 표현할 수 있도록 도와준다.
- 이완요법을 통해 불안과 긴장을 조절할 수 있도록 도와준다.
- 경쟁적 활동을 제한하고 자기 물건 정리 등의 비경쟁적 활동을 하도록 한다.

결과

- 폭력적인 행동을 보이지 않는다.
- 충동성과 공격성에 대한 자기조절을 한다.

증상과 징후

- 새로운 단어를 만들어 사용
- 사고의 속도가 빠르고 주제가 자주 바뀌며 논리적이지 않음

간호진단

의사소통장애

간호활동

- 한 번에 한 가지 주제만 초점을 맞추어 대화한다.
- 천천히 말하게 하고 생각이 한 방향으로 흐르도록 도와준다.
- 구체적인 활동이 말에 초점을 맞춘다.
- 비언어적 의사소통(몸짓, 목소리 강도) 등을 통해 언어적 주제를 연관지어 대상자를 이해한다.
- 활동내용을 통해 언행의 모순된 점은 탐색할 수 있도록 돕는다.

결과

- 논리적이고 현실에 기반한 사고과정을 한다.
- 현실적인 자기인식에 대해 이야기한다.
- 현실적인 목표를 찾는다.

약물처방:
Lithium 300mg tid, Depakote 500mg bid,
Zyprexa 10mg hs

그림 12.1 양극성장애(폭력위험성: 타해, 의사소통장애) 대상자를 위한 간호계획 개념지도

임상사례

30세 된 M은 3년간 시도한 취업에 실패를 반복하면서 자신에게 실망스럽고 화가 나서 힘들었다고 한다. 점차 사람들과 만나기를 꺼려하고 세수, 샤워 등 개인위생도 잘 하지 않아 불쾌한 냄새가 날 정도이며, 지속적으로 취업에 자신 없어 하며 우울하다고 한다. 모든 것이 자신이 부족한 탓이라며 6개월 전부터 살고 싶지 않다는 이야기를 하고 거의 먹지 않아 10kg 체중 감소를 보였다. 2일 전 소지하고 있던 수면제 100알을 한꺼번에 복용하고 손목을 칼로 긋는 등의 행동 보여 응급실 통해 입원하였다.

증상과 징후

- 반복된 자살사고와 시도
- 내재화된 자신에 대한 분노
- 죄책감

간호진단

폭력위험성(자해)

간호활동

- 현재 자해 가능성에 대해 질문한다(자해 생각, 계획, 실행 등).
- 자살시도 가능성을 증가시킬 위험요인을 사정한다.
- 안전한 환경을 제공한다.
- 항상 면밀히 관찰한다.
- 자해충동이 들 때 실행에 옮기지 않겠다는 구두 또는 서면 계약서를 작성한다.
- 무비판적인 환경에서 걱정, 공포, 느낌, 기대를 표현할 기회를 제공한다.
- 시간을 함께 보낸다.
- 건설적인 방향으로 문제 해결을 하도록 돕는다.
- 심각한 스트레스 상황에서 의사결정하지 않도록 한다.

결과

- 자해시도하지 않는다
- 자해충동이 들면 즉시 느낌을 말로 표현한다.

증상과 징후

- 일상 몸치장에 관심 부족
- 불쾌한 냄새가 남
- 음식섭취 부족

간호진단

자가간호 결핍

간호활동

- 따뜻함과 존중을 표시하며 스스로 할 수 있는 것은 하도록 재촉하지 않는다.
- 스스로 할 수 없는 부분은 신체간호를 제공한다.
- 식사 양상을 관찰한다.
- 식사하는 동안 옆에 같이 있어준다.
- 좋아하는 음식을 권한다.
- 섭취량과 배설량을 확인한다.
- 체중을 측정한다.

결과

- 일상생활에서 독립적으로 자신의 외모를 관리한다.
- 음식섭취의 적정량을 섭취한다.

증상과 징후

- 반복된 실패경험
- 사회적 고립
- 문제해결에 통제력 상실

간호진단

절망감

간호활동

- 신뢰관계를 형성한다.
- 비관적인 느낌을 표현할 수 있는 기회를 제공한다.
- 자신의 힘과 능력을 찾을 수 있도록 격려한다.
- 성취 가능한 현실적인 목표를 세울 수 있도록 한다.
- 중요한 사람들과의 관계를 지지한다. 필요시 돌봄에 참여시킨다.
- 돌봄 환경을 통제할 수 있는 기회를 제공한다.
- 자신에게 몰두되어 있는 에너지를 외부로 늘려 나가도록 규칙적인 활동을 권한다.

결과

- 미래에 대한 긍정적인 기대들을 표현한다.
- 문제해결에 대한 통제력을 경험한다.

약물처방: Prozac 10mg bid, Zyprexa 10mg hs
전기경련치료(ECT), 광선치료, 인지행동치료, 집단치료

그림 12.2 우울장애(폭력위험성: 자해, 자가간호, 절망감) 대상자를 위한 간호계획 개념지도

의 문제에 대한 해결책으로 자살을 생각하는 이유를 이해한다면 자살문제에 대한 중재에 좀 더 도움이 될 수 있다. 자살위험이 있는 대상자에게 압도당하고 무력감을 느끼기 쉽지만, 명료하고 옹호적이며 유연한 접근방식을 통해 차이를 만들어 낼 수 있다. 자살사고가 있는 대부분의 대상자는 적절한 수준의 지원, 간호중재가 있다면 이를 극복해 낼 수 있음으로 위험 수준 모니터링은 반드시 필요하다.

중재

대인관계 중재

대인관계는 정신건강 간호의 기본 원칙이자 중재 중 하나이다. 1947년 헬레나 렌더(Helena Render)가 시작하여 1952년 힐데가르드 페플라우(Hildegarde Peplau)와 1966년 조이스 트레블비(Joyce Travelbee)는 정신간호의 원리와 중재, 관계 유형에 관한 이론을 제시하였다.

치료적 관계의 필수요소 중 하나는 계약이다. 이는 도움이 필요한 사람에게는 인간으로서 안전하고 가치 있다고 느끼도록 돕고, 간호사의 태도 및 행동으로 나타난다.

돌봄의 계약관계에서 가장 중요한 측면 중 하나가 대면이다. 대면을 통해 무의식적인 행동에서 나타나는 필요한 부분을 알 수 있게 된다.

돌봄 계약관계 안에서는 이면적 내용까지도 감별할 수 있는 적극적 경청과 이를 기반으로 한 존중, 비판단적 접근, 명료화 작업이 이루어진다. 경청은 다른 사람의 경험에 대한 관문을 제공하며, 상대방이 말하는 내용을 완전히 이해하지 못했다면 명확히 이해할 수 있도록 설명을 요청해야 한다. 이것은 자신의 인식과 생각을 명확히 하는 데 도움이 될 수 있다.

정신건강 간호 영역에서 대인관계 측면을 많이 다루었음에도 불구하고 대상자를 돕는 방식은 여전히 정립되지 않았다고 볼 수 있어 앞에서 언급한 페플라우와 트레블비의 대인관계 간호에 관한 본질적인 내용을 되짚어 보는 것도 도움이 될 수 있겠다. 이 저자들은 대인관계의 핵심 원칙과 개념을 분명히 했다.

대인관계는 트레블비(Travelbee, 1966)가 말했듯이 삶과 인간 존재의 근본적인 측면으로 인간 대 인간의 과정이다. 치료의 과정 안에서 대인관계의 기초를 세우기 위해서는 간호의 한 부분으로 정신과 마음을 교육하는 과정이 필요하다. 좋은 대인관계 구축은 다른 중재 영역에도 기초를 제공한다. 만약 간호의 돌봄 안에서 긍정적이고 지지적인 관계를 구축할 수 있다면 돌봄 대상자는 간호사가 제안한 중재를 따를 가능성이 크고, 좋지 않을 상황에 대해 간호사에게 알려 조정받을 기회를 만들 수 있게 된다.

약리학적 중재

우울증의 주요 치료 약물은 항우울제이다. 사용할 수 있는 항우울제에는 여러 가지 유형이 있으며, 이에 대해서는 다음에서 더 자세히 설명하고자 한다. 양극성 장애에 대한 주요 약리학적 치료는 우울 시기 치료를 위한 항우울제와 조증과 안정 유지상태를 위한 기분안정제가 있다.

항우울제는 1960년대에 처음 개발되었다. 초기 약물에는 삼환계 항우울제와 모노아민 산화효소 억제제(MAOI)였고, MAOI는 사용에 식이 제한이 필요하지만 이 약물들은 여전히 사용 중이다.

1970년대 이후로 사용 가능한 항우울제의 수와 유형이 크게 증가했다. 여기에는 선택적 세로토닌 재흡수 억제제, 세로토닌 노르아드레날린 재흡수 억제제, 선택적 노르아드레날린 재흡수 억제제, 알파 2 길항제 및 멜라토닌 효능제 등이 포함된다. 불행

역사적 일화 12.3: 자살은 항상 우리 곁에 있었다

정신질환과 자살은 오래 전부터 있었다. 고대 그리스 문서 『The Histories』에는 정신질환과 자살에 대한 최초의 설명 중 하나가 기록되어 있다. 작가 헤로도토스(Herodotos, 기원전 490~425년)는 평생 동안 정신질환을 앓았던 스파르타의 클레오메네스(Cleomenes)는 정신상태가 점점 심하게 악화되어 가족에 의해 쇠사슬에 묶이는 등의 보호를 받기도 했다. 그러나 클레오메네스는 경비원을 속여 칼을 손에 쥐게 되자 스스로 자신을 찔러 자살을 했다라고 기록했다.

자세히 알아보기: Strassler, R. B., Purvis, A. L., 2009. The landmark Herodotus: the histories. Anchor Books/Random House, New York

히도 특정 개인에게 가장 효과적인 항우울제를 미리 결정하는 것은 불가능하므로 시행착오의 과정이 필요하다. 항우울제의 완전한 효과가 나타나기까지 일반적으로 2~3주가 소요된다는 점을 감안할 때, 빠른 완화를 원하는 대상자에게는 이 기간이 힘들 수 있다. 그러므로 이 기간 동안 지속적인 지원이 필요하며, 희망을 유지하고 약물로 증상이 완화될 때까지 환자가 자신의 증상을 관리할 수 있도록 도와야 한다. 초기 몇 주는 약물의 부작용이 가장 두드러지는 시기이기도 하지만 정신건강 간호사가 부작용을 관리하는 간호 전략을 세우고 대상자를 도울 수 있는 시기이기도 하다.

양극성 장애가 있는 대상자에게 항우울제를 사용할 때의 위험 중 하나는 이러한 약물이 오히려 조증 단계를 유발할 수 있다는 것이다. 그러므로 우울증 단계에서 항우울제를 투여받는 대상자에게 주의와 면밀한 모니터링이 필요하다. 조증 단계가 진행되면 의학적 조언에 따라 항우울제를 중단해야 한다.

양극성 장애의 조증 시기를 경험하는 대상자를 위해서는 다양한 기분안정제가 제공된다. 1940년대에 출시된 최초의 기분안정제는 리튬(Lithium carbonate)이었다. 이 약은 1948년 호주의 정신과 의사인 존 케이드(John Cade, 1949)에 의해 발견되었다. 리튬(Lithium carbonate)은 일반 식탁용 소금과 유사한 무기염이지만 기분을 좋게 하는 데 강력한 치료 및 안정화 효과가 있다. 리튬은 독성 위험을 피하기 위해 정기적으로 혈액 수치를 모니터링해야 하고 신장과 갑상선에 장기적으로 상당한 부작용이 있기 때문에 요즘에는 덜 사용된다. 또한 그것을 복용하는 많은 대상자에게 손 떨림을 유발한다.

현재 더 일반적으로 사용되는 리튬에 대한 대체 치료법은 간질치료제에 해당하는 항경련제로, 발프로이트(Valproage, Depakote), 카르바마제핀(Carbamazepine, Tegretol) 및 라모트리진(Lamotrigine, Lamictal)이 있다. 이러한 약물은 일반적으로 안전하고 효과적이지만 모든 약물과 마찬가지로 부작용은 있다.

일부 항정신병 약물에는 기분 안정효과가 있으며 일부 대상자에게는 매우 효과적일 수 있다.

기분안정제로 사용되는 항정신병제는 쿠에티아핀(Quetiapinen, Seroquel), 올란자핀(Olanzapine, Zyprexa) 및 지프라시돈(Ziprasidone, Zeldox)이 있다. 이러한 약물은 임신 중 다른 기분안정제를 사용할 수 없기 때문에 임신 중이거나 모유수유 중인 여성에게 특히 도움이 될 수 있다. 발프로이트(Valproage, Depakote)는 특히 발달 중인 태아에게 해로우며 가임기 여성에게는 이 약물을 사용하지 않는 것이 좋다.

약리학적 치료는 아니지만 기분장애에 대한 의학적 치료에는 전기경련요법(ECT)이 있다. 우울증에

간호사 이야기 12.1

나는 40년 동안 정신건강 서비스 분야에서 일해 온 간호사이다. 정신건강 분야에서 일은 나에게 즐거운 도전과 보상을 제공했다. 대상자에게 간호수행 했을 때를 떠올려 보면 H의 이야기가 생각이 난다. H는 우울증 때문에 일반의사가 정신건강서비스를 의뢰한 70대 남성이었다. H는 최근 아내와 해외여행을 마치고 돌아왔다. H의 부인은 친척 중 한 명으로부터 유산을 물려받았고 유럽여행이 평생의 꿈이었다. 부인과 여행하는 동안 H는 점점 불안해지고 우울해졌다. 여행 중 위치, 시간대 및 숙박시설의 끊임없는 변경으로 인해 불안과 우울이 발생했다. 당뇨병이 있는 H는 혈당수치와 인슐린 투여량 관리에 대해 점점 더 불안하고 완고해졌으며 지속적인 변화로 인해 불안이 악화되었다. H는 이런 자신의 행동이 아내와 여행의 즐거움에 미치고 있는 영향에 대해 죄책감을 느꼈고, 때로는 자신이 인슐린을 너무 많이 투여하여 죽을까 봐 끊임없는 걱정으로 깊은 우울증 상태에 빠졌다. 그는 평소 식사시간과 혈당검사에 대해 매우 엄격한 일과를 지키고 있었는데 여행으로 인해 혼란에 빠졌다. 불안과 우울은 이 이야기에서처럼 사람들에게 흔히 함께 발견되며 서로를 악화시킨다.

H가 집으로로 돌아왔을 때 그의 주치의는 그를 지역사회 정신건강서비스에 의뢰했다. 정신과 의사는 H에게 항우울제인 벤라팍신(venlafaxine)을 처방했다. 나는 H를 그의 집에서 만났다. H가 우울증을 일으킨 문제와 H가 현재 겪고 있는 어려움에 대해 이야기하고 평소 생활방식으로 돌아가는 데 도움이 되는 기술과 전략을 개발하도록 도와줌으로써 불안과 우울증을 관리를 위해 노력했다. 또한 H 부부와 함께 해외여행의 어려움으로 인해 생기는 실망감과 분노의 감정을 헤쳐나가기 위해 노력했다. 몇 달 동안 H를 매주 만났고, 나는 그가 우울증이 생기기 전에 가졌던 관심과 활동을 점차 시작하도록 격려했다. H는 성인이 된 후 평생 자동차 정비사로 일했으며, 은퇴 후에는 이웃의 잔디 깎는 기계와 여러 정원장비를 수리하고 유지관리하는 일을 맡았다. H는 자기저항감과 수동성을 극복하고 우울증에 걸린 이후 처음으로 잔디 깎는 기계를 수리했다. 그 후부터 그는 회복의 길을 걷고 있었다. 그는 자신에 대해 만족하고 자신감을 되찾았고 무엇보다도 자신이 쓸모 있고 유능하다는 것을 느꼈다. H와 그의 아내는 회복의 긍정적인 신호로 바다로 휴가를 계획했고, 그들은 H의 당뇨병 관리에 지장을 줄 일 없는 안정적인 숙박시설이 있는 휴가를 선택했다. 여행계획에 대한 생각과 계획, 결과를 보면서 간호사인 나와 H, 그의 아내가 함께 노력한 결과를 보는 것 같아 매우 기뻤다.

간호사로서 환자가 편안해 하는 속도로 함께 작업하는 것은 매우 중요하다. 회복은 서두를 수 없으며 우울증 환자와 함께 일할 때는 회복으로 이어지는 작은 단계에 주의를 기울이고 인정하는 것이 중요하다. 회복은 극적인 과정이 아니고 점진적이며 시간이 걸린다. H와 같은 사람들과 함께 일하고 오랜 시간 동안 신중한 작업에서 긍정적인 결과를 보는 것은 대단히 큰 특권이다.

특히 효과적이지만 조증에도 매우 드물게 사용된다. ECT는 사람의 머리에 전극을 주는 것으로 전극을 통해 전달되는 작은 전류는 간질과 같은 발작을 유발한다. 치료 과정은 일반적으로 일주일에 3회, 총 12회 정도 진행된다. 환자는 각 치료를 시작하기 전에 전신마취제와 근육이완제를 투여하므로 치료에 대한 기억은 없다. 약물치료보다 좀 더 빠른 효과를 기대하는 중증 우울증 대상자에게 ECT는 일시적인 기억상실과 마취 후유증 부작용이 있음에도 불구하고 치료에 도움이 되는 방법이다. ECT는 단독치료로 거의 사용되지 않고 일반적으로 항우울제와 병행하여 적용한다.

디지털/웹 기반 중재

The Black Dog Institute 및 Beyond Blue와 같은 조직은 웹사이트에서 기분장애에 대한 정보를 제공한다. 정보는 대상자가 자신의 삶에서 일어나는 일을 이해하는 데 도움이 되는 강력한 도구가 될 수 있다. 자세한 내용은 이 장의 끝에 있는 '유용한 웹사이트'

당사자 이야기 12.1

20대 초반, 어렸을 때부터 지속된 깊은 우울증이 이번에는 떠나지 않았다. 나는 학대에 가까운 결혼생활을 막 마치고 아무것도 없는 상태에서 회복 중이었다. 나는 6개월 동안 가족과 함께 살았고 그 기간 동안 끊임없는 자살충동을 경험했다. 내가 살고 있는 작은 아파트로 이사를 갔을 때, 나는 매일 과음, 자해하는 등 상태가 완전히 엉망이었다. 어디서부터 도움을 받아야 할지 몰라서 GP(일반의)를 찾았다. 그는 나에게 항우울제를 처방했고 그게 전부였다. 상황은 더 악화되어 결국 정신병원에 장기간 입원하게 되었다.

병동에 있는 것은 조금 낯선 휴가와 같았다. 나는 상태가 나빴고, 내가 겪은 가장 취약한 상태였다. 나는 겁에 질려 혼자 있었고 먹고, 자고, 씻고, 약을 먹기만 하면 되었다. 나는 상황이 얼마나 나빠졌는지 멈추고 직면했다.

병동에 있으면 비인간적인 느낌이 들 수 있다. 평소의 편안함과 자유를 누리지 못하고 갑자기 외부세계와 거의 접촉하지 않는다. 이 모든 것은 믿을 수 없을 정도로 취약한 공간에 있는 동안 발생한다. 나에게 큰 의미가 있었던 것은 간호사들이 자율성을 존중하는 방식으로 대하는 것이었다. 치료를 받는 동안 협력적인 노력을 기울인 덕분에 나 자신을 통제할 수 있게 되었다. 내가 병원에 있는 동안 간호사의 자비로운 보살핌은 정말 중요했다.

간호사들은 환자들과 사교적으로 시간을 보내기 위해 최선을 다했으며, 이는 친근함과 편안함을 형성하는 데 도움이 되었다. 내가 어떤 기분인지 간호사에게 이야기하는 것은 정말 도움이 되었다. 내가 자유롭게 말할 수 있고 간호사들과 연결되어 있다는 것은 내가 낯선 사람에게 나의 짐을 내리는 것을 의미했다. 간호사가 서두르거나 귀찮게 하지 않고 오랜 시간 함께 앉아 있어 주는 것도 정말 도움이 되었다. 간호사들에게 치료계획에 도움이 될만한 나에 대한 이야기를 하면서 자신에 대해 편안하게 표현할 수 있게 되었고 좀 더 촉진적인 대화가 진행된다는 느낌을 받게 되었다.

약에 대한 정보도 정말 중요한 것 같다. 나는 약을 복용하기 전에 가능한 약에 대해 많이 알아보는 사람이다. 그 당시 병동에서는 인터넷에 접속할 수 없었기 때문에 약에 대해 알아보기 힘들었다. 그러나 간호사들이 약물에 대한 정보를 담은 인쇄물을 통해 나에게 작용과 부작용에 대해 알려주고 의논한 것은 내게 많은 도움이 되었다. 그것은 내가 여전히 내 치료를 통제하고 있다는 느낌을 받는 데 도움이 되었다. 약물에 대한 정보도 제공받지 못하고 내가 약을 먹으려 하는지 여부도 확인 없이 '자 이거 받아!'라고 했다면 그 말을 들었을 때 매우 비인간적인 느낌을 받았을 것 같다. 간호사 및 의사와 협력하여 내가 진단을 받아들이고 무엇을 원하는지도 알게 되는 데 많은 도움이 되었다.

간호사가 병동에 있는 동안 할 수 있는 최악의 일 중 하나는 나를 어린애 취급하는 것이었다. 고맙게도 이런 일은 거의 일어나지 않았지만 분명히 내가 정신병이 있고 병동에 있다는 이유로 내가 필요한 것이 무엇인지 몰랐을 것이라고 생각하는 간호사가 몇 명 있었다. 이러한 경우는 대부분 교대근무로 인해 발생했다. 종종 야간 또는 주말 간호사는 환자에 대해 파악하지 못했고 내가 요청한 문제에 대해 문제없다고만 했다. 이것은 정말 유치하고 내 자율성을 빼앗긴 것처럼 느껴졌다. 간호사들이 때때로 질문을 하고 어떤 요청은 거절해야 할 필요가 있다는 것을 이해하지만, 마치 내가 무슨 말을 하는지도 모르는 것처럼 무시하는 방식으로 일을 처리하는 것이 매우 속상했다.

집에 다녀오겠다고 한다면 간호사들은 무슨 일이 있는지 의사소통하는 것을 중요하게 여겼다. 대부분이 긍정적으로 말했고 내 퇴원계획도 지지하면서 마음을 열고 경청했다. 이듬해 쯤에도 나는 여전히 일은 할 수 없었고 정신과를 들락날락하는 데 대부분의 시간을 보냈다. 간호사들은 내가 또 다른 병동에 입원해도 나를 자비롭게 대해 주고 기억해 주며 실패한 것처럼 느끼게 하지 않았다. 병원에 입원했음에도 불구하고 매번이고 환영하는 지원은 내가 여전히 회복의 길에 있다는 느낌을 주는 데 도움이 되었다. 나는 지역사회 정신건강복지센터에 의뢰되어 매주 정신건강전문요원을 만나기 시작했다. 나는 정신건강전문요원과 함께 여유를 갖고 성장과 회복력을 촉진하는 동안 나의 과거를 헤쳐나가고 나 자신에 대한 믿음을 풀기 위해 최선을 다했다. 이 기간 동안 나는 양극성 장애 II 진단을 받았고 치료 관점에서 상황이 더 이해되기 시작했다. 그 후 6년 동안 수많은 약물조합을 시도하고 치료를 받았으며 정신과에 더 많이 방문했다. 때때로 치료가 무의미하게 느껴졌지만 정신과 의사와 사례관리자는 나를 안정시킬 방법을 찾는 것을 결코 포기하지 않는 것 같았다. 나는 가족 및 친구들과 함께 강력한 지지 기반을 구축했고 결국 믿을 수 없을 정도로 지지와 치유의 관계에 있는 나 자신을 발견했다. 나의 치유를 위한 촉매 중 하나는 마음챙김 치료로, 나의 트라우마를 되돌아보기 시작했다. 고맙게도 나는 데스벤라팍신과 퀘티아핀의 조합을 시작했고 마침내 내 평생 기억하기에 처음 안정되었다. 정신요법의 안정성 덕분에 수 년간의 치료를 이해하고 적용할 수 있는 올바른 공간에 있게 되었고, 트라우마가 어떻게 작용하고 내 몸을 통해 그것을 옮기는지 배우는 것에 대해 항상 감사한다. 나는 내가 지역사회 정신건강시스템을 경험한 것에 대해 엄청나게 운이 좋다는 것을 알고 있다. 내 여정 동안 지속적으로 자비로운 보살핌을 받는 것은 정말 값진 일이며 모든 사람이 같은 경험을 하는 것은 아니라는 것을 알고 있다.

를 참조할 수 있다.

기타 중재

카이로프랙틱 치료, 동종요법, 한약, 침술 및 중국 전통 의학과 같이 대상자가 개별적으로 접근할 수 있는 다양한 대체요법이 있다. 이러한 치료 접근방식의 대부분은 근거기반이 제한되어 있으며, 일반적으로 기존 의료인에 의해 지원은 되지 않는다. 그럼에도 불구하고 대상자는 도움이 된다면 이러한 대체적 접근방식을 사용 할 수 있다.

이러한 대체치료 수행에 대한 생각이 무엇이든 간에 열린 마음을 유지하고 대상자에게 그 방법이 도움이 되는 이유를 이해하는 것이 중요하다. 명백히 위험한 경우가 아니면 다른 방법을 사용하지 않도록 설득하지 않는다. 위에 나열된 대체치료법은 일반적으로 위험한 것으로 간주되지는 않는다.

간호의 역할

간호사는 기분장애가 있는 대상자를 위한 중재에서 다양한 역할을 한다. 앞서 언급한 바와 같이 대인관계는 정신간호의 근간이며, 이러한 관계를 수립하면 치료적 결과를 낳는다. 그러나 더 중요한 것은 치료적 대인관계가 다양한 다른 중재를 촉진한다는 것이다. 대상자가 자신의 간호사를 신뢰한다면 간호사가 제공하는 중재를 더욱 잘 수용할 가능성이 높다.

정신사회적 문제는 간호사가 대상자에게 도움이 되는 간호 중재를 제공할 수 있는 영역 중 하나이다. 이것은 다양한 가능성을 다루며 정신사회적 문제에 대해 광범위하게 생각하도록 한다. 어떤 방식으로든 지역사회에 다시 참여하도록 돕는 것은 우울증에서 회복하는 데 도움이 될 수 있다. 예를 들어, 대상자가 이전에 관련되었던 활동이나 그룹과 다시 연결되도록 돕는 것으로, 이는 서비스를 연결하여 대상자의 삶에 도움이 되도록 하는 것이다. 가정지원 또는 개인관리 서비스를 이용하는 것은 만성 통증 및 그에 따른 우울증과 같은 문제가 있는 대상자에게 매우 도움이 될 수 있고, 개인위생과 쇼핑에 대한 도움을 받는 것은 우울증으로 인한 일상적인 부담감을 덜어낼 수 있다. 이와 같은 서비스의 또 다른 이점은 대상자의 일상을 외부에 있는 사람과 함께 하도록 연결하는 것이다.

회복 여정 동안 사람들과 함께 걷고 시간을 보내는 것은 정신간호 업무에서 가치 있는 일이지만 과소평가되어 있는 측면이 있다. 때때로 사람들과 함께 앉아서 그 순간에 그들에게 중요한 이야기가 무엇이든 말하게 하는 것은 기분장애를 가진 대상자에게 가치 있는 중재가 될 수 있다. 오늘날과 같이 바쁜 세상에서 자주 보기 힘든 경험이지만 누군가와 짜여지지 않은 시간을 보내는 것, 집중되지 않고 비판적이지 않으며 관심 있는 것을 하며 시간을 보내는 간단한 행동을 통해서도 정신건강은 변화를 줄 수 있기 때문이다. 비지시적이고 세심한 접근방식을 사용하여 대상자에게 중요한 부분을 집중하는 정신간호는 대상자의 정신 안녕감에 차이를 만들어 낸다. 대상자가 언제든지 중요한 것에 집중할 수 있도록 돕는 간호는 개인의 정신적 평안에 긍정적인 변화를 준다. 정부 서비스나 고용지원과 같은 서비스에 사람들이 접근하도록 돕는 것도 유용한 중재가 될 수 있다. 대부분의 많은 서비스가 지나치게 관료적이며 탐색하는 데 지식과 인내심이 필요한데, 지역사회에서 일하는 간호사는 대상자가 이러한 관료적 절차에 접근하고 성공적으로 탐색하도록 도울 수 있다. 정신간호사는 적절한 훈련을 받은 후 치료를 제공할 수도 있고 인지행동치료, 심리치료 및 마음챙김 등의 업무를 담당하게 된다. 그러나 이러한 치료법은 정신간호사의 독점적인 권한에 있지 않고 자격을 갖추고 훈련이 된 정신건강전문요원에 의해서 제공되기도 한다.

정신간호사의 고유업무는 대상자의 삶과 삶의 질에 도움을 주기 위해 전인간호, 사람중심, 실무중심의 간호중재에 초점이 맞추어져 있다. 보통 정신간호사는 다른 분야에서 접근하지 않는 삶의 작은 세부사항을 돕는 일에 참여한다.

정신간호사는 또한 입원환경에서 '의사와 환자 사이의 경계공간에 거주하며 두 사람의 관계에 중요한 영향을 미친다'. 간호사는 주 7일 하루 24시간 제한된 공간에 있으면서 대상자가 직면한 어려움을 관리하도록 돕는 고유한 역할을 하며 대상자별 중요한 문제에 대해 자세히 이해할 수 있는 기회를 갖기도 한다.

이런 업무는 결코 과소평가되어서는 안 되는 큰 특권이다. 매디슨 등(Maddison, Day and Leabetter, 1975)은 병원환경에서 밤낮으로 제공하는 치료적 업무와 간호사만이 할 수 있는 치료적 업무의 중요성에 대해서 제시하고 있다.

단원 요약

이 장에서는 증상과 표현, 평가에서 고려해야 할 문제, 기분장애가 있는 사람들에게 도움이 될 간호사가 할 수 있는 몇 가지 사항 등 기분장애에 대한 개요를 제공했다. 약물, ECT 및 이야기치료와 같은 일부 치료 선택에 대해 논의했다. 간호사가 제공하는 정신사회적 중재의 중요성도 논의하였다.

정신간호의 기초 과정인 대인관계를 설명하고 이 작업의 필수요소를 설명하였다. 사람 중심의 관계 과정으로서의 정신간호는 기분장애 및 기타 유형의 정신질환 또는 삶의 문제가 있는 대상자와 함께 일하는 때 기본이다. 대상자를 존중하고, 비판단적이며, 자비로운 보살핌이 많은 프레임워크에서 일하는 것의 중요성은 정신간호사의 주요 관심사이다. 간호사의 도움이 필요한 사람들에게 이용 가능한 존재가 되어 주는 것은 정신간호 측면에서는 매우 중요한 부분이다.

● 유용한 웹사이트

Beyond Blue. https://www.beyondblue.org.au/

Bipolar Australia. http://www.bipolaraustralia.org.au/services-directory/wpbdp_category/support-groups/

Black Dog Institute. https://www.blackdoginstitute.org.au/clinical-resources/bipolar-disorder/seeking-help

ReachOut. https://au.reachout.com/articles/support-services-for-bipolar-disorder

● 참고문헌

American Psychiatric Association (APA). Diagnostic and Statistical Manual of Mental Disorders, fifth ed. Washington DC: APA; 2013.

Austin, M. P., Highet, N., the Expert Working Group. Mental Health Care in the Perinatal Period: Australian Clinical Practice Guidelines. Melbourne: Centre of Perinatal Excellence; 2017.

Australian Bureau of Statistics, 2018. National Health Survey: First Results, 2017-18. Commonwealth of Australia. Released December 2018.

Barker P., ed. Psychiatric and Mental Health Nursing: The Craft of Caring, second ed., London: Hodder Arnold, 2009.

Best Practice Advocacy Centre New Zealand. Bipolar disorder: identifying and supporting patients in primary care. Accessed at: http://bpac.org.nz/bpj/2014/july/bipolar.aspx, 2014.

Bipolar Australia. Bipolar information. Accessed at: www.bipolaraustralia.org.au/bipolar-information/, 2019.

Black Dog Institute. Facts and figures about mental health. Accessed at: www.blackdoginstitue.org.au, 2018.

Cade, J. F. Lithium salts in the treatment of psychotic excitement. Med. J. Aust.. 1949; 2(10):349-352.

Caramagno, T. C. The Flight of the Mind: Virginia Woolf's Art and Manic-Depressive Illness. Berkeley: University of California Press; 1996.

Cheung, D.S., 2018. Bipolar patient presenting with lithium-induced hyperparathyroidism following years of lithium-induced hypothyroidism. Proceedings of UCLA Health, 22.

Clark, G. J., The past is not a foreign country: a history of ideas in psychiatric nursing scholarship - 1885 to 2013 PhD Thesis. University of Newcastle, Newcastle, Australia, 2017.

Denton, A. Enough Rope. Angels and Demons. Sydney: ABC TV/Zapruder's Other Films; 2008.

Freeman, A. T., Santini, Z. I., Tyrovolas, S., et al. Negative perceptions of ageing predict the onset and persistence of depression and anxiety: findings from a prospective analysis of the Irish Longitudinal Study on Ageing (TILDA). J. Affect. Disord.. 2016; 199:132-138.

Jackson, S., Stevenson, C. The gift of time from the friendly professional. Nurs. Stand.. 1998; 12(51):31-33.

Maddison, D., Day, P., Leabetter, B. Psychiatric Nursing. Edinburgh: Churchill Livingstone; 1975.

McLaren, N. Humanizing Madness: Psychiatry and the Cognitive Neurosciences. Ann Arbor: Future Psychiatry Press; 2007.

Mental Health Branch. NSW Strategic Framework and Workforce Plan for Mental Health 2018-2022 and NSW Mental Health Workforce Plan 2018-2022. North Sydney: NSW Ministry of Health; 2018.

Peplau, H. Interpersonal Relations in Nursing. New York: G.P. Putman's Sons; 1952.

Procter, N., Hamer, H. P., McGarry, D., et al. Mental Health: A Person-Centred Approach, second ed. Cambridge: Cambridge University Press; 2017.

Render, H. W. Nurse-Patient Relationships in Psychiatry. New York: McGraw-Hill Book Company Inc; 1947.

Rosso, G., Albert, U., Di Salvo, G., et al. Lithium prophylaxis during pregnancy and the postpartum period in women with lithium-responsive bipolar I disorder. Arch. Womens Ment. Health. 2016; 19(2):429-432.

Rush, B. Medical Inquiries and Observations Upon the Diseases of the Mind, third ed. Philadelphia: Grigg & Elliott; 1827.

Sainsbury, M. J. Key to Psychiatry: A Textbook for Students. Sydney: Australian and New Zealand Book Co. Pty. Ltd; 1973.

Shea, S. C. Psychiatric Interviewing: The Art of Understanding. Edinburgh: Elsevier; 2018.

Stahl, S. M. Stahl's Essential Psychopharmacology, fourth ed. Cambridge: Cambridge University Press; 2013.

Strassler, R. B., Purvis, A. L. The Landmark Herodotus: The Histories. New York: Anchor Books/Random House; 2009.

Travelbee, J. Interpersonal Aspects of Nursing, first ed. Philadelphia: F.A. Davis Company; 1966.

Whitaker, R. Anatomy of an Epidemic. Magic Bullets, Psychiatric Drugs and the Astonishing Rise of Mental Illness in America. New York: Crown Publishers; 2010.

Whytt, R. Observations on the nature, causes, and cure of those disorders which have been commonly called nervous, hypochondriac, or hysteric, to which are 190prefixed some remarks on the sympathy of the nerves. Edinburgh: Printed for

T Becket and P DuHondt, London, and J Balfour; 1765.

World Health Organization. The International Classification of Diseases, 11th Revision. Geneva: WHO; 2018.

Younger, J. The alienation of the sufferer. ANS Adv. Nurs. Sci.. 1995; 17(4):53 - 72.

Zimmerman, M. Improving the recognition of borderline personality disorder in a bipolar world. J. Personal. Disord.. 2016; 30(3):320 - 335.

CHAPTER 13

물질 관련 및 중독장애

Substance Use and Co-Occurring Mental Health Disorders

주요 내용

- 과도한 음주는 교통사고, 가정폭력, 폭력 및 범죄, 만성질환 및 뇌손상의 주요 원인이 되는 광범위한 건강 위해요인이다. 이는 가족문제와 광범위한 사회적 기능장애를 일으킨다.
- 물질사용장애와 기타 정신병은 동시에 발생하기도 한다.
- 향정신성 약물은 독성 및 중독 증상을 일으킨다.
- 중재에는 위해요인 감소, 중독관리, 해독, 약물요법, 조기중재, 단기중재 및 유지요법 등이 있다.
- 치료에는 약물 사용과 관련된 피해를 줄이는 데 도움이 되는 약리적 · 심리적 · 정신사회적 중재가 포함될 수 있다.

주요 용어

- 금단(withdrawal)
- 내성(tolerance)
- 동반장애(co–occurring disorder)
- 물질사용장애(substance use disorder)
- 신종 향정신성 물질(novel psychoactive substance)
- 위해 감소(harm reduction)
- 의존(dependence)
- 정신병(psychosis)
- 중독(intoxication)
- 합성 카나비노이드(synthetic cannabinoid)
- 해독(detoxification)
- 향정신성 약물(psychoactive drug)

학습 목표

이 단원을 통해 다음을 수행할 수 있다.

- 물질사용장애 및 동반장애의 발생률 및 영향에 대해 설명한다.
- 향정신성 약물의 약동학 및 약역학을 설명한다.
- 정신병 환자를 대상으로 약물사용과 알코올 간호사정의 중요성을 인지한다.
- 물질사용장애와 정신병 동반질환자를 대상으로 다양한 중재를 설명한다.
- 다양한 물질사용 금단증상을 설명한다.
- 알코올 및 기타 약물에 의존하는 환자에게 간호과정을 적용한다.
- 물질사용장애가 있는 환자를 대상으로 예방전략을 설명한다.
- 동반장애를 가진 환자가 이용할 수 있는 치료서비스의 범위를 비판적으로 분석한다.

서론

간호사는 근무 때마다 약물 문제가 있는 사람을 만날 수 있다. 여기에는 합법 또는 불법 약물, 처방된 약물에 의존성이 생긴 경우도 있다. 간호사는 정신건강 및 약물 문제에 대해 가족 및 친구의 문제를 직접 경험했을 수 있기 때문에 기존 치료에 대한 편견이 있는지 고려해야 한다. 약물문제의 본질을 이해하고 있다면 이전의 경험이나 편견없이 최상의 치료를 이해할 수 있다.

이 단원에서는 물질사용, 물질사용장애 및 동반장애(정신건강 문제 및 약물 문제)를 설명한다. 이를 통해 개인, 가족 및 지역사회의 약물 및 알코올 문제와 관련된 사회적 비용을 이해하고, 향정신성 약물의 약리작용과 관련 용어를 학습하게 된다. 대상자 문제 중심의 초점화된 자료 수집과 종합적으로 약물 및 알코올 문제를 평가하는 방법을 학습하게 된다. 물질사용과 정신건강장애 동반진단의 유의성과 정신병의 원인에 대해 다루었다.

조기중재 및 단기중재, 예방전략과 같은 특수문제에 대한 중재와 알코올 문제가 있는 경우, 그리고 금주를 하는 환자에 대한 평가와 치료에 대해 설명한다.

물질사용장애 유형

물질사용은 금주부터 중독에 이르는 유해한 사용과 금단증상을 경험하는 여러가지 단계가 존재한다. 일반적으로 금단증상이 있는 경우는 심각한 문제가 발생하나 치료가 가능하며, 물질을 자주 사용하거나 많이 사용할수록 건강에 미치는 영향, 정신사회적 영향 및 의존성이 심해진다. 물질사용장애란 향정신성 약물 사용으로 인해 시간이 지남에 따라 정신적 · 행동적 장애를 초래하는 것이라고 정의할 수 있다(WHO, 2018). 이러한 장애의 중증도는 개인에 따라 크게 다르게 나타난다(American Psychiatric Association, APA, 2013).

중독

중독은 알코올이나 기타 물질을 사용한 후 임상적으로 빠르게 진행하는 인지, 지각, 감정, 행동 또는 조정에 대한 다양한 상태변화를 특징으로 한다(WHO, 2018). 간호사는 중독을 효과적으로 대처해야 하며, 간호사정 및 간호중재를 통해 복잡하고 사망위험이 높은 문제를 효과적으로 관리해야 한다. 중독 관련 증상으로 인해 심각한 질병이나 손상(예 감염, 저산소증, 머리외상 및 뇌혈관 사고)을 진단하기 어려울 수 있다. 또한 신체적 기능을 직접적으로 변경(예 호흡 저하, 체온조절장애)하거나 정신 및 의식상태를 변화시키기 때문에 이차적 문제(예 알코올 급성 만취 시 흡인, 자동차 사고)가 발생하여 생명이 위험할 수 있다.

의존

의존에는 신체적 의존과 정신적 의존이 있다. 구체적으로 의존이란 물질사용의 갑작스러운 중단 또는 일정 기간동안 물질을 사용한 후 용량을 감소시킬 때 나타나는 금단증상을 말한다. 신체적 의존은 개인이 중요하게 여겼던 다른 어떤 것보다 물질사용을 갈망하게 하는 생리적 · 행동적 · 인지적 증상의 집합체이다. 의존은 물질을 계속 사용하려는 갈망(사용의 잠재적인 부정적 결과에 대한 명확한 인지에도 불구하고)과 금단증상을 피하기 위한 지속적인 사용으로 설명할 수 있다.

정신적 의존은 알코올이나 기타 약물사용에 대한 통제력을 잃어버리는 것을 말하며, 신체적 의존은 내성 및 금단증상과 관련이 있다. 종종 신체적 · 정신적 의존이 결합되지만 항상 그런 것은 아니다. 사람은 심리적으로 대마초에 의존할 수 있지만(매일 규칙적으로 섭취하고 갈망함) 사용 중단 시 심각한 금단증상이 나타나지 않는다.

내성

생리학적 내성은 뇌가 지속적이며 반복적으로 물질에 노출된 결과이며, 중추신경계의 다양한 신경전달물질(예 도파민 및 세로토닌)이 물질사용에 적응하고 관련 수용체의 반응이 감소한다. 수용체의 반응이 감소하면 약물의 효과가 감소되는데, 이를 내성이라 한다. 간단히 말해, 처음 사용했을 때와 같은 효과를 내기 위해 더 많은 양의 약물이 필요해진다. 이것은 도박과 같은 행위중독에서도 발생할 수 있다.

금단

금단증상은 의존성이 발생한 사람에게 알코올이나 기타 약물사용을 중단하거나 줄였을 때 발생하며, 다양한 강도와 기간 동안 임상적으로 중요한 증상과 행동이 나타난다. 다른 금단증상은 이 장의 뒷부분에서 다룬다.

행위중독

반복적인 행동의 결과로 발생하는 장애가 증가하고 있다. 『국제질병분류 편람(International Classification of Diseases, 11th Revision, ICD-11)』 및 『정신병 진단 및 통계(Diagnostic and Statistical Manual of Mental Disorders, 5th Edition, (DSM-5)』는 모두 행동장애, 특히 도박장애를 말하고 있다. 행위중독에는 일반적으로 도박, 음식, 성교, 비디오게임, 운동 및 쇼핑과 관련이 있다.

도박중독

도박은 알코올 및 기타 약물사용, 기분장애, 충동조절장애 및 성격장애를 포함한 다양한 정신병과 관련이 있다. 도박중독에는 병적도박과 문제도박의 두 가지 유형이 있다. 문제도박은 도박중독의 정식 진단기준을 반드시 충족하지는 않으나 도박으로 인해 문제가 존재하는 경도 또는 중등도 수준의 도박문제를 말한다. 병적도박은 개인이 사회적 · 재정적 및 직업적 손실을 경험하는 심각한 수준의 도박장애를 의미한다. 도박중독 치료는 주로 정신적 · 사회적 중재에 중점을 둔다. 물질사용장애와 유사하게 동기강화상담(동기면담), 단기중재 및 인지행동치료(CBT)가 주요 치료방법으로 이루어지고 있다. 도박장애 선별검사는 중재의 첫 단계가 될 수 있다(**박스 13.1**).

유병률

물질사용장애 및 정신병이 동시에 발생할 경우 치료 및 관리의 어려움은 지난 30년 동안 약물 및 알코올 관련 서비스, 정신건강서비스, 도박중독서비스 및 일반건강서비스에서 나타났다. 일반 인구보다 정신병이 있는 경우 물질사용장애 발생률이 높다. 이러한 이유로 세계적으로 이러한 동시발생 장애와 동반장애에 대한 비용 부담이 증가하였다.

알코올 섭취로 인해 200가지 이상의 질병 및 부상 발생이 일어나고 있다. 알코올 섭취로 인해 교통사고, 폭력 및 자살이 발생하고 있다. 2018년 심각한 알코올 문제로 인한 문제가 질병에 대한 비용부담 중 5% 이상을 차지하였다(약 300만 명 사망).

박스 13.1 도박 문제 평가척도(PGSI)

PGSI는 도박과 관련된 표준화 된 척도이며, 지난 12개월 동안의 도박문제를 자가체크한다.

점수

- 절대 = 0
- 드물게 = 1
- 가끔 = 1
- 자주 = 2
- 항상 = 3

점수별 유형

- 문제 없는 도박(점수: 0) – 문제가 없는 도박꾼은 부정적인 결과가 없는 도박을 한다.
- 저위험 도박(점수: 1~2점) – 위험도가 낮은 도박꾼은 확인된 부정적인 결과가 거의 또는 전혀 없는 낮은 수준의 문제를 경험한다(예 가끔 한도를 초과하여 지출하거나 도박에 대해 죄책감을 느끼는 경우).
- 중간 위험 도박(점수: 3~7점) – 중간 위험 도박은 일부 부정적인 결과를 초래하는 중간 수준의 문제를 경험한다(예 때로는 감당할 수 있는 것보다 더 많이 지출하거나 시간을 잊거나 도박에 대해 죄책감을 느끼기도 함).
- 문제성 도박(점수: 8점 이상) – 문제성 도박은 부정적인 결과와 통제력 상실 가능성이 있는 도박을 한다(예 종종 한도 초과 지출, 돈을 되찾기 위한 도박, 도박과 관련된 스트레스).

이러한 범주는 진단이 아니라 위험 식별을 반영한다는 점에서 유의하여 사용하는 것이 중요하다.

질문과 답변(4점척도로 해당란에 체크)

1. 실제 베팅할 수 있는 금액보다 더 많이 베팅했습니까?

전혀	가끔	대부분	항상

2. 같은 흥분을 느끼기 위해 더 많은 돈을 베팅하고 도박을 해야 했습니까?

전혀	가끔	대부분	항상

3. 잃어버린 돈을 되찾기 위해 다른 날 다시 도박을 하려 가본적이 있습니까?

전혀	가끔	대부분	항상

4. 도박을 하기 위해 돈을 빌리거나 물건을 판 적이 있습니까?

전혀	가끔	대부분	항상

5. 도박에 문제가 있다고 느낀 적이 있습니까?

전혀	가끔	대부분	항상

6. 사실 여부와 상관 없이 사람들이 귀하의 내기를 비판하거나 도박 문제가 있다고 말한 적이 있습니까?

전혀	가끔	대부분	항상

7. 도박을 하는 방식이나 도박을 하면 어떻게 되는지에 대해 죄책감을 느낀 적이 있습니까?

전혀	가끔	대부분	항상

8. 도박으로 인해 스트레스나 불안을 비롯한 건강 문제가 발생했습니까?

전혀	가끔	대부분	항상

9. 도박으로 인해 본인이나 가족에게 재정적 문제가 발생한 적이 있습니까?

전혀	가끔	대부분	항상

출처: Victorian Responsible Gambling Foundation, 2018

전 세계적으로 약 3,100만 명이 약물사용 장애가 있다. 이러한 약물 관련 사망은 주로 벤조디아제핀 및 옥시코돈과 같은 처방약물과 관련이 있으며, 이와 같은 처방약물의 남용은 전 세계적으로 증가하고 있다.

특정 인구집단에서의 물질사용 및 오용

임신, 수유 및 육아

임신 중 알코올을 섭취하는 비율은 2007년 이후 꾸준히 감소하고 있다. 2016년에는 대다수의 여성이 임신 중에 금주했으며(56%), 계속 음주를 한 여성 중

역사적 일화 13.1: 고대요법

알코올 대마초 및 아편은 정신병의 증상치료 목적으로 처방된 약물로서 오랜 역사를 가지고 있다. 알코올은 1900년대까지 표준 의료 처방이었다. 1892년 아돌프스 브리거(Aldolphus Bridger, 1852~1920) 박사는 '우울한 노인은 무거운(풀바디)의 고급 클라렛, 포트, 더 좋은 프랑스, 독일, 이탈리아 와인을 섭취해야 한다'라고 하면서, '적절한 형태의 술은 종종 어떤 약보다 노년기 신경 건강을 회복시키는 데 더 많은 도움이 될 것이다.' 라고 말했다.

대마초는 우울증이나 조증 환자에게 정기적으로 처방되었으며 1940년까지 영국과 독일에서 약물로 널리 판매되었다. 설익은 양귀비로 만든 유백색의 주스인 아편은 고대 그리스부터 의사들이 처방해왔다. 1700년대와 1800년대에는 우울증과 불안을 치료하기 위해 아편을 사용하는 방법이 유럽 전역에서 인기를 얻었다.

자세히 알아보기: Ishizuka, H., 2010. Carlyle's nervous dyspepsia: nervousness, indigestion and the experience of modernity in nineteenth-century Britain. In: Salisbury L, Shail A (Eds) Neurology and modernity: a cultural history of nervous systems, 1800 - 1950 (pp. 81 - 95). Palgrave Macmillan, London

81%가 매월 음주를 하거나 그 이하로 술을 마신다고 보고했다. 일부 여성은 임신 사실을 알게 된 후에도 불법약물을 계속 사용했다(1.8%).

임신 중 알코올 남용은 유산, 조산, 사산 및 임신성 고혈압 발병과 연관성이 높다(Cesconetto, et al., 2016; Dumas, et al., 2018; Royal Women's Hospital, 2018a). 알코올은 태반을 통해 아기의 혈류로 빠르게 전달되어 발달 중인 중추신경계의 악화 또는 기능장애로 이어질 수 있다. 현재 임신 중 음주의 안전성은 알려져 있지 않으며, 모든 여성은 임신 전에 음주를 중단하는 것이 좋다.

태아알코올스펙트럼장애(FASD) 발병위험이 있는 신생아를 식별하려면 태아기의 알코올 사용비율에 관한 자료 수집이 필수적이다. 태아알코올스펙트럼장애는 태아가 알코올에 노출되어 신체 또는 신경발달 장애를 일으키는 만성질병이다. 태아알코올스펙트럼장애는 다양한 신경발달 문제와 안면 및 기타 신체적 이상을 특징으로 한다(신체적 이상이 항상 존재하는 것은 아닐 수 있음). 평가의 진단기준과 주요 특징은 **표 13.1**과 같다.

임신 중 흡연은 예방 가능한 단일 위험인자이나 합병증을 일으키는 것으로 확인되었다. 2016년에 산모 10명 중 1명은 임신 중 흡연을 했으며, 이러한 여성은 비흡연자보다 산전진료 방문횟수가 적었다. 임신 중 담배를 피우면 발달 중인 아기에게 산소와 혈액 공급이 감소한다. 니코틴은 산모와 태아 모두에게 심박수를 증가시키고 혈관을 수축시켜 탯줄을 통한 혈액의 흐름을 감소시킨다. 임신 중 흡연은 유산, 저체중아 출산 및 조산과 관련이 있다.

제한된 근거가 보고되지만 임신 중 알코올 및 기타 약물사용(담배 포함)에 대한 보편적인 검사가 권장된다. 이것은 소외된 그룹의 표적선별을 줄이고 낙인을 줄이며 임신 중 알코올 및 기타 약물사용에 대한 과소진단을 구분한다. 임신은 산모의 알코올 및 기타 약물사용의 문제를 아주 좋은 시기가 될 수 있다. 그러나 금단증후군이 태아에게 심각한 스트레스를 줄 수 있으므로 임신 중 약물사용에 대한 변경을 신중하게 고려해야 한다.

표 13.1 태아알코올스펙트럼장애

진단기준	진단기준	
	3개의 안면 표지 기능이 있는 FASD	3개 미만의 안면 표지 기능이 있는 FASD
• 산전 알코올 노출	확인됨 또는 알 수 없음	확인됨
신경 발달 영역: • 뇌구조/신경학 • 운동능력 • 인지 • 언어 • 학업성취도 • 기억 • 집중력 • 충동조절이 잘 안 되고 과잉행동을 포함하는 실행 기능 • 정동 규제 • 적응적 행동, 사회적 기술 또는 사회적 의사소통	최소 3개의 신경발달 영역에서 심각한 손상	최소 3개의 신경발달 영역에서 심각한 손상
센티넬 **얼굴 특징:** • 짧은 안검 • 부드러운 인중 • 얇은 윗입술	3개의 안면 특징 존재	2개의 안면 특징 존재
FASD 진단평가의 주요 기능: • 병력: 우려사항 제시, 산과, 발달, 의료, 정신건강, 행동, 사회 • 선천적 기형: 기형적 얼굴 특징, 기타 주요 및 경미한 선천성 기형 • 산전 및 산후 유해 노출(알코올 포함) • 유전증후군 및 기타 장애를 포함한 알려진 의학적 상태 • 성장		
출처: FASD Hub, 2016		

향정신성 약물의 약리학

중독의 약리학적 측면

사람들이 약물을 복용하고, 술을 마시고, 먹고, 운동하고, 도박을 하거나, 성관계를 가질 때 뇌의 쾌락 및 보상 피드백 시스템에 여러 신경전달물질이 방출된다. 특히 도파민은 복측피개영역(ventral tegmental area)에서 중변연계 도파민 경로를 따라 방출된다. 도파민의 방출은 긍정적인 감정과 쾌락감각을 생성함으로써 행동을 강화한다. 이러한 작용이 주요 메커니즘으로 해당 활동이 생존에 필수적이며 초점을 맞춰야 하는 것으로 인체 내에 각인하고 전달한다. 중요한 점은 삶의 유지와 생명유지에 관련이 없는 기타 행동(예 도박) 등이 신경전달물질, 즉 도파민에 의한 중변연계 경로의 활성화를 일으켜 중독을 일으킨다는 것이다. 중변연계 경로가 반복적으로 활성화되면 약물사용장애 및 행위중독을 일으켜 개인이 일상생활의 우선순위를 적절하게 지정할 수 없게 한다. 물질에 의존하는 사람의 뇌에서 신경전달은 근본적으로 일반인과 다르기 때문에 약물사용 또는 기타 행동이 생존에 필수적이라는 생각을 하게 된다.

정신활성 효과에는 기분, 각성, 지각, 사고 및 행

표 13.2 물질의 분류

유형	설명/정의	예시
진정/억제제 (Depressants)	진정제는 뇌와 중추신경계의 활동을 늦추는 약물이다(이는 기분과 관련이 없다는 점에 유의해야 함). 소량으로 사용하면 행복감, 이완 또는 졸음을 유발할 수 있다. 더 많은 양을 복용하면 깊은 수면, 조절장애, 우울증, 혼수상태 및 호흡 억제로 인한 사망과 유사한 의식 상실을 유발할 수 있다.	• 알코올(에탄올) • 벤조디아제핀(예 디아제팜, 알프라졸람) • 아편유사제(예 헤로인, 모르핀, 코데인) • 바르비투르산염(예 페노바르비탈) • 휘발성 물질(예 용제 또는 휘발유)
각성제 (Stimulants)	각성제는 중추신경계의 활동을 증가시키고 신체의 각성 수준을 높인다. 소량은 인식과 집중력을 높이고 피로를 줄인다. 양이 증가하면 과민성, 신경과민 및 불면증이 발생한다. 고용량에서 일부 사람은 망상과 환각을 경험한다. 독성 용량은 심장마비(심근경색), 뇌졸중(뇌혈관 사고) 또는 근육손상(횡문근 융해)을 통해 경련과 사망을 초래한다. 메스암페타민은 기본, 분말 및 수정의 세 가지 범주로 더 나뉜다. 엑스터시는 이전에 MDMA만 포함했지만 이제는 다양한 불순물, 특히 크리스탈 메스암페타민으로 세분화되고 있다.	• 암페타민(예 '스피드') • 메스암페타민[예 크리스탈 메스 암페타민 또는 '얼음(ice)'] • 3,4-메틸렌디오자임암페타민 • 코카인 • 니코틴 • 카페인 • D-암페타민(덱삼페타민) • 메틸페니데이트(리탈린)
환각제 (Hallucinogens)	환각제('psychedelics'라고도 함)는 진정제 및 각성제와 속성을 공유한다. 그러나 그들의 특정 기능은 지각을 왜곡하고 결과적으로 환각(청각, 촉각 및 시각)을 유도하는 것이다. 소량으로 일부 환각제는 억제를 감소시키고 사용자가 이완되고 더 사교적이라고 느끼게 한다. MDMA(엑스터시)와 같은 일부 암페타민 유도체는 메스칼린과 화학적으로 관련이 있으며 각성 및 환각 특성을 모두 가지고 있다. 이러한 약물은 분류 목적을 위해 두 범주에 모두 포함될 수 있다.	• 리세르그산 디에틸아미드(LSD) • 실로시빈('마법의 버섯') • 메스칼린(멕시코 선인장 '페요테'의 일부) • 독말풀('천사의 나팔')
기타	대마초는 기분, 인지, 운동 및 지각 효과가 혼합되어 있고 한 종류의 약물에 분명히 속하지 않기 때문에 약리학적 용어로 분류하기 어려운 경우가 많다. 낮은 복용량의 대마초는 자극 효과와 우울 효과가 혼합된 효과를 낸다. 고용량에서 효과는 주로 진정작용이다. 대마초의 효과에는 행복감, 이완 및 웰빙 뿐만 아니라 변경된 시간 감각과 같은 지각 왜곡이 포함된다. 많은 사용자가 자신감과 창의성을 느낄 수 있지만 기억, 인지 및 숙련된 작업 수행이 손상된다. 다른 물리적 효과에는 빈맥, 혈관 확장 및 저혈압이 포함된다. 대마초는 식욕을 자극하고 항구토제이기도 하다. 대마초를 섭취한 사람들은 배가 고프고 특정 음식을 갈망할 때 종종 '허기'를 경험한다. 모든 항정신성 약물과 마찬가지로 복용량, 투여 방식, 사용 빈도, 다른 약물과의 동시 사용, 과거 노출 및 약물이 사용되는 환경에 따라 효과가 다르다.	• 대마초 • 삼 • 해시시

동의 변화가 포함된다. 중독을 일으키는 약물로는 실험실에서 생산되거나(예 암페타민, 엑스터시) 식물에서 추출(예 헤로인, 코카인)될 수 있으며, 또한 합법(예 알코올)이거나 불법(예 대마초)일 수 있다. 범주를 활용하는 것은 중독과 금단의 유사한 특징을 식별하는 데 크게 도움이 될 수 있다. 예를 들어, 알코올과 벤조디아제핀은 둘 다 중추신경계 억제제이므로 급성 중독 기간 동안 매우 유사한 특성을 보인다. 일부 약물은 여러 작용을 하므로 하나 이상의 범주에 포함될 수 있다(중추신경계에 대한 영향을 기반으로 한 물질 분류는 **표 13.2**). 모든 항정신성 약물의 공통효과는 적어도 사용 초기 단계에서 행복감과 정신상태의 변

표 13.3 새로운 항정신성 물질

약물	유사 영향	예시
아미노인단 (Aminoindanes)	• 암페타민 및 MDMA와 유사 • 각성제와 유사한 중추 신경계 활동을 생성 • 이러한 약물의 이후 버전은 MDMA와 같은 약물의 공감 및 자극 유발 효과를 모방	• 엠다이 골드(5,6-메틸렌디옥시-아니모인단) • 핑크 샴페인(2-아미노인단) • 일반적으로 섭취를 위해 분말 형태 또는 결정체로 발견
펜시클리딘계 물질 (Phencyclidine-type substances)	• 펜시클리딘(PCP)과 같은 중추신경계 자극제와 유사 • NMDA 수용체의 조절을 통해 해리 효과를 생성	• PCP 유사체에 대한 제한된 정보; '연구 화학 물질'로 알려짐 • 케타민 • 섭취는 가장 일반적인 투여 경로. 케타민은 또한 정맥내 및 근육내 주사
페네틸아민 (Phenethylamines)	• 암페타민(메스암페타민/MDMA), 암페타민 변형(2C 계열 및 D 계열 약물) 및 환각제 변형(일부 환각 효과가 있는 각성제)이 포함 • 이러한 물질은 중추신경계 자극제 또는 환각제로 작용 • 메스칼린(강력한 환각제)의 합성 유사체가 포함	• 2C 약제: 2C1, 2CB, 2CT, 2CE 'Europa', NBom, PMMA(para-Methoxy-N-methylamphetamine) '4-MMA' • D 시리즈: DOC, DOI • 디히드로푸란 물질: 'FLY', '잠자리', '브로모잠자리' • 섭취는 가장 일반적인 투여 경로
피페라진 (Piperazines)	• 일부 각성제 활동과 함께 환각제와 유사한 효과. 이 클래스에서 발견된 일부 물질이 잠재적 치료제로 시험되었기 때문에 '실패한 의약품'이라고 함	• BZP: 항우울제로 시험되었지만 암페타민과 유사한 특성을 보임. • '펩 알약'
합성 칸나비노이드 (Synthetic cannabinoids)	• 합성 카나비노이드는 식물 재료에 추가. 처음에 이들은 delta-9-tetrahydroncannabinol의 합성 유사체였다. 그러나 합성 칸나비노이드의 다른 그룹은 그 이후로 화학적 구성이 크게 달라지면서 개발됨	• 'K2', '크록', '블랙 맘바', '퍼플 헤이즈', '스파이스', '지니' • 흡연은 가장 일반적인 투여 경로
합성카티논 (ynthetic cathinone)	• 암페타민 및 메스암페타민과 화학적으로 유사한 구조. • Cathinone은 khat 식물의 주요 성분이며 많은 합성 cathinone이 개발되는 기초로 간주	• 메페드론, 메타드론, 메틸론, 야옹, 엠캣, '드론', '배쓰솔트', '식물성 식품' • 섭취는 가장 일반적인 투여 경로
트립타민 (Tryptamines)	• 주로 실로시빈 및 DMT와 같은 환각제의 유도체. 기존 환각제의 효과를 모방하는 경향 • 각성제 활동	• '폭시-메톡시', '알파-오', '5-MEO' • 섭취는 가장 일반적인 투여 경로

출처: Musselman, M.E., Hampton, J.P., 2014; United Nations Office on Drugs and Crime, 2019

화를 일으키는 것이다. 시간이 지남에 따라 많은 사람이 오히려 사용 시 부정적인 효과 감소보다는 긍정적인 효과는 거의 없어짐을 말하며, 이는 종종 단순히 금단증상을 완화하기 위해 지속적으로 사용하는 원인이 된다.

새로운 항정신성 물질

'새로운 항정신성 물질(**표 13.3**)'로 알려진 약물은 메스암페타민, 코카인, 대마초, 엑스터시와 구조적으로 유사하지만 우울증 약물과 같이 불법적인 항정신병 약물은 아니다. 새로운 항정신성 물질은 '리갈 하이', '목욕용 소금' 또는 '연구용 화학물질'로 알려져 있다. 이러한 물질은 법적 제한보다 앞서 나가

당사자 이야기 13.1

나에게 삶은 항상 엄청난 투쟁이었고 스스로 그 이유를 결코 이해할 수 없었다. 어렸을 때부터 나는 친구나 가족처럼 감정을 처리하지 못하고 존재하는 것만으로도 엄청난 고통을 느꼈다. 그래서 14살에 마약과 술을 접했을 때 해결책을 찾았다고 생각했다. 하지만 일단 시작하면 멈출 수 없었고, 내 삶은 점점 더 나빠지고 감당할 수 없게 되었다. 8년 동안 죄책감, 수치심, 양심의 가책을 느끼고 다시 사용하는 악순환을 겪은 후 나는 회복하기 위해 재활원에 들어갔다. 그것이 나의 마지막 선택이었고 뭔가 바뀌지 않으면 결국 죽을 것이란 생각이 들었다.

나는 지역사회 기반 자조그룹에 들어갔다. 이곳에서 나의 상황에 대한 솔루션을 제안받았다. 이제 나는 내가 느끼기 두려워했던 모든 것을 느낄 수 있도록 프로그램을 통해 훈련하고 있다. 그리고 나는 그 어떤 것도 혼자 겪을 필요가 없다는 것을 깨닫고 내가 겪었던 일을 모두 이해하는 여성이 항상 곁에서 지켜주고 있음에 감사하게 되었다. 나는 회복 프로그램을 열심히 따랐고 내 안에서 자존감이 점차 자라나기 시작했다. 처음으로 나는 더 높은 곳의 전지전능한 힘을 믿으면서 나 자신과의 관계를 만들기 시작했다. 나는 이제 거의 9개월 동안 모든 마약과 알코올로부터 벗어나 온전한 삶을 살고 있으며 솔직히 그 어느 때보다 행복한 상태이다.

기 위해 지속적으로 개발 및 수정되고 있다. 이러한 물질은 '1961년 마약에 관한 단일 협약' 또는 '1971년 향정신성 물질에 관한 협약'에 의해 '통제되지 않는 순수한 형태 또는 제제의 남용물질'로 명확하게 정의되었으며 공중보건과 건강에 위협이 될 수 있다.

새로운 약물의 독성을 결정하는 것은 정신적 · 생리학적 효과가 다양한 물질로 구성되어 있고 약물이 결합될 수 있기 때문에 어려운 일이다.

합성 칸나비노이드

Delta-9-tetrahydrocannabinol (THC)은 천연 대마초의 활성 성분이며 CB1 및 CB2 칸나비노이드 수용체의 부분 작용제이다. 합성 칸나비노이드는 칸나비노이드 수용체 부위에서 완전한 작용제 역할을 하기 때문에 결과적으로 천연 칸나비스보다 더 강력한 작용을 한다. 이것은 중독 및 금단기간 동안 더 강렬한 증상을 생성할 뿐만 아니라 사용자를 장기적인 정신적 변화의 높은 위험에 빠지게 한다. 합성 칸나비노이드의 일반적인 이름에는 '스파이스(Spice)', '케이투(K2)', '크록(Kroc)', '퍼플헤즈(Purple Haze)' 및 '붓다(Buddha)'가 있다.

합성 칸나비노이드는 일반적으로 합성 칸나비노이드가 포함된 화학물질이 뿌려진 녹색잎이 제품으로 배포된다. 합성 칸나비노이드의 치료 및 관리의 주요 어려움 중 하나는 새로운 변이가 지속적으로 개발되고 있다는 것이다. 각 화학적 변형은 다양한 위험 요소 및 사용 합병증과 관련이 있다. 합성 칸나비노이드 사용자는 행동, 정서적 · 인지적 변화를 나타낸다. 급성 효과는 혼수 및 서맥으로 나타나는 중추신경계 억제작용이다. 합성 칸나비노이드는 또한 발작위험이 증가한다. 합성 칸나비노이드는 기존의 소변약물검사에 나타나지 않으므로 정기적인 약물검사가 필요한 작업장에서 일하는 사람들 사이에서 널리 보급되었다.

영향요인

물질사용장애의 진행과정은 복잡하고 다면적이다. 개인의 환경, 사회적 상황 및 유전적 영향 간의 상호작용을 고려해야 한다. 청소년은 사회적 고립,

친구와의 문제, 낮은 학업성취도, 가족 문제, 열악한 애착관계 형성 또는 단순한 호기심으로 약물 남용을 시작할 수 있다(약물 남용 및 정신건강서비스관리국, SAMSHA, 2017). 이는 물질에 대해 사회와 대중매체에서 여과없이 묘사하고 있어(예 영화 및 TV 시리즈에서 결과 없는 음주 및 흡연 담배 사용) 청소년에게 영향을 미치고 있다. 물질사용장애 발병의 위험요소는 연령, 정신사회적 발달, 민족/문화적 배경 및 환경에 따라 크게 다르다. SAMSHA는 약물남용 및 물질사용에 대한 보호요인에 초점을 두도록 권고하고 있다(표 13.4).

청소년기의 뇌는 상당한 발달과 변화가 일어난다. 이것은 스트레스와 고위험 행동에 대한 감수성이 높음을 나타내지만 물질사용과의 직접적인 인과성은 불명확하다. 쌍둥이 연구에서 중독은 유전적 영향을 분명히 보여준다.

물질사용장애는 초기 생활사건의 영향을 받기는 하지만 다양한 스트레스 요인에 대한 반응으로 노년기에 발병할 수도 있다. 알코올사용장애는 노년기에 배우자를 잃거나 은퇴, 노화 관련 장애로 인해 흔하게 나타나며, 일상생활활동에 어려움이 발생한다. 처방약 문제는 성인기 및 노년기에 발생할 수도 있다. 만성 통증은 고령자에게 흔하며 성인은 스트레스가 많은 생활사건에 반응하여 벤조디아제핀에 더 쉽게 접근하는 경향이 있다.

물질사용장애의 경험

물질사용장애의 경험은 개인마다 크게 다르며, 그에 따라 치료방법을 조정해야 한다. 간호사는 물질사용장애 환자에게 유연한 접근방식을 선택해야 한다. 희망이라는 개념과 회복이 가능하다는 생각이 중요하다. 정신건강전문가는 물질사용장애의 높은 재발율에 어려움을 겪는다. 따라서 현재상황을 인식하고 희망을 심어 주고 자기효능감을 촉진하기 위해 노력하는 것이 중요하다. 이러한 노력은 회복을 향한 강력한 도구가 될 수 있기 때문이다. 약물사용장애에 대한 다양한 환자 사례와 경험에 대해서는 다음 사례를 참고한다.

징후 및 증상

• 중독

알코올이나 기타 약물에 대한 급성 중독은 공격성

표 13.4 청소년 보호요인

개인적 요인	• 긍정적인 기질 • 사회적 기술(예 문제 해결, 신념 및 핵심 가치를 옹호하는 능력) • 긍정적인 사회적 성향(예 건강한 개인 개발에 기여하는 활동 참여, 규칙 및 커뮤니티 가치 수용, 학교와 동일시, 유해물질을 사용하지 않는 친구 선택) • 변화에 적응하기 위해 일어나는 일을 통제할 수 있는 자신의 능력에 대한 믿음
가족요인	• 부모와 자녀 사이의 화합, 따뜻함, 애착 • 부모의 감독 • 부모와 자녀 간의 접촉 및 의사소통
환경요인	• 친구, 이웃, 연장자와 같은 가족 외부의 긍정적인 정서적 지원 • 가족이 사용할 수 있는 지원 및 자원(예 위기전화, 외상 경험이 있는 개인을 위한 프로그램, 스트레스 관리 지원 또는 가족상담) • 물질사용에 관한 지역사회 및 학교 규범, 신념 및 표준 • 헌신과 성취에 중점을 둔 교육 이용

당사자 이야기 13.2

나는 작은 시골마을에서 자랐고 많은 사랑을 받았다. 지금 돌이켜보면 학업도 운동도 잘하는 행복한 아이의 모습이면서도, 종종 두렵고 슬프고 혼란스럽고 사랑스럽지 않고 부족하다는 생각이 들었다. 어렸을 때 아버지의 자살로 인해 나는 항상 다른 사람과 다르다고 느꼈다. 그래도 항상 마약을 싫어하고 옳은 일을 하고 싶으며 좋은 사람이 되고 싶다는 생각은 분명히 기억하고 있었다. 성인이 되어 농장을 떠나 도시에서 간호사가 되었고, 일을 사랑했고 다른 사람을 돕는 것이 나의 무가치함을 달래는 것 같았다. 20대 초반에 교통사고를 당하고 만성 통증이 생기기 시작했다. 나는 처방전 없이 살 수 있는 진통제로 대부분의 통증을 관리할 수 있었다. 그러나 20대 후반에 둘째 아이가 태어난 후 통증을 참을 수 없게 되었고 의사는 내게 옥시코돈을 단기간 처방했다. 이 짧은 순간의 처방시간이 순식간에 지옥의 3년이 되었다. 내가 인식하는 첫 해는 훌륭했다. 나는 모든 것을 완벽하게 해낼 수 있었다! 나는 아내, 어머니, 간호사, 딸, 자매, 친구, 인간으로서 믿을 수 없을 정도로 기능할 수 있었다. 내 가슴의 막연한 구멍을 메워 주는 단 하나의 것을 찾았다고 진심으로 믿었다. 그러나 불행하게도, 첫해 이후 상황은 빠르게 내리막길로 접어들었다. 나는 나를 극복하기 위해 점점 더 많은 약이 필요했고, 내 생활과 그 안에 있는 모든 사람으로부터 멀어지고 있었다. 내가 원했던 것은 혼자 약을 복용하는 것이었다. 전화도 할 수 없고, 문도 열 수 없으며, 우편물도 열 수 없었고, 의사 쇼핑은 정기적인 일이 되었다. 나는 그것들에 대한 나의 필요에 사로잡혔고 내 삶에 그것들 없이는 죽을 것 같았다. 불과 3년 만에 마약중독으로 완전히 망가져버렸고 더 이상 이렇게 살 수 없다는 것을 깨달았다. 나는 내가 너무 망가져서 마침내 도움을 청할 수 밖에 없다고 느꼈고, 어쩌면 더 나은 삶을 살 수 있을지도 모른다는 희미하게 커져가는 희망에 주의를 기울이기 시작했다.

해독 프로그램과 휴식을 취하면 나아질 것이라는 굳은 믿음으로 재활원에 갔지만 이내 내 생각이 틀렸다는 것을 깨달았다. 중독이 나를 바꿨으며 퇴원하는 날 나는 절대적인 공포에 압도당했다. 약을 먹지 않고 아무것도 없이 내가 어떻게 살 수 있을까? 형언하기 어렵지만 내 피부가 벗겨지고 내 모든 두려움과 비밀이 모두 드러날 것 같았다. 나는 내가 느끼고 있던 강렬한 불안을 진정시키기 위해 바로 그날 처방전 없이 구입할 수 있는 아편제를 복용했다. 나는 2주 만에 그 어느 때보다 부끄럽고 두렵고 화가 나서 재활원으로 돌아왔다. 나는 돌이킬 수 없다는 것을 알게 되었으며 이런 상태를 고치기 위해 무엇이든 할 의향이 있음을 깨달았다. 몇 주 전, 재활원에 처음 머무는 동안 나는 12단계를 소개받았고 의학적 배경에도 불구하고 이것이 단지 육체적인 문제가 아니라 정신적 · 영적 문제일 수도 있다는 생각을 갖게 되었다. 나는 내가 깊은 우울함, 상실감, 공허함을 느낀다는 것을 알고 있었지만 여전히 삶이 더 나아질 수 있다는 희망의 희미한 빛이 있었다. 또한 아무도 나를 고칠 수 없다는 것을 이해하게 되었고, 이것은 나 혼자만이 해결할 수 있는 여정이라는 것을 이해하게 되었으며, 개방적이고 정직하며 알코올을 포함하여 기분을 변화시키는 모든 약물과 정신을 변화시키는 약물을 완전히 금하겠다는 완전한 약속을 했다. 처음에는 받아들이기 힘든 진실이었다. 다른 사람은 모두 술을 마시지만 나는 더 이상 다른 사람과 같지 않았고, 이제 내 뇌가 다르게 작동한다는 것을 알고 있었으며, 재발하기 매우 쉽다는 것을 몸소 느끼고 인지해야 했다.

나는 약을 사용하고 싶은 욕구가 약 1주일 만에 매우 빨리 사라졌다는 사실에 믿을 수 없을 정도로 운이 좋았지만 약을 끊은지 약 3개월 후에도 여전히 약간의 신체적 금단증상이 남아있었다. 그러나 그 이후로 한 번도 만성 통증으로 고생한 적이 없다고 덧붙이고 싶다. 이는 육체적 건강을 돌보기 위해 내려 놓았지만 또한 질병의 정신적 · 영적 측면을 매우 심각하게 생각했기 때문일 것이다. 이전에 정신건강 문제로 고통받는 사람으로 스스로를 마주한 적이 없지만 회복을 한 이후로 정기적으로 평가하고 모니터링해야 함을 깨달았다. 그리고 의학적 배경에도 불구하고 나는 영적인 건강을 돌보는 법을 배운 것이 내 생명을 구했다고 굳게 믿고 있다. 더 이상 나의 삶에는 공허함이 없으며 대부분 것에서 만족과 행복을 느낀다. 내 삶의 세 가지 측면을 모두 보여주지 않았다면 나는 오늘 살 가치가 없었을 것이고, 그중 어느 하나를 너무 오래 방치하면 다른 두 가지가 곧 고통을 겪었을 것이다.

나는 중독으로 인한 내 경험을 자랑스럽게 생각하지 않으며, 자존심을 삼키고 패배를 인정하고 도움을 요청하는 것이 아마도 내가 한 일 중 가장 힘든 일이었다고 회상한다. 그러나 그럼에도 사라지지 않은 작은 희망의 불꽃과 회복이 내 손 안에 영원히 있음을 보여준 사람들에 대한 믿음이 있다는 것에 영원히 감사하고 또 감사할 것이다. 나는 중독자가 되기로 선택하지 않았고, 회복하고 최선을 다해 인생을 살기로 선택했다. 내가 줄 수 있는 조언이 있다면 그것은 자부심, 두려움, 수치심이 중독자가 불행의 악순환에 빠지도록 하는 강력한 동기라는 것이다. 그러나 의지, 정직, 희망은 회복과 새 삶의 열쇠이다. 어느 누구도 완전히 절망적이거나 가치가 없는 삶을 살고 있지 않으며 회복은 누구에게나 가능하다.

당사자 이야기 13.3

13년 동안 중독의 악순환에 빠져 있었다. 어리고 평온한 아이였기 때문에 순식간에 파국에 이르렀고 비극과 절망의 감정에 사로잡혔다. 내가 어렸을 때 가졌던 모든 희망과 꿈은 지평선에서 완전히 사라진 것 같았다. 나는 내 인생이 사실상 끝났다는 사실을 인정했다. 나는 정말로 모든 것을 버리고 비참한 삶을 살아갈 운명이었다. 믿을 수 없을 정도로 고통스럽고 무력한 곳이었다. 절망의 그 자리에 있었기 때문에 오늘날의 내가 있을 수 있다는 것을 상상조차 하지 못했을 것이다.

오늘 나는 회복 중이며 15개월 동안 온전하고 술에 취하지 않았다. 나는 4개월 반 동안 재활원에 갔다가 그곳에서 숙소를 지원받았다. 나는 진정으로 자신과 사랑하는 사람들을 위해 온전해지고 더 나은 삶을 추구하기 위해 사력을 다하였다. 회복은 내가 결코 가능하다고 생각하지 않았던 자유이다. 오늘을 살고 싶은 마음이 생겼다. 나에게는 희망이 있고, 내가 온전함을 유지하고 계속해서 '예'라고 말하면서 변화한다면 내 꿈을 뛰어넘는 미래가 있을 것이라고 진심으로 믿는다. 연결은 회복의 초석이며 다른 사람들의 도움과 사랑 없이는 결코 할 수 없었을 것이다. 마약과 알코올을 멀리하는 것은 시작에 불과했다. 내 생각, 감정을 다루는 방식, 삶에 대해 이미 알고 있다고 생각했던 것 등 모든 것을 바꿔야 했다. 다른 방법은 없었을 것이다. 나는 나 자신을 찾고 있으며 매우 자랑스럽다. 회복은 평생의 과정이며, 진행 중인 작업이다. 내가 가진 모든 것이 그것에 달려 있기 때문에 그것이 내 인생에서 가장 먼저 와야 한다. 그것은 제 삶을 되찾았고 나는 영원히 감사한다.

과 파괴적인 행동의 위험을 증가시킨다. 술에 취한 사람은 때때로 겁에 질리고 혼란스럽고 극도로 화가 난 것처럼 보일 수 있다. 환자와 주변 사람의 안전을 보장하기 위해 술에 취한 환자에게 접근할 때 주의해야 한다. 권위주의적 접근은 분노와 공격성을 유발할 수 있으므로 가능한 한 피해야 한다.

대상자와 말할 때 환자의 이름을 사용하며 단순한 문장으로 천천히 정확하게 말하도록 한다. 간호사의 접근방식에 있어 혼란스럽거나 너무 진지하게 대하지 않아야 하며, 의학적 용어를 지나치게 사용하지 않도록 한다. 환자의 말에 반박하거나 복잡한 추론을 시도하지 않는다.

알코올 및 기타 약물에 대한 급성 중독과 관련된 심각한 의학적 위험(예 급성 알코올에 취한 상태에서 구

박스 13.2 물질중독 유형

물질중독은 다음 네 가지 기준을 충족해야 한다.

A–물질의 최근 섭취

B–물질의 섭취 중 또는 섭취 직후에 발생하는 임상적으로 심각한 문제가 있는 행동 및 심리적 변화(예 부적절한 성적 또는 공격적 행동, 기분의 과장된 변화 또는 판단력 장애 등)

C–섭취 중 또는 섭취 직후 다음 징후 또는 증상 중 하나 이상이 발생하는 경우:

- 분명하지 않은 말투
- 협조
- 불안정한 보행
- 안진
- 주의력 또는 기억력 장애
- 혼미 또는 혼수상태

D–위의 징후 또는 증상은 다른 의학적 상태로 인한 것이 아니며 다른 정신장애 또는 다른 물질중독으로 잘 설명되지 않는 경우

출처: American Psychiatric Association, 2013

박스 13.3 중독 환자 관리의 일반적 기준

- 기도유지가 우선이다.
- 혼란, 지남력 상실 또는 졸음을 나타내는 환자는 달리 확인될 때까지 두부 외상으로 치료해야 한다.
- 만취 환자는 중독 수준이 낮아질 때까지 계속 관찰해야 한다.
- 철저한 신체 및 의식 수준/정신상태 검사는 음주 수준을 평가하는 데 도움이 된다.
- 술에 취한 것처럼 보이는 환자는 다른 질환으로 인해 고통받을 수 있으므로 혈중 약물 수치가 낮아도 중독의 상태가 나아지지 않으면 환자의 상태에 대한 다른 가능한 원인을 평가해야 한다.
- 만취한 사람이 걷지 못하거나 의자에서 일어서지 못하는 경우 면밀히 모니터링한다.
- 술 취한 환자 역시 존중받아야 한다. 천천히 그리고 간단하게 환자에게 이야기하고, 가능한 한 자극이 없는 환경에서 치료해야 하며, 낙상과 같은 추가 피해 위험을 줄이기 위해 명확한 정보를 제공한다.
- 환자의 금단 여부를 지속적으로 평가해야 한다. 알코올 금단 증상은 혈중 알코올 농도가 0이 되기 전에 나타날 수 있다.
- 복수 및 동시 약물사용이 점차 보편화되고 있으며, 여러 제제 및 후속 상호작용의 효과를 고려하는 것이 중요하다.
- 발작이 있는 모든 환자는 알코올 금단, 벤조디아제핀 금단 또는 각성제 중독 및 기타 가능한 원인에 대해 평가해야 한다. 발작은 시설의 규정에 따라 치료해야 하며 환자는 글래스고 혼수척도(Glasgow Coma Scale) 점수를 사용하여 발작 후 최소 4시간 동안 관찰해야 한다(표 11.12).

출처: New South Wales (NSW) Department of Health, 2008

토에 따른 흡인)을 고려해야 한다(**박스 13.2**). 정신상태의 급성 변화에 대한 다른 연결된 원인도 고려해야 한다(예 급성 섬망의 존재). 기도 관리는 의식이 없는 환자에서 중요하다(**박스 13.3**). 중추신경계 억제제에 급성으로 중독된 경우 진정제(예 벤조디아제핀) 사용에 주의를 기울여야 한다.

● 금단

금단의 징후와 증상은 중독물질의 종류에 따라 다르다. 그러나 일반적으로 술에 취한 상태와는 반대로 나타난다. 예를 들어, 많은 헤로인 사용자는 만성 변비를 경험하지만 아편유사제 금단의 첫 징후 중 하나는 설사이다. 약물 사용량과 기간은 경험한 증상과 금단증상의 심각성 측면에서 금단 과정에 영향을 미친다(**박스 13.4, 표 13.5**). 금단은 심각하고 잠재적으로 생명을 위협하는 합병증을 유발할 수 있으므로 면밀한 모니터링이 필요하다.

금단의 치료는 다양한 상황에서 발생할 수 있으며, 종종 환자의 선호도에 따라 결정된다. 금단을 치

박스 13.4 금단의 진단기준

금단의 본질적인 특징은 물질에 대한 특정 행동, 심리적·인지적 변화의 범위가 광범위해서 물질의 중단 또는 장기적 물질사용의 급격한 감소이다. 구체적으로 다음 네 가지 기준을 충족해야 한다.

A–과다한 장기간 사용의 중단(또는 축소)

B–다음 중 두 가지(또는 그 이상) 물질 중단(또는 감소) 후 몇 시간에서 며칠 내 발생:
- 자율신경 과잉행동(예 발한 또는 심장 두근거림, 맥박이 100bpm 이상)
- 불면증(수면 문제)
- 손떨림 증가
- 오심 또는 구토
- 정신운동적 동요
- 불안
- 발작(일반적으로 일반화된 강직성–간대성 발작–리드미컬한 경련운동, 특히 팔다리)
- 일시적인 시각, 촉각 또는 청각 환각 또는 환상, 환청

C–기준 B의 징후 또는 증상은 사회적·직업적 또는 기타 중요한 기능영역에서 임상적으로 심각한 고통과 손상을 유발

D–이러한 증상은 다른 의학적 상태로 인한 것이 아니며 다른 물질에 대한 중독이나 금단현상을 비롯한 다른 정신장애로 설명되지 않는 경우

표 13.5 알코올 및 기타 약물 금단증후군의 주요 특징

약물	유사 영향	예시	임상적 특징
알코올	24시간 이내 최대 48시간 이내 [혈중 알코올 농도(BAC), 마지막 음주 후 시간 및 신경 적응 수준에 따라 다름]	3~7일(중증 금단 시 최대 14시간)	불안, 초조, 발한, 떨림, 메스꺼움, 구토, 복부경련, 설사, 갈망, 불면증, 혈압 · 심박수 · 체온 상승, 두통, 발작, 착란, 지각 왜곡, 방향감각 상실, 환각, 발작, 진전 섬망, 부정맥 및 베르니케 뇌병증
니코틴	마지막 사용 후 4~12시간	2~7일에 최고조에 달하고 2~4주 동안 약화됨	과민성, 분노, 불안, 슬픔, 안절부절못함, 수면장애, 배고픔 증가, 인후통, 두통 및 집중 곤란
카나비/대마초	마지막 사용 후 1~2일	급성기: 2~6일, 2~3주 후 가라앉음 몇 달 동안 지속될 수 있음	분노, 공격성, 과민성, 불안, 신경과민, 식욕 감소 또는 체중 감소, 안절부절못함, 수면장애, 오한, 우울한 기분, 떨림 및 발한
벤조디아제핀	마지막 사용 후 1~10일(약물의 반감기에 따라 다름)	3~6주(또는 약물의 반감기에 따라 그 이상)	불안, 두통, 불면증, 근육통 연축 및 경련, 메스꺼움, 구토, 설사, 지각 변화, 비현실감, 이인화, 발작, 동요 및 혼란/정신병
아편	헤로인과 모르핀의 금단은 24시간 이내에 시작될 수 있지만 메타돈과 부프레노르핀은 일반적으로 더 늦게 시작(3~5일)	헤로인 금단증상은 일반적으로 빠르게(3일째) 최고조에 달하고 더 심각한 증상과 함께 일주일 이내에 완전히 사라짐 메타돈과 부프레노르핀의 금단증상은 더 오래 지속되며, 급격한 최고조는 감소하고 증상의 지속기간은 길어짐	눈물, 콧물, 재채기 및 발한, 동요, 과민성, 식욕부진, 갈망, 복부경련, 설사, 불안, 과민성, 수면장애, 피로, 관절 및 근육통, 메스꺼움/구토 및 변덕
각성제	위기 단계: 마지막 사용 후 몇 시간 이내 금단: 마지막 사용 후 1~4일	2~4일 급성기: 7~10일 아급성기: 추가 2~4주	갈망, 불쾌감, 무쾌감증, 식욕 증가, 피로, 초조, 불안, 수면 증가, 생생하고 불쾌한 꿈 및 움직임 둔화
케타민	마지막 사용 후 24시간 이내	4~6일	갈망, 식욕 감소 또는 체중 감소, 피로, 오한, 발한, 안절부절못함, 떨림, 수면장애, 불안, 우울증 및 불규칙하거나 빠른 심장박동
GHB	마지막 사용 후 12시간 이내	최대 15일	혼란, 동요, 불안, 우울증, 편집증, 환각, 수면장애, 경련, 떨림, 발한 및 빠른 심장박동

출처: Manning, V., et al., 2018

료할 수 있는 세 가지 환경이 있다. 주거지 금단치료('디톡스'), 병원 입원환자의 의료적 해독 또는 외래환자로서 비거주 가정 기반 금단치료이다.

알코올 금단

알코올 관련 금단증상의 중증도는 경증에서 중증까지 연속적으로 나타난다. 금단증상은 마지막 음주 후 6~24시간 사이에 시작되며, 36~72시간 사이에 최고조에 달한다. 금단증상은 일반적으로 5~7일 후에 해결된다(그림 13.1). 다른 의학적 상태 및 복합 물질사용장애의 존재는 금단증후군의 시간 경과 및 중증도를 변화시킬 수 있다.

평가척도는 금단증상의 심각성과 치료에 대한 반응을 평가하는 데 도움이 될 수 있다. 사용 가능한 평가척도에는 알코올 금단척도(AWS) 및 개정된 알코올 금단사정(Withdrawal Assessment for Alcohol (Revised),

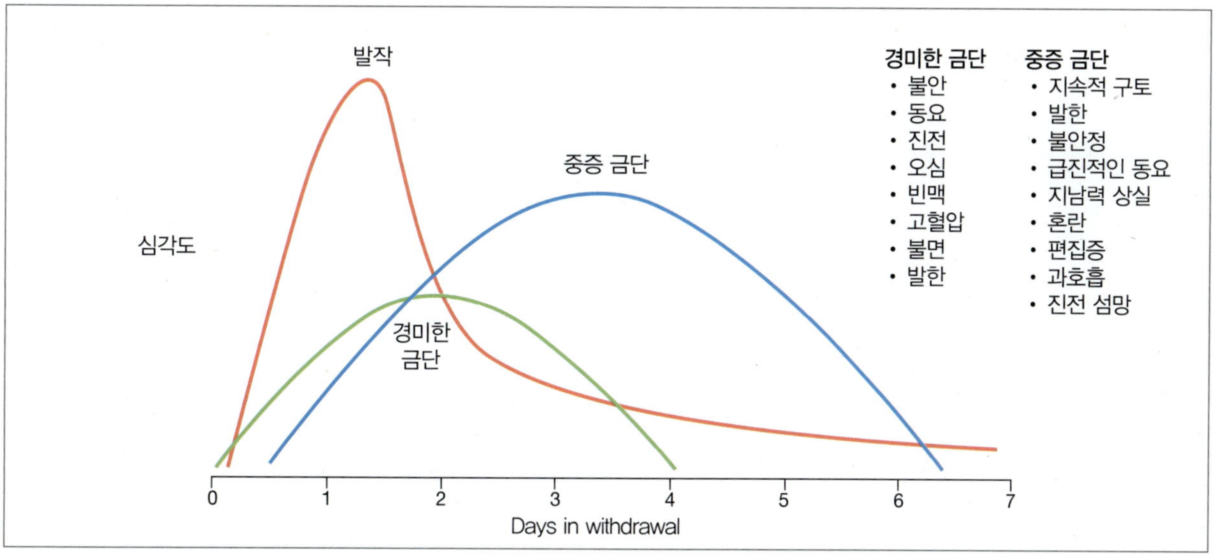

그림 13.1 알코올 금단의 진행 단계 및 증상

출처: New South Wales (NSW) Department of Health, 2008

CIWA-Ar)이 있다. 모든 금단증상이 같은 방식으로 나타나는 것은 아니므로 내담자의 증상에 대한 관찰 및 비판적 판단을 통해 작성해야 하며, 금단척도를 사용할 때는 주의를 기울여야 한다.

알코올 금단증상을 의학적으로 치료하기 위해 일반적으로 벤조디아제핀을 사용한다. 디아제팜은 긴 반감기, 활성 대사산물 및 항경련 특성으로 인해 벤조디아제핀이 가장 일반적으로 사용된다. 옥사제팜과 같은 단기작용 벤조디아제핀은 간기능이 손상된 사람이나 노인에게 사용된다(**표 13.6**).

알코올 금단증상의 중증도를 예측하는 몇 가지 요인이 있다. 하나는 환자가 오랜 기간 규칙적으로 과음한 경우이다. 예로 지난 20년 동안 매일 4L의 와인을 마신 경우이다. 다른 하나는 다른 향정신성 약물, 특히 벤조디아제핀과 같은 중추신경계 억제제를 사용하는 것이다. 또한, 환자가 복잡한 금단증상의 병력(예 진전 섬망 또는 발작)이 있는 경우, 향후 금단증상의 위험성이 커진다.

벤조디아제핀 금단

벤조디아제핀 중단은 사용 기간 및 벤조디아제핀의 약물 반감기에 따라 크게 달라진다. 속효성 벤조디아제핀을 장기간 사용하면 발작 및 섬망의 유사한 위험을 포함하여 알코올과 유사한 복합금단증후군이 발생할 수 있다. 예상되는 금단증상에 대한 요약은 **표 13.7**을 참조한다.

아편유사제 금단

아편유사제 중단으로 인한 금단은 사용되는 물질, 투여경로, 사용기간 및 개인의 건강상태에 따라 다르다. 지속형 아편유사제 진통제(예 메타돈)는 속효성 아편유사제(예 헤로인)와 비교할 때 증상의 발현이 느리고 금단증상은 길다. 처방된 오피오이드(아편)에 대한 약물문제가 있는 경우 전문의의 상담을 받아야 한다.

동반장애가 적고 적절한 수분과 전해질이 공급되는 대상자에게는 헤로인의 사용 중단이 생명을 위협하지 않는다. 그러나 금단 후 재발의 위험은 헤로인 사용자에서 매우 높기 때문에 아편유사 작용제 치

표 13.6 알코올 금단의 치료 및 관리

비의학적 관리	• 알코올 금단척도를 사용한다(환자의 필요와 복잡성에 따라 1~4시간 검토). • 외부 자극(예 방문자, TV의 빛 또는 소음)을 줄인다. • 야간에는 어두운 조명을 사용하여 물리적 환경을 잘못 해석할 위험을 줄인다. • 날짜, 시간, 장소에 대한 정기적인 확신과 방향 전환을 제공한다. • 오리엔테이션 안내문을 서면으로 제공한다(예 칠판에 현재 날짜와 날짜 쓰기). • 증상 및 예상시간 경과에 대한 지속적인 설명을 제공한다. • 환자가 혼란스럽거나 섬망상태일 때 위험(예 낙상)을 고려한다. • 도주 위험이 있는 경우 정기적으로 관찰한다(특히 섬망이 있는 경우).
의학적 관리	• 디아제팜은 동시 중증 간기능장애가 없는 성인을 위한 1차 치료 선택사항이다. • 옥사제팜이나 로라제팜과 같은 단기작용 벤조디아제핀은 노인이나 중증 간기능장애가 있는 사람에게 사용한다. • 24시간마다 최대 120mg이 일반적으로 금단증상을 관리하는 데 충분하다. 복용량이 이를 초과하는 경우 의사와 상담한다. • 디아제팜 용량이 24시간 내에 120mg을 초과하는 경우 다른 기저상태를 고려한다(예 섬망, 저산소증, 베르니케 뇌병증, 패혈증 또는 약물에 대한 역설적 반응). • 디아제팜의 긴 반감기와 활성대사물로 인해 일반적으로 장기간의 용량 감량이 필요하지 않다(환자가 동시에 벤조디아제핀에 의존하지 않는 한). • 디아제팜은 일반적으로 72~96시간 이내에 중단할 수 있다. • 심각한 간질환 또는 기타 동반물질사용장애가 있는 경우 의사(예 중독 치료)와 상의한다. • 알코올 의존성이 있는 사람들은 임상적으로 유의미한 반응을 얻기 위해 평소보다 더 많은 양의 디아제팜이 필요할 수 있다(예 2~4시간마다 디아제팜 20mg). • 과도한 동요, 공격성 또는 환각의 경우 저용량 항정신병약물의 사용을 고려한다(예 올란자핀 2.5~5mg 4/24 prn 또는 할로페리돌 1~2mg PO/IMI 4/24).
기타 의약품	• 티아민 결핍은 장기간의 과음에서 잠재적인 심각한 합병증이다. • 티아민은 처음 3일 동안 300mg을 하루 세 번 비경구적으로 투여한다. 3일 후에는 1일 100mg으로 감량한다. • 베르니케 뇌병증의 병력이 있거나 의심되는 환자의 경우 증상이 해결될 때까지 고용량 티아민(500mg TDS)이 필요하다. • 100~200mg, 하루 2회 정맥 주사가 불가능한 경우 사용할 수 있다. 티아민 주사를 시작하기 전에 응고 결핍을 배제해야 한다. • 과도한 발한이 있는 경우 정맥주사를 이용한다. • 전해질 대체(예 칼슘, 인산염, 마그네슘 및 칼륨), 재투여 증후군의 위험을 고려한다. • 저마그네슘혈증은 알코올 사용장애가 있는 사람들에게 흔하다. 마그네슘이 부족한 사람은 심각하고 복잡한 금단증후군의 위험이 더 큰 것으로 보인다. 마그네슘 결핍 시 티아민 흡수가 감소한다. • 금단증상의 심각성을 줄이는 데 도움이 되는 베타차단제의 사용을 뒷받침하는 몇 가지 근거가 있다. 그러나 베타차단제는 알코올 금단증상을 통해 모니터링되는 증상의 억제 때문에 주의해서 사용해야 한다. • 현재 모범 사례는 입원환자의 금단증상을 관리하는 데 알코올 사용을 지원하지 않는다.

출처: St Vincent's Hospital Melbourne, 2019

료(예 메타돈 또는 부프레노르핀)에 대해 논의해야 한다. 헤로인 관련 금단현상은 마지막 사용 후 6~12시간 후에 시작되어 24~48시간 경에 최고조에 달하고 5~7일 후에 사라진다. 금단증상으로는 콧물, 하품, 발한, 동요, 과민성, 발열, 식욕부진, 근육통 및 관절통증, 메스꺼움/구토 및 갈망이 있다.

대상자는 아편유사 작용제 치료를 고려하도록 권고받는다. 이렇게 하면 금단증상이 빠르게 감소하고 불법 또는 처방되지 않은 아편유사 사용을 장기적으로 줄일 수 있기 때문이다. 증상 치료로 사용할 수

표 13.7 벤조디아제핀 금단 증상

금단의 단계	심리적 증상	신체적 증상
중독	졸음 및 이완	진정 및 각성, 집중력 감소
급성 금단	불안, 공황발작, 우울, 불면, 기억력/집중력 저하, 분노, 과민성 및 지각장애	초조, 떨림, 두통, 쇠약, 현기증, 오심, 구토, 설사, 변비, 두근거림, 피로 및 독감 유사 증상
만성 금단	불안, 우울, 불면, 과민성, 근육통, 안절부절못함, 집중력 저하 및 기억력 장애	설사, 변비 및 팽만감
금단의 잠재적인 합병증	일시적인 환각(시각, 촉각, 청각), 섬망 및 정신증	금단 발작(환자의 1~2%)

표 13.8 부프레노르핀 용량 기준표

날짜	부프레노르핀 용량	권장 하루 총 사용량
1일	금단증상 시 4mg 필요시 밤에 2~4mg을 추가	4mg(최대 8mg)
2일	아침에 4mg 필요시 밤에 2~4mg을 추가	4mg(최대 8mg)
3일	아침에 4mg 필요시 밤에 2mg을 추가	4mg(최대 6mg)
4일	아침에 2mg 필요시 밤에 2mg을 추가	0mg(최대 4mg)
5일	필요시 2mg	0mg(최대 2mg)

있지만 금단증상을 관리하기 위해 여러 가지 다른 약제가 필요하므로 가능한 한 피해야 한다(예 구토에는 메토클로프라미드, 설사에는 로페라미드, 위 및 복부 경련에는 히오신 부틸브로마이드, 근육통 및 통증에는 이부프로펜, 과량에는 클로니딘, 발한, 불안 및 초조에 대한 디아제팜과 같은 벤조디아제핀).

대조적으로 부프레노피린 감량은 아편유사제 작용제 치료를 원하지 않는 대상자를 위한 주요 치료법이다. 부프레노르핀은 금단의 위험이 있으므로 다른 속효성 아편유사제를 마지막으로 사용한 후 최소 12시간 동안 투여해서는 안 된다. 금단증상이 나타나기 시작하면 유연한 접근방식을 채택해야 한다(**표 13.8**).

암페타민 금단

암페타민 사용장애가 있는 대부분의 대상자는 지역사회에서 금단관리를 할 수 있다. 금단증상의 중증도는 암페타민 복용량, 사용기간, 사용빈도, 투여방법 및 기타 약물의 동시 사용에 의해 영향을 받는다.

암페타민 금단은 일반적으로 마지막 사용 후 24시간 후에 시작되어 약 24~72시간에 최고조에 달하고 다음 7~10일 동안 천천히 해결되는 양상을 보인다. 대부분의 암페타민 사용자는 수면 부족 및 기분 불안정성과 같은 장기간의 금단증상을 경험하며 중단 후 최대 3개월까지 지속될 수 있다. 암페타민 관련 금단은 '충돌'로, 급성 금단 및 장기간 금단은 세 가지 뚜렷한 단계로 나눌 수 있다. 충돌 단계는 피로, 짜증, 식욕 증가, 안절부절못함 및 불안이 특징이다.

역사적 일화 13.2: 코카인과 메스암페타민을 약으로 사용

코카인은 고대부터 남아메리카에서 사용되었다(Erythroxylon 코코아 식물의 잎에서 가공). 프로이트(Sigmund Freud)는 항우울제로서의 코카인의 정신 건강상의 이점에 대해 썼고, 결국 마약중독으로 발전했다. 1900년대 초까지 미국에서 큰 인기를 얻었으며 코코아잎 담배와 청량음료 코카콜라를 포함한 많은 인기 있는 제품의 활성 성분으로 사용되었다. 메스암페타민은 강력한 항우울제로 제약회사에서 널리 판매되었다. 제2차 세계대전 중 연합군과 독일군 모두 병사의 침략과 지구력을 향상시키기 위해 사용했다. 아돌프 히틀러는 메스암페타민과 아편에 중독되었다.

자세히 알아보기: Rasmussen, N., 2011. Medical science and the military: the Allies' use of amphetamine during World War II. Journal of Interdisciplinary History, 42(2): 205–33

급성 금단의 증상으로는 강한 갈망, 기분 변동, 수면장애, 무쾌감증, 전반적인 통증 및 두통, 근육 긴장, 집중력 저하 및 혼란스러운 생각 등이 있으며, 여기에는 편집증적 관념 및 환각이 포함될 수 있다.

각성제 금단에 대한 표준지침이나 명확한 대체약물요법은 없다. 치료의 주요 초점은 지지적 관리와 증상 유발 약물 관리이다. 벤조디아제핀(예 디아제팜) 및 항정신성 약물(예 올란자핀)은 종종 암페타민의 급성 금단을 회복하는 데 사용된다.

칸나비노이드/대마초 금단

대마초를 끊는 대부분의 환자는 약리적 치료가 필요하지 않으며 집에서 관리할 수 있다. 그러나 금단증상이 얼마나 심할 것인지에 대한 개인차를 고려하여 금단증상의 중증도를 신중하게 평가해야 한다. 대마초 사용을 갑자기 중단하면 동요, 불안, 과민성, 우울한 기분, 불면증, 생생한 악몽, 식욕부진, 떨림, 발한, 열 또는 오한을 특징으로 하는 명확한 금단증상이 나타난다. 금단증상은 일반적으로 대마초를 마지막으로 사용한 지 24시간 후에 시작되어 2~3일에 최고조에 이르고 7일 후에 사라진다.

간호사 이야기 13.1

약물 및 알코올 분야에서 일하는 궁극적인 '목표'와 '보람'은 환자를 돕고 때때로 혼돈에서 더 행복한 삶을 만드는 장면을 보는 경험이다. 회복 과정에 도움이 되는 정보와 기술을 제공하는 내 역할은 내가 하는 일에 대한 행복감과 성취감을 준다. 내 경험은 아주 작은 단계의 실천을 이야기한다. 아무리 작은 시도라도 축하와 기쁨이 될 수 있다. 간호사는 환자가 해야 할 일을 대신할 수는 없지만 환자를 위해 환자에게 도움을 제공할 수는 있다. 이러한 단계에는 숙련된 기술이 필요하다. 기술은 환자가 변화 동기주기에 있는 위치를 평가하고 회복을 향한 도움을 제공할 수 있는 동시에 모든 사람이 다른 회복목표를 갖고 있고 각 사람의 요구가 고유하다는 것을 인식하는 것에서 시작한다. 이러한 열정은 환자가 혼란에서 벗어나도록 돕기 위해 무언가를 하고 있다는 느낌에서 비롯된다.

단점은 당신이 그들을 위해 대신할 수 없다는 것이고, 중독과 의존과의 투쟁은 힘들고 외로운 것이다. 대상자가 목표를 포기할 때, 중독의 문제는 오랜 시간 동안 발전해 왔으며 해결하는 데도 오랜 시간이 걸릴 것이고, 한 걸음 물러서는 것이 게임의 끝이 아니라 단지 한 걸음 물러서는 것일 뿐임을 상기시킨다.

간호사 이야기 13.2

직장은 물론 회식자리에서도 정기적으로 받는 질문으로 '왜 마약 중독자와 일하고 싶은가?'라는 질문이다.

나는 15년 동안 마약과 알코올 분야에서 간호를 해왔다. 그리고 일을 즐겨하고 있다.

경력 초기에 배운 기술은 환자에게 보답할 것이라는 기대를 가지고 정직하고 공개적으로 환자를 치료에 참여시키는 것이었다. 나는 마약과 알코올 의존의 복잡한 단계에 개입하게 되어 건강과 사회적 필요에 대한 해결책을 제시할 수 있는 기회를 갖게 된 것을 큰 특권으로 생각한다. 환자의 첫 번째 문제뿐만 아니라 전체론적으로 환자와 작업하는 영역은 매우 크다.

나는 간호사로서 간호사가 의료서비스를 받을 자격이 있는 사람을 판단할 수 있는 위치에 있지 않다는 강한 믿음을 갖고 있다. 내 동료 중 일부는 약물의존 대상자를 거의 존중하지 않고 이해하려 하지 않는다. 내 직업의 일부는 이러한 믿음에 도전하고, 두려움을 해소하고, 대상자가 차별 없는 의료서비스를 받을 수 있도록 교육하고 지원하는 것이다.

약물 및 알코올 간호와 함께 제공되는 귀중한 보석 중 하나는 서로를 돌볼 줄 아는 사람들로 구성된 팀과 함께 일하는 것이다. 유머감각을 갖고 와인 한 병과 많은 웃음을 나눌 수 있는 동료가 있다는 것은 삶의 균형을 유지하고 환상적인 경력을 즐길 수 있는 능력을 유지하게 해준다.

증상 치료에는 지속성 벤조디아제핀(예 디아제팜), 비스테로이드성 소염제(예 파라세타몰) 및 항구토제(예 메토클로프라미드)를 사용한다. 지지요법과 이완기술은 칸나비노이드 금단현상을 겪고 있는 환자에게 유용한 것으로 밝혀졌다.

니코틴 금단

니코틴 금단은 의료서비스가 필요할 수 있으므로 신중하게 평가해야 한다. 파거스트롬(Fagerstrom) 니코틴 의존도척도(**표 13.9**)를 사용하여 치료계획과 적절한 니코틴 대체요법(NRT)을 시작할 수 있다. 금단은 담배를 중단하거나 줄인 후 24시간 이내에 시작된다. 증상에는 짜증, 좌절, 불안, 집중력 저하, 안절부절못함, 식욕 증가, 우울한 기분, 기분 불안정 및 불면증 등이 있다. 니코틴 금단의 주요 치료법은 NRT(예 니코틴 패치 또는 로젠지)이다(**표 11.10**). 많은 형태의 NRT는 간호사가 시작할 수 있으며 기관마다 다소 차이가 있다.

표 13.9 니코틴 의존에 대한 테스트

질문	답변	점수
1. 일어나자마자 첫 담배를 피우십니까?	5분 내	3
	6~30분	2
	31~60분	1
	60분 후	0
2. 금연구역에서 금연이 어려우십니까?	예	1
	아니요	0
3. 가장 쉽게 포기할 수 있는 담배는 무엇입니까?	아침 첫 담배	1
	기타	0
4. 하루에 담배를 몇 개비 피우십니까?	10개비 미만	0
	11~20	1
	21~30	2
	31개비 이상	3
5. 하루 중 나머지 시간보다 기상 후 첫 몇 시간 동안 담배를 더 자주 피우십니까?	예	1
	아니요	0
6. 몸이 너무 아파서 하루 종일 침대에 누워 있는 경우에도 담배를 피우십니까?	예	1
	아니요	0
높은 의존도: 5> 중등도 의존도: 2~4 낮은 의존도: 1 의존하지 않음: 0		

표 13.10 니코틴 대체요법 투여지침

NRT제제	권장 사용량
패치 24시간: 21mg, 14mg, 7mg 16시간: 25mg, 15mg, 10mg	하루에 10개비 이상의 담배를 피우는 경우 최대 강도로 시작
구강 스프레이 스프레이당 1mg	30~60분마다 1~2회 스프레이, 시간당 최대 4회 또는 하루에 64회 스프레이
사탕 2mg, 4mg	2mg 및 4mg: 9~15/일(첫 담배를 피우는 시간이 30분 미만인 경우 4mg)
미니 사탕 1.5mg, 4mg	1.5mg: 9~20/일 4mg: 9~15/일(첫 담배를 피우는 시간이 30분 미만인 경우 4mg 사용)
껌 2mg, 4mg	2mg: 8~20/일 4mg 4~10/일(첫 담배를 피우는 시간이 30분 미만인 경우 4mg 사용)
흡입기 카트리지당 15mg	3~6카트리지/일
NRT는 심각하거나 활동성인 심혈관질환이 있거나 니코틴에 민감한 사람들에게 1차 치료제로 금기	

신체건강 및 물질사용장애

우리나라에서는 국립암센터와 건강증진개발원에서 알코올 관련 질병이나 부상으로 인한 위험을 줄이기 위해 남성과 여성이 하루에 알코올을 20g(2잔) 이하로 섭취할 것을 권장한다. 또한 폭음 또는 위험한 음주를 줄이기 위해 남성과 여성이 어떤 경우에도 4잔 이상의 술을 마시지 않도록 권장하고 있다. WHO(2018)는 알코올 사용이 200가지 이상의 다양한 질병과 관련이 있다고 추정한다(**표 13.11**).

평가 영역

물질사용장애는 다양한 의료 분야에서 발생할 수 있다. 특정 평가 도구와 기준은 물질사용에 대한 정확한 기록을 얻는 데 도움이 된다. 적절한 관리전략이 실행될 수 있도록 알코올 및 약물 사용 진단을 주의 깊게 유도하는 것이 중요하다. 많은 물질사용 문제가 잘못 진단되거나 인식되지 않고 남아 있어 심각한 결과를 초래할 수 있다.

프레젠테이션 및 설정

평가 과정은 프레젠테이션의 성격과 설정에 따라 다르다. 환경에 대한 세심한 고려가 이루어져야 한다. 이는 평가 과정 및 관계 형성에 도움이 된다.

물질사용 병력/과거력

환자의 물질사용(처방 및 비처방)을 사정하여 물질사용 수준이 해로운지 또는 금단증상이 임박한지를 판단한다. 최근 물질사용 이력은 사용된 물질의 유형, 사용 수준, 사용 빈도 및 금단 상태가 발생할 수 있는지 여부를 결정하여 적절한 치료 계획이 이루어지도록 한다. 이러한 정보는 물질사용을 시작하게 하는 촉진요인, 재발 위험을 식별하고 위험성을 낮추기 위한 전략을 수립하는 데 중요하다. 환자가 물질을 처음 사용한 연령, 시간이 지남에 따라 사용이 어떻게 변화했는지, 환자의 물질사용이 문제가 된 시기, 금욕기간, 기타 변화가 있었던 시기를 식별하기 위해 사용 패턴, 발달 및 가족력을 문서화해야 한다.

물질사용에 대해 질문할 때 주제에 열린 방식으로 접근하고 물질사용 경험을 수용하는 태도로 시작한다. 계획에 따라 평가해야 하며, 기존에 가지고 있는 판단이 대상자의 평가에 영향을 미치는지 고려한다.

표 13.11 물질사용장애의 신체건강 결과

물질	급성	만성
알코올 (Alcohol)	• 현기증 • 나쁜 판단 • 조정상실 • 기억상실 • 구토 • 두통 • 우발적 부상(예 도로 사고, 낙상) • 자해/타해 • 알코올 중독/과용(사망으로 이어질 수 있음)	• 집중력 저하 • 단기 및 장기 기억장애 • 뇌졸중 위험 증가 • 알코올 관련 뇌손상 • 알코올 관련 치매 • 알코올 관련 정신병 • 고혈압 • 빈맥 • 심근병증 • 급성 심근경색의 위험 증가 • 간경화 • 간암 • 지방간 • 위궤양 • 위암과 식도암 • 식도정맥류 • 위식도 역류질환 • 위염 • 췌장염(급성 및 만성) • 남성의 테스토스테론, 정자 수 및 전반적인 생식력 감소 • 여성의 월경 변화 • 태아알코올스펙트럼장애
카나비/대마초 (Cannabis)	• 단기효과는 개인의 이전 경험과 환경에 크게 영향을 받음 • 단기적 행복감, 집중력 저하, 정신운동 지체, 동기부여, 불안 • 자동차 사고의 위험 증가 • 정신병적 질병의 재발위험 증가 • 식욕 증가, 구토 • 눈의 충혈, 안압 감소 • 마른 입	• 학습장애, 집중력장애, 신경인지장애, 기저 정신병 악화, 불면증 • 식욕부진 • 심혈관질환 • 호흡기질환(투여 기전과 관련됨)
암페타민 (Amphet-amines)	• 동공 확장, 두통, 이갈이 • 과호흡, 호흡곤란, 기침, 흉통, 천명, 천식 악화, 폐부종 • 빈맥, 고혈압, 심계항진, 부정맥, 급성 심근경색증/심인성 쇼크 • 초조, 정신병, 떨림, 반사과다, 근육경련, 발작, 뇌출혈, 뇌부종 • 메스꺼움, 구토, 장경색/천공 • 이뇨, 급성 신부전 • 미열, 전반적인 체온 상승, 악성 고열 • 증가된 감각 예민, 증가된 에너지, 증가된 동기부여, 증가된 집중력, 감소된 반응시간 • 성병의 위험 증가 • 암페타민 과다복용 • 급성 정신병 • 횡문근 융해증	• 불안, 혼란, 불면증, 기분 불안정, 공격성 • 만성 정신병 및 기분장애 • 의사결정장애, 기억력 감퇴, 집중력 저하 • 체중 감소, 심한 충치, 피부 변색 및 궤양 • 확장성 심근병증 • 심혈관질환 • 만성 폐쇄성 폐질환 및 천식 악화(투여 기전과 관련됨) • 주사로 투여하는 사람들의 혈액 매개 바이러스(예 C형 간염 및 HIV)의 위험 증가

표 13.11 물질사용장애의 신체건강 결과(계속)

물질	급성	만성
아편 (Opioids)	• 다행감(유포리아), '러시' • 따뜻한 홍조, 구강 건조, 사지의 무거움 • 메스꺼움, 구토, 변비 • 서맥, 저혈압 • 아편유사제 독성/과용량	• 100mg 모르핀 등가물을 초과하는 용량으로 시간이 지남에 따라 사망위험 증가 • 시상하부-뇌하수체-부신축 억제 • 수면무호흡증 • 아편유사제 유발 통각과민 • 변비 • 면역 억제 • QT 간격 연장(특히 장기간 메타돈 치료 시) • 주사를 맞는 사람들의 혈액 매개 바이러스(예 C형 간염 및 HIV)의 위험 증가
환각제 (Hallucinogens)	• 빈맥, 고혈압 • 불면증, 떨림, 협응 불량, 정신운동 지체 • 드문드문 또는 일관성 없는 말 • 호흡억제 • 심장마비 • 급성 정신병, 불안, 우울증, 폭력, 혼란, 통제력 상실, 혼수, 방향감각 상실	• 환각제의 장기 사용자가 거의 없기 때문에 상대적으로 알려지지 않음 • 불안, 회상 및 악몽 또는 '나쁜 여행(bad trip)'
니코틴/담배 (Nicotine/ tobacco)	• 빈맥 • 고혈압 • 현기증 • 위장관의 활동 증가 • 메스꺼움 • 구토 • 식욕 감소 • 맛의 변화 • 기침 • 천식 악화 • 근긴장도 감소 • 일부 이완효과 • 뇌졸중 • 심혈관질환 • 혈관 협착 • 지속적인 빈맥	• 뇌졸중 • 색전증 • 심부정맥 혈전증 • 만성 폐쇄성 폐질환(폐기종 및 만성 기관지염) • 폐암 • 천식의 악화 • 암(방광, 혈액, 자궁경부, 결장 및 직장, 식도, 신장 및 요관, 후두, 간, 구강인두, 췌장, 위, 기관 및 기관지) • 조산 • 사산 • 저체중 출생 • 영아돌연사증후군 • 자궁외임신 • 유아의 구순구개열 • 유산 • 남성 생식력 감소 • 골밀도 감소 • 잇몸질환 • 치아 손실 위험 증가 • 백내장 위험 증가 • 노화로 인한 황반변성 • 제2형 당뇨병 • 류마티스 관절염 • 면역기능 저하

출처: Cancer Council, 2018; Centre for Disease Control and Prevention, 2018; Government of South Australia, 2019; Karila, L., et al.; Lawn, W., et al.; National Institute on Drug Abuse, 2019; Substance Abuse and Mental Health Services Administration (SAMSHA), 2004; World Health Organization (WHO), 2018a

불법 약물사용에 대해 질문하기 전 사회적으로 허용되는 물질(예 알코올, 담배 및 처방약)에 대해 먼저 질문한다. 이렇게 하면 평가 전반에 걸쳐 친밀감을 형성하는 데 도움이 된다.

물질사용 평가에서는 다음 영역을 다루는 것이 필수적이다. 개별 의료서비스는 이러한 각 요소를 다루는 표준 물질사용 평가양식을 사용할 수 있다. 모든 환자에 대한 체계적인 평가에는 다음 사항에 대한 철저한 사정이 포함되어야 한다.

- 위험지표(예 음주운전 이력, 의식상실 이력, 과다복용 이력)
- 병력(특히 만성 알코올 사용으로 인한 췌장염, C형 간염, HIV 또는 주사약물 사용과 관련된 감염성 심내막염과 같은 물질사용과 관련된 모든 의학적 문제의 이력)
- 정신사회적 문제(예 주택, 사회적 관계, 가정폭력)
- 신체적 징후 및 증상(예 알코올 사용과 관련된 복수 또는 cubital fossa 영역 이외의 광범위한 정맥주사 부위)
- 정신건강 상태
- 병리 결과

단일 징후, 증상 또는 병리 검사는 알코올 또는 약물 관련 문제의 결정적 증거가 아니다.

평가의 핵심요인

평가 과정의 일부로 다음 핵심요인을 명확히 탐색해야 한다.

박스 13.5 정확한 물질사용 병력을 청취하는 데 도움이 되는 전략

- 대상자의 병력을 청취하는 공간이나 환경이 최대한 조용하고 개인정보 보호가 가능한 곳인지 확인한다.
- 완전한 사생활 보장이 어려운 경우 조용히 이야기하며 공개 토론을 장려한다.
- 대상자와 면담할 때 들은 내용에 불일치가 있는지 확인한다.
- 대상자가 화를 내거나 괴로워하면서 질문에 대답하지 않는 경우 시간이 지난 후 다시 질문한다. 대상자가 자신이 대화를 주도하고 있음을 인지하고 대화하기 불편한 주제가 있는 경우 해당 주제에 대해 논의하지 않을 것임을 확인시켜 준다.
- 대상자의 친구나 가족에게서 물질사용 이력을 파악할 수 있다. 그러나 현재 물질사용 패턴이 정확하게 반영되지 않을 수 있으므로 주의한다.
- 질문을 하는 방법이 중요하다. 대상자는 권장 수준을 초과하여 술을 마실 수 있으며 문제로 보이지 않을 수 있다. 대상자를 판단하지 않는 태도를 유지하는 것이 중요하다.
- 대상자는 수량을 보다 정확하게 설명하기 위해 얼마나 많은 양을 사용하고 있는지 과장해서 말하는 경향이 있다. 따라서 얼마나 담배를 피우고 있는지 질문하기 보다 '하루에 약 25~30개비의 담배를 피우고 있습니까?'라고 질문한다.
- 불법물질사용은 의료제공자에게 다양한 감정을 불러일으킬 수 있다. 물질사용은 도덕적 문제가 아니라 건강 문제라는 것을 기억하는 것이 중요하다. 불법물질을 사용하는 환자가 있을 수 있지만 주요 관심사는 사용에 대한 법적 측면이 아닌 대상자의 건강임을 잊지 않도록 한다.
- 수용을 유도하는 질문으로 '당신이 가장 좋아하는 음료는 무엇입니까?' 또는 '당신은 현재 무엇을 마시고 싶습니까?'라고 질문한다.
- 대상자가 술을 마시거나 물질을 사용한다고 가정하는 질문의 예로 '그럼 한 달에 대마초를 얼마나 피우는 것인가요?' 또는 '마지막으로 술을 마셨을 때 흥겨웠거나 취하기까지 했던 때가 언제였습니까?'라고 질문한다.
- 개방형 질문, 요약 및 검증 진술을 사용하여 대상자의 말을 정리하고 질문한다. 예를 들어 '과거에 헤로인을 어떻게 시작했고, 2년 동안 어떻게 끊게 되었는지 이야기했습니다. 오랜 시간 깨끗한 상태를 유지한 자신을 자랑스럽게 생각해야 합니다. 2년이란 시간 동안 무엇을 했는지 이야기해 주세요.'

- 약물 유형(사용 중인 물질이나 약물을 부르는 용어에 익숙하지 않은 경우 환자에게 자세히 설명하도록 요청)
- 대상자가 일반적으로 소비하는 음료의 유형(알코올의 경우 하루에 5L 와인 한 병 또는 375mL의 맥주 12병을 마시는 것과 같이 어떤 종류의 알코올을 소비하고 얼마만큼의 양을 구매하는지 구별하는 것이 중요)
- 관리경로
- 사용빈도
- 복용량(구어적인 용어로 인해 금액이 확실하지 않은 경우 환자에게 물질을 구매하는 양과 지속기간을 설명하거나 복용과정에 대해 자세히 설명하도록 요청)
- 사용 기간
- 마지막 투여 시간 및 양[예 메타돈(mg), 대마초(g)].

참고: 한 번에 두 가지 이상의 약물을 사용하고 있는지 물어보고 각 물질을 별도로 기록하는 것이 중요하다. 복합 물질의 사용은 복잡한 금단의 위험과 건강에 부정적인 영향을 크게 증가시킬 수 있다. 어떤 사람은 모르는 사람과 약물사용에 대해 이야기하는 것이 어려울 수 있다. 그 후 관계를 발전시키는 것이 우선순위이다(박스 13.5).

관찰

개인의 신체적 · 정신적 상태를 평가하면 알코올 냄새나 객관적인 금단증상과 같은 최근 약물사용의 증거가 드러날 수 있다. 일정 기간 동안 물질을 오용한 사람은 전반적인 기능이 저하될 수 있으며, 이는 건강상태의 저하와 열악한 위생으로 입증될 수 있다. 평가에는 다음이 포함되어야 한다.

- 일반적인 외모를 평가한다. 영양실조의 증거(수척해 보이는 사람)와 또는 물질 금단을 나타낼 수 있는 동요의 징후를 찾는다. 정기적으로 약물을 주사하는 사람은 더운 날씨에도 주삿자국을 은폐하기 위해 긴팔과 긴바지를 입는 경우가 많다(박스 13.6).
- 실조증(근육 운동의 협응력 부족), 혼란스러운 생각, 논쟁 또는 숨쉴 때 알코올 냄새와 같은 중독의 징후를 찾는다.
- 특히 손과 얼굴에서 떨림, 발한과 같은 금단의 징후를 살펴본다. 자가보고된 증상보다 금단의 객관적인 징후를 고려한다(예 양측 떨림, 발한 및 빈맥 VS 환자가 아프다고 보고함)
- 주사부위 농양(박스 13.6), 코카인 흡입으로 인한 비중격 염증, 수술과 관련 없는 타박상 및 흉터와 같은 증거가 있는지 확인한다. 이는 약물 및 알코올의 영향을 받는 동안 사고가 있었음을 나타낼 수 있다.
- 최근 약물사용을 나타낼 수 있는 맥박, 혈압 및 머리 부상의 증거를 조사한다.

박스 13.6 정맥주사를 통한 약물사용 징후

- 주삿바늘 자국
- 봉와직염/연조직염
- 정맥염
- 피부 농양
- 콧구멍/중격 주변의 미란 또는 자극
- 입이나 코 주변의 자극
- 압통 또는 간 통증

글래스고 혼수척도(Glasgow Coma Scale)는 초기 및 후속 평가를 위해 사람의 의식상태를 기록하는 신뢰할 수 있는 객관적인 방법을 제공하는 신경학적 척도이며, 의료 및 외상 환자, 특히 술에 취한 대상자의 경우 사용할 수 있다(표 11.12).

표 13.12 글래스고 혼수척도(Glasgow Coma Scale)

눈 뜨기 기능	자발적으로 눈을 뜸	4
	불렀을 때 눈을 뜸	3
	통증 자극을 주면 눈을 뜸	2
	눈을 전혀 뜨지 못함	1
언어기능	지남력과 대화력 모두 적절함	5
	혼돈스럽고 하나 이상의 지남력 상실	4
	비조직적인 단어 사용	3
	이해할 수 없는 말소리를 냄	2
	소리를 전혀 내지 못함	1
운동기능	구두 명령에 반응함	6
	명령에 반응은 못하고 통증 자극에 반응함	5
	통증 자극을 주면 몸을 구부림	4
	이상굴곡 반응이 있음	3
	이상신전 반응이 있음	2
	전혀 반응이 없음	1
총점	3/15–15/15	

비판적 사고 과제 13.1

1. 환자의 약물 남용 가능성을 평가할 때 다음 중 간호사에게 알코올 중독에 대해 경고하는 단서는 무엇인가?
   A. 동공 수축
   B. 불안정한 보행(운동실조)
   C. 욕설
   D. 호흡에서 강한 알코올 냄새

2. 다음 중 간호사에게 아편제 사용 가능성을 경고하는 단서는 무엇인가?
   A. 떨림 및 발한
   B. 매우 더운 날 긴팔과 긴바지를 입음
   C. 집중할 수 없음
   D. 충혈된 눈

검사/평가

정신상태 평가

정신상태 평가는 필수적이며, 다음 사항에 주의하며 수행한다.

- 의식 수준 저하
- 지각 이상, 특히 환시, 환청, 환후, 환촉(예 곤충이 피부 아래로 기어가고 있다고 믿는 경우–지각장애에 대한 반응의 증거를 찾는다(예 주의가 산만해 보이는가? 보이지 않는 자극을 느끼는가? 주변에 아무도 없는가?)
- 이상한 사고, 특히 편집증적 관념 및 환자가 자신을 표현하는 방식의 변화(예 말이 통하는가? 생각을 의미 있는 문장으로 만들기 위해 고군분투하고 있는가?)
- 자살 생각
- 인지 변화

임상검사

임상검사는 물질 오용의 증거를 확보할 수 있다. 평균 체적 및 감마 글루타밀 트랜스퍼라제와 같은 생리적 지표는 물질사용의 진단을 확인하는 데 가장 널리 사용된다. 진행성 간부전은 효소 생산에 상당한 영향을 미칠 수 있다. 이러한 지표의 변화에 영향을 주는 다른 요인들도 고려해야 한다. 병력을 제공할 수 없는 환자의 경우 혈중 알코올 농도 및 소변 약물검사(가스 크로마토그래피/질량 분석 포함)를 고려한다.

소변 약물검사에는 항상 위양성 및 위음성의 위험이 있으므로 추정 선별검사는 항상 주의해서 해석해야 한다.

박스 13.7 알코올 사용장애 선별검사(AUDIT) 선별도구 AUDIT-K

다음의 문항에 해당되는 곳에 표시하시오.

1. 얼마나 자주 술을 마십니까?
   - 안 마심
   - 한 달에 한 번 또는 그 이하
   - 한 달에 2~4번
   - 일주일에 2~3번
   - 일주일에 4번 이상

2. 술을 마시는 날은 한 번에 몇 잔 정도 마십니까?
   - 1 또는 2잔
   - 3 또는 4잔
   - 5 또는 6잔
   - 7~9잔
   - 10잔 이상

3. 한 번 착석해서 소주 1병 또는 맥주 4병 이상 마시는 경우는 얼마나 자주 있습니까?
   - 안 마심
   - 월 1회 미만
   - 매월
   - 매주
   - 매일 또는 거의 매일

4. 한 번 술을 마시기 시작하면 멈출 수 없었던 때가 1년 동안 얼마나 자주 있었습니까?
   - 안 마심
   - 월 1회 미만
   - 매월
   - 매주
   - 매일 또는 거의 매일

5. 지난 1년간 평소 같으면 할 수 있었던 일을 음주 때문에 실패한 적이 얼마나 자주 있었습니까?
   - 안 마심
   - 월 1회 미만
   - 매월
   - 매주
   - 매일 또는 거의 매일

6. 지난 1년간 술 마신 다음날 일어나기 위해 해장술이 필요했던 적은 얼마나 자주 있었습니까?
   - 안 마심
   - 월 1회 미만
   - 매월
   - 매주
   - 매일 또는 거의 매일

7. 지난 1년간 음주 후에 죄책감이 든 적이 얼마나 자주 있었습니까?
   - 안 마심
   - 월 1회 미만
   - 매월
   - 매주
   - 매일 또는 거의 매일

8. 지난 1년간 음주 때문에 전날 밤에 일이 기억나지 않은 적이 얼마나 자주 있었습니까?
   - 안 마심
   - 월 1회 미만
   - 매월
   - 매주
   - 매일 또는 거의 매일

9. 음주로 인해 자신이나 다른 사람이 다친 적이 있습니까?
   - 아니요
   - 예, 하지만 작년에는 없음
   - 예, 작년에

10. 친척이나 친구, 의사가 당신이 술 마시는 것을 걱정하거나 당신에게 술 끊기를 권유한 적이 있었습니까?
    - 아니요
    - 예, 하지만 작년에는 없음
    - 예, 작년에

• 선별검사

선별검사란 일반적으로 자체 보고된 설문지의 형태를 취하고 진단 목적으로 사용된다. 가장 널리 사용되는 선별도구 중 하나는 알코올 사용장애 선별검사(AUDIT)로, 특히 유해하고 위험한 사용과 같은 다양한 음주 문제를 선별하도록 설계되었다. 특히 1차 보건환경에 적합하며, 문화 집단과 특정 인구 범위에 걸쳐 신뢰성이 있다. AUDIT는 10개 항목으로 구성된 자가보고 측정검사이며 항목을 합산하여 점수가 매겨진다(박스 13.7). AUDIT는 공개된 선별도구이며 비용 없이 사용할 수 있다. DUDIT (Drug Use Disorders Identification Test)는 변경된 AUDIT 버전이라고 할 수 있으며 이는 다양한 기타 물질사용 문제를 선별하는 데 사용된다.

널리 사용되는 또 다른 선별도구로 WHO에서 개발한 설문지인 ASSIST (Alcohol, Smoking and Substance Involvement Screening Test)검사가 있다. 이 검사는 성인의 모든 수준의 문제 또는 위험한 물질사용을 선별한다(WHO, 2015).

중재

조기 및 단기 중재

연구에 따르면 초기에 간단한 중재(물질사용의 초기 단계에서 사람들과 대화)가 나중에 가능한 물질사용 합병증을 예방하는 데 효과적인 방법임을 보여준다. 약물사용에 대한 간단한 중재에는 5~15분 세션이 포함되며 종종 팸플릿이나 물질사용일지와 같은 자료 제공이 포함된다. 이는 간단한 평가와 조언 제공(일회성 세션), 대상자의 변화 준비도 평가(동기강화상담), 피해 감소 및 후속 조치로 확장될 수 있다.

단기중재의 구성요소는 다음과 같다.

- 평가
- 대상자에게 물질사용으로 인한 위험이나 장애에 대한 피드백 제공
- 대상자의 우려사항을 경청하고 지속적인 물질사용의 결과에 대해 조언
- 물질사용 감소 또는 중단과 같은 치료목표 정의
- 치료전략에 대한 논의 및 구현(예 물질사용의 유발요인 및 이를 극복하기 위한 전략 식별 및 후속 세션 제공)

물질사용과 관련된 문제가 비교적 적고 의존도가 낮은 대상자에게는 간단한 중재가 권장된다. 니코틴 의존도, 알코올 의존도가 낮거나 중간 정도 또는 대마초 의존도가 낮거나 보통인 대상자에게도 권장된다. 의존성이 심한 대상자에게는 단기중재가 권장되지 않는다. 간단한 중재가 단 한 번의 세션으로 구성되는 경우 물질사용이나 음주를 더 안전한 수준으로 줄이는 방법에 대한 조언을 제공하고, 위해 감소 정보를 제공하고, 위해 감소전략에 대해 논의하는 것을 포함해야 한다.

동기강화상담(동기면담)

초이론적 변화모델(Trans-theoretical Model of Change)을 사용한 동기강화상담(motivational interviewing)은 프로차스카(Prochaska), 디클레멘트(DiClemente) 및 밀러(Miller)가 개발한 중재로 환자와 협력하여 물질사용 수

간호사 이야기 13.3

정신병동에서 일한 25년의 경험을 통해 입원한 거의 모든 사람이 동반 장애의 진단을 받거나 적어도 알코올 및 약물 문제가 있음을 발견했다. 내가 해주고 싶은 말은 걱정하지 말고 환자를 한 명의 사람으로 간호하며 표준치료지침을 따르면 된다는 것이다. 정신 간호사는 약물 남용에 대해 더 자세히 알아볼 책임이 있다. 비록 그 증상을 인식하는 방법과 다른 서비스를 언제 어떻게 참조해야 하는지에 불과하더라도 말이다.

준을 변경하려는 동기를 평가하고 강화한다. 동기강화상담은 가장 널리 사용되는 중재로서 단순한 물질사용장애를 넘어 다양한 중독에도 적용하고 있다. 간호사의 이야기 13.3은 실무에서 동기강화상담의 실제 예를 보여준다(박스 13.8). 동기강화상담은 또한 'OARS'로 축약해 환자를 효과적으로 인터뷰하기 위한 프레임워크를 제공한다.

- O – 개방형 질문
- A – 인정하기. 힘든 일과 환자가 겪을 수 있는 어려움을 인정하는 것이 포함된다.
- R – 반영적 경청. 적극적인 경청은 동기강화상담의 핵심이며 공감, 연민 및 이해를 보여줄 수 있다.
- S – 요약. 요약 설명을 제공하면 이해를 보여주고 혼란스러운 부분을 명확히 하는 데 도움이 된다. 대상자가 간호사가 참여하고 적극적으로 경청하고 있음을 인식하도록 하는 데 도움이 된다.

인지행동치료

인지행동치료(CBT)는 자기파괴적 사고('모든 것이 완벽해야 한다', '나는 항상 잘못된 일을 한다')를 보다 현실적인 생각('모든 것이 완벽해야 하는 것은 아니다. 항상 잘못된 일을 하고 있지 않으며 때때로 좋은 일을 한다', '나는 그렇지 않다')으로 바꾸는 것이다. 자기파괴적인 생각을 보다 현실적인 생각(인지)으로 대체함으로써 결과적으로 감정과 행동이 긍정적으로 변화해야 한다.

인지행동치료는 물질사용 및 외상후스트레스장애

박스 13.8 동기강화상담 내에서의 초이론적 변화 모델

사전 숙고

환자는 스스로 변할 의도가 없으며, 변화의 필요성에 대해 '부정'하고 있다. 간호사는 일관되게 비판단적이고 존중을 유지하면서 문제에 대한 대상자의 인식을 높이기 위해 노력한다. 간호사는 정보와 인식 제고를 동시에 제공한다. 간호사가 이 단계에서 이탈하지 않는 것이 매우 중요하다. 간호사는 대상자가 처음에는 관심을 보이지 않더라도 대상자와 관계를 계속해서 유지하고 알코올 및 약물 등의 물질사용의 위험성에 대한 인식을 높일 필요가 있다. 이 단계에서는 관계 유지가 필수적이다.

묵상/명상

대상자는 자신의 문제를 알고 있지만 변화에 대해서는 여전히 모호한 상태이다. 간호사는 변화의 이익과 손실 대 지속적인 물질사용의 위험 및 이점을 저울질하여 결정적인 균형을 맞추기 위해 노력하는 동안 대상자의 양면성을 인정한다. 변화에 대한 책임은 대상자에게 있다.

준비

환자는 변화하려고 하지만 그렇게 하는 가장 좋은 방법에 대해 혼란스러울 수 있다. 간호사는 현실적인 희망을 불러일으키고 최선의 행동방침을 결정하는 데 도움이 되는 선택을 제공하며 변화 과정을 설명한다. 둘 다 변화를 위한 계획을 세우기 위해 노력한다.

행동/수행

실제 행동 변화가 시작된다. 대상자는 협력적이고 현실적인 계획을 구현한다. 간호사와 대상자는 모두 대상자의 진행상황을 모니터링하고 작은 성공도 강조하고 평가하며 점진적으로 문제를 해결해 나간다.

유지

행동 변화가 이루어졌으며 대상자는 새로운 생활방식을 개발했다. 간호사와 대상자는 재발을 피하기 위해 주의를 기울인다. 현실적인 희망을 가지고 있으며 과장된 기대를 피하도록 한다.

대상자는 이전 단계(예 준비에서 사전 숙고까지)로 돌아가 다시 작업을 수행할 수 있다. 이것은 진행 과정에서 예상된 부분이며 재발 역시 예상해야 한다. 대상자가 어떤 '변화 준비' 단계에 있는지 확인하고 다음 단계로 넘어갈 수 있도록 정보와 지원을 제공하는 것이 원칙이다. 대상자가 무슨 일이 일어나고 있는지 이해한다면 변화할 가능성이 더 크며, 간호사는 대상자가 자신의 경로를 따라 제시하는 저항을 감수하는 것이 필수적이다.

임상사례

48세의 A씨는 20세경 직장생활을 하면서 동료들과 음주행동이 시작되었다. 28세경 혼자 자취를 하게 되면서 외로움에 술을 마시게 되었으며, 한 달 동안 식사도 하지 않은 채 음주하는 행동이 빈번해졌다. 32세경 결혼하였으나 배우자의 신앙 활동을 못마땅해 하면서 갈등이 심해졌고 술을 마셔 직장에 나가지 못한 채 결근하는 날도 많아졌다. 42세경 술 마신 채 길에 쓰러진 상태로 발견되어 알코올 중독을 처음으로 진단받고 병원에 입원하였으나 퇴원 후 다시 음주하는 행동이 지속되어 입원과 퇴원을 반복하는 상태이다. 마지막 퇴원 후 마음이 불안해지고 음주 충동이 강해지는 양상이나 마음만 먹으면 언제든지 술을 마시지 않을 수 있다면서 단주 상태를 유지하지 못하고 거의 식사를 하지 못하는 상태에 2주 만에 체중 감량이 5Kg 가량 보여 배우자에 의해 다시 입원하게 되었다.

증상과 징후

"술을 마시지 않으면 자꾸 불안해져요."
- 알코올 금단증상
  - 초조, 불안, 신체적 손상

간호진단

신체손상의 위험성

간호활동

- 치료적 환경 조성
  - 안정된 병실환경 유지
  - 외부인 접촉제한
  - 수액 공급
  - 지지요법
- 약물치료
  - 벤조디아제핀
  - 금단섬망: Chlordiazepoxide
  - 보조치료: 티아민, 마그네슘, 엽산
- 비약물적 치료
  - 수지침 요법
  - 마사지 요법

결과

- 외상사건에 대한 표현 시 불안이 감소한다.
- 자발적으로 사건에 대해 이야기한다.
- 불안을 느낄 때 호흡법 및 이완요법을 적용한다.

증상과 징후

"언제든지 마음만 먹으면 술은 마시지 않을 수 있어요."
- 비효율적 개인대응, 비생산적인 문제해결 능력

간호진단

비효과적 부정

간호활동

- 인지행동치료
  - 상호협의로 신뢰 관계 수립
  - 사례 개념화: 환자의 인지 행동적 특성 평가와 변화 동기 측정
  - 구조화된 치료: 질병교육, 전략수립, 대처기술 훈련, 문제해결
- 동기증진치료: 대상자 자신의 변화를 위한 책임과 가능성 부여, 지지요법
- 알코올 중독자 자조집단

약물처방

금주 약물치료: Disulfiram, Acamprosate

결과

- 충분한 수면을 취한다.
- 취침 시 명상을 통해 수면을 유도한다.

증상과 징후

"술 주세요. 밥 먹을 생각 없어요."
- 검사결과 영양 부족 소견
  - 저제중, 건조한 피부

간호진단

영양 불균형

간호활동

- 섭취량과 배설량, 체중을 매일 측정한다.
- 간 기능 손상 여부와 단백질 섭취를 확인한다.
- 영양과 협진 또는 영양 자문을 구한다.
- 소량씩 자주, 자극적이지 않은 음식을 제공한다.
- 영양분 섭취를 구강으로 섭취하도록 돕는다.

결과

- 의미 있는 사람들과 만족스러운 관계를 회복한다.
- 적절한 직업 및 사회활동을 수행한다.
- 유사한 경험을 한 사람들의 모임에 참석한다.

그림 13.2 물질중독 대상자를 위한 간호계획 개념지도

및 우울증을 포함한 기타 동시 발생 상태/질환에 효과적일 수 있다. 동기강화상담과 인지행동치료는 마약 및 알코올 분야에서 중요한 상담 접근방식 중 하나이다.

해독

해독은 물질사용장애가 있는 대상자를 위한 치료의 첫 번째 단계이다. 대상자는 금단증후군의 심각성을 줄이고 잠재적인 심각한 합병증을 관리하기 위해 의학적 또는 비의학적 관리 및 치료를 시작한다. 치료는 입원환자 병동이나 대상자의 집에서 할 수 있다. 대상자는 금단의 심각성에 따라 투약이 필요할 수 있다. 금단증상은 경미한 불편함에서 생명을 위협하는 정도까지 다양하다. 그러나 주의 깊게 평가하고 관리하면 많은 증상을 완화할 수 있다. 금단의 간호는 다섯 가지 주요 영역에 중점을 둔다.

- 심각한 금단현상으로의 진행 최소화
- 자신/타인의 부상위험 감소
- 탈수, 전해질 및 영양 불균형의 위험 제거
- 발작위험 감소
- 금단을 숨기거나 모방하는 동반장애의 존재 식별

재발 방지

실수와 재발 사이에는 뚜렷한 차이가 있다. 실수는 사람이 물질을 몇 번 정도 다시 사용한 다음 이전의 감소된 수준의 사용 또는 금주로 되돌아가는 '실패'를 의미한다. 이 단계에서 환자는 계속 사용하기로 결정하거나 자신의 실수를 통해 학습하고 사용을 중단할 수 있다. 재발은 환자가 물질사용을 다시 시작하며 감소된 사용 수준을 유지할 수 없을 때 발생한다. 실수가 항상 재발을 초래하는 것은 아니며, 환자가 모든 재발 예방작업 중에 이를 고려하도록 권장해야 한다.

모든 대상자는 실수를 한 경우 더 위험한 재발을 피하기 위한 지지적 지원과 전략을 사용할 수 있도록 계획을 세워야 한다. 실수는 대상자와 치료자 모두에게 경험으로 간주되어야 한다. 예를 들면 다음과 같다. 실수를 유발한 원인이 무엇인지 확인하고 대상자는 어떻게 약물사용을 일시적으로 억제하고 오래된 행동으로 재발하지 않도록 관리해야 하는지 CBT 또는 동기강화상담 프레임워크 내에서 간호사는 실수를 초래한 대상자의 근본적인 생각과 감정을 탐색한다. 간호사의 역할은 대상자가 실수에 기여한 생각을 통해 작업하고 미래를 위해 덜 해로운 사고과정으로 대체하도록 돕는 것이다.

다른 치료적 접근법

광범위한 치료 접근방식을 제공하는 것이 좋다. 거주치료서비스는 일부 대상자에게 효과적일 수 있지만 일부에서 아캄프로세이트(캠프랄) 및 날트렉손과 같은 약물요법이 술에 대한 갈망을 감소시키기도 한다. 또 다른 대상자의 경우 12단계 프로그램이 매우 효과적일 수 있다. 이들은 알코올 중독자 자조모임(Alcoholics Anonymous, AA) 및 마약중독자 자조모임(Narcotics Anonymous, NA)과 같은 동료 지원 프로그램을 의미한다. 이 그룹은 금욕철학을 기반으로 한다.

지역사회 물질 및 알코올 중독 서비스센터는 개인 및 그룹 상담, 약물요법(예 아편제 의존 대상자를 위한 메타돈 및 부프레노르핀 유지), 동기강화치료 및 동기부여 인터뷰 등의 다양한 중재를 제공한다.

폐해 최소화 및 감소

폐해 감소는 문제성 물질사용에 대한 국제적 접근방식의 하나이다. 이를 통해 통합적이고 협력적인 치료 접근방식을 제공할 수 있다.

- 불법약물의 생산 및 공급, 불법물질의 통제 및 규제를 제어하는 공급 감소전략
- 금욕 지향 전략 및 약물사용을 줄이기 위한 치료법을 포함하여 유해한 약물사용의 흡수를 방지하기 위한 수요 감소전략
- 개인 및 지역사회에 대한 약물 피해를 줄이기 위한 피해 감소전략(폐해 감소전략은 약물 관련 위해를 줄이지만 반드시 약물 소비를 다루지는 않는 전략이다)

폐해 최소화는 HIV/AIDS의 확산을 방지하는 데 성공적이었지만, 모든 개인이 금욕할 준비가 되어 있지 않다는 사실을 알게 되었다. 폐해 최소화 전략의 성공은 수용과 비판단적 접근으로, 이는 가장 강력한 중재 중 하나이다. 궁극적으로 폐해 최소화 전략은 개인과 지역사회의 물질사용과 관련된 의학적 및 정신적 문제의 위험 감소를 목표로 한다. 폐해 최소화 전략에는 다음이 포함될 수 있다.

- 바늘 및 주사기 관리는 단순한 멸균주사기 제공을 넘어 1차 보건 및 다양한 사회적 지원 프로그램을 제공하는 것이다.
- 흡입 또는 경구를 통한 대체약물 투여 권고
- 대체 주사부위 – 정맥이 심하게 손상되거나 장기적으로 주사를 받는 환자를 대상으로 고위험 주사부위(예 사타구니 또는 목)를 포함한 주요 정맥부위의 주사를 피하도록 한다.
- 가정용 날록손 사용 교육 – 날록손은 응급상황에서 오피오이드 과다복용을 해독시키기 위해 사용하는 속효성 오피오이드 길항제이다.
- 멸균장비, 필터, 지혈대 사용 및 응급의료서비스 이용방법과 같은 안전한 주사방법에 대한 교육
- 의료기관 이용
- 메타돈 및 부프레노르핀 제공(오피오이드 작용제 치료, 아래 참조)
- 음주운전의 위험성, 대리운전이나 대중교통 정보를 제공하는 프로그램
- 축제 등에서 다양한 불법물질을 평가하기 위한 알약 테스트

또 다른 주요 피해 감소전략은 오피오이드 작용제 치료(이전에는 오피오이드 대체요법으로 알려짐)이다. 지속성 아편유사제인 메타돈(24시간 투여)과 부프레노르핀(24시간, 48시간 또는 72시간 투여)은 헤로인 또는 기타 아편유사제 중독에 대한 대체치료제로 투여되며, 이러한 목적을 위한 '필수의약품'으로 간주된다. 메타돈과 같은 대체 아편유사제도 중독이 일어나기 때문에 정맥주사가 되지 않도록 억제전략이 도입되었다. 부프레노르핀에 날록손이 첨가되어 서브복손[Suboxone (subutex + 날록손)]이 생성되었다. 서브복손 복합제를 주사하면 행복감이 거의 생기지 않고 아편물질이 빠르게 해독되지만 의존성 환자인 경우 금단증상이 발생하므로 주의해야 한다. 노력에도 불구하고 메타돈, 부프레노르핀 및 서브복손 사용 시 주의해야 한다. 간호사는 이러한 약물 사용과 작용에 대해 훈련 및 교육을 받아야 한다.

동반장애 물질사용장애

동시에 하나 이상의 장애가 있는 사람을 설명하는 데 여러 가지 용어가 사용된다. 정신건강, 알코올 및

물질사용 환자를 관리하는 간호사는 '동반장애', '질병장애' 및 '이중 진단'이라는 용어를 같은 의미로 사용하는 경향이 있다. 그러나 최근에는 동반장애 물질사용장애가 이러한 증상을 설명하는 데 더 많이 사용되고 있다. 정신건강 문제가 있는 환자는 심각하고 치명적인 결과(예 우울증 및 알코올, 정신병 및 메스암페타민, 양극성 장애 및 메스암페타민 사용)를 초래하는 알코올 및 물질을 사용하기도 한다. 실제 이러한 관계를 설명하는 많은 이론이 있으며, 정신건강 변화와 물질사용 간의 관계를 결정적으로 예측하는 모델은 없지만 치료계획에는 도움이 될 수 있다.

1. 직접 인과관계 이론(한 장애가 다른 장애를 낳음): 예를 들어, 만성 수정 메스암페타민 사용자는 정신병이 발병하기 시작하고 주된 문제가 될 수 있다. 또는 정신병이 물질사용을 유발할 수 있다. 우울증이 있는 사람은 우울증 증상을 완화하기 위해 술을 마실 수 있으며 알코올 사용이 다양한 문제를 일으킨다.
2. 간접 인과관계 이론: 어린 시절의 우울증은 학교 성적의 저하로 이어질 수 있다. 이는 직업선택을 어렵게 하고, 삶에 대한 좌절, 음주로 이어질 수 있다. 우울증은 음주를 유발하지만 간접적으로 다양한 사회적 문제로 나타난다.
3. 일반적인 인과요인: 예를 들어 외상 경험이나 정신병 및 약물남용의 가족력은 정신장애뿐 아니라 물질사용 및 알코올 문제를 일으키지만 한 장애가 다른 장애를 직접적으로 유발하지는 않는다. 두 장애 모두 어린시절의 초기 외상의 결과로 발생한다.

동반장애 환자는 둘 이상의 별개 장애를 가진 상태가 아닌 동시에 발생한 경우이다. 간호사는 각 환자의 전반적인 치료에 대한 약물사용을 고려하고 치료 선택사항을 인식해야 한다. 불행히도 환자가 서비스에 접근하기 어려울 수 있다. 흡연은 동반장애를 고려할 때 중요한 요소이다. 조현병의 특징은 에너지 부족과 즐거움을 주는 활동에 대한 관심부족, 즉 무쾌감증을 나타나며, 항정신성 약물을 복용하는 경우 진정작용이 발생한다. 각성제는 단기적으로는 에너지를 제공하며, 흡연 또한 정신장애 환자에게 단기적 에너지 증진 효과를 나타낼 수 있다.

또한, 정신장애 환자는 니코틴에 대한 친화력이 높은 수용체가 많은 것으로 밝혀졌다. 이로 인해 일반인에 비해 흡연빈도가 높고 흡연기간이 더 길다고 알려졌다. 정신건강 변화와 흡연과의 관계는 신중하게 고려되어야 한다. 니코틴은 다양한 약물, 특히 클로자핀, 올란자핀 및 일부 벤조디아제핀과 같은 신경이완제와 상호작용하고 대사에 영향을 미친다. 결과적으로 이러한 약물은 환자가 금연을 하게 될 경우 혈청 수준이 변할 수 있다.

동반장애 진단의 임상적 중요성

동반장애가 있는 환자는 단일 정신 건강 문제나 단일 물질사용장애 환자보다 더 나쁜 결과를 보인다. 이러한 경우 복잡한 건강문제와 사회적 문제로 관리가 더 어려울 수 있으며 치료 불이행이 높다. 동반장애 진단을 받은 환자는 만성장애가 있을 가능성이 더 높으며 결과적으로 더 많은 서비스가 필요하다. 이러한 환자는 선택할 수 있는 치료방법이 적고 인간관계의 어려움, 열악한 고용상태, 사회적 고립, 건강 악화 및 만성적 재정의 어려움을 경험하게 된다. 환자는 종종 치료 목표와 결과가 복잡하고 다양한 문제를 가지게 된다. 예를 들어 부모의 약물 남용, 법적 문제, 주거 문제 및 정신적 문제로 인해 보호를 받는 아동이 있다.

박스 13.9 원발성 정신병 장애와 물질유발장애를 구별하기 위한 지침

- 약물 유발 정신병 증상은 중독, 만성 사용 또는 금단현상으로 인해 발생할 수 있다.
- 정신 자극제(예 암페타민)를 장기간 과도하게 사용하면 조현병과 유사한 정신병적 양상을 보일 수 있다.
- 환각제 유발 정신병은 일반적으로 일시적이지만 계속 사용하면 지속될 수 있다.
- 과도한 알코올 사용은 알코올 관련 환각과 관련이 있다.
- 금단(예 진전 섬망) 및 섬망상태 중에도 정신병 증상이 나타날 수 있다.
- 비물질 유발 정신병 장애는 다음과 같은 경우에 고려되어야 한다.
  - 약물사용이 시작되기 전의 정신병
  - 급성 금단증상 또는 심각한 중독 후에도 정신병이 1개월 이상 지속됨
  - 정신병 증상이 사용된 물질과 일치하지 않음
  - 한 달 이상 금욕기간 동안 정신병 증상의 병력이 있는 경우
  - 비물질 유발 정신병 장애의 개인 또는 가족력이 있음

동반장애 환자 관리

물질사용장애와 정신건강 변화가 동시에 발생하는 사람은 치료하기 어려울 수 있다. 간호사는 정신병의 일부인 정신병적 장애와 약물 남용과 관련된 장애를 구별하는 능력을 개발해야 한다(박스 13.9).

동반장애를 가진 환자는 흔히 병원에 자주 가는 것과 관련된 의료진에게 강력하고 불쾌한 감정을 나타낼 수 있다. 서비스에 접근하려는 대상자를 위한 명확한 경로가 부족한 경우가 많다. 또한 환자는 마약 및 알코올 중독을 지원하는 정신건강환경 내에서 금욕에 초점을 맞추는 것으로 낙인 찍힐 수 있다.

환자 집단은 일반적으로 정신건강과 물질사용과 관련하여 동시에 건강을 유지하기 위해 노력한다. 협력적 치료 동맹을 개발하는 것이 필수적이며, 간호사는 이 환자 집단에 대해 공감적이고 무비판적인 접근방식을 채택해야 한다. 이상적으로는 해독을 시도하거나 물질사용을 수정하기 전에 환자의 정신상태가 상대적으로 안정되어야 하지만 이것이 항상 가능한 것은 아니기 때문에, 의료인들은 유연하게 대응해야 한다. 간단한 중재는 외래환자와 입원환자 모두에서 사용할 수 있다. 정신병적 장애와 약물 남용이 있는 환자를 위한 간호원칙은 박스 13.10을 참조한다.

정신병 및 물질사용장애 환자의 간호의 모든 측면과 마찬가지로 안전이 주요 관심사이다. 환자가 정신병으로 정신건강시설에 입원한 경우 급성 위험을 우선적으로 관리하는 것이 중요하며, 하나 이상의 물질에서 금단의 위험이 있는 경우 이 장의 앞부분에서 설명한 금단전략을 즉시 구현해야 한다. 금단증상이 정신건강시설 내에서 진행되는 것이 적절하지 않을 수 있고 환자에게 의료팀의 보다 집중적인 지원이 필요할 수 있기 때문에 예상되는 금단증상의 심각성에 대해 주의 깊게 고려해야 한다. 환자가 좀 더 안정되면 간호사는 환자의 정신과적 증상과 물질의 관계, 환자의 정신병 치료 및 부정적인 증상과 관련된 사회적 고립감을 포함하여 환자의 물질사용에 대한 이유를 탐색하기 시작할 수 있다.

정신건강과 물질사용장애 모두 환자의 변화 준비가 고려되어야 한다. 환자의 물질사용에 대한 변화를 고려하지 않는 경우 최소화 전략에 관한 교육이 반드시 제공되어야 한다. 환자는 문제가 있는 물질의 사용 및 정신병과 관련하여 다양한 변화 단계에 있을 수 있으며, 중재는 이를 반영해야 함을 잊지 않도록 한다.

환자 모집단과 함께 작지만 달성 가능한 목표를

설정하는 것이 중요하다. 크고 장기적인 목표에 초점을 맞추는 것보다 관리할 수 있는 일련의 단계로 세분화해야 한다(예 장기적인 목표인 고용 등의 목표가 아닌 일상생활을 수행하는 데 필요한 목표). 대상자는 물질사용 과정에서 가족이나 친구로부터 멀어지기도 한다. 사회적으로 고립되었다고 느낄 때 새롭고 건강한 우정관계를 형성하는 기술이 부족하면 재발에 취약해진다. 물질사용과 관련이 없는 새로운 사회집단의 재구축은 일상에서 물질의 사용 없이 사는 방법을 다시 배우는 데 필수적이다.

비판적 사고 과제 13.2

H에 대한 사례연구(사례연구 13.1)를 참조하여 당신은 지역사회 정신건강복지센터에서 일하고 있으며 H를 방문하기로 약속했다고 가정해 본다. 보건소 간호사가 H의 이력을 알려 주었다.

1. 이 상황의 해결을 위한 우선순위를 어떻게 정해야 하는가?
2. 어떤 유형의 평가를 시작할 것인가?
3. 어떤 질문을 해야 하는가?
4. H의 상황을 누구와 논의해야 하는가?
5. 어떤 후속조치를 시행할 수 있겠는가?

박스 13.10 정신병 및 물질 남용이 있는 환자를 위한 간호 원칙

평가

- 정신병이 있는 환자에게 물질 남용 여부를 선별한다.
- 사용의 심각성과 관련 위험을 감수하는 행동(예 주사 습관, 안전하지 않은 성관계)을 확인한다.
- 물질 남용으로 인한 기질적 질병이나 신체적 합병증은 제외한다.
- 관련 과거력이나 기록을 확인한다. 가능한 경우 가족이나 가까운 지원이 포함되어야 한다.

치료

- 먼저 비판단적인 태도로 환자의 참여를 유도한다.
- 환자를 교육한다.
- 물질 남용의 유해한 영향에 대한 일반적인 조언을 제공한다.
- 물질사용의 안전하고 책임 있는 수준에 대해 조언한다.
- 개인이 물질 남용과 정신건강 변화(예 메스암페타민 사용 및 편집증 악화) 사이의 연관성을 발견하도록 지원한다.
- 안전한 행위(예 안전한 성행위)에 대해 교육한다.
- 환자가 현재 물질사용의 장단점을 파악하고 변화에 대해 심사숙고하도록 돕는다.
- 의료진과 함께 동시약물요법(예 메타돈, 아캄프로세이트, 니코틴 대체요법)의 필요성을 평가한다.
- 환자에게 적절한 커뮤니티 서비스를 소개한다.
- 정신병과 물질 남용을 모두 해결하는 재발 방지전략을 고안한다.
- 재발을 유발하는 요인(예 다른 마약 사용자와의 만남, 가족 갈등)을 식별하고 대안적인 대처전략을 모색한다.

사례연구 13.1

H는 제2형 당뇨병으로 악화되는 다리 궤양을 치료하기 위해 약 6개월 동안 지역사회 의료서비스를 이용했다. 그녀는 63세이며, 그녀의 남편이 약 12개월 전에 사망하여 혼자 살고 있다. 그녀에게는 결혼한 딸 1명과 해외에 살고 있는 손자 3명이 있다. 이전에 방문했을 때 H는 몸단장을 잘 했고 집은 깨끗했으며 지역간호사에게 자신이 만든 차와 케이크를 제공할 수 있음을 기뻐하는 것처럼 보였다. 하지만 최근 H는 자신을 돌보는 일에 흥미를 잃은 것 같다. 마지막 방문에서 그녀는 단정하지 않아 보였다. 그녀의 옷은 구겨졌고 음식 얼룩이 있었다. 그녀의 개인위생 상태는 좋지 않았고 소변 냄새와 체취가 상당히 강했다. 지역간호사는 탁자 위에 빈 술잔 두 개와 반쯤 채워진 술병을 발견했다. H는 짜증을 냈고 말은 모호했다. 딸과 남편이 없으면 외롭고 심심하다며 '술은 상황을 잊게 도와준다'고 말했다. H는 이전에 알코올이나 기타 약물에 대한 문제를 부인했지만 술이 남편의 죽음에 대처하는 데 도움이 되었으며 의사가 알약을 주었고 기분이 점차 나아졌다고 말했던 적이 있다. H는 당뇨병 약을 복용하는 것을 대부분 기억하지 못하고 있지만 자신에게 '아무 문제가 없다'고 생각하기 때문에 간호사의 걱정이 무엇인지 알지 못한다.

단원 요약

일부 국가에서는 알코올 및 기타 약물 사용이 일반적이다. 많은 사람이 이러한 알코올이나 물질사용 시 문제가 없지만 일부의 경우는 문제가 발생하고 심각한 경우도 있다. 물질사용장애와 정신장애가 동시에 있는 경우는 매우 위험할 수 있다. 이러한 경우 사회적 문제가 발생하기도 하며 치료결과가 부정적일 수 있다.

간호사는 알코올 또는 기타 물질사용 환자를 사정하고 시기적절하고 효과적인 치료를 제공해야 한다. 신중한 간호사정은 물질사용장애가 있는 대상자에게 표적치료를 제공하는 열쇠이다. 환자의 치료 프로그램 초기에 적절한 금단증상을 관리하여 부작용의 위험을 최소화해야 한다.

치료는 알코올 및 기타 약물 사용장애 시 정신건강환경에서 제공될 수 있는 조기중재의 형태이다. 대안으로, 물질사용과 알코올 문제 환자에게 적합한 정신건강서비스를 제공하기 위해 협력하는 방법을 찾아야 한다.

정신장애와 약물사용 장애가 동시 발생하는 환자의 경우 흡연비율은 높으며, 치료결과에 부정적 영향을 미칠 수 있으므로 흡연을 줄이거나 중단할 수 있도록 중재해야 한다. 알코올은 여전히 가장 많이 사용되는 약물이며, 간호사는 정확한 병력을 기록하고 금단 및 관련 합병증의 위험을 최소화하기 위해 지역의료서비스 프로토콜을 따라야 한다.

정신병과 약물사용 장애가 동시 발생하는 환자의 경우 높은 유병률에도 불구하고 이러한 환자집단에 대한 모범 치료 사례가 흔하지는 않다. 그러나 연구에 따르면 두 장애를 동시에 치료하고 통합치료 모델을 선호하는 프로그램이 가장 유익한 것으로 밝혀졌다. 환자는 자신에게 적합한 치료법을 제공받아야 하며, 치료는 의료인과 환자 간의 관계에 중점을 두어야 한다. 환자는 별도의 진단이나 질병이 아닌 한 사람임을 명심한다.

수업참여를 위한 연습

1. 그룹과 함께 다음 질문에 대해 토론해 본다.
   A. 알코올 및 약물 장애가 있는 환자에 대해 부정적인 태도와 감정이 있는 병동 또는 지역사회 환경에서 일하는 간호사라면 어떻게 해야 하는가? 동료에게 도전적으로 반대하겠는가? 혹은 의견 제시를 자제하겠는가? 그들의 태도가 환자 돌봄에 영향을 미친다면 어떻게 해야 하는가? 혹은 이러한 문제 해결을 위해 무엇을 할 수 있는가?
   B. 병동에서 함께 일하고 있을 때 점심시간에 다른 간호사가 보드카를 마시는 것을 본다면 어떤 기분이 들며, 어떻게 해야 하는가?
   C. 병동의 수간호사가 점심을 먹자며 당신을 근처 호텔로 초대했다. 선배는 두 잔의 독한 술을 연속으로 마시고 두 사람은 근무지로 돌아간다. 당신은 그 주 후반에 선배에게 인사평가를 받을 예정이다. 이때 선배를 신고해야 하는가?
   D. 물질 관련 장애가 있는 환자와의 상호작용 및 치료적 반응을 방해할 수 있는 자신의 부정적인 태도와 감정을 알고 있는가? 그러한 태도를 가지고 있다면 어떻게 극복하여 환자와 치료적 관계를 맺을 것인가?
   E. 호주 보건전문등록기관(Ahpra) 또는 뉴질랜드 간호위원회는 근무 중 약물을 사용하는 간호사에 대한 불만사항에 대응하기 위해 어떤 역할을 하는가?
2. 36세 남자가 T 38.1, P 106, R 28, BP 189/93, 심한 발한 및 떨림 증상으로 입원했다. 그는 매우 초조해 보인다. 정신상태 검사는 혼란, 지남력 상실, 환각 및 환촉을 나타낸다. 그의 파트너는 그가 과음했던 적이 있다고 조언하지만 그는 2일 전부터 금주한 상태이다. 환자는 어떤 물질 유발 장애를 겪고 있는가?
   A. 물질 유발 정신병
   B. 알코올 금단증후군
   C. 진전 섬망
   D. 물질 유발 불안 장애
3. 간호사가 해독을 위해 입원한 환자에 대해 초기 입원 인터뷰를 할 때 다음 중 평가하는 것이 중요한 영역은 무엇인가?
   A. 사용된 약물의 유형
   B. 가족력
   C. 입원 이유
   D. 물리적 기록

● 유용한 웹사이트

Alcohol Advisory Council of New Zealand (AACNZ): http://www.alcohol.org.nz

AUDIT – the Alcohol Use Disorders Identification Test: http://www.who.int/substance_abuse/publications/alcohol/en

Australian alcohol guidelines: http://www.nhmrc.gov.au/health-topics/alcohol-guidelines

Australian Government National Drugs Campaign: http://www.drugs.health.gov.au

Cochrane Library, evidence-based healthcare decision making: http://www.cochranelibrary.com

Glasgow Structured Approach to Assessment of the Glasgow Coma Scale: http://www.glasgowcomascale.org

Harm Reduction Australia: http://www.harmreductionaustralia.org.au

Harm Reduction Victoria: http://www.hrvic.org.au

ICD-11: https://www.who.int/classifications/icd/en/

Matua Raki, National Addiction Workforce Development: http://www.matuaraki.org.nz

Mental Health Coordinating Council: http://www.mhcc.org.au

National Centre for Education and Training on Addictions: http://nceta.flinders.edu.au

National Drug and Alcohol Research Centre: https://ndarc.med.unsw.edu.au

National Drug Research Institute: http://ndri.curtin.edu.au

National Institute on Drug Abuse, the science of drug abuse and addiction: http://www.drugabuse.gov

New South Wales Health – Clinical guidelines for nursing and midwifery practice in NSW: https://www.health.nsw.gov.au/aod/professionals/Pages/clinical-guidelines-nursing-and-midwifery.aspx

Queensland Alcohol and Drug Research and Education Centre: https://public-health.uq.edu.au/queensland-alcohol-and-drug-research-and-education-centre

Substance Abuse and Mental Health Services Administration (SAMSHA): http://www.samhsa.gov

Te Pou o Te Whakaaro Nui, national centre of evidence-based workforce development for the mental health, addiction and disability sectors in New Zealand: http://www.tepou.co.nz

Thorne Harbour health: https://thorneharbour.org

Turning Point Alcohol and Drug Centre: http://www.turningpoint.org.au

United Nations Office on Drugs and Crime: http://www.unodc.org

Victorian Responsible Gambling Foundation: http://www.responsiblegambling.vic.gov.au

● 참고문헌

Akram, H., Mokrysz, C., Curran, H.V., 2019. What are the psychological effects of using synthetic cannabis? A systematic review. J. Psychopharmacol. 33 (3), 271–283.

Alcoholics Anonymous (AA) Australia, 2001. Alcoholics Anonymous world service. Available: www.alcoholicsanonymous.org.au/fact_me_membership.num.

Alfred, S., 2015. Methamphetamine management in the acute care setting. In: NCETA/SANDAS South Australian Methamphetamine Forum. Flinders University, Adelaide.

Allsop, S., 2008. Drug Use and Mental Health: Effective Responses to Co-Occurring Drug and Mental Health Problems. IP Publishing, Melbourne.

American College of Obstetricians and Gynaecologists (ACOG), 2017. Opioid use and opioid use disorder in pregnancy. ACOG 711, 1–14.

American Psychiatric Association, 2013. Diagnostic and Statistical Manual of Mental Disorders, fifth ed. (DSM-5). American Psychiatric Association, Washington.

Australian Institute of Health and Welfare (AIHW), 2018a. Alcohol, tobacco & other drugs in Australia. Available: www.aihw.gov.au/reports/alcohol/alcohol-tobacco-other-drugs-australia/contents/.

Australian Institute of Health and Welfare (AIHW), 2018b. Australian mothers and babies 2016: in brief. Available: https://www.aihw.gov.au/reports/mothers-babies/australias-mothers-babies-2016-in-brief/contents/summary.

Australian Institute of Health and Welfare (AIHW), 2017a. Aboriginal and Torres Strait Islander health performance. Available: https://www.aihw.gov.au/reports/indigenous-health-welfare/health-performance-framework/contents/tier-2-determinants-of-health/2-16-risky-alcohol-consumption.

Australian Institute of Health and Welfare (AIHW), 2017b. National drug household survey 2016: detailed findings. Drug statistics series no. 31. Canberra, Australia.

Australian Institute of Health and Welfare (AIHW), 2015. The health and welfare of Australia's Aboriginal and Torres Strait Islander people. Available: https://www.aihw.gov.au/reports-data/health-welfare-overview/indigenous-health-welfare/overview.

Baker, A., Vellman, R., 2007. Clinical Handbook of Co-Existing Mental Health and Drug and Alcohol Problems. Routledge, Taylor & Francis, London.

Berridge, K.C., Kringelbach, M.L., 2015. Pleasure systems in the brain. Neuron 86 (3), 646–664.

Bien, T.H., Miller, W.R., Tonigan, J.S., 1993. Brief interventions for alcohol problems: a review. Addiction 88 (3), 315–335.

Boisvert, D.L., Connolly, E.J., Vaske, J.C., et al., 2019. Genetic and environmental overlap between substance use and delinquency in adolescence: an analysis by same-sex twins. Youth Violence Juv. Justice 17 (2), 154–173.

Bostwick, J., Lapid, M., 2004. False positives on the Clinical Institute Withdrawal Assessment for Alcohol-Revised: is this scale appropriate for use in the medically ill? Psychosomatics 45 (3), 256–261.

Bower, C., Elliot, E.J., 2016. Report to the Australian Government Department of Health: Australian guide to the diagnosis of fetal alcohol spectrum disorder (FASD). Available: https://www.fasdhub.org.au/siteassets/pdfs/australian-guide-to-diagnosis-of-fasd_all-appendices.pdf.

Brett, J., Lee, K., Gray, D., et al., 2016. Mind the gap: what is the difference between alcohol treatment need and access for Aboriginal and Torres Strait Islander Australians? Drug Alcohol Rev. 35, 456–460.

Bryant, J., Ward, J., Wand, H., et al., 2016. Illicit and injecting drug use among Indigenous young people in urban, regional and remote Australia. Drug Alcohol Rev. 35, 447 – 455.

Burns, L., Roxburgh, A., Matthews, A., et al., 2014. The rise of new psychoactive substance use in Australia. Drug Test. Anal. 6 (7 – 8), 846 – 849.

Cancer Council, 2018. Measures of tobacco dependence. Available: https://www.tobaccoinaustralia.org.au/chapter-6-addiction/6-12-measures-of-tobacco-dependence.

Cancer Council Victoria, 2018. Tobacco in Australia: Acute effects of nicotine on the body. Available: https://www.tobaccoinaustralia.org.au/chapter-6-addiction/6-10-acute-effects-of-nicotine-on-the-body.

Centre for Disease Control and Prevention, 2018. Health effects of cigarette smoking. Available: https://www.cdc.gov/tobacco/data_statistics/fact_sheets/health_effects/effects_cig_smoking/index.htm.

Cesconetto, P.A., Andrade, C.M., Cattani, D., et al., 2016. Maternal exposure to ethanol during pregnancy and lactation affects glutamatergic system and induces oxidative stress in offspring hippocampus. Alcohol. Clin. Exp. Res. 40 (1), 52 – 61.

Chamberlain, S.R., Stochl, J., Redden, S.A., et al., 2017. Latent class analysis of gambling sub-types and impulsive/compulsive associations: time to re-think diagnostic boundaries for gambling disorder? Addict. Behav. 72, 79 – 85.

Clancy, R.V., Hodgson, R.C., Kendurkar, A., et al., 2018. Synthetic cannabinoid use in an acute psychiatric inpatient unit. Int. J. Ment. Health Nurs. 27 (2), 600 – 607.

Department of Health, 2004. Working with young people on AOD issues: the stages of change model. Available: https://www.health.gov.au/internet/publications/publishing.nsf/Content/drugtreat-pubs-front9-wk-toc~drugtreat-pubs-front9-wk-secb~drugtreat-pubs-front9-wk-secb-3~drugtreat-pubs-front9-wk-secb-3-3.

Drake, R.E., Wallach, M.A., 2000. Dual diagnosis: 15 years of progress. Psychiatr. Serv. 51 (9), 1126 – 1129.

Drug Foundation, 2018. NZ Drug Foundation: Drug Index Tobacco. Available: https://www.drugfoundation.org.nz/info/drug-index/tobacco/.

Dumas, A., Toutain, S., Hill, C., et al., 2018. Warning about drinking during pregnancy: lessons from the French experience. Reprod. Health 15 (20), 1 – 9.

FASD Hub, 2016. FASD diagnosis: Australian guide to the diagnosis of FASD. Available: https://www.fasdhub.org.au/fasd-information/assessment-and-diagnosis/guide-to-diagnosis/.

George Institute for Global Health, 2015. Fighting for a future. The story of the women of Fitzroy Crossing. Available: www.georgeinstitute.org.au/projects/fighting-for-a-future-the-story-of-the-women-of-fitzroy-crossing. (Accessed 2 November 2015).

Glassman, S., Kottsieper, P., Zuckoff, A., et al., 2013. Motivational interviewing and recovery: experiences of hope, meaning and empowerment. Adv. Dual Diag. 6 (3), 106 – 120.

Government of South Australia, 2019. Adverse effects due to long-term opioids – medical staff information. Available: https://www.sahealth.sa.gov.au/wps/wcm/connect/f190e680499f905480cbde9b6ca12d15/Fact%2Bsheet.adverse%2Beffects%2Bdue%2Bto%2Blongterm%2Bopioids.medical.pdf?MOD=AJPERES&CACHE=NONE&CONTENTCACHE=NONE.

Gowing, L., Ali, R., Dunlop, A., et al., 2014. National guidelines for medication-assisted treatment of opioid dependence. Canberra: Department of Health. Available: http://www.nationaldrugstrategy.gov.au/internet/drugstrategy/Publishing.nsf/content/AD14DA97D8EE00E8CA257CD1001E0E5D/$File/National_Guidelines_2014.pdf.

Grant, J.E., Odlaug, B.L., Chamberlain, S.R., 2017. Gambling disorder, DSM-5 criteria and symptom severity. Compr. Psychiatry 75, 1 – 5.

Grant, J.E., Odlaug, B.L., Schreiber, L.R.N., 2014. Pharmacological treatment in pathological gambling. Br. J. Clin. Pharmacol. 77 (2), 375 – 381.

Hughes, J.A., Sheehan, M., Evans, J., 2017. Treatment and outcomes of patients presenting to an adult emergency department involuntarily with substance misuse. Int. J. Ment. Health Nurs. 27 (2), 593 – 599.

Humphreys, K., Blodgett, J.C., Wagner, T.H., 2014. Estimating the efficacy of Alcoholics Anonymous without self-selection bias: an instrumental variables re-analysis of randomized clinical trials. Alcohol. Clin. Exp. Res. 38 (11), 2688 – 2694.

Ishizuka, H., 2010. Carlyle's nervous dyspepsia: nervousness, indigestion and the experience of modernity in nineteenth-century Britain. In: Salisbury, L., Shail, A. (Eds.), Neurology and Modernity: A Cultural History of Nervous Systems, 1800 – 1950. Palgrave Macmillan, London, pp. 81 – 95.

Karila, L., Roux, P., Rolland, B., et al., 2014. Acute and long-term effects of cannabis us: a review. Curr. Pharm. Des. 20 (25), 4112 – 4118.

Kelly, J.F., Stout, R.L., Slaymaker, V., 2013. Emerging adults' treatment outcomes in relation to 12-step mutual-help attendance and active involvement. Drug Alcohol Depend. 129

(1–2), 151–157.

Kleinloog, D., Roozen, F., De Winter, W., et al., 2014. Profiling subjective effects of delta9-tetrahydrocannabinol using visual analogue scales. Int. J. Psychiatr. Res. 23 (2), 245–256.

Lai, H.M., Cleary, M., Sitharthan, T., et al., 2015. Prevalence of comorbid substance use, anxiety and mood disorders in epidemiological surveys, 1990–2014: a systematic review and meta-analysis. Drug Alcohol Depend. 154, 1–13.

Larance, B., Lintzeris, N., Ali, R., et al., 2014. The diversion and injection of a buprenorphine-naloxone soluble film formulation. Drug Alcohol Depend. 136, 21–27.

Lawn, W., Freeman, T.P., Pope, R.A., et al., 2016. Acute and chronic effects of cannabinoids on effort-related decision making and reward learning: an evaluation of cannabis amotivational hypotheses. Psychopharmacology (Berl) 233, 3537–3552.

Lehmann, S.W., Fingerhood, M., 2018. Substance-use disorders in later life. N. Engl. J. Med. 379 (24), 2351–2360.

Lubman, D., Sundram, S., 2003. Substance misuse in patients with schizophrenia: a primary care guide. Med. J. Aust. 178 (Suppl.May), 71–75.

Lundahl, B., Moleni, T., Burke, B.L., et al., 2013. Motivational interviewing in medical care settings: a systematic review and meta-analysis of randomized controlled trials. Patient Educ. Couns. 93 (2), 157–168.

Manning, V., Arunogiri, S., Frei, M., et al., 2018. Alcohol and Other Drug Withdrawal: Practice Guidelines, third ed. Turning Point, Richmond, Victoria.

Marsh, A., Dale, A., O'Toole, S., 2013. Addiction Counselling: Content and Process, second ed. IP Communications, Melbourne.

Martin-Santos, R., Crippa, J.A., Batalla, A., et al., 2012. Acute effects of a single, oral dose of delta9-tetrahydrocannabinol (THC) and cannabidiol (CBD) administration in healthy volunteers. Curr. Pharm. Des. 18 (2), 2966–4979.

McGovern, M.P., Lambert-Harris, C., Xie, H., et al., 2015. A randomized controlled trial of treatments for co-occurring substance use disorders and post-traumatic stress disorder. Addiction 110 (7), 1194–1204.

Mendelsohn, C.P., Kirby, D.P., Castle, D.J., 2015. Smoking and mental illness: an update for psychiatrists. Australas. Psychiatry 23 (1), 37–43.

Miller, W.R., Rollnick, S., 2009. Ten things that motivational interviewing is not. Behav. Cogn. Psychother. 37 (2), 129–140.

Mills, K., Deady, M., Proudfoot, H., et al., 2008. Guidelines on the Management of Co-Occurring Alcohol and Other Drug and Mental Health Conditions in Alcohol and Other Drug Treatment Settings. National Drug and Alcohol Research Centre, University of New South Wales, Sydney.

Ministry of Health, 2015. Cannabis Use 2012/13: New Zealand Health Survey. Ministry of Health, Wellington. Available: www.health.govt.nz/publication/cannabis-use-2012-13-new-zealand-health-survey.

Ministry of Health, 2018a. Alcohol Use in New Zealand: Key Results of the 2016/2017 New Zealand Alcohol and Drug Use Survey. Ministry of Health, Wellington.

Ministry of Health, 2018b. Alcohol and other drug use in New Zealand: key results 2017/2018. Available: https://minhealthnz.shinyapps.io/nz-health-survey-2017-18-annual-data-explorer/_w_0811ceee/_w_0eba45bd/#!/explore-topics.

Moore, T.J., Glenmullen, J., Mattison, D.R., 2014. Reports of pathological gambling, hypersexuality, and compulsive shopping associated with dopamine receptor agonist drugs. JAMA Intern. Med. 174 (12), 1930–1933.

Moyer, A., Finney, J.W., 2015. Brief interventions for alcohol misuse. CMAJ 187 (7), 502–506.

Musselman, M.E., Hampton, J.P., 2014. Not for human consumption: a review of emerging designer drugs. Pharmacotherapy 34 (7), 745–757.

National Drug Strategy, 2015. Intergovernmental committee on drugs: National Drug Strategy 2016–2025. Available: http://www.nationaldrugstrategy.gov.au/internet/drugstrategy/publishing.nsf/Content/draftnds.

National Health and Medical Research Council (NHMRC), 2015. Australian guidelines to reduce health risks from drinking alcohol. Commonwealth of Australia, Canberra. Available: www.nhmrc.gov.au/health-topics/alcohol-guidelines.

National Institute on Drug Abuse, 2019. Methamphetamine: What are the long-term effects of methamphetamine misuse? Available: https://www.drugabuse.gov/publications/methamphetamine/what-are-long-term-effects-methamphetamine-misuse.

New South Wales (NSW) Department of Health, 2008. NSW Drug and Alcohol Withdrawal Clinical Practice Guidelines. NSW Department of Health, Sydney.

New South Wales Health, 2013. Clinical guidelines for nursing and midwifery practice in NSW. In: Identifying and Responding to Drug and Alcohol Issues. NSW Health, Sydney. Available:

https://www1.health.nsw.gov.au/pds/ActivePDSDocuments/GL2008_001.pdf.

NOFASD, 2018. FASD Definition. Available: https://www.nofasd.org.au/.

NSW Department of Health, 2018. Nursing & Midwifery Clinical Guidelines: identifying and responding to drug and alcohol issues. Available: https://www1.health.nsw.gov.au/pds/ActivePDSDocuments/GL2008_001.pdf.

Nutt, D.J., Lingford-Hughes, A., Erritzoe, D., et al., 2015. The dopamine theory of addiction: 40 years of highs and lows. Nat. Rev. Neurosci. 16 (5), 305 - 312.

Prochaska, J., DiClemente, C., 1984. The Transtheoretical Approach: Crossing Traditional Boundaries of Therapy. Dow/Jones Irwin, Homewood, Ill.

Rasmussen, N., 2011. Medical science and the military: the Allies' use of amphetamine during World War II. J. Interdiscip. Hist. 42 (2), 205 - 233.

Ries, R., Fiellin, D., Miller, S., et al., 2014. American Society of Addiction Medicine: Principles of Addiction Medicine. Wolters Kluwer, Philadelphia.

Riper, H., Andersson, G., Hunter, S.B., et al., 2014. Treatment of comorbid alcohol use disorders and depression with cognitive behavioural therapy and motivational interviewing: a meta-analysis. Addiction 109 (3), 394 - 406.

Robertson, C.L., Ishibashi, K., Mandelkern, M.A., et al., 2015. Striatal D1- and D2-type dopamine receptors are linked to motor response inhibition in human subjects. J. Neurosci. 35 (15), 5990 - 5997.

Rosenfeld, J.V., 2012. Practical Management of Head and Neck Injury. Churchill Livingstone, Sydney.

Roussy, V., Thomaco, N., Rudd, A., et al., 2017. Enhancing health-care workers' understanding and thinking about people living with co-occurring mental health and substance use issues through consumer-led training. Health Expect. 18 (5), 1567 - 1581.

Royal Australian College of General Practitioners (RACGP), 2015. Prescribing drugs of dependence in general practice, Part B: Benzodiazepines. Available: https://www.racgp.org.au/clinical-resources/clinical-guidelines/key-racgp-guidelines/view-all-racgp-guidelines/prescribing-drugs-of-dependence.

St Vincent's Hospital Melbourne, 2019. Alcohol Withdrawal Syndrome: Clinical Practice Guidelines. St Vincent's Hospital, Melbourne.

Substance Abuse and Mental Health Services Administration (SAMSHA), 2017. Focus on prevention: strategies and programs to prevent substance use. Available: https://store.samhsa.gov/system/files/sma10-4120.pdf.

Substance Abuse and Mental Health Services Administration (SAMSHA), 2004. Physical and psychological effects of substance use: Handout. Available: https://ncsacw.samhsa.gov/files/TrainingPackage/MOD2/PhysicalandPsychEffectsSubstanceUse.pdf.

Sud, P., Gordon, M., Tortora, L., et al., 2018. Retrospective chart review of synthetic cannabinoid intoxication with toxicologic analysis. West. J. Emerg. Med. 19 (3), 567 - 572.

Taplin, S., Richmond, G., McArthur, M., 2015. Identifying Alcohol and Other Use During Pregnancy. Outcomes for Women, Their Partners and Their Children. Institute of Child Protection Studies, Australian Catholic University, Canberra.

The Royal Women's Hospital, 2018a. Alcohol and pregnancy. Available: https://www.thewomens.org.au/health-professionals/maternity/womens-alcohol-and-drug-service.

The Royal Women's Hospital, 2018b. Cigarettes and tobacco. Available: https://thewomens.r.worldssl.net/images/uploads/fact-sheets/Cigarettes-and-tobacco-250818.pdf.

United Nations Office on Drugs and Crime (UNODC), 2018a. World Drug Report 2018: Executive summary - conclusions and policy implications. Available: www.unodc.org/wdr2018/en/exsum.html.

United Nations Office on Drugs and Crime (UNODC), 2018b. World Drug Report 2018: Global overview of drug demand and supply. Available: www.unodc.org/wdr2018/en/drug-demand-and-supply.html.

United Nations Office on Drugs and Crime (UNODC), 2019. UNODC Early warning advisory on new psychoactive substances. Available: https://www.unodc.org/LSS/Page/NPS.

Vasilaki, E.I., Hosier, S.G., Cox, W.M., 2006. The efficacy of motivational interviewing as a brief intervention for excessive drinking: a meta-analytic review. Alcohol 41 (3), 328 - 335.

Victorian Responsible Gambling Foundation, 2018. Problem gambling in people seeking treatment for mental illness. Available: www.responsiblegambling.vic.gov.au.

Waaktaar, T., Kan, K.J., Torgerson, S., 2018. The genetic and environmental architecture of substance use development from early adolescence into young adulthood: a longitudinal twin study of comorbidity of alcohol, tobacco and illicit drug use. Addiction 113 (4), 740 - 748.

Wand, H., Ward, J., Bryant, J., et al., 2016. Individual and population level impacts of illicit drug use, sexual risk behaviours on sexually transmitted infections among young Aboriginal and Torres Strait Islander people: results from the Goanna survey. BMC Public Health 16 (1), 1–9.

Weaver, M.F., Hopper, J.A., Gunderson, E.W., 2015. Designer drugs 2015: assessment and management. Addict. Sci. Clin. Pract. 10, 8.

Wild, T.C., Cunningham, J.A., Roberts, A.B., 2007. Controlled study of brief personalized assessment – feedback for drinkers interested in self-help. Addiction 102 (2), 241–250.

Wise, E.A., Streiner, D.L., Gallop, R.J., 2017. Predicting change in an integrated dual diagnosis substance abuse intensive outpatient program. Subst. Use Misuse 52 (7), 848–857.

World Health Organization (WHO), 2018a. International classification of diseases, 11th revision. Available: https://icd.who.int/en/.

World Health Organization (WHO), 2018b. Global status report on alcohol and health 2018. Available: www.who.int/substance_abuse/publications/global_alcohol_report/en.

World Health Organization (WHO), 2001. AUDIT: the Alcohol Use Disorders Identification Test. Guidelines for use in primary healthcare, 2nd edn. Available: http://whqlibdoc.who.int/hq/2001/who_msd_msb_01.6a.pdf.

World Health Organization (WHO), 2013. WHO model list of essential medicines. Available: http://apps.who.int/iris/bitstream/10665/93142/1/EML_18_eng.pdf.

World Health Organization (WHO), 2015. ASSIST (Alcohol Smoking and Substance Involvement Screening Test). Available: www.who.int/substance_abuse/activities/assist/en. (Accessed 1 June 2015).

Yokell, M.A., Zaller, N.D., Green, T.C., et al., 2011. Buprenorphine and buprenorphine/naloxone diversion, misuse, and illicit use: an international review. Curr. Drug Abuse Rev. 4 (1), 28–41.

편집위원

강경화	청운대학교	**원미라**	대원대학교
강문희	충남대학교	**유영미**	백석대학교
김희숙	경북대학교	**유진희**	경인여자대학교
민지영	제주한라대학교	**이윤주**	재능대학교
송지현	제주한라대학교	**장미희**	경희대학교
안영미	백석대학교	**허 정**	전)김천대학교
오은희	백석문화대학교		

집필진

권은진	부천대학교	**손정아**	강서대학교
김경미	강동대학교	**시은아**	강동대학교
김미자	대전과학기술대학교	**신경숙**	대경대학교
김은주	대전대학교	**윤영주**	문경대학교
김지인	순천대학교	**채공주**	한림성심대학교
박경란	한림성심대학교	**최명희**	위덕대학교
서유진	동의대학교		

정신간호학 I

2024년 3월 7일 초판 발행
2025년 2월 20일 2판 발행

저 자 안영미 외
발 행 인 배영환 외
발 행 처 도서출판 의학교육
등록번호 제 2013-114 호
주 소 서울시 영등포구 영중로 138-1(영등포동 8가 80-2) 드림프라자 B 901호
Tel 02) 2637-4806, 4863 Fax 02) 2637-4807
홈페이지 www.medipub.co.kr
E - mail okpress1208@naver.com
정 가 65,000원(세트)
I S B N 979-11-6127-248-1 94510(세트)
979-11-6127-249-8 94510